## 만렙

만렙은 찰만(滿)과 레벨(Level)의 합성어로, 게임 등에서 지원하는 최대 레벨을 의미한다.

만렙 수학은 "내 수준에 맞는 유형서로 나의 수학 실력을 최대치까지 끌어올려 보자" 라는 의미로 사용되었으며,

두 수준의 유형서 PM, AM으로 구분된다.

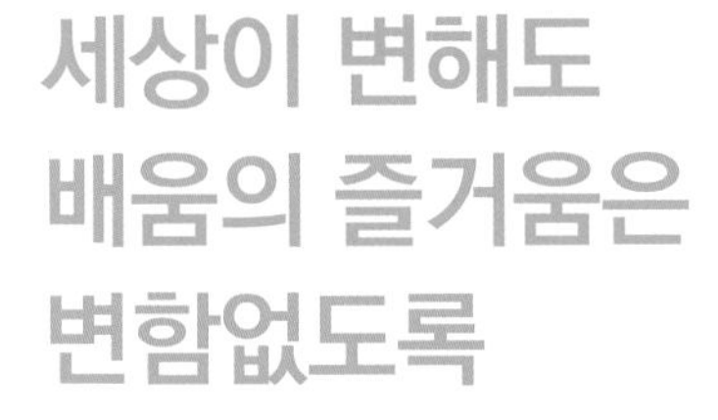


시대는 빠르게 변해도
배움의 즐거움은
변함없어야 하기에

어제의 비상은
남다른 교재부터
결이 다른 콘텐츠
전에 없던 교육 플랫폼까지

변함없는 혁신으로
교육 문화 환경의 새로운 전형을
실현해왔습니다.

비상은 오늘, 다시 한번
새로운 교육 문화 환경을 실현하기 위한
또 하나의 혁신을 시작합니다.

오늘의 내가 어제의 나를 초월하고
오늘의 교육이 어제의 교육을 초월하여
배움의 즐거움을 지속하는 혁신,

바로, 메타인지 기반 완전 학습을.

**상상을 실현하는 교육 문화 기업 비상**

**메타인지 기반 완전 학습**

초월을 뜻하는 meta와 생각을 뜻하는 인지가 결합한 메타인지는
자신이 알고 모르는 것을 스스로 구분하고 학습계획을 세우도록 하는
궁극의 학습 능력입니다. 비상의 메타인지 기반 완전 학습 시스템은
잠들어 있는 메타인지를 깨워 공부를 100% 내 것으로 만들도록 합니다.

# 수학 I

# 만렙 PM의 특징

## 시험 빈출 핵심 유형 최다 수록

✔ 너무 쉬워서 시험에 안 나오는 문제는 NO

✔ 너무 어려워서 시험에 안 나오는 문제도 NO

기초 문제는 필요 없고 시험에 출제되는 상 수준의 문제까지 풀고 싶은 학생에게 최적화된 구성으로, 실속 있게 내 실력을 레벨업할 수 있다.

## 유형별로 모든 난이도의 문제를 한 번에 배열

✔ 1단계, 2단계, 3단계, …마다 같은 개념의 문제가 반복되는 구성이 지루하다.

✔ 유형별 문제를 한 번에 마스터하기 어렵다.

유형별로 시험에 출제되는 모든 문제를 한 번에 학습하기를 원하는 학생에게 최적화된 구성으로, 유형을 빠르게 마스터할 수 있다.

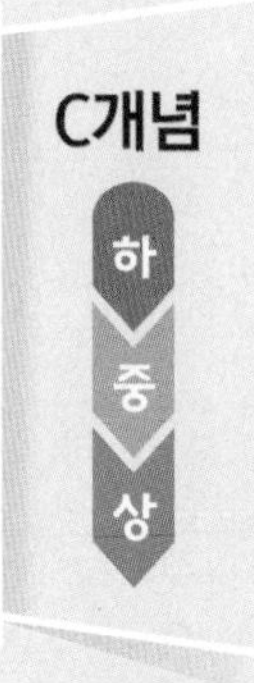


Structure

구성

## 핵심 유형

핵심 유형 정리와 대표 문제만을 모아서 구성하여 핵심 및 대표 문제를 한눈에 파악하기 쉽다.

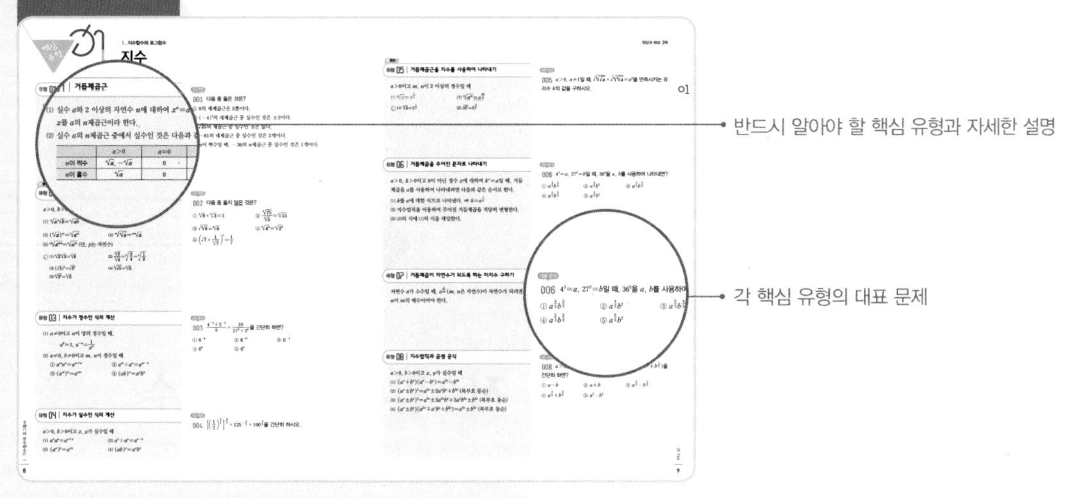

- 반드시 알아야 할 핵심 유형과 자세한 설명
- 각 핵심 유형의 대표 문제

## 핵심 유형 완성하기

대표 문제를 다시 한 번 풀어보고 다양한 난이도의 문제를 유형별로 풀어볼 수 있다.

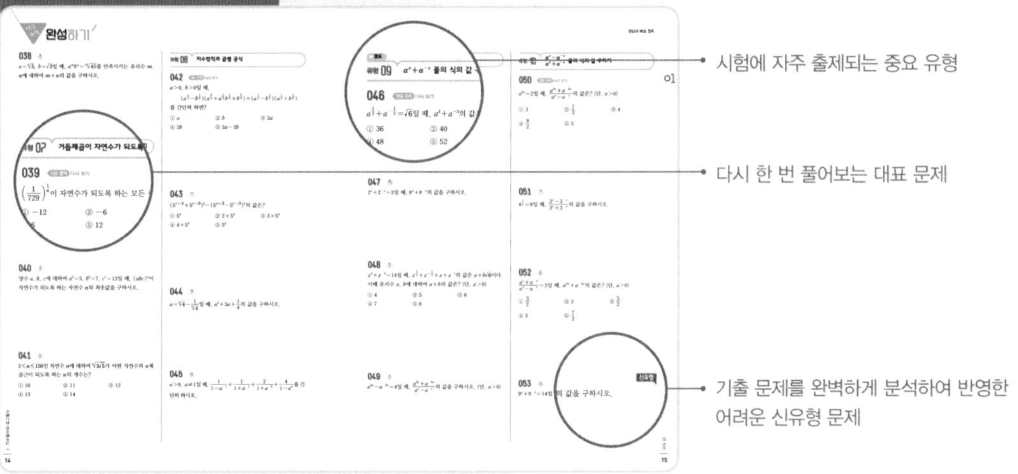

- 시험에 자주 출제되는 중요 유형
- 다시 한 번 풀어보는 대표 문제
- 기출 문제를 완벽하게 분석하여 반영한 어려운 신유형 문제

## 핵심 유형 최종 점검하기

출제율 높은 핵심 문제로 자신의 실력을 테스트할 수 있다.

### 최종 점검하기

01 지수

**067**
6의 세제곱근 중 실수인 것의 개수를 $a$, $-7$의 네제곱근 중 실수인 것의 개수를 $b$, $-27$의 세제곱근의 개수를 $c$라 할 때, $a+b+c$의 값을 구하시오.

**068**
$\sqrt{\frac{\sqrt[3]{81}}{81}} \times \sqrt{\frac{\sqrt{81}}{\sqrt[3]{81}}}$ 을 간단히 하면?
① $\sqrt[3]{3}$ ② $\frac{1}{\sqrt[3]{3}}$ ③ $\frac{2}{\sqrt[3]{3}}$ ④ $\sqrt[3]{9}$ ⑤ $\frac{1}{\sqrt[3]{9}}$

**069**
$a>0$일 때, $\sqrt{a\sqrt[3]{a\sqrt[4]{a^3}}}=\sqrt[p]{a^q}$을 만족시키는 서로소인 두 자연수 $p$, $q$에 대하여 $p+q$의 값은?
① 43 ② 45 ③ 47 ④ 49 ⑤ 51

**070**
$a\neq0$, $b\neq0$일 때, [illegible]을 만족시키는 정수 $m$, $n$에 대하여 $m+n$의 값은?
① $-6$ ② $-5$ ③ $-4$ ④ $-3$ ⑤ $-2$

**071**
다음 중 옳지 않은 것은? (단, $a>0$, $b>0$)
① [illegible] ② $81^{0.75}=27$ ③ [illegible] ④ [illegible] ⑤ [illegible]

**072**
$x>0$, $y>0$일 때, [illegible]를 간단히 하면?
① [illegible] ② [illegible] ③ [illegible] ④ [illegible] ⑤ [illegible]

**073**
$a>0$, $a\neq1$일 때,
[illegible]
을 만족시키는 자연수 $k$의 값을 구하시오.

**074**
$3^x=a$, $3^y=b$일 때, $\left(\frac{1}{3}\right)^{x-2y}$을 $a$, $b$를 사용하여 나타내면?
① $ab$ ② $a^2b$ ③ $ab^2$ ④ $\frac{b^2}{a}$ ⑤ $\frac{a^2}{b}$

**075**
양수 $a$, $b$에 대하여 [illegible]일 때, [illegible]이 자연수가 되도록 하는 자연수 $k$의 최솟값을 구하시오.

**076**
$a=2$일 때, $(a^{-\frac{1}{2}}+a^{\frac{1}{2}})^2+(a^{-\frac{1}{2}}-a^{\frac{1}{2}})^2$의 값은?
① 9 ② 10 ③ 11 ④ 12 ⑤ 13

**077**
$a^{\frac{1}{2}}+a^{-\frac{1}{2}}=3$일 때, $\frac{a^{\frac{3}{2}}+a^{-\frac{3}{2}}}{a+a^{-1}+2}$의 값은? (단, $a>0$)
① 1 ② 2 ③ 3 ④ 4 ⑤ 5

**078**
$\frac{a^x+a^{-x}}{a^x-a^{-x}}=5$일 때, [illegible]의 값은? (단, $a>0$)
① $\frac{3}{2}$ ② $\frac{19}{12}$ ③ $\frac{5}{3}$ ④ $\frac{7}{4}$ ⑤ $\frac{11}{6}$

**079**
양수 $a$, $b$, $c$에 대하여 $abc=36$이고 $a^x=b^y=c^z=216$일 때, $\frac{1}{x}+\frac{1}{y}+\frac{1}{z}$의 값을 구하시오.

**080**
$9^x=16^y=a^z$이고 $\frac{1}{x}-\frac{1}{y}=\frac{2}{z}$일 때, 양수 $a$의 값을 구하시오. (단, $xyz\neq0$)

**081**
세 수 $A=\sqrt[3]{5}$, $B=\sqrt{\sqrt{10}}$, $C=\sqrt[3]{\sqrt{98}}$의 대소 관계는?
① $A<C<B$ ② $B<A<C$ ③ $B<C<A$ ④ $C<A<B$ ⑤ $C<B<A$

**082**
일정한 비율로 붕괴되는 어떤 방사성 물질의 처음의 양을 $m_0$, $t$시간 후의 양을 $m_t$라 하면
$m_t=m_0\times\left(\frac{1}{2}\right)^{\frac{t}{15}}$
인 관계가 성립한다고 한다. 30시간 후 이 방사성 물질의 양을 $m_{30}$, 45시간 후 이 방사성 물질의 양을 $m_{45}$라 할 때, $\frac{m_{30}}{m_{45}}$의 값을 구하시오.

18 19

# 만렙 PM의 차례

Contents

## 지수함수와 로그함수

## 삼각함수

## 수열

# 지수

유형 01 거듭제곱근

유형 02 거듭제곱근의 계산

유형 03 지수가 정수인 식의 계산

유형 04 지수가 실수인 식의 계산

유형 05 거듭제곱근을 지수를 사용하여 나타내기

유형 06 거듭제곱을 주어진 문자로 나타내기

유형 07 거듭제곱이 자연수가 되도록 하는 미지수 구하기

유형 08 지수법칙과 곱셈 공식

유형 09 $a^x+a^{-x}$ 꼴의 식의 값 구하기

유형 10 $\frac{a^x-a^{-x}}{a^x+a^{-x}}$ 꼴의 식의 값 구하기

유형 11 밑이 서로 다를 때 식의 값 구하기

유형 12 거듭제곱근의 대소 비교

유형 13 지수의 실생활에의 활용

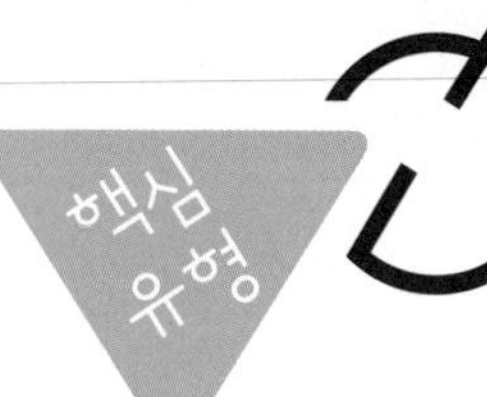



# 지수

## 유형 01 | 거듭제곱근

(1) 실수 $a$와 2 이상의 자연수 $n$에 대하여 $x^n=a$를 만족시키는 $x$를 $a$의 $n$제곱근이라 한다.

(2) 실수 $a$의 $n$제곱근 중에서 실수인 것은 다음과 같다.

| | $a>0$ | $a=0$ | $a<0$ |
|---|---|---|---|
| $n$이 짝수 | $\sqrt[n]{a}$, $-\sqrt[n]{a}$ | 0 | 없다. |
| $n$이 홀수 | $\sqrt[n]{a}$ | 0 | $\sqrt[n]{a}$ |

대표 문제

**001** 다음 중 옳은 것은?

① 8의 세제곱근은 2뿐이다.

② $(-4)^2$의 네제곱근 중 실수인 것은 $\pm2$이다.

③ $\sqrt{25}$의 제곱근 중 실수인 것은 없다.

④ $-81$의 네제곱근 중 실수인 것은 2개이다.

⑤ $n$이 짝수일 때, $-36$의 $n$제곱근 중 실수인 것은 1개이다.

★ 중요

## 유형 02 | 거듭제곱근의 계산

$a>0$, $b>0$이고 $m$, $n$이 2 이상의 자연수일 때

(1) $\sqrt[n]{a}\sqrt[n]{b}=\sqrt[n]{ab}$　　(2) $\dfrac{\sqrt[n]{a}}{\sqrt[n]{b}}=\sqrt[n]{\dfrac{a}{b}}$

(3) $(\sqrt[n]{a})^m=\sqrt[n]{a^m}$　　(4) $\sqrt[m]{\sqrt[n]{a}}=\sqrt[mn]{a}$

(5) $\sqrt[np]{a^{mp}}=\sqrt[n]{a^m}$ (단, $p$는 자연수)

예 (1) $\sqrt[3]{2}\sqrt[3]{3}=\sqrt[3]{6}$　　(2) $\dfrac{\sqrt[3]{2}}{\sqrt[3]{4}}=\sqrt[3]{\dfrac{2}{4}}=\sqrt[3]{\dfrac{1}{2}}$

(3) $(\sqrt{3})^3=\sqrt{3^3}$　　(4) $\sqrt[3]{\sqrt{5}}=\sqrt[6]{5}$

(5) $\sqrt[6]{2^2}=\sqrt[3]{2}$

대표 문제

**002** 다음 중 옳지 않은 것은?

① $\sqrt[3]{9}\times\sqrt[3]{3}=3$　　② $\dfrac{\sqrt[3]{75}}{\sqrt[3]{5}}=\sqrt[3]{15}$

③ $\sqrt{\sqrt[3]{6}}=\sqrt[6]{6}$　　④ $\sqrt[8]{4^3}=\sqrt[4]{2^3}$

⑤ $\left(\sqrt{7}\times\dfrac{1}{\sqrt[3]{7}}\right)^6=\dfrac{1}{7}$

## 유형 03 | 지수가 정수인 식의 계산

(1) $a\neq0$이고 $n$이 양의 정수일 때,

$a^0=1$, $a^{-n}=\dfrac{1}{a^n}$

(2) $a\neq0$, $b\neq0$이고 $m$, $n$이 정수일 때

① $a^ma^n=a^{m+n}$　　② $a^m\div a^n=a^{m-n}$

③ $(a^m)^n=a^{mn}$　　④ $(ab)^n=a^nb^n$

대표 문제

**003** $\dfrac{4^{-3}+2^{-3}}{9}\times\dfrac{10}{27^2+3^8}$을 간단히 하면?

① $6^{-8}$　　② $6^{-6}$　　③ $6^{-4}$

④ $6^6$　　⑤ $6^8$

## 유형 04 | 지수가 실수인 식의 계산

$a>0$, $b>0$이고 $x$, $y$가 실수일 때

(1) $a^xa^y=a^{x+y}$　　(2) $a^x\div a^y=a^{x-y}$

(3) $(a^x)^y=a^{xy}$　　(4) $(ab)^x=a^xb^x$

대표 문제

**004** $\left\{\left(\dfrac{1}{2}\right)^{\frac{3}{4}}\right\}^{\frac{8}{3}}\times125^{-\frac{2}{3}}\times100^{\frac{3}{2}}$을 간단히 하시오.

★ 중요

## 유형 05 | 거듭제곱근을 지수를 사용하여 나타내기

$a>0$이고 $m$, $n$이 2 이상의 정수일 때

(1) $\sqrt[n]{a}-a^{\frac{1}{n}}$　　(2) $\sqrt[n]{a^m}=a^{\frac{m}{n}}$

예 (1) $\sqrt[3]{5}=5^{\frac{1}{3}}$　　(2) $\sqrt{5^3}=5^{\frac{3}{2}}$

대표 문제

**005** $a>0$, $a\neq1$일 때, $\sqrt{\sqrt[3]{\sqrt{a}}}\times\sqrt{\sqrt[3]{\sqrt[4]{a}}}=a^k$을 만족시키는 유리수 $k$의 값을 구하시오.

## 유형 06 | 거듭제곱을 주어진 문자로 나타내기

$a>0$, $k>0$이고 0이 아닌 정수 $x$에 대하여 $k^x=a$일 때, 거듭제곱을 $a$를 사용하여 나타내려면 다음과 같은 순서로 한다.

(1) $k$를 $a$에 대한 식으로 나타낸다. ➡ $k=a^{\frac{1}{x}}$

(2) 지수법칙을 이용하여 주어진 거듭제곱을 적당히 변형한다.

(3) (2)의 식에 (1)의 식을 대입한다.

대표 문제

**006** $4^3=a$, $27^2=b$일 때, $36^5$을 $a$, $b$를 사용하여 나타내면?

① $a^{\frac{4}{3}}b^{\frac{5}{3}}$　② $a^{\frac{4}{3}}b^2$　③ $a^{\frac{5}{3}}b^{\frac{4}{3}}$

④ $a^{\frac{5}{3}}b^{\frac{5}{3}}$　⑤ $a^{\frac{5}{3}}b^2$

## 유형 07 | 거듭제곱이 자연수가 되도록 하는 미지수 구하기

자연수 $a$가 소수일 때, $a^{\frac{n}{m}}$($m$, $n$은 자연수)이 자연수가 되려면 $n$이 $m$의 배수이어야 한다.

대표 문제

**007** $\left(\frac{1}{256}\right)^{\frac{1}{n}}$이 자연수가 되도록 하는 정수 $n$의 개수를 구하시오.

## 유형 08 | 지수법칙과 곱셈 공식

$a>0$, $b>0$이고 $x$, $y$가 실수일 때

(1) $(a^x+b^y)(a^x-b^y)=a^{2x}-b^{2y}$

(2) $(a^x\pm b^y)^2=a^{2x}\pm2a^xb^y+b^{2y}$ (복부호 동순)

(3) $(a^x\pm b^y)^3=a^{3x}\pm3a^{2x}b^y+3a^xb^{2y}\pm b^{3y}$ (복부호 동순)

(4) $(a^x\pm b^y)(a^{2x}\mp a^xb^y+b^{2y})=a^{3x}\pm b^{3y}$ (복부호 동순)

대표 문제

**008** $a>0$, $b>0$일 때, $(a^{\frac{1}{4}}-b^{\frac{1}{4}})(a^{\frac{1}{4}}+b^{\frac{1}{4}})(a^{\frac{1}{2}}+b^{\frac{1}{2}})$을 간단히 하면?

① $a-b$　② $a+b$　③ $a^{\frac{3}{2}}-b^{\frac{3}{2}}$

④ $a^{\frac{3}{2}}+b^{\frac{3}{2}}$　⑤ $a^2-b^2$

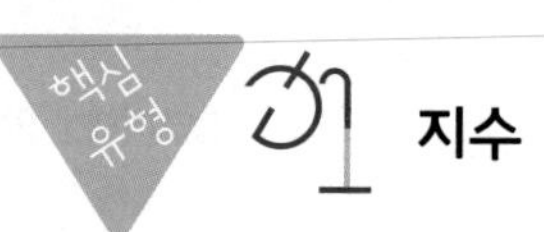

## 지수

정답과 해설 2쪽

중요

### 유형 09 | $a^x+a^{-x}$ 꼴의 식의 값 구하기

곱셈 공식의 변형을 이용하여 주어진 식을 변형한 후 식의 값을 구한다.

➡ 양수 $a$에 대하여

(1) $a^{2x}+a^{-2x}=(a^x \pm a^{-x})^2 \mp 2$ (복부호 동순)

(2) $a^{3x} \pm a^{-3x}=(a^x \pm a^{-x})^3 \mp 3(a^x \pm a^{-x})$ (복부호 동순)

대표 문제

**009** $a^{\frac{1}{2}}+a^{-\frac{1}{2}}=\sqrt{5}$일 때, $a^2+a^{-2}$의 값은? (단, $a>0$)

① 3 ② 5 ③ 7
④ 9 ⑤ 11

### 유형 10 | $\dfrac{a^x-a^{-x}}{a^x+a^{-x}}$ 꼴의 식의 값 구하기

주어진 식의 값을 이용할 수 있도록 $\dfrac{a^x-a^{-x}}{a^x+a^{-x}}\,(a>0)$ 꼴의 분모와 분자에 $a^x$, $a^{2x}$ 등을 곱한다.

➡ $\dfrac{a^x(a^x-a^{-x})}{a^x(a^x+a^{-x})}=\dfrac{a^{2x}-1}{a^{2x}+1}$

대표 문제

**010** $a^{2x}=5$일 때, $\dfrac{a^x+a^{-x}}{a^x-a^{-x}}$의 값을 구하시오. (단, $a>0$)

중요

### 유형 11 | 밑이 서로 다를 때 식의 값 구하기

$a^x=b^y=k\,(a>0,\ b>0,\ xy\neq 0)$일 때 $a=k^{\frac{1}{x}}$, $b=k^{\frac{1}{y}}$임을 이용하여 밑을 통일한다.

➡ $ab=k^{\frac{1}{x}+\frac{1}{y}}$, $\dfrac{a}{b}=k^{\frac{1}{x}-\frac{1}{y}}$

대표 문제

**011** 실수 $x$, $y$에 대하여 $2^x=3^y=216$일 때, $\dfrac{1}{x}+\dfrac{1}{y}$의 값을 구하시오.

### 유형 12 | 거듭제곱근의 대소 비교

거듭제곱근 꼴을 지수가 같은 거듭제곱 꼴로 변형한 후

$x>y \Longleftrightarrow x^{\frac{1}{a}}>y^{\frac{1}{a}}$ ($x>0$, $y>0$, $a$는 2 이상의 정수)

임을 이용하여 대소를 비교한다.

대표 문제

**012** 세 수 $\sqrt[3]{3}$, $\sqrt[4]{4}$, $\sqrt[6]{6}$의 대소 관계는?

① $\sqrt[3]{3}<\sqrt[4]{4}<\sqrt[6]{6}$ ② $\sqrt[3]{3}<\sqrt[6]{6}<\sqrt[4]{4}$
③ $\sqrt[4]{4}<\sqrt[6]{6}<\sqrt[3]{3}$ ④ $\sqrt[6]{6}<\sqrt[3]{3}<\sqrt[4]{4}$
⑤ $\sqrt[6]{6}<\sqrt[4]{4}<\sqrt[3]{3}$

### 유형 13 | 지수의 실생활에의 활용

(1) 식이 주어진 경우

➡ 주어진 식에서 각 문자가 나타내는 것이 무엇인지 파악한 후 조건에 따라 값을 대입한다.

(2) 식이 주어지지 않은 경우

➡ 조건에 맞도록 식을 세운 후 지수법칙을 이용한다.

대표 문제

**013** 어느 호수의 수면에 빛의 세기가 $I_0$인 빛을 비추었을 때 수심이 $k$ m인 곳에서의 빛의 세기를 $I_k$라 하면

$$I_k=I_0\times\left(\frac{1}{2}\right)^{\frac{k}{4}}$$

인 관계가 성립한다고 한다. 이 호수에서 수심이 8 m인 곳에서의 빛의 세기는 수심이 12 m인 곳에서의 빛의 세기의 몇 배인지 구하시오.

## 유형 01 거듭제곱근

**014** 대표 문제 다시 보기

다음 중 옳지 않은 것은?

① 27의 세제곱근은 3개이다.
② $-\sqrt{64}$의 세제곱근 중 실수인 것은 $-2$이다.
③ $0.1^2$의 제곱근 중 실수인 것은 $\pm 0.1$이다.
④ $n$이 홀수일 때, $-5$의 $n$제곱근 중 실수인 것은 $\sqrt[n]{-5}$이다.
⑤ $n$이 짝수일 때, $-9$의 $n$제곱근 중 실수인 것은 2개이다.

**015** 중

$\sqrt{625}$의 네제곱근 중 양의 실수인 것을 $a$, $-216$의 세제곱근 중 실수인 것을 $b$라 할 때, $a^2b$의 값을 구하시오.

**016** 중

두 집합 $A=\{-5, -3, 3, 5\}$, $B=\{2, 3\}$에 대하여 집합 $S$를

$S=\{(a, b) \mid \sqrt[b]{a}$는 실수, $a \in A$, $b \in B\}$

라 할 때, 다음 중 집합 $S$의 원소가 아닌 것은?

① $(-5, 3)$ ② $(-3, 2)$ ③ $(-3, 3)$
④ $(3, 2)$ ⑤ $(5, 3)$

**017** 상

실수 $x$와 2 이상의 자연수 $n$에 대하여 $x$의 $n$제곱근 중 실수인 것의 개수를 $N(x, n)$이라 할 때, 다음 보기 중 옳은 것만을 있는 대로 고르시오.

보기
ㄱ. $N(6, 2)+N(-7, 3)=3$
ㄴ. $n$이 홀수일 때, $N(x, n)=1$
ㄷ. $n$이 짝수일 때, $N(x, n)=0$

## ★중요 유형 02 거듭제곱근의 계산

**018** 대표 문제 다시 보기

다음 중 옳은 것은?

① $\sqrt[3]{4} \times \sqrt[3]{16}=2$
② $\dfrac{\sqrt[3]{0.01}}{\sqrt[3]{10}}=\sqrt[3]{0.1}$
③ $\sqrt[3]{2^6} \div (\sqrt[5]{32})^2=2$
④ $\sqrt{\sqrt{81}} \times \sqrt[3]{\sqrt{64}}=6$
⑤ $\sqrt[9]{4^6} \times \sqrt[6]{4^2}=2$

**019** 하

$\sqrt[3]{54}-\sqrt[6]{16} \times \sqrt[3]{4}+3\sqrt[3]{2}$를 간단히 하면?

① $\sqrt[3]{2}$ ② $2\sqrt[3]{2}$ ③ $3\sqrt[3]{2}$
④ $4\sqrt[3]{2}$ ⑤ $5\sqrt[3]{2}$

**020** 중

$\dfrac{\sqrt[3]{81}+\sqrt[6]{36}}{\sqrt[3]{9} \times \sqrt[3]{3}+\sqrt[3]{\sqrt{4}}}$을 간단히 하시오.

**021** 중

$a>0$일 때, $\sqrt[4]{\dfrac{\sqrt{a}}{\sqrt[3]{a}}} \times \sqrt{\dfrac{\sqrt[3]{a}}{\sqrt[4]{a}}} \times \sqrt[3]{\dfrac{\sqrt[4]{a}}{\sqrt{a}}}$를 간단히 하시오.

## 022 중

$a>0$, $b>0$일 때, $\sqrt{\sqrt[3]{a^3b^4}\times\sqrt{a^5b^2}}\div\sqrt[4]{\sqrt[3]{a^9b^5}}=a^p\sqrt{b^q}$을 만족시키는 서로소인 두 자연수 $p$, $q$에 대하여 $p+q$의 값을 구하시오.

### 유형 03 지수가 정수인 식의 계산

## 023 대표 문제 다시 보기

$\dfrac{25^{-2}+5^{-5}}{3}\times\dfrac{5}{3^7+3^5}$를 간단히 하면?

① $15^{-5}$ ② $15^{-3}$ ③ $15^{-1}$
④ $15$ ⑤ $15^3$

## 024 하

$3^{-3}\div(3^{-2})^{-4}\times3^8=3^k$일 때, 정수 $k$의 값을 구하시오.

## 025 중

$\sqrt{\dfrac{8^{-4}+4^{-11}}{8^{-10}+4^{-10}}}$을 간단히 하면?

① 2 ② 4 ③ 8
④ 16 ⑤ 32

## 026 중

$\dfrac{1}{2^{-3}+1}+\dfrac{1}{2^{-1}+1}+\dfrac{1}{2+1}+\dfrac{1}{2^3+1}$을 간단히 하시오.

### 유형 04 지수가 실수인 식의 계산

## 027 대표 문제 다시 보기

$\left\{\left(\dfrac{16}{9}\right)^{-\frac{2}{3}}\right\}^{\frac{3}{4}}\times\left\{\left(\dfrac{1}{4}\right)^{\frac{6}{5}}\right\}^{-\frac{5}{2}}$을 간단히 하면?

① 12 ② 24 ③ 48
④ 96 ⑤ 192

## 028 하

$\sqrt{\sqrt{81}}\times3^{-\frac{1}{3}}\div\left(\dfrac{1}{9}\right)^{-\frac{1}{3}}$을 간단히 하시오.

## 029 중

$a>0$, $a\neq1$일 때, $(a^{\sqrt{3}})^{3\sqrt{2}}\times(a^{\frac{1}{3}})^{6\sqrt{6}}\div a^{4\sqrt{6}}=a^k$을 만족시키는 실수 $k$의 값은?

① 1 ② $\sqrt{3}$ ③ 2
④ $\sqrt{6}$ ⑤ 3

## 030 중

이차방정식 $2x^2-6x+1=0$의 두 실근을 $\alpha$, $\beta$라 할 때, $\{2^{\alpha}\times2^{\beta}+(49^{\alpha})^{\beta}+1\}^{\alpha\beta}$의 값은?

① $\frac{1}{4}$ ② $\frac{1}{2}$ ③ 2
④ 4 ⑤ 8

★ 중요

## 유형 05 거듭제곱근을 지수를 사용하여 나타내기

## 031 대표 문제 다시 보기

$a>0$, $a\neq1$일 때, $\sqrt{a^3\sqrt[3]{\sqrt[3]{a}\times a^2}}=a^k$을 만족시키는 유리수 $k$의 값은?

① $\frac{2}{3}$ ② $\frac{7}{9}$ ③ $\frac{8}{9}$
④ 1 ⑤ $\frac{11}{9}$

## 032 하

$\sqrt{3\times\sqrt[3]{9}\times\sqrt[4]{27}}=3^k$일 때, 유리수 $k$의 값을 구하시오.

## 033 중

$\dfrac{\sqrt[3]{2\sqrt[3]{2\sqrt[3]{2}}}}{\sqrt[6]{4\sqrt[6]{4}}}=2^{\frac{q}{p}}$일 때, 서로소인 두 자연수 $p$, $q$에 대하여 $p+q$의 값을 구하시오.

## 034 중

$a>0$, $a\neq1$일 때, $\sqrt[3]{a\sqrt[4]{a^3\sqrt{a}}}\div\sqrt[6]{\sqrt[4]{a^k}\times a}=1$을 만족시키는 자연수 $k$의 값을 구하시오.

## 035 중

$m$, $n$이 2 이상의 자연수일 때, $\sqrt[n]{\sqrt[m]{a}}=a^{f(m,\,n)}$을 만족시키는 $f(m,\,n)$에 대하여

$$f(3,\,5)+f(5,\,7)+f(7,\,9)+f(9,\,11)$$

의 값을 구하시오. (단, $a>0$, $a\neq1$)

## 유형 06 거듭제곱을 주어진 문자로 나타내기

## 036 대표 문제 다시 보기

$3^5=a$, $16^2=b$일 때, $18^6$을 $a$, $b$를 사용하여 나타내면?

① $a^2b^{\frac{3}{4}}$ ② $a^{\frac{11}{5}}b^{\frac{3}{4}}$ ③ $a^{\frac{12}{5}}b^{\frac{3}{4}}$
④ $a^{\frac{11}{5}}b$ ⑤ $a^{\frac{12}{5}}b$

## 037 하

$25^2=a$일 때, $125^{10}$을 $a$를 사용하여 나타내면?

① $a^6$ ② $a^{\frac{13}{2}}$ ③ $a^7$
④ $a^{\frac{15}{2}}$ ⑤ $a^8$

## 038 중

$a=\sqrt[3]{5}$, $b=\sqrt{3}$일 때, $a^m b^n=\sqrt[12]{45}$를 만족시키는 유리수 $m$, $n$에 대하여 $m+n$의 값을 구하시오.

### 유형 07 거듭제곱이 자연수가 되도록 하는 미지수 구하기

## 039 대표 문제 다시 보기

$\left(\frac{1}{729}\right)^{\frac{1}{n}}$이 자연수가 되도록 하는 모든 정수 $n$의 값의 합은?

① $-12$ ② $-6$ ③ $-1$
④ $6$ ⑤ $12$

## 040 중

양수 $a$, $b$, $c$에 대하여 $a^3=5$, $b^6=7$, $c^7=13$일 때, $(abc)^n$이 자연수가 되도록 하는 자연수 $n$의 최솟값을 구하시오.

## 041 상

$2\le n\le 150$인 자연수 $n$에 대하여 $\sqrt[6]{3\sqrt{5}}$가 어떤 자연수의 $n$제곱근이 되도록 하는 $n$의 개수는?

① 10 ② 11 ③ 12
④ 13 ⑤ 14

### 유형 08 지수법칙과 곱셈 공식

## 042 대표 문제 다시 보기

$a>0$, $b>0$일 때,

$$(a^{\frac{1}{3}}-b^{\frac{1}{3}})(a^{\frac{2}{3}}+a^{\frac{1}{3}}b^{\frac{1}{3}}+b^{\frac{2}{3}})+(a^{\frac{1}{2}}-b^{\frac{1}{2}})(a^{\frac{1}{2}}+b^{\frac{1}{2}})$$

을 간단히 하면?

① $a$ ② $b$ ③ $2a$
④ $2b$ ⑤ $2a-2b$

## 043 중

$(5^{2+\sqrt{2}}+5^{2-\sqrt{2}})^2-(5^{2+\sqrt{2}}-5^{2-\sqrt{2}})^2$의 값은?

① $5^4$ ② $2\times5^4$ ③ $3\times5^4$
④ $4\times5^4$ ⑤ $5^5$

## 044 중

$a=\sqrt[3]{4}-\frac{1}{\sqrt[3]{4}}$일 때, $a^3+3a+\frac{1}{4}$의 값을 구하시오.

## 045 중

$a>0$, $a\neq1$일 때, $\frac{1}{1-a^{-1}}+\frac{1}{1+a^{-1}}+\frac{2}{1+a^{-2}}+\frac{4}{1-a^4}$를 간단히 하시오.

★ 중요

## 유형 09 $a^x+a^{-x}$ 꼴의 식의 값 구하기

### 046 대표 문제 다시 보기

$a^{\frac{1}{2}}+a^{-\frac{1}{2}}=\sqrt{6}$일 때, $a^3+a^{-3}$의 값은? (단, $a>0$)

① 36 ② 40 ③ 44
④ 48 ⑤ 52

### 047 하

$2^x+2^{-x}=3$일 때, $8^x+8^{-x}$의 값을 구하시오.

### 048 중

$x^2+x^{-2}=14$일 때, $x^{\frac{1}{2}}+x^{-\frac{1}{2}}+x+x^{-1}$의 값은 $a+b\sqrt{6}$이다. 이때 유리수 $a$, $b$에 대하여 $a+b$의 값은? (단, $x>0$)

① 4 ② 5 ③ 6
④ 7 ⑤ 8

### 049 상

$a^{3x}-a^{-3x}=4$일 때, $\dfrac{a^{2x}+a^{-2x}}{a^x-a^{-x}}$의 값을 구하시오. (단, $a>0$)

## 유형 10 $\dfrac{a^x-a^{-x}}{a^x+a^{-x}}$ 꼴의 식의 값 구하기

### 050 대표 문제 다시 보기

$a^{2x}=2$일 때, $\dfrac{a^{3x}+a^{-3x}}{a^x-a^{-x}}$의 값은? (단, $a>0$)

① 3 ② $\dfrac{7}{2}$ ③ 4
④ $\dfrac{9}{2}$ ⑤ 5

### 051 중

$4^{\frac{1}{x}}=9$일 때, $\dfrac{3^x-3^{-x}}{3^x+3^{-x}}$의 값을 구하시오.

### 052 중

$\dfrac{a^x+a^{-x}}{a^x-a^{-x}}=3$일 때, $a^{2x}+a^{-2x}$의 값은? (단, $a>0$)

① $\dfrac{3}{2}$ ② 2 ③ $\dfrac{5}{2}$
④ 3 ⑤ $\dfrac{7}{2}$

### 053 상 신유형

$9^x+9^{-x}=14$일 때, $\dfrac{9^x-3^{-x}}{3^x-1}$의 값을 구하시오.

01

# 완성하기

★ 중요

## 유형 11 밑이 서로 다를 때 식의 값 구하기

**054** 대표 문제 다시 보기

실수 $x$, $y$에 대하여 $3^x=5^y=15$일 때, $\frac{1}{x}+\frac{1}{y}$의 값을 구하시오.

**055** 중

실수 $x$, $y$에 대하여 $45^x=27$, $5^y=3$일 때, $\frac{3}{x}-\frac{1}{y}$의 값은?

① $\frac{1}{4}$　② $\frac{1}{2}$　③ 1
④ 2　⑤ 4

**056** 중

실수 $a$, $b$에 대하여 $2.16^a=216^b=10$일 때, $\frac{1}{b}-\frac{1}{a}$의 값은?

① 1　② 2　③ 4
④ 9　⑤ 10

**057** 중

$3^x=8^y=9^z=k$이고 $\frac{1}{x}+\frac{1}{y}+\frac{1}{z}=3$일 때, 양수 $k$의 값을 구하시오. (단, $xyz\neq0$)

**058** 중

$2^x=3^y=6^z$일 때, $\frac{1}{x}+\frac{1}{y}-\frac{1}{z}$의 값은? (단, $xyz\neq0$)

① 0　② $\frac{1}{6}$　③ $\frac{1}{4}$
④ $\frac{1}{3}$　⑤ $\frac{1}{2}$

**059** 중

양수 $a$, $b$에 대하여 $a^x=b^y=7^z$이고 $\frac{1}{x}+\frac{1}{y}-\frac{2}{z}=0$일 때, $ab$의 값을 구하시오. (단, $xyz\neq0$)

**060** 중

$3^a=4^b=7^c$이고 $ab=2$일 때, $7^{ac-bc}$의 값은?

① $\frac{9}{16}$　② $\frac{2}{3}$　③ $\frac{3}{4}$
④ $\frac{4}{3}$　⑤ $\frac{16}{9}$

## 유형 12 거듭제곱근의 대소 비교

**061** 대표 문제 다시 보기

세 수 $\sqrt[3]{\sqrt{27}}$, $\sqrt[3]{5}$, $\sqrt{\sqrt[3]{20}}$의 대소 관계는?

① $\sqrt[3]{\sqrt{27}}<\sqrt[3]{5}<\sqrt{\sqrt[3]{20}}$
② $\sqrt[3]{5}<\sqrt[3]{\sqrt{27}}<\sqrt{\sqrt[3]{20}}$
③ $\sqrt[3]{5}<\sqrt{\sqrt[3]{20}}<\sqrt[3]{\sqrt{27}}$
④ $\sqrt{\sqrt[3]{20}}<\sqrt[3]{5}<\sqrt[3]{\sqrt{27}}$
⑤ $\sqrt{\sqrt[3]{20}}<\sqrt[3]{\sqrt{27}}<\sqrt[3]{5}$

**062** 중

세 수 $\sqrt[3]{\sqrt{16}}$, $\sqrt{3\sqrt[3]{2}}$, $\sqrt{2\sqrt[3]{6}}$ 중에서 가장 작은 수를 $a$, 가장 큰 수를 $b$라 할 때, $ab^2$의 값은?

① 4
② $3\sqrt{2}$
③ $2\sqrt{6}$
④ $3\sqrt{3}$
⑤ 6

**063** 상

세 수 $A=2\sqrt{2}+\sqrt[3]{3}$, $B=\sqrt{2}+2\sqrt[3]{3}$, $C=2\sqrt[4]{5}+\sqrt{2}$의 대소 관계는?

① $A<B<C$
② $A<C<B$
③ $B<A<C$
④ $B<C<A$
⑤ $C<A<B$

## 유형 13 지수의 실생활에의 활용

**064** 대표 문제 다시 보기

어느 금융 상품에 $A$만 원을 투자하고 $t$년이 지난 후의 금액을 $P$만 원이라 하면

$$P=A\times\left(\frac{3}{2}\right)^{\frac{t}{4}}$$

인 관계가 성립한다고 한다. 이 금융 상품에 80만 원을 투자하고 7년이 지난 후의 금액을 $P_1$만 원, 100만 원을 투자하고 3년이 지난 후의 금액을 $P_2$만 원이라 할 때, $\frac{P_1}{P_2}$의 값을 구하시오.

**065** 중

해수면으로부터의 높이가 $x$ m인 지점의 기압을 $P$ hPa이라 하면

$$P=k\times a^x \ (k,\ a\text{는 상수})$$

인 관계가 성립한다고 한다. 현재 해수면에서의 기압이 1000 hPa이고 해수면으로부터의 높이가 1500 m인 산 중턱에서의 기압이 800 hPa이라 할 때, 해수면으로부터의 높이가 3000 m인 산꼭대기에서의 기압을 구하시오.

**066** 중

A, B 두 종류의 박테리아가 일정한 비율로 증식하는데 A는 3분마다 4배, B는 2분마다 2배로 개체 수가 증가한다고 한다. 증식하기 전 박테리아 A, B의 개체 수가 같았을 때, 30분 후 A의 개체 수는 B의 개체 수의 몇 배인가?

① $2^5$배
② $2^6$배
③ $2^7$배
④ $2^8$배
⑤ $2^9$배

# 최종 점검하기



## 067

유형 01

6의 세제곱근 중 실수인 것의 개수를 $a$, $-7$의 네제곱근 중 실수인 것의 개수를 $b$, $-27$의 세제곱근의 개수를 $c$라 할 때, $a+b+c$의 값을 구하시오.

## 068

유형 02

$\sqrt[4]{\frac{\sqrt[3]{81}}{81}}\times\sqrt{\frac{\sqrt{81}}{\sqrt[3]{81}}}$을 간단히 하면?

① $\sqrt[3]{3}$ ② $\frac{1}{\sqrt[3]{3}}$ ③ $\frac{2}{\sqrt[3]{3}}$
④ $\sqrt[3]{9}$ ⑤ $\frac{1}{\sqrt[3]{9}}$

## 069

유형 02

$a>0$일 때, $\sqrt{a\sqrt[3]{a\sqrt[4]{a^3}}}=\sqrt[p]{a^q}$을 만족시키는 서로소인 두 자연수 $p$, $q$에 대하여 $p+q$의 값은?

① 43 ② 45 ③ 47
④ 49 ⑤ 51

## 070

유형 03

$a\neq0$, $b\neq0$일 때, $(a^{-3}b^4)^{-2}\times(ab^{-2})^3=a^mb^n$을 만족시키는 정수 $m$, $n$에 대하여 $m+n$의 값은?

① $-6$ ② $-5$ ③ $-4$
④ $-3$ ⑤ $-2$

## 071

유형 03+04+05

다음 중 옳지 않은 것은? (단, $a>0$, $b>0$)

① $a^2\div a^{-4}\times a^3=a^9$ ② $81^{0.75}=27$
③ $\frac{\sqrt{8}}{9}\times3^{\frac{5}{2}}\times2^{-1}=\sqrt{6}$ ④ $\sqrt[3]{\frac{\sqrt[4]{a^3}}{\sqrt{a^4}}}=a^{\frac{5}{12}}$
⑤ $(a^{\sqrt{2}}b^{\frac{\sqrt{2}}{2}})^{-\sqrt{2}}=\frac{1}{a^2b}$

## 072

유형 05

$x>0$, $y>0$일 때, $\sqrt{\sqrt[3]{xy^2}\div\sqrt{xy}}\times\sqrt[4]{x^3y}$를 간단히 하면?

① $x^{\frac{1}{3}}y^{\frac{1}{3}}$ ② $x^{\frac{1}{3}}y^{\frac{2}{3}}$ ③ $x^{\frac{1}{3}}y$
④ $x^{\frac{2}{3}}y^{\frac{1}{3}}$ ⑤ $xy^{\frac{1}{3}}$

## 073

유형 05

$a>0$, $a\neq1$일 때,

$$\sqrt[3]{a^2\times\sqrt{a}}\times\sqrt[3]{a^2}\div\sqrt{\sqrt{a^3}}=\sqrt[6]{a^3\sqrt{a^k}}$$

을 만족시키는 자연수 $k$의 값을 구하시오.

## 074

유형 06

$3^m=a$, $3^n=b$일 때, $\left(\frac{1}{3}\right)^{m-2n}$을 $a$, $b$를 사용하여 나타내면?

① $ab$ ② $a^2b$ ③ $ab^2$
④ $\frac{b^2}{a}$ ⑤ $\frac{a^2}{b}$

## 075

유형 07

양수 $a$, $b$에 대하여 $a^6=3$, $b^{12}=27$일 때, $(\sqrt[4]{a^3b^6})^k$이 자연수가 되도록 하는 자연수 $k$의 최솟값을 구하시오.

## 076

유형 08

$a=2$일 때, $(a^{-\frac{1}{3}}+a^{\frac{2}{3}})^3+(a^{-\frac{1}{3}}-a^{\frac{2}{3}})^3$의 값은?

① 9 ② 10 ③ 11 ④ 12 ⑤ 13

## 077

유형 09

$a^{\frac{1}{2}}+a^{-\frac{1}{2}}=3$일 때, $\dfrac{a^{\frac{3}{2}}+a^{-\frac{3}{2}}}{a+a^{-1}+2}$의 값은? (단, $a>0$)

① 1 ② 2 ③ 3 ④ 4 ⑤ 5

## 078

유형 10

$\dfrac{a^x+a^{-x}}{a^x-a^{-x}}=5$일 때, $a^{4x}-a^{-2x}$의 값은? (단, $a>0$)

① $\dfrac{3}{2}$ ② $\dfrac{19}{12}$ ③ $\dfrac{5}{3}$ ④ $\dfrac{7}{4}$ ⑤ $\dfrac{11}{6}$

## 079

유형 11

양수 $a$, $b$, $c$에 대하여 $abc=36$이고 $a^x=b^y=c^z=216$일 때, $\dfrac{1}{x}+\dfrac{1}{y}+\dfrac{1}{z}$의 값을 구하시오.

## 080

유형 11

$9^x=16^y=a^z$이고 $\dfrac{1}{x}-\dfrac{1}{y}=\dfrac{2}{z}$일 때, 양수 $a$의 값을 구하시오.

(단, $xyz\neq0$)

## 081

유형 12

세 수 $A=\sqrt[4]{5}$, $B=\sqrt[3]{\sqrt{10}}$, $C=\sqrt[4]{\sqrt[3]{98}}$의 대소 관계는?

① $A<C<B$ ② $B<A<C$ ③ $B<C<A$ ④ $C<A<B$ ⑤ $C<B<A$

## 082

유형 13

일정한 비율로 붕괴되는 어떤 방사성 물질의 처음의 양을 $m_0$, $t$시간 후의 양을 $m_t$라 하면

$$m_t=m_0\times\left(\frac{1}{2}\right)^{\frac{t}{15}}$$

인 관계가 성립한다고 한다. 30시간 후 이 방사성 물질의 양을 $m_{30}$, 45시간 후 이 방사성 물질의 양을 $m_{45}$라 할 때, $\dfrac{m_{30}}{m_{45}}$의 값을 구하시오.

# 02 로그

유형 01 로그의 정의

유형 02 로그의 밑과 진수의 조건

유형 03 로그의 성질

유형 04 로그의 밑의 변환

유형 05 로그의 여러 가지 성질

유형 06 로그를 주어진 문자로 나타내기

유형 07 조건을 이용하여 식의 값 구하기

유형 08 로그의 정수 부분과 소수 부분

유형 09 로그와 이차방정식

유형 10 상용로그의 값

유형 11 상용로그의 정수 부분과 소수 부분

유형 12 상용로그의 소수 부분의 성질을 이용한 로그의 계산

유형 13 자릿수 구하기

유형 14 최고 자리의 숫자 구하기

유형 15 상용로그의 소수 부분의 조건이 주어진 경우

유형 16 상용로그의 정수 부분과 소수 부분을 근으로 갖는 방정식

유형 17 상용로그의 실생활에의 활용

# 로그

## 유형 01 | 로그의 정의

$a>0$, $a\neq1$, $N>0$일 때,

$a^x=N \iff x=\log_a N$

예 • $3^2=9 \iff 2=\log_3 9$

• $\log_2 \frac{1}{8}=-3 \iff 2^{-3}=\frac{1}{8}$

대표 문제

**001** $\log_a 16=\frac{2}{3}$, $\log_{\sqrt{3}} b=-2$일 때, $\frac{a}{b}$의 값을 구하시오.

## 유형 02 | 로그의 밑과 진수의 조건

$\log_a N$이 정의되려면

(1) 밑이 1이 아닌 양수이어야 한다. ➡ $a>0$, $a\neq1$

(2) 진수가 양수이어야 한다. ➡ $N>0$

대표 문제

**002** $\log_{x-1}(-x^2+5x)$가 정의되도록 하는 정수 $x$의 개수를 구하시오.

★ 중요

## 유형 03 | 로그의 성질

$a>0$, $a\neq1$, $M>0$, $N>0$일 때

(1) $\log_a 1=0$, $\log_a a=1$

(2) $\log_a MN=\log_a M+\log_a N$

(3) $\log_a \frac{M}{N}=\log_a M-\log_a N$

(4) $\log_a M^k=k\log_a M$ (단, $k$는 실수)

대표 문제

**003** $\log_3 12+\log_3 3\sqrt{2}-\frac{5}{2}\log_3 2$의 값은?

① $\frac{1}{2}$ ② 1 ③ $\frac{3}{2}$ ④ 2 ⑤ $\frac{5}{2}$

★ 중요

## 유형 04 | 로그의 밑의 변환

$a>0$, $a\neq1$, $b>0$일 때

(1) $\log_a b=\frac{\log_c b}{\log_c a}$ (단, $c>0$, $c\neq1$)

(2) $\log_a b=\frac{1}{\log_b a}$ (단, $b\neq1$)

대표 문제

**004** $\log_2 125\times\log_3 8\times\log_5 9$의 값을 구하시오.

## 유형 05 | 로그의 여러 가지 성질

$a>0$, $a\neq1$, $b>0$일 때

(1) $\log_{a^m} b^n=\frac{n}{m}\log_a b$ (단, $m$, $n$은 실수이고, $m\neq0$)

(2) $a^{\log_c b}=b^{\log_c a}$ (단, $c>0$, $c\neq1$)

(3) $a^{\log_a b}=b$

대표 문제

**005** $(\log_3 4+\log_9 8)(\log_2 27-\log_4 9)$의 값은?

① 4 ② 5 ③ 6 ④ 7 ⑤ 8

★ 중요

## 유형 06 | 로그를 주어진 문자로 나타내기

$\log_a b=c$ 또는 $a^x=b$ 꼴의 조건이 주어지고 이를 이용하여 다른 로그를 나타낼 때에는 다음과 같은 순서로 한다.

(1) 주어진 식과 구하는 식의 밑을 통일한다.
이때 $a^x=b$ 꼴이 주어지면 $x=\log_a b$임을 이용하여 로그로 나타낸 후 밑을 통일한다.

(2) 구하는 식의 진수를 곱의 형태로 바꾸고 로그의 합으로 나타낸다.

(3) (2)의 식에 주어진 문자를 대입한다.

대표 문제

**006** $\log_3 2=a$, $\log_3 5=b$일 때, $\log_{10} 40$을 $a$, $b$로 나타내면?

① $\dfrac{b}{a+b}$ ② $\dfrac{2a+b}{a+b}$ ③ $\dfrac{3a+b}{a+b}$

④ $\dfrac{a+2b}{a+b}$ ⑤ $\dfrac{a+3b}{a+b}$

02

## 유형 07 | 조건을 이용하여 식의 값 구하기

주어진 조건을 이용하여 식의 값을 구할 때에는 로그의 정의와 성질을 이용하여 주어진 조건을 변형한 후 구하는 식에 대입한다.

대표 문제

**007** 양수 $a$, $b$에 대하여 $a^4b^3=1$일 때, $\log_b a^2b^3$의 값을 구하시오. (단, $b\neq1$)

## 유형 08 | 로그의 정수 부분과 소수 부분

$a>1$이고 양수 $M$과 정수 $n$에 대하여 $a^n\le M<a^{n+1}$일 때,

$\log_a a^n\le\log_a M<\log_a a^{n+1}$

$\therefore\ n\le\log_a M<n+1$

➡ $\log_a M$의 정수 부분은 $n$, 소수 부분은 $\log_a M-n$이다.

대표 문제

**008** $\log_2 7$의 정수 부분을 $a$, 소수 부분을 $b$라 할 때, $4(a+2^b)$의 값은?

① 15 ② 16 ③ 17

④ 18 ⑤ 19

★ 중요

## 유형 09 | 로그와 이차방정식

이차방정식 $px^2+qx+r=0$의 두 근이 $\log_a\alpha$, $\log_a\beta$이면

(1) $\log_a\alpha+\log_a\beta=\log_a\alpha\beta=-\dfrac{q}{p}$

(2) $\log_a\alpha\times\log_a\beta=\dfrac{r}{p}$

대표 문제

**009** 이차방정식 $x^2-4x+2=0$의 두 근을 $\log_2 a$, $\log_2 b$라 할 때, $\log_a b+\log_b a$의 값을 구하시오.

## 유형 01 로그의 정의

**010** 대표 문제 다시 보기

$\log_a 2=4$, $\log_2 9=b$일 때, $a^b$의 값을 구하시오.

**011** 하

다음 중 옳지 않은 것은?

① $2^3=8 \Longleftrightarrow \log_2 8=3$
② $7^1=7 \Longleftrightarrow \log_7 7=1$
③ $5^0=1 \Longleftrightarrow \log_5 1=0$
④ $3^{-1}=\frac{1}{3} \Longleftrightarrow \log_{\frac{1}{3}} 3=1$
⑤ $4^{\frac{1}{2}}=2 \Longleftrightarrow \log_4 2=\frac{1}{2}$

**012** 중

$\log_2(\log_3 a)=1$, $\log_3\{\log_2(\log_4 b)\}=0$일 때, $a+b$의 값을 구하시오.

**013** 중

$x=\log_5(1+\sqrt{2})$일 때, $5^x+5^{-x}$의 값은?

① $\sqrt{2}$ ② $2$ ③ $1+\sqrt{2}$
④ $2\sqrt{2}$ ⑤ $2+2\sqrt{2}$

## 유형 02 로그의 밑과 진수의 조건

**014** 대표 문제 다시 보기

$\log_{x-3}(-x^2+7x+8)$이 정의되도록 하는 정수 $x$의 개수는?

① 3 ② 4 ③ 5
④ 6 ⑤ 7

**015** 중

$\log_x(x-2)^2$과 $\log_{5-x}|x-5|$가 모두 정의되도록 하는 정수 $x$의 값을 구하시오.

**016** 중

모든 실수 $x$에 대하여 $\log_a(x^2-ax+2a)$가 정의되도록 하는 모든 정수 $a$의 값의 합은?

① 27 ② 28 ③ 29
④ 30 ⑤ 31

★ 중요

## 유형 03 로그의 성질

### 017 대표 문제 다시 보기

$2\log_2\sqrt{6}+\frac{1}{2}\log_2 5-\log_2 3\sqrt{5}$의 값을 구하시오.

### 018 중

양수 $x$, $y$, $z$에 대하여 $\log_4 x+\log_4 2y+\log_4 4z=1$일 때, $xyz$의 값은?

① $\frac{1}{4}$　② $\frac{1}{2}$　③ 1
④ 2　⑤ 4

### 019 중

다음 식의 값을 구하시오.

$$\log_5\left(1+\frac{1}{2}\right)+\log_5\left(1+\frac{1}{3}\right)+\log_5\left(1+\frac{1}{4}\right)+\cdots+\log_5\left(1+\frac{1}{49}\right)$$

### 020 상

36의 모든 양의 약수를 $a_1$, $a_2$, $a_3$, $\cdots$, $a_9$라 할 때,

$$\log_6 a_1+\log_6 a_2+\log_6 a_3+\cdots+\log_6 a_9$$

의 값을 구하시오.

★ 중요

## 유형 04 로그의 밑의 변환

### 021 대표 문제 다시 보기

$\log_3 25\times\log_5\sqrt{7}\times\log_7 27$의 값은?

① $-3$　② $-1$　③ 1
④ 3　⑤ 5

### 022 하

$\frac{1}{\log_2 x}+\frac{1}{\log_5 x}+\frac{1}{\log_{10} x}=2$일 때, $x$의 값을 구하시오. (단, $x>0$, $x\neq1$)

### 023 중

$(\log_{10} 5)^2+\frac{\log_{10} 50}{1+\log_2 5}$의 값은?

① $\log_5 2$　② $\log_{10} 2$　③ 1
④ $\log_2 5$　⑤ $\log_{10} 5$

### 024 중

다음 식의 값을 구하시오.

$$\log_3(\log_2 3)+\log_3(\log_3 4)+\log_3(\log_4 5)+\cdots+\log_3(\log_{511} 512)$$

## 025 상

1이 아닌 서로 다른 두 양수 $a$, $b$에 대하여 $\log_a b=\log_b a$일 때, $2a+8b$의 최솟값을 구하시오.

### 유형 05 로그의 여러 가지 성질

## 026 대표 문제 다시 보기

$(\log_3 2+\log_9 \sqrt{2})(\log_2 3+\log_{\sqrt{2}} 9)$의 값을 구하시오.

## 027 중

$2^{3\log_2 5+\log_2 3-\log_2 15}$의 값을 구하시오.

## 028 중

$x=\dfrac{2}{\log_3 16}+\log_{16} 27-\dfrac{\log_{\sqrt{5}} 3}{\log_{\sqrt{5}} 2}$일 때, $16^x$의 값은?

① 3 ② 4 ③ 5
④ 6 ⑤ 7

## 029 중

세 수 $A=4^{\log_2 8-\log_2 12}$, $B=\log_9 \sqrt{3}-\log_{16} \dfrac{1}{2}$, $C=\log_{\frac{1}{2}} \{\log_9 (\log_4 64)\}$의 대소 관계는?

① $A<B<C$ ② $A<C<B$ ③ $B<A<C$
④ $C<A<B$ ⑤ $C<B<A$

★ 중요

### 유형 06 로그를 주어진 문자로 나타내기

## 030 대표 문제 다시 보기

$\log_6 2=a$, $\log_6 5=b$일 때, $\log_{20} \sqrt{50}$을 $a$, $b$로 나타내면?

① $\dfrac{a+b}{2a+b}$ ② $\dfrac{a+2b}{2a+b}$ ③ $\dfrac{a+b}{4a+2b}$
④ $\dfrac{a+2b}{4a+2b}$ ⑤ $\dfrac{a+b}{4a-2b}$

## 031 중

$\log_2 3=a$, $\log_3 15=b$일 때, $\log_{30} 72$를 $a$, $b$로 나타내시오.

## 032 중

$5^a=x$, $5^b=y$일 때, $\log_{xy^2} \sqrt{xy}$를 $a$, $b$로 나타내면? (단, $ab\neq0$, $xy^2\neq1$)

① $\dfrac{a-b}{2a+4b}$ ② $\dfrac{a+b}{2a+4b}$ ③ $\dfrac{a-b}{2a-4b}$
④ $\dfrac{a+b}{2a-4b}$ ⑤ $\dfrac{a+b}{a+2b}$

## 033 중

양수 $a$, $b$에 대하여 $a^m=b^n=2$일 때, $\log_{a^2} ab$를 $m$, $n$으로 나타내면?

① $\frac{n}{2m}$　② $\frac{m+n}{2m}$　③ $\frac{m}{2n}$　④ $\frac{m-n}{2n}$　⑤ $\frac{m+n}{2n}$

## 034 상

$\log_2 5=x$, $\log_5 3=y$, $\log_3 11=z$일 때, $\log_3 66$을 $x$, $y$, $z$로 나타내면?

① $\frac{z+xyz}{xy}$　② $\frac{1+xyz}{xy}$　③ $\frac{1+xy+xyz}{xy}$　④ $\frac{x+y+xyz}{yz}$　⑤ $\frac{xy+yz}{yz}$

### 유형 07 조건을 이용하여 식의 값 구하기

## 035 대표 문제 다시 보기

양수 $a$, $b$에 대하여 $a^3b^2=1$일 때, $\log_a a^4b^3$의 값을 구하시오. (단, $a\neq1$)

## 036 중

$5^x=27$, $45^y=243$일 때, $\frac{3}{x}-\frac{5}{y}$의 값은?

① $-3$　② $-2$　③ $-1$　④ $1$　⑤ $2$

## 037 중

1이 아닌 양수 $a$, $b$, $c$에 대하여 $a^2=b^5=c^7$이 성립할 때, 세 수 $A=\log_a b$, $B=\log_b c$, $C=\log_c a$의 대소 관계는?

① $A<B<C$　② $A<C<B$　③ $B<A<C$　④ $B<C<A$　⑤ $C<A<B$

## 038 중

1이 아닌 양수 $a$, $b$, $c$에 대하여

$$\log_a x=2,\ \log_b x=7,\ \log_c x=14$$

일 때, $\log_{abc} \sqrt{x}$의 값을 구하시오.

## 039 상 신유형

1이 아닌 양수 $a$, $b$, $c$가 다음 조건을 모두 만족시킬 때, $\log_2 abc$의 값을 구하시오.

(가) $\sqrt[4]{a}=\sqrt[3]{b}=\sqrt{c}$
(나) $\log_{16} a+\log_8 b+\log_4 c=3$

02

정답과 해설 12쪽

## 유형 08 로그의 정수 부분과 소수 부분

### 040 대표 문제 다시 보기

$\log_3 24$의 정수 부분을 $a$, 소수 부분을 $b$라 할 때, $3^a+3^b$의 값은?

① $\frac{35}{3}$ ② 13 ③ $\frac{41}{3}$
④ 14 ⑤ $\frac{43}{3}$

### 041 중

$\log_2 12$의 소수 부분을 $a$라 할 때, $2^a$의 값은?

① $\frac{1}{2}$ ② $\frac{3}{4}$ ③ 1
④ $\frac{5}{4}$ ⑤ $\frac{3}{2}$

### 042 중

$\frac{\log_5 9}{\log_5 4}$의 정수 부분을 $a$, 소수 부분을 $b$라 할 때,

$$\frac{b-a}{a+b}=1-\log_3 k$$

를 만족시키는 자연수 $k$의 값을 구하시오.

★ 중요

## 유형 09 로그와 이차방정식

### 043 대표 문제 다시 보기

이차방정식 $x^2-6x+1=0$의 두 근을 $\log_{10} a$, $\log_{10} b$라 할 때, $\log_a \sqrt{b}+\log_b \sqrt{a}$의 값을 구하시오.

### 044 중

이차방정식 $x^2-10x+4=0$의 두 근을 $\alpha$, $\beta$라 할 때, $\log_{\alpha\beta}\left(\frac{1}{\alpha}+\frac{1}{\beta}\right)+\log_{\frac{1}{\alpha\beta}}(\alpha+\beta)$의 값을 구하시오.

### 045 중

이차방정식 $x^2-ax+b=0$의 두 근이 2, $\log_3 5$일 때, 상수 $a$, $b$에 대하여 $\frac{a}{b}$의 값은?

① 1 ② $\frac{1}{2}\log_5 30$ ③ $\frac{1}{2}\log_5 35$
④ $\frac{1}{2}\log_5 40$ ⑤ $\frac{1}{2}\log_5 45$

### 046 중

이차방정식 $x^2-3x\log_6 2-2\log_6 3+\log_6 2=0$의 두 근을 $\alpha$, $\beta$라 할 때, $(\alpha-1)(\beta-1)$의 값은?

① $-2$ ② $-1$ ③ 1
④ 2 ⑤ 3

# 로그



## 유형 10 | 상용로그의 값

(1) 10을 밑으로 하는 로그를 상용로그라 하고, 상용로그 $\log_{10} N$은 보통 밑 10을 생략하여 $\log N$과 같이 나타낸다.

(2) 양수 $A$에 대하여 $\log A=k$이면

$$\log(10^n \times A)=\log 10^n+\log A=n+k$$

(단, $n$은 정수)

대표 문제

**047** $\log 2=0.3010$, $\log 3=0.4771$일 때, $\log 12+\log 180$의 값을 구하시오.

## 유형 11 | 상용로그의 정수 부분과 소수 부분

(1) 양수 $N$에 대하여 $\log N=n+\alpha$ ($n$은 정수, $0\le\alpha<1$)이면 $\log N$의 정수 부분은 $n$, 소수 부분은 $\alpha$이다.

(2) 양수 $N$과 정수 $n$에 대하여 $10^n\le N<10^{n+1}$일 때,

$n\le\log N<n+1$

➡ $\log N$의 정수 부분은 $n$, 소수 부분은 $\log N-n$이다.

참고 상용로그의 값이 음수일 때에는 $0\le$(소수 부분)$<1$이 되도록 상용로그의 값을 변형한다.

대표 문제

**048** $\log x=-3.6$일 때, $\log x^2-\log\sqrt{x}$의 정수 부분과 소수 부분을 차례대로 나열한 것은?

① $-6$, $0.4$　② $-6$, $0.6$　③ $-6$, $0.9$
④ $-5$, $0.4$　⑤ $-5$, $0.6$

★중요

## 유형 12 | 상용로그의 소수 부분의 성질을 이용한 로그의 계산

(1) 숫자의 배열이 같고 소수점의 위치만 다른 양수의 상용로그의 소수 부분은 모두 같다.

(2) $\log A$의 값이 주어지면 구하는 값을 $\log(10^n\times A)$ 꼴로 변형한 후 $\log(10^n\times A)=n+\log A$임을 이용한다.

대표 문제

**049** $\log 3.74=0.5729$일 때, $\log 374=a$, $\log b=-0.4271$이다. 이때 $a+b$의 값은?

① 1.9469　② 2.5469　③ 2.9469
④ 3.5469　⑤ 3.9469

## 유형 13 | 자릿수 구하기

$A^k$이 주어지면 상용로그를 취하고 $\log A^k=k\log A$임을 이용하여 $\log A^k$의 정수 부분을 구한 후

(1) $\log A^k$의 정수 부분이 $n$ $(n\ge0)$이면

$n\le\log A^k<n+1$　$\therefore 10^n\le A^k<10^{n+1}$

➡ $A^k$은 $(n+1)$자리의 정수이다.

(2) $\log A^k$의 정수 부분이 $-n$ $(n>0)$이면

$-n\le\log A^k<-n+1$　$\therefore 10^{-n}\le A^k<10^{-n+1}$

➡ $A^k$은 소수점 아래 $n$째 자리에서 처음으로 0이 아닌 숫자가 나타난다.

대표 문제

**050** $\log 2=0.3010$, $\log 3=0.4771$일 때, $12^{20}$은 몇 자리의 정수인가?

① 20자리　② 21자리　③ 22자리
④ 23자리　⑤ 24자리

## 유형 14 | 최고 자리의 숫자 구하기

$A^k$의 최고 자리의 숫자는 다음과 같은 순서로 구한다.

(1) $\log A^k$의 소수 부분 $\alpha$를 구한다.

(2) $\log N \le \alpha < \log(N+1)$을 만족시키는 한 자리의 자연수 $N$의 값을 구한다.

➡ $A^k$의 최고 자리의 숫자는 $N$이다.

대표 문제

**051** $\log 2=0.3010$, $\log 3=0.4771$일 때, $6^{30}$의 최고 자리의 숫자는?

① 1 ② 2 ③ 3 ④ 4 ⑤ 5

★ 중요

## 유형 15 | 상용로그의 소수 부분의 조건이 주어진 경우

(1) 두 상용로그 $\log A$, $\log B$에서 소수 부분이 같을 때

➡ $\log A - \log B = (정수)$

(2) 두 상용로그 $\log A$, $\log B$에서 소수 부분의 합이 1일 때

➡ $\log A + \log B = (정수)$

대표 문제

**052** $10 \le x < 100$이고 $\log x^2$의 소수 부분과 $\log x^4$의 소수 부분이 같을 때, 모든 실수 $x$의 값의 곱은?

① $10^{\frac{3}{2}}$ ② $10^2$ ③ $10^{\frac{5}{2}}$ ④ $10^3$ ⑤ $10^{\frac{7}{2}}$

## 유형 16 | 상용로그의 정수 부분과 소수 부분을 근으로 갖는 방정식

$\log A = n + \alpha$ ($n$은 정수, $0 \le \alpha < 1$)일 때, $\log A$의 정수 부분과 소수 부분이 이차방정식 $px^2+qx+r=0$의 두 근이면 근과 계수의 관계에 의하여

$$n+\alpha = -\frac{q}{p},\ n\alpha = \frac{r}{p}$$

대표 문제

**053** 이차방정식 $3x^2+7x+k=0$의 두 근이 $\log N$의 정수 부분과 소수 부분일 때, 상수 $k$의 값을 구하시오.

★ 중요

## 유형 17 | 상용로그의 실생활에의 활용

(1) 식이 주어진 경우

➡ 주어진 식에서 각 문자가 나타내는 것이 무엇인지 파악한 후 조건에 따라 값을 대입한다.

(2) 일정하게 증가, 감소하는 경우

➡ 올해의 양은 $A$이고 매년 $r\,\%$씩 증가할 때 $n$년 후의 양은

$$A\left(1+\frac{r}{100}\right)^n$$

임을 이용하여 식을 세운다.

대표 문제

**054** 단일 재료로 만들어진 벽의 단위 면적당 질량을 $m\,\mathrm{kg/m^2}$, 음향의 주파수를 $f\,\mathrm{Hz}$, 벽면의 음향 투과 손실을 $L\,\mathrm{dB}$이라 하면

$$L = 20\log mf - 48$$

인 관계가 성립한다고 한다. 음향의 주파수가 일정할 때, 벽의 단위 면적당 질량이 4배가 되면 벽면의 음향 투과 손실은 $k\,\mathrm{dB}$만큼 증가한다. 이때 $k$의 값을 구하시오.

(단, $\log 2=0.3$으로 계산한다.)

정답과 해설 14쪽

## 유형 10 상용로그의 값

### 055 대표 문제 다시 보기

$\log 3=0.4771$, $\log 5=0.6990$일 때, $\log 2+\log 75$의 값은?

① 2.1761 ② 2.2219 ③ 2.3801
④ 2.6532 ⑤ 2.8751

### 056 중

양수 $x$에 대하여 $\log \sqrt[3]{x}=1.32$일 때, $\log 100x^2+\log \sqrt{x}$의 값을 구하시오.

## 유형 11 상용로그의 정수 부분과 소수 부분

### 057 대표 문제 다시 보기

$\log x=2.8$일 때, $\log \frac{1}{x^2}+\log \sqrt[4]{x}$의 정수 부분과 소수 부분을 차례대로 나열한 것은?

① $-5$, 0.1 ② $-5$, 0.9 ③ $-4$, 0.1
④ $-4$, 0.5 ⑤ $-4$, 0.9

### 058 중

양수 $N$에 대하여 $\log N$의 정수 부분을 $m$, $\log \frac{1000}{N}$의 정수 부분을 $n$이라 할 때, 다음 중 $m+n$의 값이 될 수 있는 것은?

① $-2$ ② $-1$ ③ 0
④ 1 ⑤ 2

### 059 중

자연수 $N$에 대하여 $\log N$의 정수 부분을 $f(N)$이라 할 때,

$$f(1)+f(3)+f(5)+\cdots+f(149)$$

의 값은?

① 91 ② 92 ③ 93
④ 94 ⑤ 95

★ 중요

## 유형 12 상용로그의 소수 부분의 성질을 이용한 로그의 계산

### 060 대표 문제 다시 보기

$\log 1.21=0.0828$일 때, $\log 121=a$, $\log b=-1.9172$이다. 이때 $a+b$의 값을 구하시오.

### 061 중

$\log 6.33=0.8014$일 때, 다음 중 옳지 않은 것은?

① $\log 63.3=1.8014$ ② $\log 6330=3.8014$
③ $\log 0.633=-0.1986$ ④ $\log 0.0633=-2.1986$
⑤ $\log \sqrt{6.33}=0.4007$

### 062 중

$\log 582 = 2.7649$일 때, $\log N = -2.2351$을 만족시키는 양수 $N$의 값은?

① 0.00582 ② 0.0582 ③ 0.07649
④ 0.582 ⑤ 0.7649

### 063 상

다음 상용로그표를 이용하여 $\sqrt{404}$의 값을 구하시오.

| 수 | 0 | 1 | 2 | 3 | 4 |
|---|---|---|---|---|---|
| ⋮ | ⋮ | ⋮ | ⋮ | ⋮ | ⋮ |
| 2.0 | .3010 | .3032 | .3054 | .3075 | .3096 |
| 2.1 | .3222 | .3243 | .3263 | .3284 | .3304 |
| ⋮ | ⋮ | ⋮ | ⋮ | ⋮ | ⋮ |
| 4.0 | .6021 | .6031 | .6042 | .6053 | .6064 |
| 4.1 | .6128 | .6138 | .6149 | .6160 | .6170 |
| ⋮ | ⋮ | ⋮ | ⋮ | ⋮ | ⋮ |

## 유형 13 자릿수 구하기

### 064 대표 문제 다시 보기

$\log 2 = 0.3010$, $\log 3 = 0.4771$일 때, $15^{10}$은 몇 자리의 정수인가?

① 10자리 ② 11자리 ③ 12자리
④ 13자리 ⑤ 14자리

### 065 중

$\log 2 = 0.3010$, $\log 3 = 0.4771$일 때, $\left(\frac{3}{4}\right)^{10}$은 소수점 아래 $n$째 자리에서 처음으로 0이 아닌 숫자가 나타난다. 이때 $n$의 값을 구하시오.

### 066 중

$2^{100}$이 31자리의 정수일 때, $\left(\frac{1}{5}\right)^{15}$은 소수점 아래 몇째 자리에서 처음으로 0이 아닌 숫자가 나타나는가?

① 8 ② 9 ③ 10
④ 11 ⑤ 12

## 유형 14 최고 자리의 숫자 구하기

### 067 대표 문제 다시 보기

$\log 2 = 0.3010$, $\log 3 = 0.4771$일 때, $12^{20}$의 최고 자리의 숫자를 구하시오.

### 068 상

$\log x = -\frac{3}{4}$일 때, $x^2$은 소수점 아래 $a$째 자리에서 처음으로 0이 아닌 숫자 $b$가 나타난다. 이때 $a+b$의 값을 구하시오.
(단, $\log 2 = 0.3010$, $\log 3 = 0.4771$로 계산한다.)

★ 중요

## 유형 15 상용로그의 소수 부분의 조건이 주어진 경우

### 069 대표 문제 다시 보기

$10<x<100$이고 $\log\sqrt{x}$의 소수 부분과 $\log\frac{1}{x}$의 소수 부분이 같을 때, $x^3$의 값을 구하시오.

### 070 중

$\log x$의 정수 부분이 2이고, $\log x^2$의 소수 부분과 $\log\sqrt{x}$의 소수 부분의 합이 1이 되도록 하는 모든 실수 $x$의 값의 곱이 $10^{\frac{q}{p}}$일 때, 서로소인 두 자연수 $p$, $q$에 대하여 $p+q$의 값은?

① 23 ② 25 ③ 27
④ 29 ⑤ 31

### 071 상

양수 $a$, $b$가 다음 조건을 모두 만족시킬 때, $a+b$의 값을 구하시오.

(가) $10<a<100$
(나) $b=3a$
(다) $\log a^2$의 소수 부분과 $\log 3b$의 소수 부분이 같다.

## 유형 16 상용로그의 정수 부분과 소수 부분을 근으로 갖는 방정식

### 072 대표 문제 다시 보기

이차방정식 $5x^2-12x+k=0$의 두 근이 $\log N$의 정수 부분과 소수 부분일 때, 상수 $k$의 값은?

① 2 ② 3 ③ 4
④ 5 ⑤ 6

### 073 중

이차방정식 $x^2+ax+b=0$의 두 근이 $\log 800$의 정수 부분과 소수 부분일 때, 상수 $a$, $b$에 대하여 $a+b$의 값은?

① $\log 0.008$ ② $\log 0.08$ ③ $\log 0.8$
④ $\log 8$ ⑤ $\log 80$

### 074 상

이차방정식 $x^2+ax+b=0$의 두 근은 $\log N$의 정수 부분과 소수 부분이고, 이차방정식 $x^2-ax+b-\frac{8}{5}=0$의 두 근은 $\log\frac{1}{N}$의 정수 부분과 소수 부분이다. 이때 상수 $a$, $b$에 대하여 $a-b$의 값을 구하시오.

(단, $\log N$의 소수 부분은 0이 아니다.)

정답과 해설 16쪽

★ 중요

## 유형 17 상용로그의 실생활에의 활용

### 075 대표 문제 다시 보기

어느 상품의 수요량을 $D$, 판매 가격을 $P$라 하면

$\log_a D=k-\frac{1}{3}\log_a P$ ($a$, $k$는 양수, $a\neq1$)

인 관계가 성립한다고 한다. 이 상품의 판매 가격이 현재에 비하여 8배 오른다면 수요량은 현재의 몇 배가 되는지 구하시오.

### 076 중

용액의 산성도를 나타내는 pH는 용액 1 L에 녹아 있는 수소 이온 농도 $[H^+]$에 대하여

$\mathrm{pH}=-\log\,[H^+]$

로 정의한다. pH 4.6인 용액의 수소 이온 농도가 pH 6.4인 용액의 수소 이온 농도의 $10^k$배일 때, 실수 $k$의 값은?

① 1.5 ② 1.8 ③ 2.1
④ 2.4 ⑤ 2.7

### 077 중

외부 자극의 세기를 $I$, 감각의 세기를 $S$라 하면

$S=k\log I$ ($k$는 상수)

인 관계가 성립한다고 한다. 어느 외부 자극의 세기가 30일 때의 감각의 세기가 0.74라 할 때, 이 외부 자극의 세기가 90일 때의 감각의 세기를 구하시오. (단, $\log 3=0.48$로 계산한다.)

### 078 중

어느 회사의 매출액이 매년 일정한 비율로 증가하여 5년 만에 2배가 되었다. 5년 동안 이 회사의 매출액은 매년 몇 %씩 증가했는가? (단, $\log 2=0.3$, $\log 1.15=0.06$으로 계산한다.)

① 11 % ② 12 % ③ 13 %
④ 14 % ⑤ 15 %

### 079 상

어느 중고 물품 거래 상점에서는 중고 물품의 가격을 매년 전년도 대비 20 %씩 떨어뜨리는 방식으로 정하고 있다. 이 상점에서 판매하는 어떤 물품의 5년 후 가격은 현재 가격의 몇 %인지 구하시오.

(단, $\log 2=0.301$, $\log 3.27=0.515$로 계산한다.)

### 080 상

환경공단에서는 어느 강으로 유입되는 생활하수의 양을 매년 일정한 비율로 줄여 10년 후에는 유입되는 생활하수의 양이 현재 유입량의 $\frac{1}{3}$이 되도록 하려고 한다. 생활하수의 양은 매년 몇 %씩 줄여야 하는지 구하시오.

(단, $\log 3=0.48$, $\log 8.96=0.952$로 계산한다.)

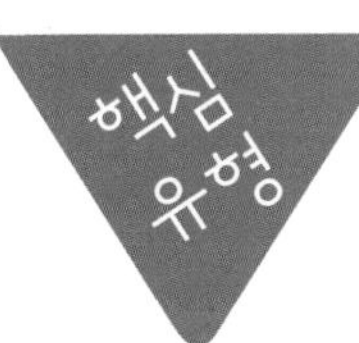


# 최종 점검하기



정답과 해설 17쪽

## 081

유형 01

$\log_a 3=2$, $\log_2 b=2$일 때, $a^{2b}$의 값은?

① 16 ② 27 ③ 64
④ 81 ⑤ 128

## 082

유형 02

모든 실수 $x$에 대하여 $\log_{|a-1|}(x^2+ax+a)$가 정의되도록 하는 정수 $a$의 값을 구하시오.

## 083

유형 03

$\log_2 24+\log_2 \dfrac{2}{3}-\log_2 2\sqrt{2}$의 값을 구하시오.

## 084

유형 03

자연수 $n$에 대하여 두 점 $\mathrm{A}(n,\ \log_3(n^2+n))$, $\mathrm{B}(n+1,\ 2\log_3(n+1))$을 지나는 직선의 기울기를 $f(n)$이라 할 때, $f(1)+f(2)+f(3)+\cdots+f(80)$의 값은?

① 1 ② 2 ③ 3
④ 4 ⑤ 5

## 085

유형 04

실수 $a$, $b$에 대하여 $ab=\log_3 7$, $a+b=\log_2 7$일 때, $\dfrac{1}{a}+\dfrac{1}{b}$의 값은?

① $\log_2 3$ ② $\log_3 2$ ③ $\log_3 7$
④ $\log_7 2$ ⑤ $\log_7 3$

## 086

유형 04+05

다음 보기 중 옳은 것만을 있는 대로 고른 것은?

보기

ㄱ. $\log_{2\sqrt{2}} 8=2$
ㄴ. $4^{\log_2 27-\log_2 3}=4^2$
ㄷ. $\log_2\{\log_{16}(\log_5 25)\}=2$
ㄹ. $\log_2(\log_3 7)+\log_2(\log_7 10)+\log_2(\log_{10} 81)=2$

① ㄱ, ㄷ ② ㄱ, ㄹ ③ ㄴ, ㄷ
④ ㄱ, ㄴ, ㄹ ⑤ ㄴ, ㄷ, ㄹ

## 087

유형 05

$(5^{\log_5 3+\log_5 2})^2+(3^{\log_2 3+\log_{\sqrt{2}} 3\sqrt{3}})^{\log_9 2\sqrt{2}}$의 값은?

① 39 ② 45 ③ 63
④ 70 ⑤ 81

## 088
유형 06

$\log_2 15=a$, $\log_2 \frac{3}{5}=b$일 때, $\log_2 45$를 $a$, $b$로 나타내면?

① $\frac{a+2b}{2}$ ② $\frac{a+3b}{2}$ ③ $\frac{2a+b}{2}$
④ $\frac{3a+b}{2}$ ⑤ $\frac{4a+3b}{2}$

## 089
유형 07

1보다 큰 실수 $a$, $b$, $c$에 대하여

$\log_a c : \log_b c = 4 : 1$

일 때, $\log_a b + \log_b a$의 값을 구하시오.

## 090
유형 07

$2^x=5^y=50^z$일 때, $\frac{1}{x}+\frac{2}{y}-\frac{1}{z}$의 값을 구하시오. (단, $xyz \neq 0$)

## 091
유형 08

$\log_5 15$의 정수 부분을 $x$, 소수 부분을 $y$라 할 때, $\frac{5^x+5^y}{5^x-5^y}$의 값을 구하시오.

## 092
유형 09

이차방정식 $x^2+6x+3=0$의 두 근을 $\log_2 a$, $\log_2 b$라 할 때, $\log_a b+\log_b a$의 값은?

① 10 ② 11 ③ 12
④ 13 ⑤ 14

## 093
유형 10

$\log 2=0.3010$, $\log 3=0.4771$일 때, $\log 108$의 값을 구하시오.

## 094
유형 11

$\log x=\frac{3}{5}$, $\log y=\frac{7}{4}$일 때, $\log \frac{100x}{y^2}$의 정수 부분을 $a$, 소수 부분을 $b$라 하자. 이때 $a^2+10b$의 값은?

① 2 ② 4 ③ 6
④ 8 ⑤ 10

## 095
유형 12

$\log 2=0.301$일 때, 다음 보기 중 옳은 것의 개수는?

보기
ㄱ. $\log 5=0.699$
ㄴ. $\log 200=2.301$
ㄷ. $\log 5000=3.699$
ㄹ. $\log 0.5=-1.301$
ㅁ. $\log 0.005=-2.301$
ㅂ. $\log 0.02=-1.699$

① 2　② 3　③ 4　④ 5　⑤ 6

## 096
유형 13

자연수 $a$, $b$에 대하여 $a^{10}$은 16자리의 정수, $b^{10}$은 10자리의 정수일 때, $a^5b^2$은 몇 자리의 정수인가?

① 6자리　② 7자리　③ 8자리　④ 9자리　⑤ 10자리

## 097
유형 14

$\log 2=0.3010$, $\log 7=0.8451$일 때, $7^{20}$의 최고 자리의 숫자는 $a$, 일의 자리의 숫자는 $b$이다. 이때 $a+b$의 값을 구하시오.

## 098
유형 15

$100\le x<1000$이고 $2\log x$와 $\log \frac{x}{2}$의 차가 정수일 때, $\log 2x$의 값을 구하시오.

## 099
유형 15

$\log x$의 정수 부분은 3이고, $\log x$의 소수 부분과 $\log x\sqrt{x}$의 소수 부분의 합이 1일 때, 모든 실수 $x$의 값의 곱은?

① $10^{\frac{28}{5}}$　② $10^6$　③ $10^{\frac{32}{5}}$　④ $10^{\frac{34}{5}}$　⑤ $10^{\frac{36}{5}}$

## 100
유형 16

$\log 900$의 정수 부분과 소수 부분을 각각 $a$, $b$라 할 때, 이차항의 계수가 1이고 $3^a$, $3^{\frac{2}{b}}$을 두 근으로 하는 이차방정식을 구하시오.

## 101
유형 17

어느 회사는 사원의 복지 향상을 위하여 복지 예산을 매년 일정한 비율로 늘리려고 한다. 올해 이 회사의 복지 예산이 1억 원이라 할 때, 10년 후에 복지 예산이 2억 원이 되도록 하려면 복지 예산을 매년 몇 %씩 늘려야 하는가?

(단, $\log 2=0.3$, $\log 1.07=0.03$으로 계산한다.)

① 5 %　② 6 %　③ 7 %　④ 8 %　⑤ 9 %

Ⅰ. 지수함수와 로그함수

# 03 지수함수

유형 01 지수함수의 함숫값

유형 02 지수함수의 성질

유형 03 지수함수의 그래프의 평행이동과 대칭이동

유형 04 지수함수의 그래프 위의 점

유형 05 지수함수를 이용한 수의 대소 비교

유형 06 지수함수의 최대, 최소

유형 07 $y=a^{f(x)}$ 꼴인 함수의 최대, 최소

유형 08 $a^x$ 꼴이 반복되는 함수의 최대, 최소

유형 09 산술평균과 기하평균을 이용한 함수의 최대, 최소

유형 10 밑을 같게 할 수 있는 지수방정식

유형 11 $a^x$ 꼴이 반복되는 지수방정식 (1)

유형 12 $a^x$ 꼴이 반복되는 지수방정식 (2)

유형 13 밑에 미지수가 있는 지수방정식

유형 14 지수방정식의 실근의 조건

유형 15 밑을 같게 할 수 있는 지수부등식

유형 16 $a^x$ 꼴이 반복되는 지수부등식

유형 17 밑에 미지수가 있는 지수부등식

유형 18 지수부등식이 항상 성립할 조건

유형 19 지수방정식과 지수부등식의 실생활에의 활용

# 지수함수

## 유형 01 | 지수함수의 함숫값

지수함수 $f(x)=a^x\,(a>0,\ a\neq1)$에서 $f(p)$의 값을 구할 때에는 $f(x)$에 $x$ 대신 $p$를 대입하고 지수법칙을 이용한다.

대표 문제

**001** 함수 $f(x)=a^x\,(a>0,\ a\neq1)$에서 $f(k_1)=2$, $f(k_2)=4$일 때, $f(k_1+k_2)$의 값을 구하시오.

## 유형 02 | 지수함수의 성질

지수함수 $y=a^x\,(a>0,\ a\neq1)$에 대하여

(1) 정의역은 실수 전체의 집합이고, 치역은 양의 실수 전체의 집합이다.

(2) $a>1$일 때, $x$의 값이 증가하면 $y$의 값도 증가한다.
$0<a<1$일 때, $x$의 값이 증가하면 $y$의 값은 감소한다.

(3) 그래프는 점 $(0,\ 1)$을 지나고, 그래프의 점근선은 $x$축(직선 $y=0$)이다.

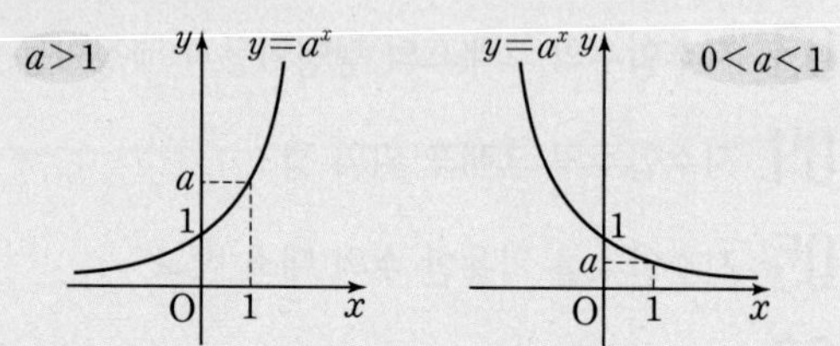


대표 문제

**002** 다음 중 함수 $y=2^x$에 대한 설명으로 옳지 않은 것은?

① $x$의 값이 증가하면 $y$의 값도 증가한다.
② 그래프는 점 $(0,\ 1)$을 지난다.
③ 그래프의 점근선의 방정식은 $y=0$이다.
④ 그래프는 $x$축과 한 점에서 만난다.
⑤ 정의역은 실수 전체의 집합이고, 치역은 양의 실수 전체의 집합이다.

★ 중요

## 유형 03 | 지수함수의 그래프의 평행이동과 대칭이동

지수함수 $y=a^x\,(a>0,\ a\neq1)$의 그래프를

(1) $x$축의 방향으로 $m$만큼, $y$축의 방향으로 $n$만큼 평행이동
➡ $y=a^{x-m}+n$

(2) $x$축에 대하여 대칭이동 ➡ $y=-a^x$

(3) $y$축에 대하여 대칭이동 ➡ $y=a^{-x}=\left(\frac{1}{a}\right)^x$

(4) 원점에 대하여 대칭이동 ➡ $y=-a^{-x}=-\left(\frac{1}{a}\right)^x$

대표 문제

**003** 함수 $y=3^x$의 그래프를 $x$축의 방향으로 $m$만큼, $y$축의 방향으로 $n$만큼 평행이동하면 함수 $y=\frac{1}{9}\times3^x-1$의 그래프와 겹쳐질 때, $m+n$의 값은?

① $-2$　② $-1$　③ $0$　④ $1$　⑤ $2$

## 유형 04 | 지수함수의 그래프 위의 점

지수함수 $y=a^x\,(a>0,\ a\neq1)$의 그래프가 점 $(p,\ q)$를 지나면
➡ $q=a^p$

대표 문제

**004** 오른쪽 그림은 함수 $y=2^x$의 그래프이다. $pq=16$일 때, $a+b$의 값을 구하시오.

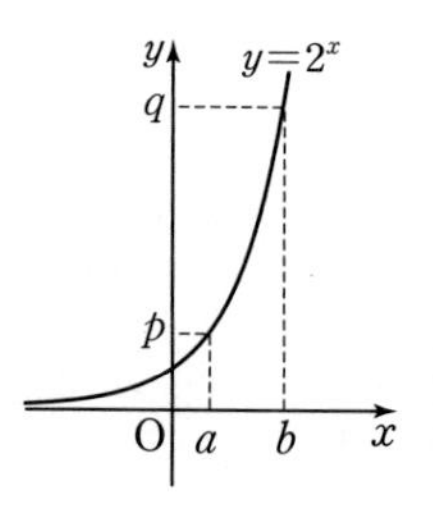

## 유형 05 | 지수함수를 이용한 수의 대소 비교

주어진 수의 밑을 같게 한 후 지수함수의 성질을 이용한다.

(1) $a>1$일 때, $m<n \iff a^m<a^n$

(2) $0<a<1$일 때, $m<n \iff a^m>a^n$

대표 문제

**005** 세 수 $A=3\sqrt{3}$, $B=\left(\frac{1}{27}\right)^{-\frac{1}{4}}$, $C=\sqrt[3]{81}$의 대소 관계는?

① $A<B<C$　② $A<C<B$　③ $B<A<C$
④ $B<C<A$　⑤ $C<A<B$

★ 중요

## 유형 06 | 지수함수의 최대, 최소

정의역이 $\{x|m\le x\le n\}$인 지수함수 $f(x)=a^x(a>0,\ a\ne1)$에 대하여

(1) $a>1$일 때 ➡ 최댓값: $f(n)$, 최솟값: $f(m)$

(2) $0<a<1$일 때 ➡ 최댓값: $f(m)$, 최솟값: $f(n)$

대표 문제

**006** 정의역이 $\{x|-3\le x\le 1\}$인 함수 $y=\left(\frac{1}{2}\right)^{x+1}+4$의 최댓값과 최솟값의 차를 구하시오.

## 유형 07 | $y=a^{f(x)}$ 꼴인 함수의 최대, 최소

함수 $y=a^{f(x)}$의 최대, 최소를 구할 때에는 주어진 범위에서 $f(x)$의 최댓값과 최솟값을 구한 후 다음을 이용한다.

(1) $a>1$일 때
➡ $f(x)$가 최대이면 $y$도 최대, $f(x)$가 최소이면 $y$도 최소

(2) $0<a<1$일 때
➡ $f(x)$가 최대이면 $y$는 최소, $f(x)$가 최소이면 $y$는 최대

대표 문제

**007** 정의역이 $\{x|-2\le x\le 1\}$인 함수 $y=5^{-x^2-2x}$의 최댓값과 최솟값의 곱은?

① $\frac{1}{125}$　② $\frac{1}{25}$　③ $\frac{1}{5}$
④ 5　⑤ 25

## 유형 08 | $a^x$ 꼴이 반복되는 함수의 최대, 최소

$a^x$ 꼴이 반복되는 함수의 최대, 최소는 $a^x=t\,(t>0)$로 치환하여 $t$에 대한 이차함수의 최댓값과 최솟값을 구한다. 이때 $t$의 값의 범위에 유의한다.

대표 문제

**008** 정의역이 $\{x|-2\le x\le -1\}$인 함수 $y=9^{-x}-2\times3^{-x+1}-1$의 최댓값을 $M$, 최솟값을 $m$이라 할 때, $M-m$의 값을 구하시오.

## 유형 09 | 산술평균과 기하평균을 이용한 함수의 최대, 최소

$a^x+a^{-x}$ 꼴이 있는 함수의 최대, 최소를 구할 때에는 산술평균과 기하평균의 관계를 이용한다.

➡ $a^x+a^{-x}\ge2\sqrt{a^x\times a^{-x}}=2$ (단, 등호는 $x=0$일 때 성립)

대표 문제

**009** 함수 $y=4^x+4^{-x}-2(2^x+2^{-x})+7$의 최솟값을 구하시오.

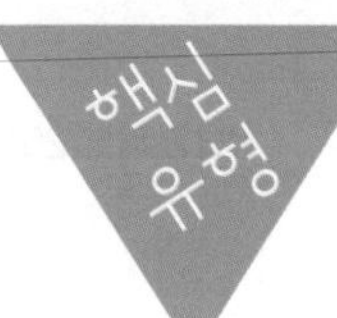


# 완성하기

## 유형 01 지수함수의 함숫값

### 010 대표 문제 다시 보기

함수 $f(x)=a^x(a>0,\ a\neq1)$에서 $f(4)=m$, $f(9)=n$일 때, $f(5)$의 값을 $m$, $n$으로 나타내면?

① $mn$  ② $mn^2$  ③ $\frac{n}{m}$
④ $\frac{m}{n}$  ⑤ $\frac{n}{m^2}$

### 011 하

함수 $f(x)=a^x(a>0,\ a\neq1)$에서 $f(4)=\frac{1}{16}$일 때, $f(-1)+f(-3)$의 값을 구하시오.

### 012 중

함수 $f(x)=3^{-x}$에 대하여 $f(2a)\times f(b)=9$, $f(a-b)=3$일 때, $3^{3a}+3^{3b}$의 값을 구하시오.

### 013 중

집합 $A=\{(x,\ y)\,|\,y=2^x\}$에 대하여 다음 보기 중 옳은 것만을 있는 대로 고른 것은?

보기
ㄱ. $(a,\ b)\in A$이면 $\left(a-1,\ \frac{b}{2}\right)\in A$
ㄴ. $(a,\ b)\in A$이면 $\left(-a,\ \frac{1}{b}\right)\in A$
ㄷ. $(a_1,\ b_1)\in A$, $(a_2,\ b_2)\in A$이면 $(a_1+a_2,\ b_1b_2)\in A$

① ㄱ  ② ㄷ  ③ ㄱ, ㄴ
④ ㄴ, ㄷ  ⑤ ㄱ, ㄴ, ㄷ

## 유형 02 지수함수의 성질

### 014 대표 문제 다시 보기

다음 보기 중 함수 $f(x)=a^x(a>0,\ a\neq1)$에 대한 설명으로 옳은 것만을 있는 대로 고른 것은?

보기
ㄱ. 정의역은 양의 실수 전체의 집합이다.
ㄴ. $x_1\neq x_2$이면 $f(x_1)\neq f(x_2)$이다.
ㄷ. $0<a<1$일 때, $x_1<x_2$이면 $f(x_1)>f(x_2)$이다.
ㄹ. 그래프는 두 점 $(0,\ 1)$, $(1,\ a)$를 지난다.

① ㄱ, ㄴ  ② ㄱ, ㄷ  ③ ㄴ, ㄹ
④ ㄱ, ㄷ, ㄹ  ⑤ ㄴ, ㄷ, ㄹ

### 015 하

다음 중 임의의 실수 $a$, $b$에 대하여 $a<b$일 때, $f(a)>f(b)$를 만족시키는 함수는?

① $f(x)=5^x$  ② $f(x)=2.7^x$
③ $f(x)=\left(\frac{11}{10}\right)^x$  ④ $f(x)=\left(\frac{10}{9}\right)^{-x}$
⑤ $f(x)=10^{3x}$

### 016 중

함수 $y=(a^2+a-5)^x$에 대하여 $x$의 값이 증가할 때 $y$의 값도 증가하도록 하는 실수 $a$의 값의 범위를 구하시오.

★ 중요

## 유형 03 지수함수의 그래프의 평행이동과 대칭이동

### 017 대표 문제 다시 보기

함수 $y=4\times\left(\frac{1}{2}\right)^x-3$의 그래프는 함수 $y=\left(\frac{1}{2}\right)^x$의 그래프를 $x$축의 방향으로 $a$만큼, $y$축의 방향으로 $b$만큼 평행이동한 것이고, 점근선의 방정식은 $y=c$이다. 이때 $a+b+c$의 값을 구하시오. (단, $c$는 상수)

### 018 중

다음 보기의 함수 중 그 그래프가 함수 $y=4^x$의 그래프를 평행이동 또는 대칭이동하여 겹쳐지는 것만을 있는 대로 고른 것은?

보기

ㄱ. $y=4^x+3$　　ㄴ. $y=-4\times2^{x-2}$

ㄷ. $y=-\left(\frac{1}{4}\right)^x+2$　　ㄹ. $y=2^{2x-4}-2$

① ㄱ, ㄴ　② ㄱ, ㄷ　③ ㄴ, ㄹ
④ ㄱ, ㄷ, ㄹ　⑤ ㄴ, ㄷ, ㄹ

### 019 중

다음 중 함수 $y=4^{x+2}-5$에 대한 설명으로 옳지 않은 것은?

① 치역은 $\{y\mid y>-5\}$이다.
② 그래프의 점근선의 방정식은 $x=-2$이다.
③ 그래프는 제4사분면을 지나지 않는다.
④ $x$의 값이 증가하면 $y$의 값도 증가한다.
⑤ $y=4^x$의 그래프를 $x$축의 방향으로 $-2$만큼, $y$축의 방향으로 $-5$만큼 평행이동한 것이다.

### 020 중

함수 $y=\left(\frac{1}{3}\right)^x$의 그래프를 $y$축에 대하여 대칭이동한 후 $x$축의 방향으로 $a$만큼, $y$축의 방향으로 $b$만큼 평행이동한 그래프가 오른쪽 그림과 같을 때, $ab$의 값은?

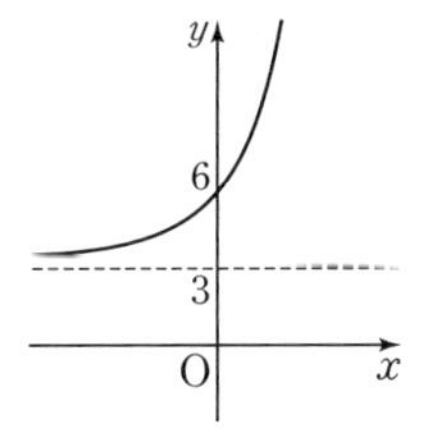


① $-5$　② $-3$　③ $-1$
④ $1$　⑤ $3$

### 021 중

함수 $y=5^{-x+1}+k$의 그래프가 제3사분면을 지나지 않을 때, 상수 $k$의 최솟값은?

① $-5$　② $-3$　③ $-1$
④ $1$　⑤ $3$

### 022 상

함수 $y=3^{|x+1|}+1$의 그래프와 직선 $y=k$가 만나지 않도록 하는 실수 $k$의 값의 범위를 구하시오.

## 유형 04 지수함수의 그래프 위의 점

### 023 대표 문제 다시 보기

함수 $y=\left(\frac{1}{4}\right)^x$의 그래프가 오른쪽 그림과 같을 때, $\frac{b}{a}$의 값은?

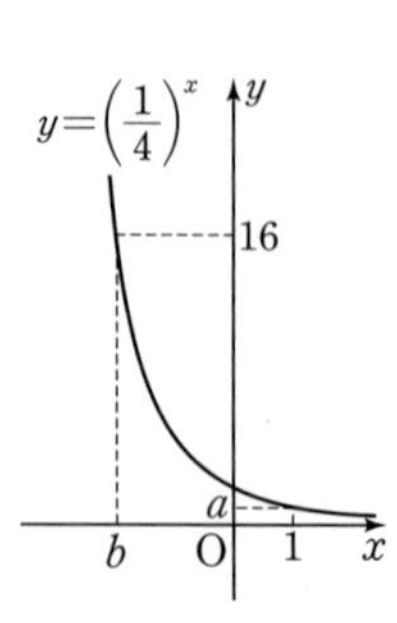


① $-8$ ② $-4$ ③ $-1$ ④ $-\frac{1}{4}$ ⑤ $-\frac{1}{8}$

### 024 중

오른쪽 그림은 함수 $y=3^x$의 그래프와 직선 $y=x$이다. $bd=3^k$일 때, 상수 $k$의 값은? (단, 점선은 $x$축 또는 $y$축에 평행하다.)

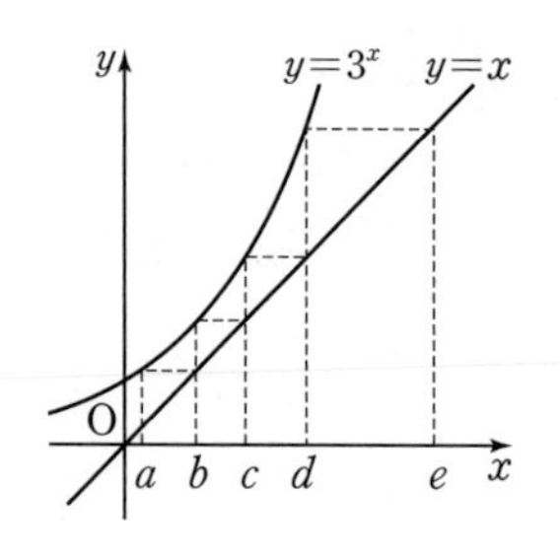


① $a+c$ ② $b+c$ ③ $b+d$ ④ $b+e$ ⑤ $c+e$

### 025 중

오른쪽 그림과 같이 두 함수 $y=2^x$, $y=4^x$의 그래프와 직선 $y=4$가 만나는 점을 각각 A, B라 할 때, 삼각형 OAB의 넓이를 구하시오.

(단, O는 원점)

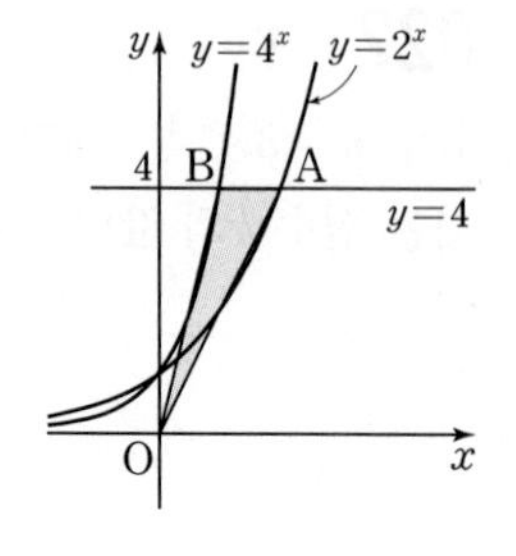


### 026 중

오른쪽 그림과 같이 두 함수 $y=2^x$, $y=k\times 2^x$의 그래프 위의 점 중에서 제1사분면 위의 점을 각각 A, B라 하고 두 점 A, B에서 $x$축에 내린 수선의 발을 각각 C, D라 하자. 사각형 ACDB가 정사각형이고 그 넓이가 9일 때, 상수 $k$의 값은?

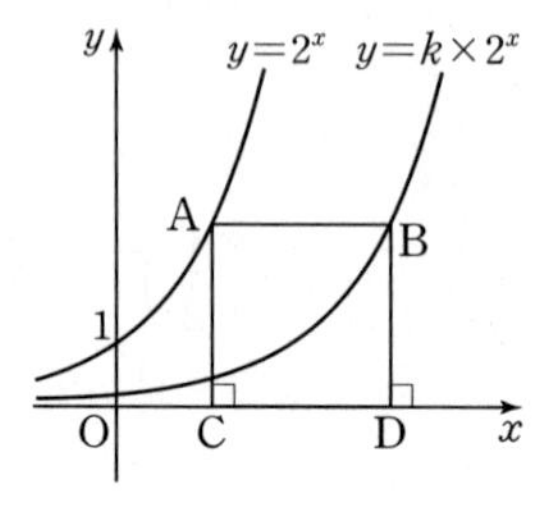


① $\frac{1}{32}$ ② $\frac{1}{16}$ ③ $\frac{1}{8}$ ④ $\frac{1}{4}$ ⑤ $\frac{1}{2}$

### 027 중

함수 $y=3^x$의 그래프 위의 서로 다른 두 점 A, B에 대하여 $\overline{AB}=\sqrt{5}$이고, 직선 AB의 기울기는 2이다. 두 점 A, B의 $x$좌표를 각각 $a$, $b$라 할 때, $3^b-3^a$의 값을 구하시오.

(단, $a<b$)

## 유형 05 지수함수를 이용한 수의 대소 비교

### 028 대표 문제 다시 보기

세 수 $A=\sqrt[4]{64}$, $B=16^{\frac{1}{5}}$, $C=\left(\frac{1}{8}\right)^{-0.6}$의 대소 관계는?

① $A<B<C$ ② $A<C<B$ ③ $B<A<C$ ④ $B<C<A$ ⑤ $C<A<B$

## 029 중

네 수 $\sqrt[3]{\frac{1}{16}}$, $\sqrt[5]{\frac{1}{128}}$, $\sqrt[4]{\frac{1}{32}}$, $\sqrt[6]{\frac{1}{8}}$ 중에서 가장 작은 수를 $a$, 가장 큰 수를 $b$라 할 때, $a^5b=\left(\frac{1}{2}\right)^k$이다. 이때 상수 $k$의 값을 구하시오.

## 030 중

$0<a<1$일 때, 자연수 $n$에 대하여 세 수

$$A=\sqrt[n+1]{a^n},\ B=\sqrt[n+2]{a^{n+1}},\ C=\sqrt[n+3]{a^{n+2}}$$

의 대소 관계는?

① $A<B<C$ ② $B<A<C$ ③ $B<C<A$
④ $C<A<B$ ⑤ $C<B<A$

## 031 상

$0<a<\frac{1}{b}<1$일 때, 네 수 $a^a$, $a^b$, $b^a$, $b^b$의 대소 관계는?

① $a^a<a^b<b^a<b^b$ ② $a^b<a^a<b^a<b^b$
③ $a^b<b^a<a^a<b^b$ ④ $b^a<a^a<a^b<b^b$
⑤ $b^a<b^b<a^a<a^b$

★ 중요

## 유형 06 지수함수의 최대, 최소

## 032 대표 문제 다시 보기

정의역이 $\{x\,|\,0\le x\le 3\}$인 함수 $y=3^{x-1}+3$의 최댓값과 최솟값의 곱은?

① 20 ② 25 ③ 30
④ 35 ⑤ 40

03

## 033 중

정의역이 $\{x\,|\,-2\le x\le 1\}$인 함수 $y=\left(\frac{1}{2}\right)^{x+1}+k$의 최댓값이 6일 때, 최솟값을 구하시오. (단, $k$는 상수)

## 034 중

정의역이 $\{x\,|\,a\le x\le 3\}$일 때, 함수 $y=\left(\frac{1}{3}\right)^{x+b}+1$의 최댓값은 28, 최솟값은 4이다. 이때 상수 $a$, $b$에 대하여 $a+b$의 값은?

① $-3$ ② $-1$ ③ 0
④ 1 ⑤ 3

**035** 중

정의역이 $\{x|-1\leq x\leq 2\}$인 함수 $y=3^x\times 2^{-2x}+5$가 $x=a$에서 최댓값 $M$을 가질 때, $a+M$의 값을 구하시오.

**036** 중

정의역이 $\{x|-2\leq x\leq 2\}$인 함수 $f(x)=\left(\frac{2}{a}\right)^x$의 최댓값이 9일 때, 모든 양수 $a$의 값의 합은? (단, $a\neq 2$)

① 6　② $\frac{20}{3}$　③ 7
④ $\frac{23}{3}$　⑤ 8

**037** 상

정의역이 $\{x|-2\leq x\leq 1\}$인 함수 $f(x)=a^{x+3}$의 최댓값이 최솟값의 27배가 되도록 하는 모든 양수 $a$의 값의 곱은?

① $\frac{1}{3}$　② 1　③ $\frac{5}{3}$
④ 2　⑤ 3

## 유형 07 $y=a^{f(x)}$ 꼴인 함수의 최대, 최소

**038** 대표 문제 다시 보기

정의역이 $\{x|-1\leq x\leq 2\}$인 함수 $y=\left(\frac{1}{2}\right)^{x^2-2x}$의 치역이 $\{y|m\leq y\leq M\}$일 때, $16(M+m)$의 값을 구하시오.

**039** 중

정의역이 $\{x|2\leq x\leq 3\}$인 함수 $y=3^{x^2-6x+8}$이 $x=a$에서 최댓값 $M$을 가질 때, $a+M$의 값은?

① 2　② 3　③ 4
④ 5　⑤ 6

**040** 중

정의역이 $\{x|0\leq x\leq 2\}$인 함수 $y=2^{-x^2+2x+k}$의 최솟값이 2일 때, 최댓값을 구하시오. (단, $k$는 상수)

**041** 상

두 함수 $f(x)=x^2-4x+5$, $g(x)=a^x\,(a>0,\ a\neq 1)$에 대하여 $1\leq x\leq 4$에서 함수 $(g\circ f)(x)$의 최댓값은 32, 최솟값은 $m$이다. 이때 $m$의 값을 구하시오.

## 유형 08 $a^x$ 꼴이 반복되는 함수의 최대, 최소

**042** 대표 문제 다시 보기

정의역이 $\{x|-2<x<0\}$인 함수 $y=4^x-2^{x+1}+5$의 최댓값을 $M$, 최솟값을 $m$이라 할 때, $4Mm$의 값을 구하시오.

**043** 하

함수 $y=36^{-x}-6^{-x+1}$의 최솟값은?

① $-9$ ② $-6$ ③ $-3$
④ 3 ⑤ 6

**044** 중

정의역이 $\{x|-1\leq x\leq 0\}$인 함수 $y=\frac{1-2\times5^x+4\times25^x}{25^x}$의 최댓값과 최솟값의 합을 구하시오.

**045** 중

함수 $y=\left(\frac{1}{9}\right)^x-2k\times\left(\frac{1}{3}\right)^{x-1}+4$의 최솟값이 $-5$일 때, 양수 $k$의 값은?

① 1 ② 2 ③ 3
④ 4 ⑤ 5

## 유형 09 산술평균과 기하평균을 이용한 함수의 최대, 최소

**046** 대표 문제 다시 보기

함수 $y=9^x+9^{-x}-8(3^x+3^{-x})$의 최솟값은?

① $-20$ ② $-18$ ③ $-16$
④ $-14$ ⑤ $-12$

**047** 중

함수 $y=5^{2-x}+5^{2+x}$의 최솟값을 구하시오.

**048** 중

실수 $x$, $y$에 대하여 $x+3y=4$일 때, $2^x+8^y$의 최솟값은?

① 2 ② 4 ③ 8
④ 16 ⑤ 32

**049** 상

함수 $y=2\times3^{a+x}+8\times3^{a-x}$의 최솟값이 72일 때, 상수 $a$의 값은?

① 2 ② 4 ③ 6
④ 8 ⑤ 10

# 지수함수

★ 중요

## 유형 10 | 밑을 같게 할 수 있는 지수방정식

방정식의 각 항의 밑을 같게 한 후 다음을 이용하여 푼다.

$a^{f(x)}=a^{g(x)} \iff f(x)=g(x)$ (단, $a>0$, $a\neq1$)

대표 문제

**050** 방정식 $4^{x^2}=8\times\left(\frac{1}{32}\right)^x$의 모든 근의 합을 구하시오.

★ 중요

## 유형 11 | $a^x$ 꼴이 반복되는 지수방정식 (1)

$a^x\,(a>0,\ a\neq1)$ 꼴이 반복되는 지수방정식은 다음과 같은 순서로 푼다.

(1) $a^x=t\,(t>0)$로 치환하여 $t$에 대한 방정식을 푼다.

(2) (1)에서 구한 해에 $t$ 대신 $a^x$을 대입하여 $x$의 값을 구한다.

대표 문제

**051** 방정식 $3^x+3^{3-x}=12$의 두 근을 $\alpha$, $\beta$라 할 때, $\beta-\alpha$의 값을 구하시오. (단, $\alpha<\beta$)

## 유형 12 | $a^x$ 꼴이 반복되는 지수방정식 (2)

방정식 $pa^{2x}+qa^x+r=0\,(p,\ q,\ r$는 상수$)$의 두 근이 $\alpha$, $\beta$이면 $a^x=t\,(t>0)$로 치환하여 얻은 $t$에 대한 이차방정식 $pt^2+qt+r=0$의 두 근은 $a^\alpha$, $a^\beta$이다.

대표 문제

**052** 방정식 $4^x-2^{x+3}+10=0$의 두 근을 $\alpha$, $\beta$라 할 때, $4^\alpha+4^\beta$의 값은?

① 32 ② 36 ③ 40 ④ 44 ⑤ 48

## 유형 13 | 밑에 미지수가 있는 지수방정식

밑에 미지수가 있는 지수방정식은 다음을 이용하여 푼다.

(1) $\{h(x)\}^{f(x)}=\{h(x)\}^{g(x)}\,(h(x)>0)$ 꼴의 방정식

➡ $h(x)=1$ 또는 $f(x)=g(x)$

(2) $\{f(x)\}^{h(x)}=\{g(x)\}^{h(x)}\,(f(x)>0,\ g(x)>0)$ 꼴의 방정식

➡ $f(x)=g(x)$ 또는 $h(x)=0$

대표 문제

**053** 방정식 $(x+1)^{x-2}=(3x-1)^{x-2}$의 모든 근의 합을 구하시오. $\left(\text{단, } x>\frac{1}{3}\right)$

## 유형 14 | 지수방정식의 실근의 조건

$a^x=t\,(t>0)$로 치환하여 얻은 방정식에서 판별식을 이용하여 주어진 실근의 조건을 확인한다.

참고 계수가 실수인 이차방정식의 판별식을 $D$, 두 실근을 $\alpha$, $\beta$라 하면

(1) 두 근이 모두 양수 ➡ $D\geq0$, $\alpha+\beta>0$, $\alpha\beta>0$

(2) 두 근이 모두 음수 ➡ $D\geq0$, $\alpha+\beta<0$, $\alpha\beta>0$

(3) 두 근이 서로 다른 부호 ➡ $\alpha\beta<0$

대표 문제

**054** 방정식 $25^x-2\times5^{x+1}+a-2=0$이 서로 다른 두 실근을 갖도록 하는 정수 $a$의 최댓값은?

① 22 ② 23 ③ 24 ④ 25 ⑤ 26

★ 중요

## 유형 15 | 밑을 같게 할 수 있는 지수부등식

부등식의 각 항의 밑을 같게 한 후 다음을 이용하여 푼다.

(1) $a>1$일 때, $a^{f(x)}>a^{g(x)} \iff f(x)>g(x)$

(2) $0<a<1$일 때, $a^{f(x)}>a^{g(x)} \iff f(x)<g(x)$

대표 문제

**055** 부등식 $\left(\frac{1}{2}\right)^{2x+1}>\left(\frac{1}{8}\right)^{x-1}$의 해는?

① $x<2$ ② $x>2$ ③ $x<4$
④ $x>4$ ⑤ $2<x<4$

## 유형 16 | $a^x$ 꼴이 반복되는 지수부등식

$a^x\,(a>0,\ a\neq1)$ 꼴이 반복되는 지수부등식은 다음과 같은 순서로 푼다.

(1) $a^x=t\,(t>0)$로 치환하여 $t$에 대한 부등식을 푼다.

(2) (1)에서 구한 해에 $t$ 대신 $a^x$을 대입하여 $x$의 값의 범위를 구한다.

대표 문제

**056** 부등식 $2^{2x}-6\times2^{x+1}+32\leq0$을 만족시키는 정수 $x$의 개수를 구하시오.

## 유형 17 | 밑에 미지수가 있는 지수부등식

밑에 미지수가 있는 지수부등식은 밑의 범위에 따라 $0<$(밑)$<1$, (밑)$=1$, (밑)$>1$일 때로 나누어서 푼다.

대표 문제

**057** 부등식 $x^x<x^{2x-5}$을 푸시오. (단, $x>0$)

## 유형 18 | 지수부등식이 항상 성립할 조건

모든 실수 $x$에 대하여 부등식 $a^{2x}+pa^x+q>0\,(p,\ q$는 상수)이 성립하려면 $a^x=t\,(t>0)$로 치환하여 얻은 $t$에 대한 부등식 $t^2+pt+q>0$이 $t>0$에서 항상 성립해야 한다.

참고 $\alpha\leq x\leq\beta$에서

(1) 부등식 $f(x)\geq0$이 항상 성립하려면
➡ ($\alpha\leq x\leq\beta$에서의 $f(x)$의 최솟값)$\geq0$

(2) 부등식 $f(x)\leq0$이 항상 성립하려면
➡ ($\alpha\leq x\leq\beta$에서의 $f(x)$의 최댓값)$\leq0$

대표 문제

**058** 모든 실수 $x$에 대하여 부등식 $\left(\frac{1}{4}\right)^{x}-\left(\frac{1}{2}\right)^{x-3}+k\geq0$이 성립하도록 하는 실수 $k$의 최솟값은?

① 8 ② 10 ③ 12
④ 14 ⑤ 16

## 유형 19 | 지수방정식과 지수부등식의 실생활에의 활용

주어진 조건을 이용하여 방정식 또는 부등식을 세운 후 해를 구한다.

참고 처음의 양을 $a$, 매시간마다 $p$배씩 변하는 물질의 $x$시간 후의 양을 $y$라 하면
➡ $y=a\times p^x$

대표 문제

**059** 어느 회사에서 공기청정기 필터를 개발하는데 필터 A는 필터 한 장을 통과할 때마다 공기청정기로 유입된 공기 내 오염 물질의 50 %를 걸러 낼 수 있고, 필터 B는 오염 물질의 75 %를 걸러 낼 수 있다고 한다. 필터 A를 20장 사용하는 것과 동일한 효과를 얻기 위해서는 필터 B를 몇 장 사용해야 하는지 구하시오.

# 핵심 유형 완성하기

★중요

## 유형 10 밑을 같게 할 수 있는 지수방정식

**060** 대표 문제 다시 보기

방정식 $(\sqrt{3})^{x^2-x}=\left(\frac{1}{3}\right)^{x-1}$의 모든 근의 곱은?

① $-3$ ② $-2$ ③ $-1$
④ $1$ ⑤ $2$

**061** 하

방정식 $\left(\frac{2}{3}\right)^{4x}=\left(\frac{9}{4}\right)^{3-x}$을 만족시키는 $x$의 값은?

① $-3$ ② $-1$ ③ $1$
④ $3$ ⑤ $5$

**062** 중

방정식 $5^{x^2-5x+9}-125^{x+k}=0$의 한 근이 3일 때, 상수 $k$의 값을 구하시오.

**063** 중

방정식 $\frac{8^{x^2+1}}{2^{x+3}}=4$의 두 근을 $\alpha$, $\beta$라 할 때, $\alpha^2+\beta^2$의 값을 구하시오.

**064** 중

오른쪽 그림과 같이 함수 $y=9^x$의 그래프가 $y$축과 만나는 점을 A, 점 A를 지나고 $x$축에 평행한 직선이 함수 $y=\left(\frac{1}{3}\right)^{x-3}$의 그래프와 만나는 점을 B, 두 함수 $y=9^x$, $y=\left(\frac{1}{3}\right)^{x-3}$의 그래프가 만나는 점을 C라 할 때, 삼각형 ABC의 넓이를 구하시오.

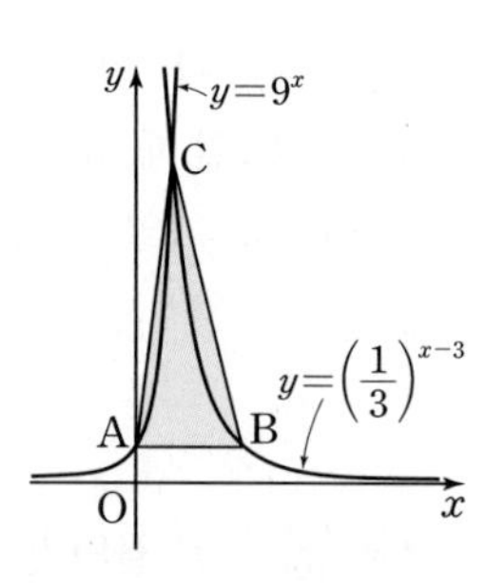


★중요

## 유형 11 $a^x$ 꼴이 반복되는 지수방정식 (1)

**065** 대표 문제 다시 보기

방정식 $2^x+8\times2^{-x}-9=0$의 두 근을 $\alpha$, $\beta$라 할 때, $\alpha-\beta$의 값을 구하시오. (단, $\alpha<\beta$)

**066** 중

방정식 $4^x-5\times2^{x+2}+64=0$의 모든 근의 곱은?

① $2$ ② $4$ ③ $8$
④ $16$ ⑤ $32$

**067** 중

방정식 $a^{2x}+a^x=12$의 해가 $x=\frac{1}{3}$일 때, 상수 $a$의 값을 구하시오. (단, $a>0$, $a\neq1$)

## 068 중

연립방정식 $\begin{cases} 2^x+2^y=17 \\ 2^{2x-y}=\dfrac{1}{16} \end{cases}$의 해를 $x=\alpha$, $y=\beta$라 할 때, $\alpha+\beta$의 값은?

① $-4$ ② $-2$ ③ $-1$
④ $2$ ⑤ $4$

## 069 상

방정식 $3(9^x+9^{-x})-7(3^x+3^{-x})-4=0$의 두 근을 $\alpha$, $\beta$라 할 때, $\beta-\alpha$의 값을 구하시오. (단, $\alpha<\beta$)

### 유형 12 $a^x$ 꼴이 반복되는 지수방정식 (2)

## 070 대표 문제 다시 보기

방정식 $9^x-4\times3^{x+1}+30=0$의 두 근을 $\alpha$, $\beta$라 할 때, $3^{2\alpha}+3^{2\beta}$의 값을 구하시오.

## 071 중

방정식 $4^x-2^{x+3}+5=0$의 두 근을 $\alpha$, $\beta$라 할 때, $5^{\frac{1}{\alpha+\beta}}$의 값은?

① $2$ ② $3$ ③ $4$
④ $5$ ⑤ $6$

## 072 중

방정식 $a^{2x}-6a^x+3=0$의 두 근의 합이 4일 때, 상수 $a$의 값은? (단, $a>0$, $a\neq1$)

① $\sqrt[4]{6}$ ② $\sqrt[3]{6}$ ③ $\sqrt[4]{3}$
④ $\sqrt[3]{3}$ ⑤ $\sqrt{3}$

03

### 유형 13 밑에 미지수가 있는 지수방정식

## 073 대표 문제 다시 보기

방정식 $(x^2+4x+5)^{x-6}=(x+9)^{x-6}$의 모든 근의 곱을 구하시오. (단, $x>-9$)

## 074 중

방정식 $(x^x)^x=x^x\times x^x$을 푸시오. (단, $x>0$)

## 075 중

방정식 $(x^2-x+1)^{x+2}=1$의 모든 근의 합은?

① $-1$ ② $0$ ③ $1$
④ $2$ ⑤ $3$

## 유형 14 지수방정식의 실근의 조건

### 076 대표 문제 다시 보기

방정식 $49^x-2(a+1)7^x+a+7=0$이 서로 다른 두 실근을 갖도록 하는 정수 $a$의 최솟값을 구하시오.

### 077 상

방정식 $9^x+2k\times3^x+15-2k=0$의 두 실근의 비가 1 : 2일 때, 실수 $k$의 값은?

① $-8$ ② $-7$ ③ $-6$
④ $-5$ ⑤ $-4$

### 078 상

방정식 $3^{2x}-k\times3^x+k=0$의 서로 다른 두 실근이 0과 1 사이에 존재하도록 하는 실수 $k$의 값의 범위는?

① $k<0$ ② $k<4$ ③ $2<k<4$
④ $4<k<\frac{9}{2}$ ⑤ $k>\frac{9}{2}$

★ 중요

## 유형 15 밑을 같게 할 수 있는 지수부등식

### 079 대표 문제 다시 보기

부등식 $\left(\frac{1}{\sqrt{3}}\right)^x\le\left(\frac{1}{9}\right)^{x-3}$의 해는?

① $x\ge2$ ② $x\ge4$ ③ $x\le4$
④ $4\le x\le6$ ⑤ $x\ge6$

### 080 하

이차함수 $y=f(x)$의 그래프와 직선 $y=g(x)$가 오른쪽 그림과 같을 때, 부등식 $\left(\frac{1}{5}\right)^{f(x)}>\left(\frac{1}{5}\right)^{g(x)}$의 해를 구하시오.

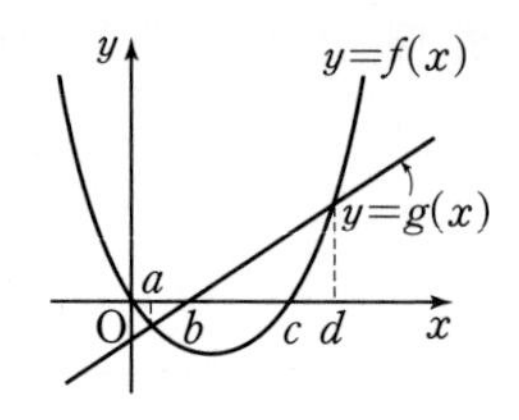


### 081 중

부등식 $2^{3x-1}<\left(\frac{1}{2}\right)^{x^2+1}<4^{x+1}$을 만족시키는 정수 $x$의 개수를 구하시오.

### 082 중

부등식 $\left(\frac{1}{4}\right)^{x^2}>\left(\frac{1}{2}\right)^{ax}$을 만족시키는 정수 $x$가 3개일 때, 상수 $a$의 값의 범위를 구하시오. (단, $a>0$)

## 083 중

두 집합

$$A=\left\{x\,\middle|\,\left(\frac{1}{3}\right)^{x+6}<\left(\frac{1}{3}\right)^{x^2}\right\},\ B=\{x\,|\,2^{|x-1|}\leq 2^a\}$$

에 대하여 $A\cap B=A$가 성립하도록 하는 양수 $a$의 최솟값은?

① 1　② 2　③ 3
④ 4　⑤ 5

### 유형 16 $a^x$ 꼴이 반복되는 지수부등식

## 084 대표 문제 다시 보기

부등식 $\left(\frac{1}{9}\right)^x-28\times\left(\frac{1}{3}\right)^{x+1}+3\leq 0$을 만족시키는 정수 $x$의 개수를 구하시오.

## 085 중

두 집합

$$A=\left\{x\,\middle|\,\left(\frac{1}{2}\right)^{x^2-6}\leq 2^x\right\},\ B=\{x\,|\,4^x-3\times 2^x-4>0\}$$

에 대하여 $A\cap B$에 속하는 정수 $x$의 최솟값은?

① $-3$　② $-1$　③ 1
④ 3　⑤ 5

## 086 중

부등식 $4^{x+1}+a\times 2^x+b<0$의 해가 $-2<x<1$일 때, 상수 $a$, $b$에 대하여 $b-a$의 값은?

① 11　② 12　③ 13
④ 14　⑤ 15

### 유형 17 밑에 미지수가 있는 지수부등식

## 087 대표 문제 다시 보기

부등식 $x^{2x+3}>x^{3x-4}$의 해가 $\alpha<x<\beta$일 때, $\alpha+\beta$의 값을 구하시오. (단, $x>0$)

## 088 중

부등식 $x^{x^2}\geq x^{4x+5}$의 해의 집합을 $S$라 할 때, 다음 중 집합 $S$의 원소인 것은? (단, $x>0$)

① $\frac{4}{3}$　② $\frac{7}{4}$　③ $\frac{11}{5}$
④ $\frac{13}{3}$　⑤ $\frac{11}{2}$

정답과 해설 29쪽

## 유형 18 지수부등식이 항상 성립할 조건

**089** 대표 문제 다시 보기

모든 실수 $x$에 대하여 부등식 $16^x-4^{x+1}-k\geq 0$이 성립하도록 하는 실수 $k$의 최댓값을 구하시오.

**090** 중

모든 실수 $x$에 대하여 부등식 $25^x-2k\times 5^x+4>0$이 성립하도록 하는 실수 $k$의 값의 범위는?

① $k>-2$ ② $k>0$ ③ $0<k\leq 2$
④ $k<2$ ⑤ $k>2$

## 유형 19 지수방정식과 지수부등식의 실생활에의 활용

**091** 대표 문제 다시 보기

미생물 A의 수는 매시간 8배씩 증가하고, 미생물 B의 수는 매시간 2배씩 증가한다고 한다. 현재 미생물 A, B의 수가 각각 16마리, 1024마리일 때, 미생물 A, B의 수가 같아지는 것은 몇 시간 후인지 구하시오.

**092** 중

배양기에 박테리아를 넣고 관찰하기 시작한 지 $t$시간 후의 박테리아의 수를 $f(t)$마리라 하면 $f(t)=15\times 10^{\frac{t}{3}}$인 관계가 성립한다고 한다. 박테리아의 수가 처음의 10000배가 되는 것은 관찰하기 시작한 지 몇 시간 후인지 구하시오.

**093** 중

어떤 치료제를 인체에 투여한 직후 혈중 농도는 1.25 μg/mL이고 혈중 농도는 매시간 20 %씩 줄어든다고 한다. 이 치료제의 혈중 농도가 처음으로 0.64 μg/mL 이하가 되는 것은 치료제를 인체에 투여한 지 몇 시간 후인가?

① 2시간 ② 3시간 ③ 4시간
④ 5시간 ⑤ 6시간

**094** 중

어느 음원 사이트에서는 1시간마다 다운로드 수를 조사하는데 현재 두 음원 A, B의 다운로드 수는 각각 100회, 32만 회이다. 이후 음원 A는 1시간마다 다운로드 수가 2배가 되고, 음원 B는 1시간마다 다운로드 수가 $\frac{1}{2}$배가 될 것으로 예측하고 있다. 음원 A의 다운로드 수가 음원 B의 다운로드 수보다 1400회 이상 더 많아질 것으로 예측되는 것은 현재로부터 최소 $m$시간 후이다. 이때 자연수 $m$의 값을 구하시오.

## 095
유형 01

함수 $f(x)=a^{bx+c}\,(a>0,\ a\neq1)$에서 $f(1)=3$, $f(2)=27$일 때, $f(-1)$의 값은? (단, $b$, $c$는 상수)

① $\frac{1}{27}$ ② $\frac{1}{9}$ ③ $\frac{1}{3}$
④ 3 ⑤ 9

## 096
유형 02

$0<a<1$일 때, 다음 중 함수 $f(x)=a^x$에 대한 설명으로 옳지 않은 것은?

① 정의역은 실수 전체의 집합이고, 치역은 양의 실수 전체의 집합이다.
② 그래프는 점 $(0,\ 1)$을 지난다.
③ 그래프의 점근선은 $x$축이다.
④ $f(-2)<f(1)$
⑤ $f(x)f(y)=f(x+y)$

## 097
유형 03

함수 $y=3^x$의 그래프를 $x$축의 방향으로 1만큼, $y$축의 방향으로 $-2$만큼 평행이동한 그래프가 점 $(2,\ a)$를 지날 때, $a$의 값을 구하시오.

## 098
유형 05

$0<x<1$일 때, 세 수 $A=\left(\frac{1}{5}\right)^{2x}$, $B=\left(\frac{1}{5}\right)^{x^2}$, $C=5^x$의 대소 관계는?

① $A<B<C$ ② $A<C<B$ ③ $B<A<C$
④ $B<C<A$ ⑤ $C<A<B$

## 099
유형 07

정의역이 $\{x\,|\,0\leq x\leq3\}$인 함수 $y=a^{-x^2+4x-5}$의 최댓값이 $\frac{1}{2}$일 때, 최솟값을 구하시오. (단, $a>1$)

## 100
유형 08

정의역이 $\{x\,|\,1\leq x\leq2\}$인 함수 $y=2\times3^{x+1}-3^{2x}+a$의 최솟값이 $-25$일 때, 최댓값은? (단, $a$는 상수)

① 3 ② 5 ③ 7
④ 9 ⑤ 11

## 101
유형 09

함수 $y=4^x+4^{-x+2}$이 $x=a$에서 최솟값 $m$을 가질 때, $a+m$의 값을 구하시오.

## 102

유형 10

방정식 $6^{x^2-x+6}=\left(\frac{1}{216}\right)^{x-3}$의 모든 근의 합을 구하시오.

## 103

유형 04+10

오른쪽 그림과 같이 두 함수 $y=2^x$, $y=\left(\frac{1}{4}\right)^x$의 그래프와 직선 $y=k$의 교점을 각각 A, B라 할 때, $\overline{AB}=3$이다. 이때 상수 $k$의 값을 구하시오.

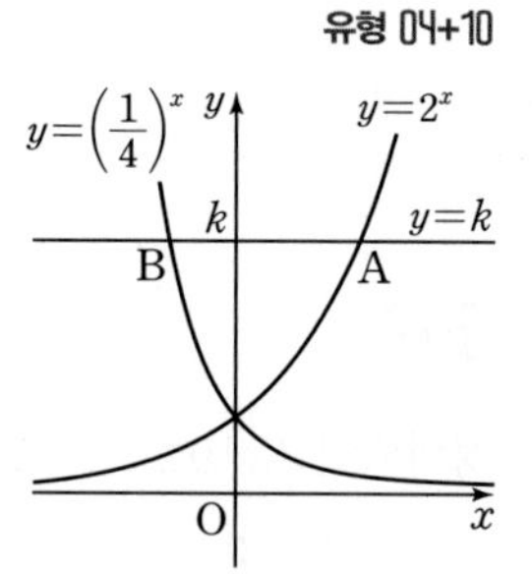


## 104

유형 06+10

정의역이 $\{x|-1\leq x\leq 1\}$인 함수 $y=2^{a-x}+1$의 최댓값과 최솟값의 차가 6일 때, 상수 $a$의 값은?

① 1 ② 2 ③ 3
④ 4 ⑤ 5

## 105

유형 11

방정식 $2^x-2^{1-x}=2$의 실근을 $\alpha$라 할 때, $4^\alpha=a+b\sqrt{3}$이다. 이때 유리수 $a$, $b$에 대하여 $a+b$의 값은?

① 6 ② 8 ③ 10
④ 12 ⑤ 14

## 106

유형 11

연립방정식 $\begin{cases} 2\times 3^x-3\times 2^y=-6 \\ 3^{x-1}-2^{y+1}=-13 \end{cases}$의 해를 $x=\alpha$, $y=\beta$라 할 때, $\alpha\beta$의 값은?

① 4 ② 6 ③ 8
④ 10 ⑤ 12

## 107

유형 12

방정식 $25^x-24\times 5^x+k=0$의 두 근의 합이 3일 때, 상수 $k$의 값은?

① 5 ② 25 ③ 50
④ 100 ⑤ 125

## 108

유형 13

방정식 $(x+1)^{x^2+1}=(x+1)^{2x+1}$의 모든 근의 합을 $a$, 방정식 $(x+2)^{x-5}=4^{x-5}$의 모든 근의 합을 $b$라 할 때, $b-a$의 값을 구하시오. (단, $x>-1$)

## 109
유형 14

방정식 $3^{2x+1}+3k\times3^x+k^2-k-6=0$이 양의 실근과 음의 실근을 각각 하나씩 갖도록 하는 실수 $k$의 값의 범위를 구하시오.

## 110
유형 15+16

두 집합

$$A=\left\{x\left|4^x\geq\left(\frac{1}{2}\right)^{x-1}\right.\right\},$$

$$B=\{x\,|\,3^{2x+1}-82\times3^x+27<0\}$$

에 대하여 $A\cap B=\{x\,|\,\alpha\leq x<\beta\}$일 때, $\alpha+\beta$의 값은?

① $\frac{10}{3}$ ② 4 ③ $\frac{9}{2}$

④ 5 ⑤ $\frac{16}{3}$

## 111
유형 16

부등식 $\left(\frac{1}{16}\right)^x-\left(\frac{1}{\sqrt{2}}\right)^{4x-2}-8>0$을 만족시키는 정수 $x$의 최댓값을 구하시오.

## 112
유형 17

부등식 $x^{x^2-5}<x^{4x}$의 해가 $\alpha<x<\beta$일 때, $\alpha+\beta$의 값은? (단, $x>0$)

① 3 ② 4 ③ 5

④ 6 ⑤ 7

## 113
유형 18

모든 실수 $x$에 대하여 부등식 $2^{x+1}-2^{\frac{x+4}{2}}+a>0$이 성립하도록 하는 정수 $a$의 최솟값은?

① $-1$ ② 1 ③ 3

④ 5 ⑤ 7

## 114
유형 19

세균이 담긴 통에 약품 A를 1회 투입할 때마다 세균의 수가 70 %씩 감소한다고 한다. 이 통에 매회 일정한 양의 약품 A를 투입할 때, 세균의 수가 처음 수의 0.81 %가 되도록 하려면 약품 A를 몇 회 투입해야 하는지 구하시오.

03

# 04 로그함수

유형 01 로그함수의 함숫값

유형 02 로그함수의 성질

유형 03 로그함수의 그래프의 평행이동과 대칭이동

유형 04 로그함수의 그래프 위의 점

유형 05 로그함수의 역함수

유형 06 로그함수를 이용한 수의 대소 비교

유형 07 로그함수의 최대, 최소

유형 08 $y=\log_a f(x)$ 꼴인 함수의 최대, 최소

유형 09 $\log_a x$ 꼴이 반복되는 함수의 최대, 최소

유형 10 지수에 로그가 있는 함수의 최대, 최소

유형 11 산술평균과 기하평균을 이용한 함수의 최대, 최소

유형 12 밑을 같게 할 수 있는 로그방정식

유형 13 $\log_a x$ 꼴이 반복되는 로그방정식 (1)

유형 14 $\log_a x$ 꼴이 반복되는 로그방정식 (2)

유형 15 양변에 로그를 취하는 방정식

유형 16 밑을 같게 할 수 있는 로그부등식

유형 17 진수에 로그가 있는 부등식

유형 18 $\log_a x$ 꼴이 반복되는 로그부등식

유형 19 양변에 로그를 취하는 부등식

유형 20 로그방정식과 로그부등식의 응용

유형 21 로그방정식과 로그부등식의 실생활에의 활용

# 로그함수

## 유형 01 | 로그함수의 함숫값

로그함수 $f(x)=\log_a x\,(a>0,\ a\neq1)$에서 $f(p)$의 값을 구할 때에는 $f(x)$에 $x$ 대신 $p$를 대입하고 로그의 성질을 이용한다.

대표 문제

**001** 함수 $f(x)=\log_a(x-1)+7\,(a>0,\ a\neq1)$에서 $f(3)=6$, $f(9)=b$일 때, 상수 $a$, $b$에 대하여 $ab$의 값을 구하시오.

## 유형 02 | 로그함수의 성질

로그함수 $y=\log_a x\,(a>0,\ a\neq1)$에 대하여

(1) 정의역은 양의 실수 전체의 집합이고, 치역은 실수 전체의 집합이다.

(2) $a>1$일 때, $x$의 값이 증가하면 $y$의 값도 증가한다.
$0<a<1$일 때, $x$의 값이 증가하면 $y$의 값은 감소한다.

(3) 그래프는 점 $(1,\ 0)$을 지나고 그래프의 점근선은 $y$축(직선 $x=0$)이다.

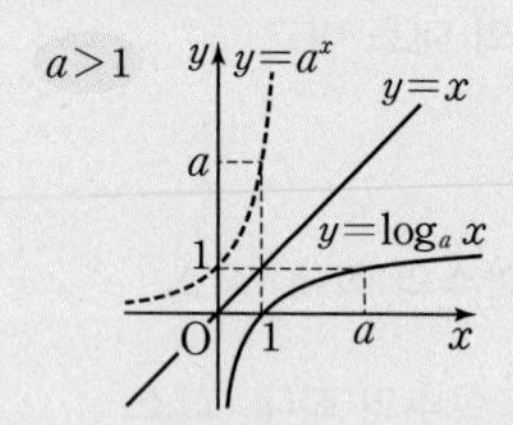


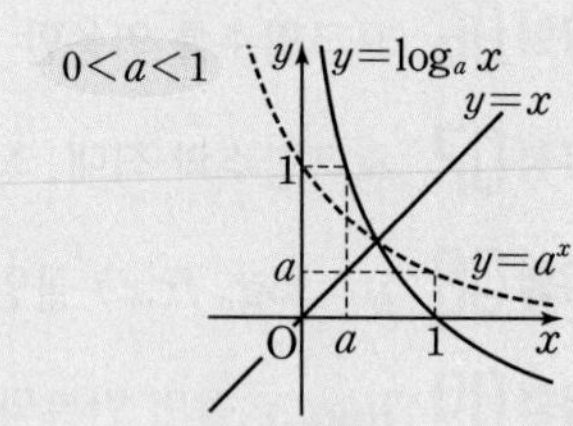


대표 문제

**002** 다음 중 함수 $y=\log_5 x$에 대한 설명으로 옳지 않은 것은?

① 일대일함수이다.
② 그래프는 점 $(1,\ 0)$을 지난다.
③ $x$의 값이 증가하면 $y$의 값은 감소한다.
④ 그래프의 점근선의 방정식은 $x=0$이다.
⑤ 정의역은 양의 실수 전체의 집합이고, 치역은 실수 전체의 집합이다.

★중요

## 유형 03 | 로그함수의 그래프의 평행이동과 대칭이동

로그함수 $y=\log_a x\,(a>0,\ a\neq1)$의 그래프를

(1) $x$축의 방향으로 $m$만큼, $y$축의 방향으로 $n$만큼 평행이동
➡ $y=\log_a(x-m)+n$

(2) $x$축에 대하여 대칭이동 ➡ $y=-\log_a x$

(3) $y$축에 대하여 대칭이동 ➡ $y=\log_a(-x)$

(4) 원점에 대하여 대칭이동 ➡ $y=-\log_a(-x)$

(5) 직선 $y=x$에 대하여 대칭이동 ➡ $y=a^x$

대표 문제

**003** 함수 $y=\log_3 x$의 그래프를 $x$축의 방향으로 $a$만큼, $y$축의 방향으로 $b$만큼 평행이동한 그래프가 함수 $y=\log_3\left(\frac{x}{9}-1\right)$의 그래프와 겹쳐질 때, $a+b$의 값은?

① 5 ② 7 ③ 9
④ 11 ⑤ 13

## 유형 04 | 로그함수의 그래프 위의 점

로그함수 $y=\log_a x\,(a>0,\ a\neq1)$의 그래프가 점 $(p,\ q)$를 지나면

➡ $q=\log_a p \iff a^q=p$

대표 문제

**004** 오른쪽 그림은 함수 $y=\log_2 x$의 그래프와 직선 $y=x$이다. 이때 $\log_{\frac{1}{4}} 8ab$의 값을 구하시오. (단, 점선은 $x$축 또는 $y$축에 평행하다.)

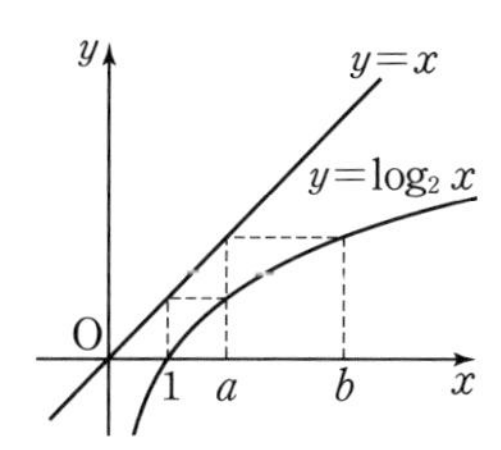


★ 중요

## 유형 05 | 로그함수의 역함수

(1) 함수 $f(x)=\log_a x\,(a>0,\ a\neq1)$의 역함수는

$f^{-1}(x)=a^x$

(2) 함수 $f(x)$의 역함수를 $g(x)$라 할 때,

$f(p)=q \iff g(q)=p$

참고 로그함수 $y=\log_a(x-p)+q\,(a>0,\ a\neq1)$의 역함수는 다음과 같은 순서로 구한다.

(1) $x$를 $y$에 대하여 푼다. ➡ $x=a^{y-q}+p$

(2) $x$와 $y$를 서로 바꾼다. ➡ $y=a^{x-q}+p$

대표 문제

**005** 함수 $y=\log_7(x-1)+6$의 역함수가 $y=a^{x+b}+c$일 때, 상수 $a,\ b,\ c$에 대하여 $a+b+c$의 값은?

① $-2$ ② $-1$ ③ $0$

④ $1$ ⑤ $2$

04

## 유형 06 | 로그함수를 이용한 수의 대소 비교

주어진 수의 밑을 같게 한 후 로그함수의 성질을 이용한다.

(1) $a>1$일 때, $m<n \iff \log_a m<\log_a n$

(2) $0<a<1$일 때, $m<n \iff \log_a m>\log_a n$

대표 문제

**006** 세 수 $A=\log_3 10,\ B=2,\ C=\log_9 80$의 대소 관계는?

① $A<C<B$ ② $B<A<C$ ③ $B<C<A$

④ $C<A<B$ ⑤ $C<B<A$

## 유형 07 | 로그함수의 최대, 최소

정의역이 $\{x|m\leq x\leq n\}$인 로그함수

$f(x)=\log_a x\,(a>0,\ a\neq1)$에 대하여

(1) $a>1$일 때 ➡ 최댓값: $f(n)$, 최솟값: $f(m)$

(2) $0<a<1$일 때 ➡ 최댓값: $f(m)$, 최솟값: $f(n)$

대표 문제

**007** 정의역이 $\{x|3\leq x\leq 18\}$인 함수 $y=\log_2(x-2)+1$의 최댓값을 $M$, 최솟값을 $m$이라 할 때, $M+m$의 값은?

① 4 ② 5 ③ 6

④ 7 ⑤ 8

★ 중요

## 유형 08 | $y=\log_a f(x)$ 꼴인 함수의 최대, 최소

함수 $y=\log_a f(x)$의 최대, 최소를 구할 때에는 주어진 범위에서 $f(x)$의 최댓값과 최솟값을 구한 후 다음을 이용한다.

(1) $a>1$일 때

➡ $f(x)$가 최대이면 $y$도 최대, $f(x)$가 최소이면 $y$도 최소

(2) $0<a<1$일 때

➡ $f(x)$가 최대이면 $y$는 최소, $f(x)$가 최소이면 $y$는 최대

대표 문제

**008** 정의역이 $\{x\mid 3\le x\le 7\}$인 함수 $y=\log_{\frac{1}{3}}(x^2-4x+6)$의 최댓값과 최솟값의 곱은?

① $-3$ ② $-1$ ③ $1$ ④ $3$ ⑤ $6$

## 유형 09 | $\log_a x$ 꼴이 반복되는 함수의 최대, 최소

$\log_a x$ 꼴이 반복되는 함수의 최대, 최소는 $\log_a x=t$로 치환하여 $t$에 대한 이차함수의 최댓값과 최솟값을 구한다. 이때 $t$의 값의 범위에 유의한다.

대표 문제

**009** 정의역이 $\{x\mid 1\le x\le 16\}$인 함수 $y=(\log_2 x)^2-\log_2 x^4+5$의 최댓값을 $M$, 최솟값을 $m$이라 할 때, $M-m$의 값을 구하시오.

## 유형 10 | 지수에 로그가 있는 함수의 최대, 최소

$y=x^{\log x}$ 꼴과 같이 지수에 로그가 있는 함수의 최대, 최소는 양변에 로그를 취하여 구한다.

참고 $\log x^{\log x}=\log x\times\log x=(\log x)^2$

대표 문제

**010** 정의역이 $\{x\mid 2\le x\le 8\}$인 함수 $y=x^{\log_2 4x}$의 최댓값을 $M$, 최솟값을 $m$이라 할 때, $\dfrac{M}{m}$의 값은?

① $2^2$ ② $2^4$ ③ $2^6$ ④ $2^{10}$ ⑤ $2^{12}$

## 유형 11 | 산술평균과 기하평균을 이용한 함수의 최대, 최소

$\log_a b+\log_b a\,(\log_a b>0,\ \log_b a>0)$ 꼴이 있는 함수의 최대, 최소를 구할 때에는 산술평균과 기하평균의 관계를 이용한다.

➡ $\log_a b+\log_b a\ge 2\sqrt{\log_a b\times\log_b a}=2$

(단, 등호는 $\log_a b=\log_b a$일 때 성립)

대표 문제

**011** $x>1$일 때, 함수 $y=\log_6 x+\log_x 36$의 최솟값을 구하시오.

## 유형 01 로그함수의 함숫값

**012** 대표 문제 다시 보기

함수 $f(x)=\log_a(3x+1)+4\,(a>0,\ a\neq1)$에서 $f(2)=5$일 때, $f(16)$의 값은?

① 3 ② 4 ③ 5
④ 6 ⑤ 7

**013** 중

다음 중 함수 $f(x)=\log_5 x$에 대하여 옳지 않은 것은?

① $f(1)=0$
② $f(25x)=f(x)+2$
③ $f\left(\frac{1}{x}\right)=-f(x)$
④ $25^{f(x)}=2x$
⑤ $f(x^3)=3f(x)$

**014** 중

함수 $f(x)=\log_{\frac{1}{2}}\left(1-\frac{1}{x}\right)$에 대하여

$$f(2)+f(3)+f(4)+\cdots+f(n)=4$$

를 만족시키는 자연수 $n$의 값을 구하시오.

## 유형 02 로그함수의 성질

**015** 대표 문제 다시 보기

다음 중 함수 $f(x)=\log_{0.3} x$에 대한 설명으로 옳지 않은 것은?

① 치역은 실수 전체의 집합이다.
② 그래프의 점근선의 방정식은 $x=0$이다.
③ $x_1<x_2$이면 $f(x_1)>f(x_2)$이다.
④ 그래프는 $y$축과 한 점에서 만난다.
⑤ $f(x_1)=f(x_2)$이면 $x_1=x_2$이다.

**016** 중

함수 $y=\log_4(-x^2+x+12)$의 정의역을 집합 $A$라 할 때, 집합 $A$의 원소 중 정수의 개수를 구하시오.

**017** 중

함수 $y=ax+b$의 그래프가 오른쪽 그림과 같을 때, 다음 중 함수 $y=\log_b ax$의 그래프의 개형은? (단, $a$, $b$는 상수)

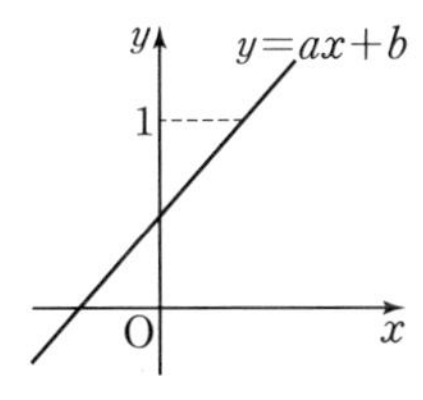


①
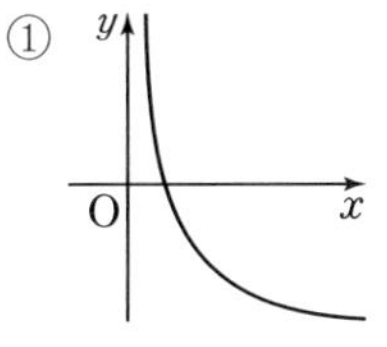


②
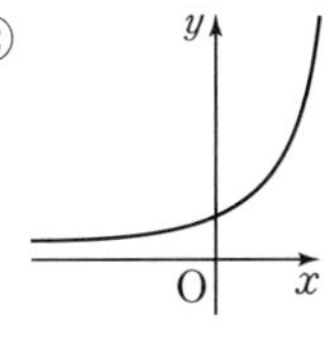


③
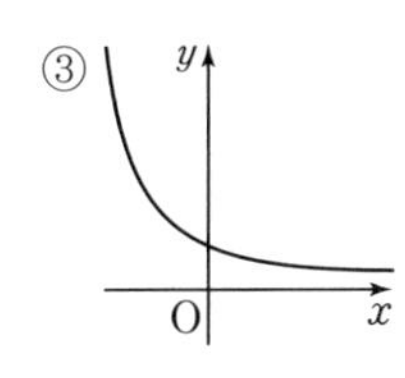


④
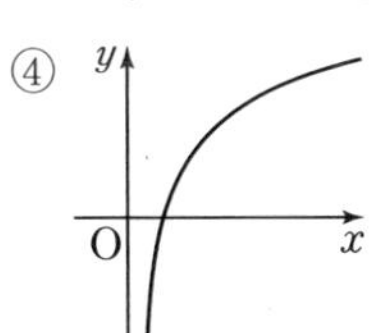


⑤
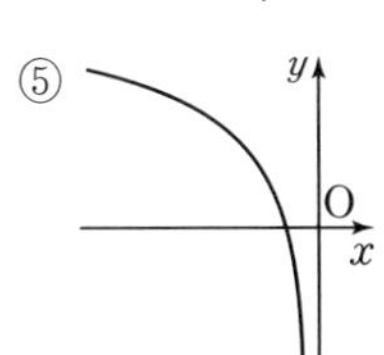


04

★ 중요

## 유형 03 로그함수의 그래프의 평행이동과 대칭이동

### 018 대표 문제 다시 보기

함수 $y=\log_{\frac{1}{2}}(4x-8)$의 그래프는 함수 $y=\log_2 x$의 그래프를 $x$축의 방향으로 $a$만큼, $y$축의 방향으로 $b$만큼 평행이동한 후 $x$축에 대하여 대칭이동한 것이다. 이때 $a+b$의 값을 구하시오.

### 019 중

다음 보기의 함수 중 그 그래프가 함수 $y=\log_2 x$의 그래프를 평행이동 또는 대칭이동하여 겹쳐지는 것만을 있는 대로 고른 것은?

보기

ㄱ. $y=\log_{\frac{1}{2}} x$　　ㄴ. $y=-\log_{\frac{1}{2}} 2x$

ㄷ. $y=2\log_2 x$　　ㄹ. $y=\frac{1}{2}\log_4(x+2)-1$

① ㄱ, ㄴ　② ㄱ, ㄹ　③ ㄷ, ㄹ
④ ㄱ, ㄴ, ㄷ　⑤ ㄴ, ㄷ, ㄹ

### 020 중

함수 $y=\log_3(x+a)+b$의 그래프가 오른쪽 그림과 같을 때, 상수 $a$, $b$에 대하여 $ab$의 값은?

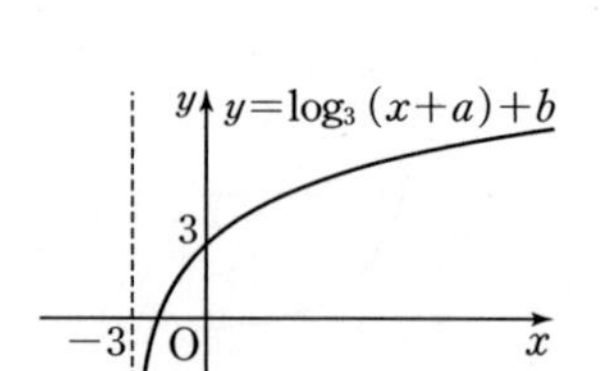


① 3　② 4
③ 5　④ 6
⑤ 7

### 021 중

두 함수 $y=\log_2 x$, $y=\log_2 8x$의 그래프와 두 직선 $x=1$, $x=3$으로 둘러싸인 도형의 넓이는?

① 6　② 8　③ 10
④ 12　⑤ 14

### 022 중

함수 $y=\log_{\frac{1}{3}}(x+3\sqrt{3})+k$의 그래프가 제3사분면을 지나지 않을 때, 상수 $k$의 최솟값은?

① $\frac{1}{2}$　② 1　③ $\frac{3}{2}$
④ 2　⑤ $\frac{5}{2}$

## 유형 04 로그함수의 그래프 위의 점

### 023 대표 문제 다시 보기

오른쪽 그림은 함수 $y=\log_3 x$의 그래프와 직선 $y=x$이다. $d=3b$일 때, $3^{a-c}$의 값을 구하시오. (단, 점선은 $x$축 또는 $y$축에 평행하다.)

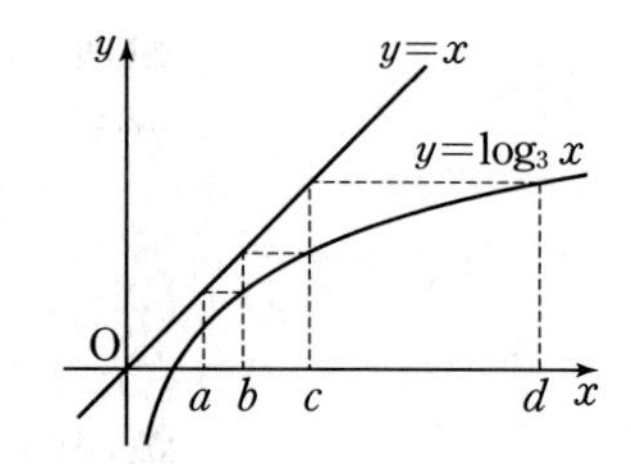

## 024 중

오른쪽 그림과 같이 두 함수 $y=\log_4 x$, $y=\log_{16} x$의 그래프가 직선 $x=a$와 만나는 점을 각각 A, B라 하고, 직선 $x=b$와 만나는 점을 각각 C, D라 하자. $\overline{AB}:\overline{CD}=1:2$일 때, $a$, $b$ 사이의 관계를 바르게 나타낸 것은? (단, $1<a<b$)

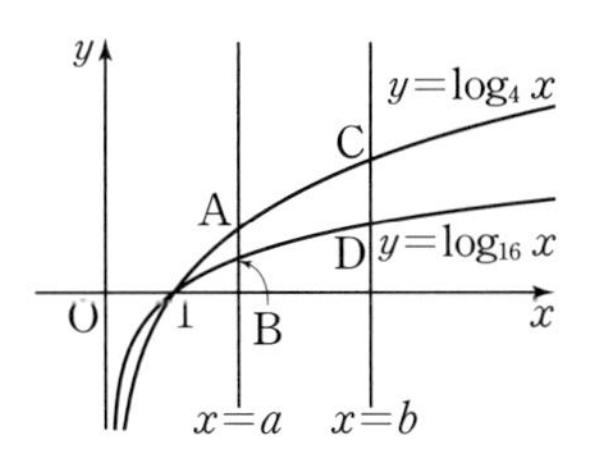


① $b=\frac{3}{2}a$ ② $b=2a$ ③ $b=4a$
④ $b=a^2$ ⑤ $b=a^4$

## 025 중

오른쪽 그림과 같이 두 함수 $y=\log_{\frac{1}{9}} x$, $y=\log_{\sqrt{3}} x$의 그래프가 직선 $x=\frac{1}{3}$과 만나는 점을 각각 A, B라 하고, 직선 $x=3$과 만나는 점을 각각 C, D라 할 때, 사각형 ABCD의 넓이를 구하시오.

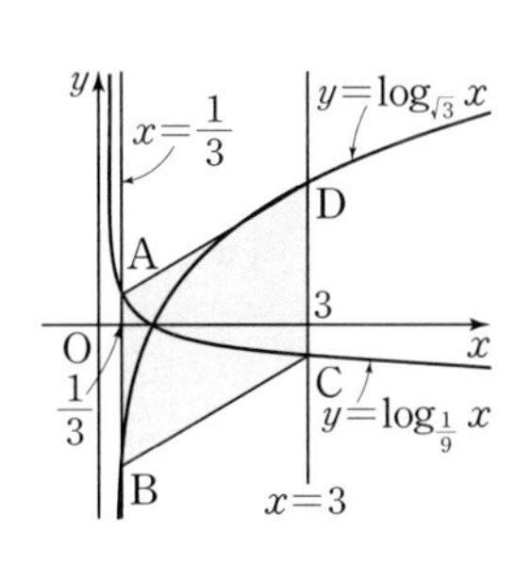


## 026 상

오른쪽 그림과 같이 두 함수 $y=3^x-k$, $y=\log_3(x-2k)$의 그래프가 $x$축과 만나는 점을 각각 A, B라 하고, 두 함수의 그래프의 점근선이 만나는 점의 좌표를 $(a, b)$라 하자. $\overline{AB}=2k$일 때, $a-b$의 값을 구하시오. (단, $k>0$)

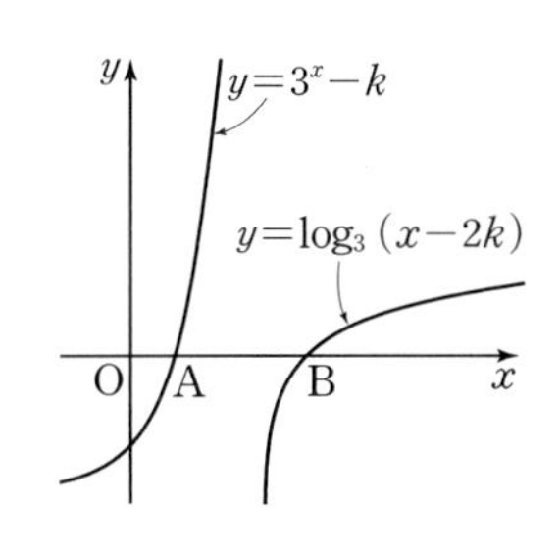


★ 중요

## 유형 05 로그함수의 역함수

## 027 대표 문제 다시 보기

함수 $y=\log(x+3)+a$의 역함수가 $y=b^{x-3}+c$일 때, 상수 $a$, $b$, $c$에 대하여 $a+b+c$의 값은?

① 6 ② 7 ③ 8
④ 9 ⑤ 10

## 028 중

함수 $f(x)=\begin{cases} x-3 & (x<4) \\ \log_2 x-1 & (x\geq 4) \end{cases}$의 역함수를 $g(x)$라 할 때, $(g\circ g)(a)=8$을 만족시키는 실수 $a$의 값은?

① $-2$ ② $-1$ ③ 0
④ 1 ⑤ 2

## 029 중

오른쪽 그림과 같이 함수 $y=\log_3 x$의 그래프와 그 역함수 $y=g(x)$의 그래프가 있다. 함수 $y=\log_3 x$의 그래프 위의 점 B와 함수 $y=g(x)$의 그래프 위의 두 점 A, C에 대하여 직선 AB는 $x$축에 평행하고, 직선 BC는 $y$축에 평행할 때, $\overline{AB}+\overline{BC}$의 값을 구하시오.

(단, 점 A는 $y$축 위의 점이다.)

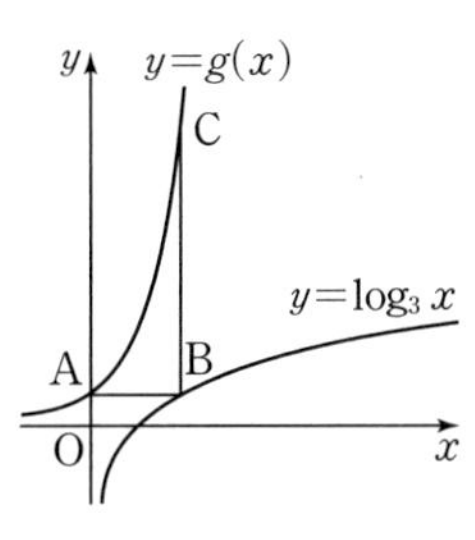


04

## 030 중

함수 $f(x)=2^x$의 역함수를 $g(x)$라 하자. 두 함수 $y=f(x)$, $y=g(x)$의 그래프가 직선 $y=4$와 만나는 점을 각각 A, B라 할 때, 삼각형 OAB의 넓이는? (단, O는 원점)

① 26 ② 28 ③ 30
④ 32 ⑤ 34

## 031 중

함수 $y=\log_a x+b$의 그래프와 그 역함수의 그래프가 두 점에서 만나고 두 교점의 $x$좌표가 각각 1, 2일 때, 상수 $a$, $b$에 대하여 $a^2+b^2$의 값은? (단, $a>1$)

① 3 ② 4 ③ 5
④ 6 ⑤ 7

## 032 상

오른쪽 그림과 같이 1보다 큰 상수 $a$에 대하여 두 함수 $y=a^x$, $y=\log_a x$의 그래프가 직선 $y=-x+8$과 만나는 점을 각각 A, B라 하자. $\overline{AB}=4\sqrt{2}$일 때, $a^2$의 값을 구하시오. (단, 점 A의 $x$좌표는 점 B의 $x$좌표보다 작다.)

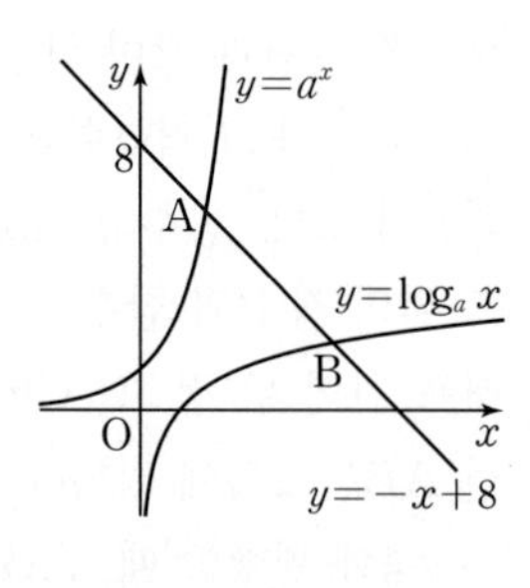


### 유형 06 로그함수를 이용한 수의 대소 비교

## 033 대표 문제 다시 보기

세 수 $A=2\log_{0.1} 4\sqrt{2}$, $B=\log_{0.1} 2-1$, $C=\log \frac{1}{50}$의 대소 관계는?

① $A<B<C$ ② $A<C<B$ ③ $B<A<C$
④ $C<A<B$ ⑤ $C<B<A$

## 034 중

$\frac{1}{9}<x<\frac{1}{3}$일 때, 세 수

$$A=\log_3 x,\ B=(\log_{\frac{1}{3}} x)^2,\ C=\log_{\frac{1}{2}}(\log_{\frac{1}{3}} x)$$

의 대소를 비교하시오.

## 035 상

$0<a<1<b$일 때, 세 수

$$A=\log_a b,\ B=-\log_b a,\ C=\log_b \frac{b}{a}$$

의 대소 관계는?

① $A<B<C$ ② $A<C<B$ ③ $B<A<C$
④ $B<C<A$ ⑤ $C<A<B$

## 유형 07 로그함수의 최대, 최소

### 036 대표 문제 다시 보기

정의역이 $\{x|-3\leq x\leq 5\}$인 함수 $y=\log_{\frac{1}{3}}(x+4)-3$의 최댓값과 최솟값의 곱을 구하시오.

### 037 중

정의역이 $\{x|a\leq x\leq 69\}$인 함수 $y=\log_4(x-5)+b$의 최댓값이 1, 최솟값이 $-2$일 때, 상수 $a$, $b$에 대하여 $ab$의 값은?

① $-12$　② $-6$　③ $-2$
④ $6$　⑤ $12$

★ 중요

## 유형 08 $y=\log_a f(x)$ 꼴인 함수의 최대, 최소

### 038 대표 문제 다시 보기

정의역이 $\{x|1\leq x\leq 4\}$인 함수 $y=\log_2(-x^2+2x+9)$의 최댓값을 $M$, 최솟값을 $m$이라 할 때, $M+m$의 값은?

① $1$　② $2$　③ $\log_2 6$
④ $3$　⑤ $\log_2 10$

### 039 중

함수 $y=\log_{\frac{1}{3}}(x+2)+\log_{\frac{1}{3}}(4-x)$의 최솟값은?

① $-2$　② $-1$　③ $0$
④ $1$　⑤ $2$

### 040 중

정의역이 $\{x|1\leq x\leq 3\}$인 함수 $y=\log_a(-x^2+4x)$의 최솟값이 $-2$일 때, 상수 $a$의 값을 구하시오. (단, $0<a<1$)

### 041 중

$x>0$, $y>0$이고 $x+2y=20$일 때, $\log x+\log 2y$의 최댓값은?

① $-4$　② $-2$　③ $1$
④ $2$　⑤ $4$

### 042 상

정의역이 $\{x|-1\leq x\leq 2\}$인 함수 $y=\log_3|x^2-2x-8|$의 최댓값을 구하시오.

정답과 해설 37쪽

## 유형 09 $\log_a x$ 꼴이 반복되는 함수의 최대, 최소

**043** 대표 문제 다시 보기

정의역이 $\left\{x \middle| \frac{1}{2} \le x \le 2\right\}$인 함수 $y=2(\log_{\frac{1}{2}} x)^2+4\log_{\frac{1}{2}} x$의 최댓값을 $M$, 최솟값을 $m$이라 할 때, $M-m$의 값을 구하시오.

**044** 중

정의역이 $\{x|1 \le x \le 27\}$인 함수 $y=\log_3 3x \times \log_{\frac{1}{3}} \frac{9}{x^2}$의 최댓값과 최솟값의 합은?

① 8 ② 10 ③ 12
④ 14 ⑤ 16

**045** 중

함수 $y=\log_4 x \times \log_4 \frac{16}{x}+k$의 최댓값이 10일 때, 상수 $k$의 값을 구하시오.

**046** 중

함수 $y=3^{\log x} \times x^{\log 3}-3(3^{\log x}+x^{\log 3})+25$가 $x=a$에서 최솟값 $m$을 가질 때, $am$의 값을 구하시오.

## 유형 10 지수에 로그가 있는 함수의 최대, 최소

**047** 대표 문제 다시 보기

정의역이 $\{x|1 \le x \le 27\}$인 함수 $y=x^{-4+\log_3 x}$의 최댓값을 $M$, 최솟값을 $m$이라 할 때, $Mm$의 값을 구하시오.

**048** 중

함수 $y=\frac{10x^4}{x^{\log x}}$이 $x=a$에서 최댓값 $M$을 가질 때, $\frac{M}{a}$의 값을 구하시오.

## 유형 11 산술평균과 기하평균을 이용한 함수의 최대, 최소

**049** 대표 문제 다시 보기

$x>1$일 때, 함수 $y=\log x-\log_x \frac{1}{10000}$의 최솟값은?

① 2 ② 3 ③ 4
④ 5 ⑤ 6

**050** 중

정의역이 $\left\{x \middle| \frac{1}{9} < x < 4\right\}$인 함수 $y=\log_6 9x \times \log_6 \frac{4}{x}$가 $x=a$에서 최댓값 $M$을 가질 때, $a+M$의 값을 구하시오.

# 로그함수

정답과 해설 38쪽

★ 중요

## 유형 12 | 밑을 같게 할 수 있는 로그방정식

방정식의 각 항의 밑을 같게 한 후 다음을 이용하여 푼다.

$$\log_a f(x)=\log_a g(x) \iff f(x)=g(x)$$

(단, $a>0$, $a\neq1$, $f(x)>0$, $g(x)>0$)

참고 로그방정식을 풀 때에는 구한 해가 (밑)$>0$, (밑)$\neq1$, (진수)$>0$의 조건을 모두 만족시키는지 확인한다.

대표 문제

**051** 방정식 $\log_9 x^2+\log_3(x-6)=3$을 푸시오.

★ 중요

## 유형 13 | $\log_a x$ 꼴이 반복되는 로그방정식 (1)

$\log_a x\,(a>0,\ a\neq1)$ 꼴이 반복되는 로그방정식은 다음과 같은 순서로 푼다.

(1) $\log_a x=t$로 치환하여 $t$에 대한 방정식을 푼다.

(2) (1)에서 구한 해에 $t$ 대신 $\log_a x$를 대입하여 $x$의 값을 구한다.

대표 문제

**052** 방정식 $(\log_6 x)^2+\log_6 x^2=\log_6 36x^3$의 두 근을 $\alpha$, $\beta$라 할 때, $\beta-6\alpha$의 값은? (단, $\alpha<\beta$)

① 15 ② 20 ③ 25 ④ 30 ⑤ 35

## 유형 14 | $\log_a x$ 꼴이 반복되는 로그방정식 (2)

방정식 $p(\log_a x)^2+q\log_a x+r=0$ ($p$, $q$, $r$는 상수)의 두 근이 $\alpha$, $\beta$이면 $\log_a x=t$로 치환하여 얻은 $t$에 대한 이차방정식 $pt^2+qt+r=0$의 두 근은 $\log_a \alpha$, $\log_a \beta$이다.

대표 문제

**053** 방정식 $(\log_{\frac{1}{2}} x)^2+\log_2 \dfrac{x^2}{4}=0$의 두 근을 $\alpha$, $\beta$라 할 때, $\alpha\beta$의 값을 구하시오.

## 유형 15 | 양변에 로그를 취하는 방정식

$x^{\log f(x)}=g(x)$ 꼴과 같이 지수에 로그가 있는 방정식은 양변에 로그를 취하여 로그방정식으로 고쳐서 푼다.

대표 문제

**054** 방정식 $x^{\log x}=\dfrac{1000}{x^2}$의 모든 근의 곱을 구하시오.

★ 중요

## 유형 16 | 밑을 같게 할 수 있는 로그부등식

부등식의 각 항의 밑을 같게 하여 $\log_a f(x)>\log_a g(x)$ 꼴로 변형한 후 다음의 공통 범위를 구한다.

(1) $f(x)>0$, $g(x)>0$

(2) $a>1$일 때, $f(x)>g(x)$

$0<a<1$일 때, $f(x)<g(x)$

대표 문제

**055** 부등식 $\log_{25}(x+8)<\log_5(x-4)$를 만족시키는 자연수 $x$의 최솟값은?

① 6 ② 7 ③ 8 ④ 9 ⑤ 10

## 유형 17 | 진수에 로그가 있는 부등식

$\log_a(\log_b x)<k\,(a>0,\ a\neq1,\ b>0,\ b\neq1)$ 꼴과 같이 진수에 로그가 있는 부등식의 해는 다음을 모두 만족시키는 $x$의 값의 범위를 구한다.

(1) 진수의 조건에서 $x>0$, $\log_b x>0$

(2) $a>1$일 때, $\log_b x<a^k$

$0<a<1$일 때, $\log_b x>a^k$

대표 문제

**056** 부등식 $\log_2(\log_{\frac{1}{2}} x)\leq2$의 해는?

① $0<x<1$ ② $\frac{1}{16}\leq x<1$ ③ $x\geq\frac{1}{16}$

④ $\frac{1}{4}\leq x<2$ ⑤ $x\geq\frac{1}{4}$

★중요

## 유형 18 | $\log_a x$ 꼴이 반복되는 로그부등식

$\log_a x\,(a>0,\ a\neq1)$ 꼴이 반복되는 로그부등식은 다음과 같은 순서로 푼다.

(1) $\log_a x=t$로 치환하여 $t$에 대한 부등식을 푼다.

(2) (1)에서 구한 해에 $t$ 대신 $\log_a x$를 대입하여 $x$의 값의 범위를 구한다.

대표 문제

**057** 부등식 $(\log_{\frac{1}{4}} x)^2+\log_{\frac{1}{4}}\frac{x^3}{16}\leq0$의 해가 $\alpha\leq x\leq\beta$일 때, $\alpha+\beta$의 값을 구하시오.

## 유형 19 | 양변에 로그를 취하는 부등식

$x^{\log f(x)}>g(x)$ 꼴과 같이 지수에 로그가 있는 부등식은 양변에 로그를 취하여 로그부등식으로 고쳐서 푼다.

대표 문제

**058** 부등식 $x^{\log_3 x}<27x^2$의 해가 $\alpha<x<\beta$일 때, $\alpha\beta$의 값을 구하시오.

## 유형 20 | 로그방정식과 로그부등식의 응용

(1) 로그를 포함한 이차방정식의 실근에 대한 조건이 주어진 경우에는 이차방정식의 판별식을 이용하여 로그방정식 또는 로그부등식을 세운 후 해를 구한다.

(2) 모든 양의 실수 $x$에 대하여 부등식 $(\log_a x)^2+p\log_a x+q>0$ ($p$, $q$는 상수)이 성립하려면 $\log_a x=t$로 치환하여 얻은 $t$에 대한 부등식 $t^2+pt+q>0$이 항상 성립해야 한다.

대표 문제

**059** 모든 양수 $x$에 대하여 부등식 $(\log x)^2-\log ax^2>0$이 성립하도록 하는 양수 $a$의 값의 범위는?

① $0<a<\frac{1}{10}$ ② $\frac{1}{100}<a<1$ ③ $\frac{1}{10}<a<10$

④ $1<a<10$ ⑤ $10<a<100$

★중요

## 유형 21 | 로그방정식과 로그부등식의 실생활에의 활용

주어진 조건을 이용하여 방정식 또는 부등식을 세운 후 양변에 상용로그를 취하여 해를 구한다.

대표 문제

**060** 어느 지하 동굴의 빛의 밝기는 동굴 안으로 1 m 들어갈 때마다 20 %씩 감소한다고 한다. 이때 빛의 밝기가 동굴 입구의 10 %가 되는 곳은 동굴 입구로부터 몇 m 들어간 곳인지 구하시오. (단, $\log 2=0.3$으로 계산한다.)

정답과 해설 39쪽

★ 중요

## 유형 12 밑을 같게 할 수 있는 로그방정식

**061** 대표 문제 다시 보기

방정식 $\log_8(x+1)=1-\frac{1}{3}\log_2(3x-2)$를 푸시오.

**062** 중

방정식 $\log_2(x-1)-1=\log_4(4-x)$의 해를 $x=\alpha$라 할 때, $\alpha^2$의 값은?

① 4 ② 9 ③ 16
④ 25 ⑤ 36

**063** 중

방정식 $\log_{x^2-2x+1}(2-3x)=\log_4(2-3x)$의 모든 근의 합은?

① $-1$ ② $-\frac{2}{3}$ ③ $\frac{1}{3}$
④ 2 ⑤ 3

**064** 중

연립방정식 $\begin{cases}\log_2\{\log(x^2+y^2)\}=0\\ \log_3\sqrt{x}+\log_9 y=\frac{1}{2}\end{cases}$ 의 해를 $x=\alpha,\ y=\beta$라 할 때, $\alpha+\beta$의 값을 구하시오.

**065** 상

방정식 $\log_2 x^2+\log_2 y^2=\log_2(x+y+3)^2$을 만족시키는 양의 정수 $x,\ y$에 대하여 $x+2y$의 최댓값은?

① 3 ② 6 ③ 9
④ 12 ⑤ 15

04

★ 중요

## 유형 13 $\log_a x$ 꼴이 반복되는 로그방정식 (1)

**066** 대표 문제 다시 보기

방정식 $(\log_2 x)^2-\log_4 x^6+2=0$의 두 근을 $\alpha,\ \beta$라 할 때, $\log_\alpha \beta$의 값은? (단, $\alpha<\beta$)

① $\frac{1}{3}$ ② $\frac{1}{2}$ ③ 1
④ 2 ⑤ 3

**067** 중

방정식 $\log_4 4x\times\log_4 16x=6$의 두 근의 곱을 구하시오.

핵심유형 완성하기

### 068 중

방정식 $\log_9 x^2 + 3\log_x 3 + 4 = 0$을 푸시오.

### 069 중

방정식 $3^{\log_5 x} \times x^{\log_5 3} - 2 \times 3^{\log_5 x} - 3 = 0$의 해는?

① $x=-3$ ② $x=-1$ ③ $x=1$
④ $x=3$ ⑤ $x=5$

### 070 중

연립방정식 $\begin{cases} \log_3 x + \log_2 y = 4 \\ \log_3 x \times \log_2 y = 3 \end{cases}$의 해를 $x=\alpha$, $y=\beta$라 할 때, $\beta-\alpha$의 값은? (단, $\alpha<\beta$)

① 2 ② 3 ③ 4
④ 5 ⑤ 6

### 071 상

$1<x<100$, $1<y<100$인 두 자연수 $x$, $y$에 대하여 $2\log_x y - 2\log_y x = 3$을 만족시키는 $x$, $y$의 순서쌍 $(x, y)$의 개수를 구하시오.

## 유형 14 $\log_a x$ 꼴이 반복되는 로그방정식 (2)

### 072 대표 문제 다시 보기

방정식 $(\log_3 x)^2 - 2\log_3 9x = 0$의 두 근의 곱을 구하시오.

### 073 중

방정식 $(\log_2 x)^2 - 8\log_2 x - 5 = 0$의 두 근을 $\alpha$, $\beta$라 할 때, $(\log_2 \alpha)^2 + (\log_2 \beta)^2$의 값은?

① 68 ② 70 ③ 72
④ 74 ⑤ 76

### 074 중

방정식 $\log_5 x + a\log_x 5 = a+1$의 두 근의 곱이 125일 때, 상수 $a$의 값은?

① $-3$ ② $-2$ ③ $-1$
④ 1 ⑤ 2

## 유형 15 양변에 로그를 취하는 방정식

### 075 대표 문제 다시 보기

방정식 $x^{\log_2 x}=4x$의 두 근을 $\alpha$, $\beta$라 할 때, $\log_\alpha \beta+\log_\beta \alpha$의 값은?

① $-4$ ② $-\frac{7}{2}$ ③ $-3$
④ $-\frac{5}{2}$ ⑤ $-2$

### 076 중

방정식 $5^x=2^{3-x}$의 해를 $x=\alpha$라 할 때, $10^\alpha$의 값은?

① 2 ② 4 ③ 6
④ 8 ⑤ 10

### 077 중

방정식 $3^{\log 3x}=5^{\log 5x}$의 해를 구하시오.

★ 중요

## 유형 16 밑을 같게 할 수 있는 로그부등식

### 078 대표 문제 다시 보기

부등식 $\log_{\frac{1}{4}}(-x+3)\le\log_{\frac{1}{2}}(x+9)$의 해가 $\alpha<x\le\beta$일 때, $\alpha+\beta$의 값은?

① $-15$ ② $-12$ ③ $-9$
④ $-6$ ⑤ $-3$

### 079 중

부등식 $\log_2(x^2-x-6)\le 1+\frac{2}{\log_3 4}$를 만족시키는 정수 $x$의 개수를 구하시오.

### 080 중

연립부등식 $\begin{cases} 4^{-x^2}>\left(\frac{1}{2}\right)^{4x} \\ \log_2(x^2-2x+3)<\log_2 2x \end{cases}$를 푸시오.

### 081 중

부등식 $\log_{\frac{1}{7}}\left(\frac{2}{3}x+k\right)\le\log_{\frac{1}{7}}(x-2)$를 만족시키는 정수 $x$가 7개일 때, 자연수 $k$의 값은?

① 1 ② 2 ③ 3
④ 4 ⑤ 5

## 082 중

부등식 $\log_a(6x+1)<\log_a(x^2+9)$의 해가 $2<x<4$일 때, 다음 중 $a$의 값이 될 수 없는 것은? (단, $a>0$, $a\neq1$)

① $\frac{1}{2}$ ② $\frac{3}{4}$ ③ $\frac{5}{6}$
④ $\frac{7}{8}$ ⑤ $\frac{11}{10}$

### 유형 17 진수에 로그가 있는 부등식

## 083 대표 문제 다시 보기

부등식 $\log_{\frac{1}{2}}(\log_3 2x)>-1$의 해는?

① $0<x<\frac{1}{2}$ ② $x<\frac{1}{2}$ ③ $\frac{1}{2}<x<\frac{9}{2}$
④ $x>1$ ⑤ $x>\frac{9}{2}$

## 084 중

부등식 $\log_3\{\log_8(\log_5 x)\}\leq-1$을 만족시키는 정수 $x$의 최댓값과 최솟값의 합을 구하시오.

중요

### 유형 18 $\log_a x$ 꼴이 반복되는 로그부등식

## 085 대표 문제 다시 보기

부등식 $\log_{\frac{1}{3}}\frac{x}{9}\times\log_3\frac{x}{27}\geq0$의 해가 $\alpha\leq x\leq\beta$일 때, $\frac{\beta}{\alpha}$의 값은?

① $\frac{1}{9}$ ② $\frac{1}{3}$ ③ 1
④ 3 ⑤ 9

## 086 중

부등식 $2^{\log x}\times x^{\log 2}-\frac{3}{2}(2^{\log x}+x^{\log 2})+2<0$을 푸시오.

## 087 중

부등식 $(\log_{\frac{1}{5}}x)^2+a\log_{\frac{1}{5}}x+b<0$의 해가 $5<x<25$일 때, 상수 $a$, $b$에 대하여 $a+b$의 값은?

① $-5$ ② $-3$ ③ 1
④ 3 ⑤ 5

## 088 중

연립부등식 $\begin{cases}(\log_3 x)^2<\log_3\frac{x^4}{27}\\ \log_2|x-3|<2\end{cases}$를 만족시키는 모든 정수 $x$의 값의 합을 구하시오.

## 유형 19 양변에 로그를 취하는 부등식

### 089 대표 문제 다시 보기

부등식 $x^{\log_5 25x} \le 25x$를 만족시키는 정수 $x$의 개수는?

① 3 ② 4 ③ 5
④ 6 ⑤ 7

### 090 중

오른쪽 그림은 함수 $y=\log_2 x$의 그래프와 직선 $y=\frac{1}{4}x+\frac{1}{4}$이다. 이 그래프를 이용하여 부등식

$$\frac{x^4}{2} > 2^x \ (x>0)$$

의 해를 구하시오. (단, $1<\alpha<\beta$)

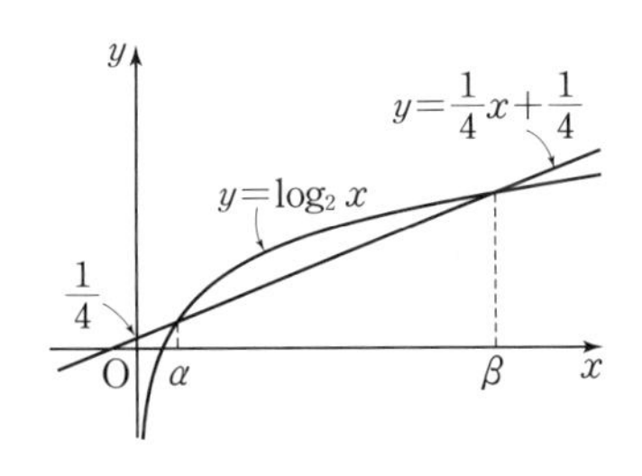


### 091 중

부등식 $x^{\log_{0.1} x} < \sqrt{10x^3}$을 푸시오.

### 092 상

부등식 $6^{x-1} \ge 5^{x+2}$을 만족시키는 자연수 $x$의 최솟값은?
(단, $\log 2=0.3$, $\log 3=0.48$로 계산한다.)

① 22 ② 24 ③ 26
④ 28 ⑤ 30

## 유형 20 로그방정식과 로그부등식의 응용

### 093 대표 문제 다시 보기

모든 양수 $x$에 대하여 부등식

$$(\log_4 x)^2 + \log_4 16x^2 - \log_2 k \ge 0$$

이 성립하도록 하는 모든 정수 $k$의 값의 합은?

① $-5$ ② $-3$ ③ 1
④ 3 ⑤ 5

### 094 중

이차방정식 $x^2 - x\log_2 a + 3 + \log_2 a = 0$이 중근을 갖도록 하는 모든 양수 $a$의 값의 곱을 구하시오.

### 095 중

모든 실수 $x$에 대하여 이차부등식
$x^2 - 2x\log_2 a + 4\log_2 a - 3 > 0$이 성립하도록 하는 양수 $a$의 값의 범위는?

① $\frac{1}{8}<a<2$ ② $\frac{1}{8}<a<4$ ③ $\frac{1}{2}<a<4$
④ $2<a<8$ ⑤ $a>8$

## 096 중

이차방정식 $(\log a+3)x^2-2(\log a+1)x+1=0$이 실근을 갖도록 하는 양수 $a$의 값의 범위를 구하시오. (단, $a>1$)

## 097 중

모든 양수 $x$에 대하여 부등식 $x^{\log_3 x} \ge (9x^2)^k$이 성립하도록 하는 실수 $k$의 값의 범위가 $\alpha \le k \le \beta$일 때, $\alpha+\beta$의 값은?

① $-2$　② $-1$　③ $0$　④ $1$　⑤ $2$

★중요

### 유형 21 로그방정식과 로그부등식의 실생활에의 활용

## 098 대표 문제 다시 보기

어느 커피 전문점의 매출은 영업을 시작한 달부터 매달 5 %씩 증가한다고 한다. 이때 매출이 영업을 시작한 달의 매출의 2배가 되는 것은 영업을 시작한 지 몇 개월 후인지 구하시오.

(단, $\log 1.05=0.02$, $\log 2=0.3$으로 계산한다.)

## 099 중

어느 지역에서 평균 해수면의 기압이 1기압일 때, 평균 해수면에서 높이가 $H$ km인 곳의 기압을 $P$기압이라 하면

$H=k\log P$ ($k$는 상수)

인 관계가 성립한다고 한다. 평균 해수면에서 높이가 9960 m인 곳의 기압이 $\frac{1}{1000}$기압일 때, 평균 해수면에서 높이가 6640 m 이상 13280 m 이하일 때의 기압의 범위를 구하시오.

## 100 중

질량이 $a$ g인 활성탄 A를 염료 B의 농도가 $c$ %인 용액에 충분히 오래 담가 놓을 때 활성탄 A에 흡착되는 염료 B의 질량을 $b$ g이라 하면

$\log \frac{b}{a}=-1+k\log c$ ($k$는 상수)

인 관계가 성립한다고 한다. 20 g의 활성탄 A를 염료 B의 농도가 8 %인 용액에 충분히 오래 담가 놓을 때, 활성탄 A에 흡착되는 염료 B의 질량은 4 g이다. 30 g의 활성탄 A를 염료 B의 농도가 27 %인 용액에 충분히 오래 담가 놓을 때, 활성탄 A에 흡착되는 염료 B의 질량을 구하시오.

(단, 각 용액의 양은 충분하다.)

## 101 상

어느 연구소에서 공기 정화 식물이 실내 미세먼지 농도($\mu$m) 감소에 미치는 영향에 대하여 조사하였더니 일정한 크기의 공간에 공기 정화 식물을 추가로 1개 둘 때마다 미세먼지 농도가 10 %씩 감소하였다고 한다. 같은 크기의 공간에 공기 정화 식물을 1개씩 차례로 두었더니 $n$개째에서 미세먼지 농도가 처음의 $\frac{1}{2}$배 이하로 낮아졌다고 할 때, 자연수 $n$의 최솟값을 구하시오.

(단, $\log 2=0.3010$, $\log 3=0.4771$로 계산한다.)

# 최종 점검하기



정답과 해설 45쪽

**102** 유형 01

두 함수 $f(x)=2^x$, $g(x)=\log_{\frac{1}{4}} x$에 대하여 $(g\circ f)(-6)$의 값은?

① $-3$ ② $-1$ ③ $1$
④ $3$ ⑤ $5$

**103** 유형 02+03

다음 중 함수 $y=\log_3(6-x)+2$에 대한 설명으로 옳지 않은 것은?

① 정의역은 $\{x|x<6\}$이다.
② 그래프의 점근선의 방정식은 $x=6$이다.
③ $x$의 값이 증가하면 $y$의 값도 증가한다.
④ 그래프는 제3사분면을 지나지 않는다.
⑤ 그래프는 $y=\log_3 x$의 그래프를 평행이동 또는 대칭이동하여 겹쳐진다.

**104** 유형 03

다음 보기의 함수 중 그 그래프가 함수 $y=\log_2 x$의 그래프를 평행이동 또는 대칭이동하여 겹쳐지는 것만을 있는 대로 고르시오.

보기

ㄱ. $y=\log_2(x+1)$ ㄴ. $y=\log_2 x^2$
ㄷ. $y=\log_2 4x$ ㄹ. $y=\log_2 \frac{1}{x}$
ㅁ. $y=2^{2x}-1$ ㅂ. $y=\left(\frac{1}{2}\right)^x$

**105** 유형 05

함수 $f(x)=\left(\frac{1}{2}\right)^x-1$에 대하여 함수 $g(x)$가 $(f\circ g)(x)=x$를 만족시킬 때, $(g\circ g)\left(-\frac{1}{2}\right)$의 값은?

① $-2$ ② $-1$ ③ $1$
④ $2$ ⑤ $3$

**106** 유형 05

오른쪽 그림과 같이 함수 $y=f(x)$의 그래프는 함수 $y=\log_2 x$의 그래프와 직선 $y=x$에 대하여 대칭이다. 점 A의 좌표를 $(a, b)$라 할 때, $a-b$의 값을 구하시오. (단, 점선은 $x$축 또는 $y$축에 평행하다.)

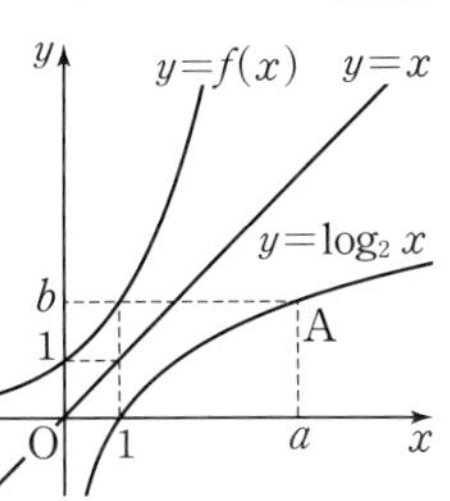


**107** 유형 06

$0<b<\frac{1}{a}<1$일 때, 다음 네 수의 대소를 비교하시오.

$0,\quad -1,\quad \log_a b,\quad \log_b a$

**108** 유형 07

정의역이 $\left\{x\middle|\frac{5}{2}\le x\le\frac{9}{2}\right\}$인 함수 $y=\log_{\frac{1}{2}}(2x-1)+k$의 최댓값과 최솟값의 차를 구하시오. (단, $k$는 상수)

## 109
유형 08

함수 $y=\log_a(x^2-2x+10)$의 최댓값이 $-2$일 때, 상수 $a$의 값은?

① $\frac{1}{4}$ ② $\frac{1}{3}$ ③ $\frac{1}{2}$
④ 2 ⑤ 3

## 110
유형 09

함수 $y=2(\log_{\frac{1}{5}}x)^2+a\log_5\frac{1}{x}+b$는 $x=25$에서 최솟값 $-6$을 가질 때, 상수 $a$, $b$에 대하여 $a-b$의 값은?

① 2 ② 4 ③ 6
④ 8 ⑤ 10

## 111
유형 10

함수 $y=x^{4-\log_2 x}$은 $x=a$에서 최댓값 $M$을 가질 때, $a+M$의 값을 구하시오.

## 112
유형 11

$0<x<1$일 때, 함수 $y=\log_{\frac{1}{4}}x-\log_x 256$의 최솟값은?

① 2 ② $2\sqrt{2}$ ③ 4
④ $4\sqrt{2}$ ⑤ 8

## 113
유형 12

방정식 $\log_{\sqrt{2}}x-\log_2\left(x-\frac{3}{2}\right)=3$의 두 근을 $\alpha$, $\beta$라 할 때, $\beta-\alpha$의 값을 구하시오. (단, $\alpha<\beta$)

## 114
유형 04+12

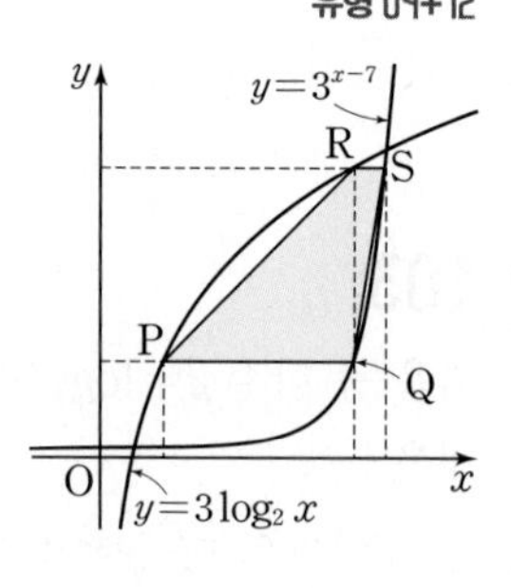


오른쪽 그림은 두 함수 $y=3\log_2 x$, $y=3^{x-7}$의 그래프이다. 점 P는 함수 $y=3\log_2 x$의 그래프 위의 점이고, 점 P를 지나고 $x$축에 평행한 직선이 함수 $y=3^{x-7}$의 그래프와 만나는 점을 Q, 점 Q를 지나고 $y$축에 평행한 직선이 함수 $y=3\log_2 x$의 그래프와 만나는 점을 R, 점 R를 지나고 $x$축에 평행한 직선이 함수 $y=3^{x-7}$의 그래프와 만나는 점을 S라 하자.
$\overline{PQ}=\overline{QR}=6$일 때, 사각형 PQSR의 넓이를 구하시오.

## 115
유형 13

방정식 $\log_3 x-\log_x 27=2$의 두 근을 $\alpha$, $\beta$라 할 때, $\log_\alpha\beta$의 값은? (단, $\alpha<\beta$)

① $-3$ ② $-2$ ③ $-1$
④ 1 ⑤ 2

## 116
유형 13

연립방정식 $\begin{cases}\log_x 4-\log_y 2=2\\ \log_x 16-\log_y \frac{1}{8}=-1\end{cases}$을 만족시키는 실수 $x$, $y$에 대하여 $xy$의 값을 구하시오.

## 117
유형 14+15

방정식 $x^{\log_2 x}=16x^{k-1}$의 두 근의 곱이 4일 때, 실수 $k$의 값은?

① $-3$ ② $-1$ ③ $1$
④ $3$ ⑤ $5$

## 118
유형 16

두 집합

$A=\{x \mid \log_6 |x-2|<1\}$,
$B=\{x \mid \log_2 2x-\log_{\frac{1}{2}}(x-2)\ge 4\}$

에 대하여 $A\cap B$에 속하는 모든 정수 $x$의 값의 합을 구하시오.

## 119
유형 17

부등식 $\log_{\frac{1}{3}}\{\log_3(\log_4 x)\}>0$을 만족시키는 정수 $x$의 개수를 구하시오.

## 120
유형 18

부등식 $\left(\log_2 \frac{4}{x}\right)\left(\log_2 \frac{x}{8}\right)<-2$를 만족시키는 정수 $x$의 최솟값을 구하시오.

## 121
유형 19

부등식 $x^{\log_2 x}\le \frac{16}{x^3}$의 해가 $\alpha\le x\le \beta$일 때, $\log_4 \alpha+\log_4 \beta$의 값은?

① $-2$ ② $-\frac{3}{2}$ ③ $-1$
④ $\frac{1}{2}$ ⑤ $1$

## 122
유형 20

이차방정식 $x^2-2(2+\log_2 a)x+6(2+\log_2 a)=0$이 실근을 갖지 않도록 하는 자연수 $a$의 최댓값과 최솟값의 합은?

① 10 ② 12 ③ 14
④ 16 ⑤ 18

## 123
유형 21

어느 아이스크림 회사는 아이스크림 가격을 실질적으로 인상하기 위하여 가격은 그대로 유지하면서 무게를 기존 무게보다 10 % 줄이는 방법을 사용한다고 한다. 이 방법을 $n$번 시행하면 아이스크림 1 g의 가격이 처음의 1.5배 이상이 될 때, 자연수 $n$의 최솟값을 구하시오.

(단, $\log 2=0.3010$, $\log 3=0.4771$로 계산한다.)

Ⅱ. 삼각함수

# 삼각함수

유형 01 일반각

유형 02 사분면의 각

유형 03 호도법과 육십분법

유형 04 두 동경의 위치 관계 – 일치 또는 원점에 대하여 대칭

유형 05 두 동경의 위치 관계 – 직선에 대하여 대칭

유형 06 부채꼴의 호의 길이와 넓이

유형 07 부채꼴의 둘레의 길이와 넓이의 최대, 최소

유형 08 삼각함수

유형 09 삼각함수의 값의 부호

유형 10 삼각함수 사이의 관계

유형 11 삼각함수 사이의 관계를 이용하여 식의 값 구하기

유형 12 $\sin\theta \pm \cos\theta$, $\sin\theta\cos\theta$의 관계를 이용하여 식의 값 구하기

유형 13 삼각함수와 이차방정식

# 삼각함수

## 유형 01 | 일반각

시초선 OX와 동경 OP가 나타내는 한 각의 크기를 $\alpha°(0° \le \alpha° < 360°)$라 할 때, 동경 OP가 나타내는 일반각 $\theta$는

$\theta = 360° \times n + \alpha°$ (단, $n$은 정수)

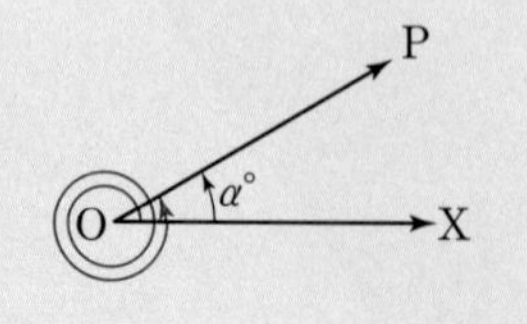


대표 문제

**001** 시초선 OX와 동경 OP의 위치가 오른쪽 그림과 같을 때, 다음 중 동경 OP가 나타낼 수 없는 각은?

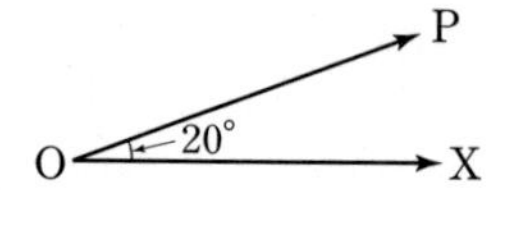


① $-1420°$ ② $-710°$ ③ $-340°$
④ $380°$ ⑤ $1100°$

## 유형 02 | 사분면의 각

$n$이 정수일 때

(1) $\theta$가 제1사분면의 각
➡ $360° \times n < \theta < 360° \times n + 90°$

(2) $\theta$가 제2사분면의 각
➡ $360° \times n + 90° < \theta < 360° \times n + 180°$

(3) $\theta$가 제3사분면의 각
➡ $360° \times n + 180° < \theta < 360° \times n + 270°$

(4) $\theta$가 제4사분면의 각
➡ $360° \times n + 270° < \theta < 360° \times n + 360°$

대표 문제

**002** $\theta$가 제2사분면의 각일 때, $\frac{\theta}{2}$는 제몇 사분면의 각인가?

① 제2사분면
② 제4사분면
③ 제1사분면 또는 제2사분면
④ 제1사분면 또는 제3사분면
⑤ 제2사분면 또는 제4사분면

★ 중요

## 유형 03 | 호도법과 육십분법

(1) 육십분법의 각을 호도법의 각으로 나타낼 때
➡ (육십분법의 각)$\times \frac{\pi}{180}$

(2) 호도법의 각을 육십분법의 각으로 나타낼 때
➡ (호도법의 각)$\times \frac{180°}{\pi}$

예 $30° = 30 \times \frac{\pi}{180} = \frac{\pi}{6}$, $\frac{\pi}{4} = \frac{\pi}{4} \times \frac{180°}{\pi} = 45°$

참고 1라디안$= \frac{180°}{\pi}$, $1° = \frac{\pi}{180}$라디안

대표 문제

**003** 다음 중 옳지 않은 것은?

① $40° = \frac{2}{9}\pi$ ② $135° = \frac{3}{4}\pi$ ③ $\frac{5}{6}\pi = 150°$
④ $\frac{5}{3}\pi = 240°$ ⑤ $\frac{7}{5}\pi = 252°$

## 유형 04 | 두 동경의 위치 관계 – 일치 또는 원점에 대하여 대칭

두 각 $\alpha$, $\beta$를 나타내는 두 동경이

(1) 일치한다.
➡ $\alpha - \beta = 2n\pi$ ($n$은 정수)

(2) 원점에 대하여 대칭이다.
➡ $\alpha - \beta = (2n+1)\pi$ ($n$은 정수)

대표 문제

**004** 각 $\theta$를 나타내는 동경과 각 $4\theta$를 나타내는 동경이 일치할 때, 각 $\theta$의 크기를 구하시오. $\left(단, \frac{\pi}{2} < \theta < \pi\right)$

## 유형 05 | 두 동경의 위치 관계 – 직선에 대하여 대칭

두 각 $\alpha$, $\beta$를 나타내는 두 동경이

(1) $x$축에 대하여 대칭이다.

➡ $\alpha+\beta=2n\pi$ ($n$은 정수)

(2) $y$축에 대하여 대칭이다.

➡ $\alpha+\beta=(2n+1)\pi$ ($n$은 정수)

(3) 직선 $y=x$에 대하여 대칭이다.

➡ $\alpha+\beta=2n\pi+\frac{\pi}{2}$ ($n$은 정수)

대표 문제

**005** 각 $\theta$를 나타내는 동경과 각 $6\theta$를 나타내는 동경이 $x$축에 대하여 대칭일 때, 각 $\theta$의 크기를 구하시오. $\left(\text{단, } 0<\theta<\frac{\pi}{2}\right)$

05

★중요

## 유형 06 | 부채꼴의 호의 길이와 넓이

반지름의 길이가 $r$, 중심각의 크기가 $\theta$(라디안)인 부채꼴의 호의 길이를 $l$, 넓이를 $S$라 하면

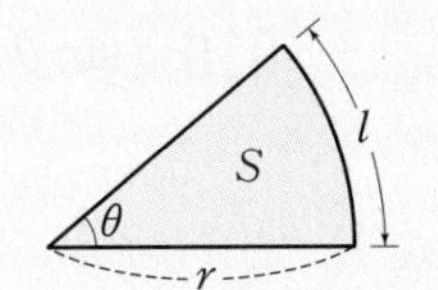


(1) $l=r\theta$

(2) $S=\frac{1}{2}r^2\theta=\frac{1}{2}rl$

대표 문제

**006** 중심각의 크기가 $\frac{\pi}{3}$이고 호의 길이가 $2\pi$인 부채꼴의 넓이는?

① $3\pi$ ② $4\pi$ ③ $5\pi$
④ $6\pi$ ⑤ $7\pi$

## 유형 07 | 부채꼴의 둘레의 길이와 넓이의 최대, 최소

반지름의 길이가 $r$, 둘레의 길이가 $a$인 부채꼴의 넓이를 $S$라 하면

$$S=\frac{1}{2}r(a-2r)$$

이므로 이차함수의 최대, 최소를 이용하여 $S$의 최댓값을 구한다.

대표 문제

**007** 둘레의 길이가 16인 부채꼴 중에서 그 넓이가 최대인 것의 반지름의 길이를 구하시오.

★중요

## 유형 08 | 삼각함수

중심이 원점 O이고 반지름의 길이가 $r$인 원 위의 임의의 점 $\mathrm{P}(x, y)$에 대하여 동경 OP가 $x$축의 양의 방향과 이루는 각의 크기를 $\theta$라 하면

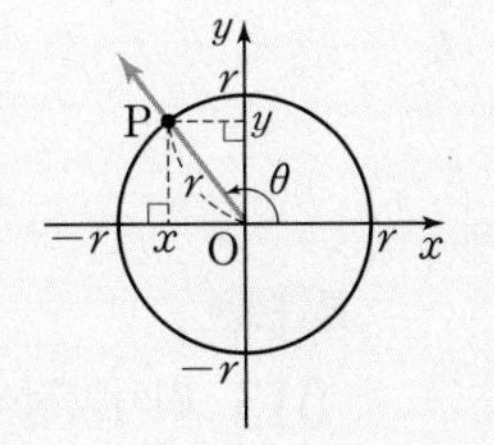


$\sin\theta=\frac{y}{r}$, $\cos\theta=\frac{x}{r}$,

$\tan\theta=\frac{y}{x}$ $(x\neq0)$

대표 문제

**008** 원점 O와 점 $\mathrm{P}(-4, 3)$을 지나는 동경 OP가 나타내는 각의 크기를 $\theta$라 할 때, $5\sin\theta+10\cos\theta+4\tan\theta$의 값은?

① $-10$ ② $-8$ ③ $-6$
④ $-4$ ⑤ $-2$

# 35 삼각함수

정답과 해설 48쪽

★ 중요

## 유형 09 | 삼각함수의 값의 부호

삼각함수의 값의 부호는 각 $\theta$를 나타내는 동경이 위치하는 사분면에 따라 달라지므로 조건을 만족시키는 각 $\theta$가 제몇 사분면의 각인지 확인한 후 부호를 구한다.
이때 각 사분면에서 삼각함수의 값이 양수인 것만을 좌표평면 위에 나타내면 오른쪽 그림과 같다.

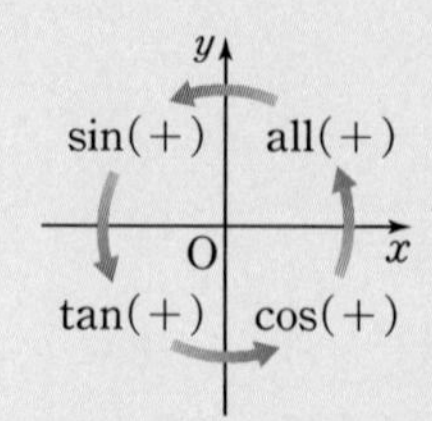


대표 문제

**009** $\sin\theta\cos\theta<0$, $\sin\theta\tan\theta<0$을 동시에 만족시키는 $\theta$는 제몇 사분면의 각인가?

① 제1사분면 ② 제2사분면
③ 제3사분면 ④ 제4사분면
⑤ 제2사분면 또는 제4사분면

## 유형 10 | 삼각함수 사이의 관계

(1) $\tan\theta=\dfrac{\sin\theta}{\cos\theta}$ (2) $\sin^2\theta+\cos^2\theta=1$

대표 문제

**010** $(\sin\theta+\cos\theta)^2+\dfrac{(1-\tan\theta)^2}{1+\tan^2\theta}$을 간단히 하시오.

★ 중요

## 유형 11 | 삼각함수 사이의 관계를 이용하여 식의 값 구하기

삼각함수 중 하나의 값이 주어지면 삼각함수 사이의 관계를 이용하여 주어진 식의 값을 구한다.

대표 문제

**011** $\theta$가 제2사분면의 각이고 $\cos\theta=-\dfrac{5}{13}$일 때, $13\sin\theta-5\tan\theta$의 값을 구하시오.

★ 중요

## 유형 12 | $\sin\theta\pm\cos\theta$, $\sin\theta\cos\theta$의 관계를 이용하여 식의 값 구하기

$\sin\theta+\cos\theta$, $\sin\theta-\cos\theta$ 또는 $\sin\theta\cos\theta$의 값이 주어지는 경우에는 다음을 이용하여 식의 값을 구한다.

$$(\sin\theta\pm\cos\theta)^2=\sin^2\theta\pm2\sin\theta\cos\theta+\cos^2\theta$$
$$=1\pm2\sin\theta\cos\theta \text{ (복부호 동순)}$$

대표 문제

**012** $\sin\theta+\cos\theta=\dfrac{2}{3}$일 때, $\sin^3\theta+\cos^3\theta$의 값은?

① $\dfrac{20}{27}$ ② $\dfrac{7}{9}$ ③ $\dfrac{22}{27}$
④ $\dfrac{23}{27}$ ⑤ $\dfrac{8}{9}$

## 유형 13 | 삼각함수와 이차방정식

이차방정식의 두 근이 삼각함수로 주어진 경우에는 이차방정식의 근과 계수의 관계를 이용하여 삼각함수에 대한 식을 세운다.
➡ 이차방정식 $ax^2+bx+c=0$의 두 근이 $\sin\theta$, $\cos\theta$이면

$$\sin\theta+\cos\theta=-\frac{b}{a},\ \sin\theta\cos\theta=\frac{c}{a}$$

대표 문제

**013** 이차방정식 $4x^2+3x+k=0$의 두 근이 $\sin\theta$, $\cos\theta$일 때, 상수 $k$의 값을 구하시오.

## 유형 01 일반각

### 014 대표 문제 다시 보기

시초선 OX와 동경 OP의 위치가 오른쪽 그림과 같을 때, 다음 중 동경 OP가 나타낼 수 있는 각은?

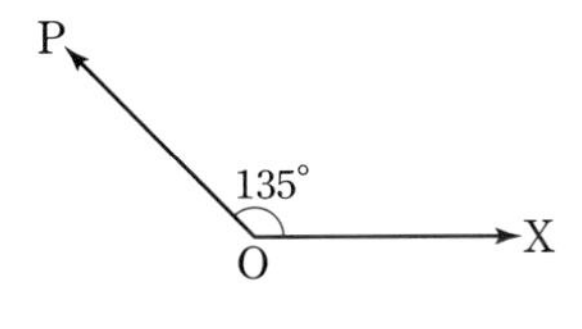


① $-935°$　② $-595°$　③ $-225°$
④ $875°$　⑤ $1505°$

### 015 하

다음 각의 동경이 나타내는 일반각을 표현한 것 중 옳지 않은 것은? (단, $n$은 정수)

① $370° \Rightarrow 360° \times n + 10°$
② $780° \Rightarrow 360° \times n + 60°$
③ $1200° \Rightarrow 360° \times n + 120°$
④ $-30° \Rightarrow 360° \times n + 330°$
⑤ $-550° \Rightarrow 360° \times n + 150°$

### 016 중

다음 보기의 각을 나타내는 동경 중 $390°$를 나타내는 동경과 일치하는 것만을 있는 대로 고르시오.

보기
ㄱ. $-1380°$　ㄴ. $-690°$　ㄷ. $-300°$
ㄹ. $420°$　ㅁ. $750°$　ㅂ. $1110°$

## 유형 02 사분면의 각

### 017 대표 문제 다시 보기

$2\theta$가 제3사분면의 각일 때, $\theta$는 제몇 사분면의 각인지 말하시오.

### 018 하

다음 보기의 각 중 같은 사분면의 각끼리 바르게 짝 지은 것은?

보기
ㄱ. $120°$　ㄴ. $760°$　ㄷ. $-30°$
ㄹ. $-250°$　ㅁ. $800°$　ㅂ. $1300°$

① ㄱ − ㄴ　② ㄱ − ㄷ　③ ㄴ − ㅁ
④ ㄷ − ㅂ　⑤ ㄹ − ㅂ

### 019 중

$\theta$가 제1사분면의 각일 때, 각 $\frac{\theta}{3}$를 나타내는 동경이 존재할 수 없는 사분면은?

① 제1사분면　② 제2사분면
③ 제3사분면　④ 제4사분면
⑤ 제2사분면 또는 제3사분면

# 완성하기

★ 중요

## 유형 03 호도법과 육십분법

### 020 대표 문제 다시 보기

다음 중 옳지 않은 것은?

① $315°=\frac{7}{4}\pi$ ② $162°=\frac{9}{10}\pi$ ③ $-690°=-\frac{11}{3}\pi$

④ $\frac{9}{5}\pi=324°$ ⑤ $-\frac{17}{18}\pi=-170°$

### 021 하

다음 보기 중 옳은 것만을 있는 대로 고르시오.

보기

ㄱ. $\frac{\pi}{60°}=3$

ㄴ. $-\frac{11}{5}\pi$는 제3사분면의 각이다.

ㄷ. $-\frac{20}{3}\pi$를 나타내는 동경의 일반각은 $2n\pi+\frac{4}{3}\pi$이다. (단, $n$은 정수)

ㄹ. $\frac{\pi}{4}$, $\frac{17}{4}\pi$, $-\frac{15}{4}\pi$를 나타내는 동경은 모두 일치한다.

### 022 중

다음 중 각을 나타내는 동경이 위치하는 사분면이 나머지 넷과 다른 하나는?

① $-530°$ ② $930°$ ③ $-\frac{27}{4}\pi$

④ $\frac{19}{3}\pi$ ⑤ $-\frac{25}{9}\pi$

## 유형 04 두 동경의 위치 관계 – 일치 또는 원점에 대하여 대칭

### 023 대표 문제 다시 보기

각 $\theta$를 나타내는 동경과 각 $9\theta$를 나타내는 동경이 일치할 때, 각 $\theta$의 크기는? $\left(단,\ 0<\theta<\frac{\pi}{2}\right)$

① $\frac{\pi}{12}$ ② $\frac{\pi}{6}$ ③ $\frac{\pi}{4}$

④ $\frac{\pi}{3}$ ⑤ $\frac{5}{12}\pi$

### 024 중

각 $2\theta$를 나타내는 동경과 각 $6\theta$를 나타내는 동경이 원점에 대하여 대칭일 때, 모든 각 $\theta$의 크기의 합은? (단, $0<\theta<\pi$)

① $\frac{\pi}{3}$ ② $\frac{\pi}{2}$ ③ $\frac{2}{3}\pi$

④ $\frac{5}{6}\pi$ ⑤ $\pi$

### 025 중

각 $\theta$를 나타내는 동경과 각 $7\theta$를 나타내는 동경이 일직선 위에 있고 방향이 반대일 때, $\sin(\theta-\pi)$의 값을 구하시오.

$\left(단,\ \pi<\theta<\frac{3}{2}\pi\right)$

## 유형 05 두 동경의 위치 관계 – 직선에 대하여 대칭

### 026 대표 문제 다시 보기

각 $3\theta$를 나타내는 동경과 각 $6\theta$를 나타내는 동경이 $x$축에 대하여 대칭일 때, 모든 각 $\theta$의 크기의 합은? $\left(단, \pi<\theta<\frac{3}{2}\pi\right)$

① $\frac{14}{9}\pi$ ② $\frac{16}{9}\pi$ ③ $2\pi$
④ $\frac{20}{9}\pi$ ⑤ $\frac{22}{9}\pi$

### 027 중

각 $\theta$를 나타내는 동경과 각 $5\theta$를 나타내는 동경이 $y$축에 대하여 대칭일 때, $\sin\theta\cos\theta$의 값은? $\left(단, 0<\theta<\frac{\pi}{2}\right)$

① $\frac{1}{4}$ ② $\frac{\sqrt{3}}{4}$ ③ $\frac{1}{2}$
④ $\frac{\sqrt{2}}{2}$ ⑤ $\frac{\sqrt{3}}{2}$

### 028 중

각 $\theta$를 나타내는 동경과 각 $3\theta$를 나타내는 동경이 직선 $y=x$에 대하여 대칭일 때, 각 $\theta$의 개수를 구하시오.
(단, $0<\theta<2\pi$)

★중요

## 유형 06 부채꼴의 호의 길이와 넓이

### 029 대표 문제 다시 보기

중심각의 크기가 $\frac{2}{3}\pi$이고 넓이가 $12\pi$인 부채꼴의 호의 길이를 구하시오.

### 030 중

밑면인 원의 반지름의 길이가 3이고 모선의 길이가 8인 원뿔의 겉넓이는?

① $33\pi$ ② $36\pi$ ③ $39\pi$
④ $42\pi$ ⑤ $45\pi$

### 031 중

오른쪽 그림과 같이 어느 자동차에 장착된 와이퍼를 작동하였더니 중심각의 크기가 $\frac{4}{5}\pi$인 부채꼴 모양을 이루었다. 이 와이퍼에서 유리를 닦는 고무판의 길이가 50 cm이고 고무판이 회전하면서 닦은 유리창의 넓이가 $1400\pi$ cm$^2$일 때, 와이퍼의 고무판이 회전하면서 닦은 유리창의 둘레의 길이를 구하시오. (단, 유리창은 한 평면 위에 있다.)

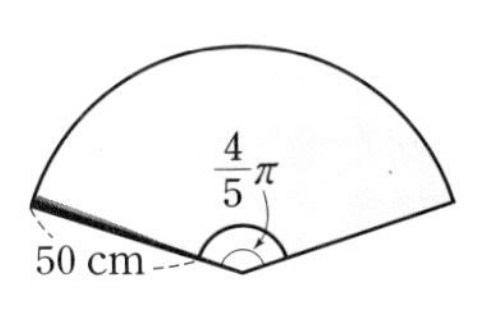

### 032 중

오른쪽 그림과 같이 반지름의 길이가 4인 두 원 $O$, $O'$이 서로의 중심을 지날 때, 색칠한 부분의 둘레의 길이는?

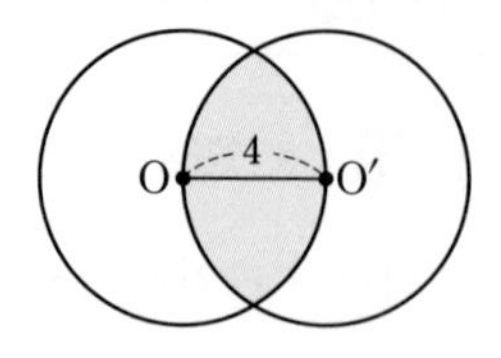


① $4\pi$ ② $\frac{13}{3}\pi$ ③ $\frac{14}{3}\pi$
④ $5\pi$ ⑤ $\frac{16}{3}\pi$

### 033 중

반지름의 길이가 6인 부채꼴 OAB에서 ∠BOA의 이등분선이 호 AB와 만나는 점을 C라 할 때, 부채꼴 COA의 넓이는 $3\pi$이다. 점 B에서 선분 OA에 내린 수선의 발을 $A_1$이라 하고, 점 O를 중심으로 하고 선분 $OA_1$을 반지름으로 하는 원이 선분 OC와 만나는 점을 $C_1$이라 할 때, 부채꼴 $OA_1C_1$의 호의 길이를 구하시오.

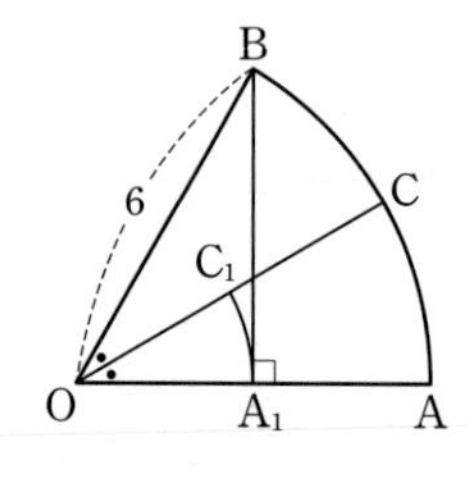


### 034 상

반지름의 길이가 $r$, 중심각의 크기가 $\theta$인 부채꼴에서 넓이를 유지하면서 반지름의 길이를 20 % 늘였을 때, 부채꼴의 중심각의 크기는 처음의 몇 배가 되는지 구하시오.

## 유형 07 부채꼴의 둘레의 길이와 넓이의 최대, 최소

### 035 대표 문제 다시 보기

둘레의 길이가 8인 부채꼴의 넓이의 최댓값을 $M$이라 하고 그때의 반지름의 길이를 $a$라 할 때, $a+M$의 값은?

① 6 ② 8 ③ 10
④ 12 ⑤ 14

### 036 중

둘레의 길이가 10인 부채꼴 중에서 그 넓이가 최대인 것의 중심각의 크기는?

① $\frac{1}{2}$ ② 1 ③ $\frac{3}{2}$
④ 2 ⑤ $\frac{5}{2}$

### 037 중

둘레의 길이가 12인 부채꼴의 반지름의 길이를 $r$, 호의 길이를 $l$, 넓이를 $S$라 할 때, $S+l$은 $r=a$에서 최댓값 $M$을 갖는다. 이때 $a+M$의 값을 구하시오.

### 038 중

오른쪽 그림과 같이 넓이가 16 $m^2$인 부채꼴 모양의 화단을 만들 때, 이 화단의 둘레의 길이의 최솟값을 구하시오.

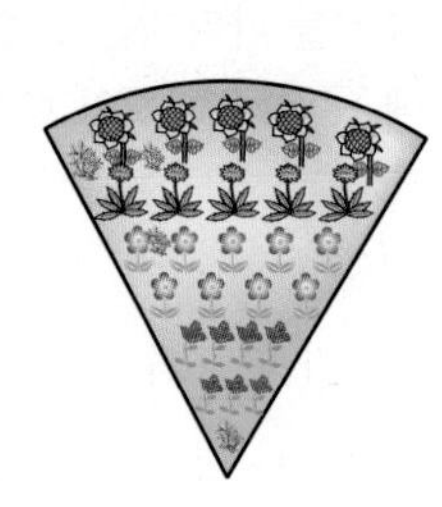

★ 중요

## 유형 08 삼각함수

**039** 대표 문제 다시 보기

원점 O와 점 P(15, $-8$)을 지나는 동경 OP가 나타내는 각의 크기를 $\theta$라 할 때, $\frac{17\cos\theta+15\tan\theta}{17\sin\theta+1}$의 값을 구하시오.

**040** 중

직선 $12x+5y=0$이 $x$축의 양의 방향과 이루는 각의 크기를 $\theta$라 할 때, $13(\sin\theta+\cos\theta)$의 값은? (단, $0<\theta<\pi$)

① 5 ② 6 ③ 7
④ 8 ⑤ 9

**041** 중

오른쪽 그림과 같이 원점 O와 점 A(3, 1)을 잇는 선분 OA를 한 변으로 하는 정사각형 OABC가 있다. 동경 OC가 나타내는 각의 크기를 $\theta$라 할 때, $\sin\theta\cos\theta$의 값을 구하시오.

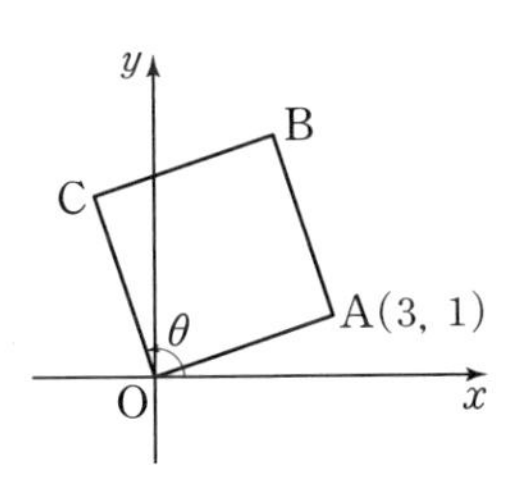


**042** 상 신유형

오른쪽 그림과 같이 원 $x^2+y^2=1$ 위의 점 P와 점 A(0, 1)을 지나는 직선이 $x$축과 이루는 예각의 크기를 $\alpha$라 하자. 또 점 P를 원점 O에 대하여 대칭이동한 점을 Q라 할 때, 동경 OQ가 나타내는 각의 크기를 $\theta$라 하자. $\tan\alpha=\frac{1}{2}$일 때, $\sin\theta+\cos\theta$의 값을 구하시오.

(단, 점 P는 제2사분면 위의 점이다.)

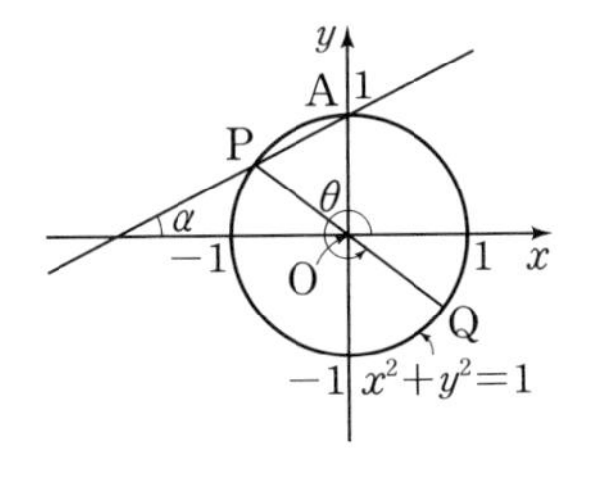


★ 중요

## 유형 09 삼각함수의 값의 부호

**043** 대표 문제 다시 보기

$\frac{\cos\theta}{\tan\theta}<0$, $\sin\theta\tan\theta>0$을 동시에 만족시키는 $\theta$는 제몇 사분면의 각인지 말하시오.

**044** 하

$\theta$가 제3사분면의 각일 때, 다음 보기 중 옳은 것만을 있는 대로 고른 것은?

보기

ㄱ. $\sin\theta\cos\theta>0$
ㄴ. $\cos\theta\tan\theta>0$
ㄷ. $\frac{\sin\theta}{\cos\theta\tan\theta}<0$
ㄹ. $\tan\theta-\cos\theta>0$

① ㄱ, ㄷ ② ㄱ, ㄹ ③ ㄴ, ㄷ
④ ㄴ, ㄹ ⑤ ㄷ, ㄹ

**045** 중

$\frac{\sqrt{\sin\theta}}{\sqrt{\cos\theta}}=-\sqrt{\frac{\sin\theta}{\cos\theta}}$를 만족시키는 $\theta$는 제몇 사분면의 각인지 말하시오. (단, $\sin\theta\cos\theta\neq0$)

**046** 중

$\sin\theta\cos\theta>0$, $\cos\theta\tan\theta<0$을 동시에 만족시키는 각 $\theta$에 대하여

$$|1-2\sin\theta|+\sqrt{(\sin\theta+\cos\theta)^2}-|\cos\theta|$$

를 간단히 하면?

① $-1+3\sin\theta$ ② $1-3\sin\theta$
③ $1-\sin\theta$ ④ $1-\sin\theta+\cos\theta$
⑤ $1-2\cos\theta$

## 유형 10 삼각함수 사이의 관계

### 047 대표 문제 다시 보기

$\dfrac{\cos^2\theta-\sin^2\theta}{1+2\sin\theta\cos\theta}-\dfrac{1-\tan\theta}{1+\tan\theta}$를 간단히 하시오.

### 048 중

$\dfrac{\tan\theta\sin\theta}{\tan\theta-\sin\theta}-\dfrac{1}{\sin\theta}$을 간단히 하면?

① 0 ② $\sin\theta$ ③ 1
④ $\dfrac{1}{\cos\theta}$ ⑤ $\dfrac{1}{\tan\theta}$

### 049 중

다음 중 옳지 않은 것은?

① $\dfrac{\cos^3\theta}{\sin\theta-\sin^3\theta}=\dfrac{1}{\tan\theta}$
② $\sin^4\theta-\cos^4\theta=2\sin^2\theta-1$
③ $\sin^2\theta-\cos^2\theta=\cos^2\theta(1-\tan^2\theta)$
④ $\dfrac{\sin^2\theta}{1+\cos\theta}+\dfrac{\sin^2\theta}{1-\cos\theta}=2$
⑤ $\tan\theta+\dfrac{\cos\theta}{1+\sin\theta}=\dfrac{1}{\cos\theta}$

### 050 중

$0<\sin\theta<\cos\theta$일 때,

$$\sqrt{1-2\sin\theta\cos\theta}-\sqrt{1+2\sin\theta\cos\theta}$$

를 간단히 하시오.

★ 중요

## 유형 11 삼각함수 사이의 관계를 이용하여 식의 값 구하기

### 051 대표 문제 다시 보기

$\dfrac{3}{2}\pi<\theta<2\pi$이고 $\sin\theta=-\dfrac{3}{5}$일 때, $\dfrac{8\tan\theta-2}{5\cos\theta-3}$의 값을 구하시오.

### 052 중

$\theta$가 제2사분면의 각이고 $\dfrac{1}{1+\sin\theta}+\dfrac{1}{1-\sin\theta}=\dfrac{7}{2}$일 때, $\tan\theta$의 값을 구하시오.

### 053 중

$\pi<\theta<\dfrac{3}{2}\pi$이고 $\dfrac{1-\tan\theta}{1+\tan\theta}=2-\sqrt{3}$일 때, $\cos\theta$의 값은?

① $-\dfrac{\sqrt{3}}{2}$ ② $-\dfrac{\sqrt{2}}{2}$ ③ $-\dfrac{1}{2}$
④ $-\dfrac{1}{3}$ ⑤ $-\dfrac{1}{6}$

### 054 상

$\theta$가 제4사분면의 각이고

$$\dfrac{1-2\sin\theta\cos\theta}{\cos\theta-\sin\theta}+\dfrac{1+2\sin\theta\cos\theta}{\cos\theta+\sin\theta}=\dfrac{1}{2}$$

일 때, $\sin\theta\cos\theta$의 값을 구하시오.

★ 중요

## 유형 12 $\sin\theta \pm \cos\theta$, $\sin\theta\cos\theta$의 관계를 이용하여 식의 값 구하기

### 055 대표 문제 다시 보기

$\theta$가 제2사분면의 각이고 $\sin\theta + \cos\theta = \frac{1}{4}$일 때, $\sin\theta - \cos\theta$의 값을 구하시오.

### 056 중

$\frac{3}{2}\pi < \theta < 2\pi$이고 $\sin\theta\cos\theta = -\frac{1}{3}$일 때, $\frac{1}{\cos\theta} - \frac{1}{\sin\theta}$의 값을 구하시오.

### 057 중

$\pi < \theta < \frac{3}{2}\pi$이고 $\tan\theta + \frac{1}{\tan\theta} = 2$일 때, $\sin^3\theta + \cos^3\theta$의 값을 구하시오.

### 058 중

$\theta$가 제1사분면의 각이고 $\log_2 \sin\theta + \log_2 \cos\theta = -1$일 때,

$$\log_2(\sin\theta + \cos\theta) = \log_2 x - \frac{1}{2}$$

을 만족시키는 $x$의 값은?

① $\sqrt{2}$ ② $2$ ③ $2\sqrt{2}$
④ $4$ ⑤ $4\sqrt{2}$

## 유형 13 삼각함수와 이차방정식

### 059 대표 문제 다시 보기

이차방정식 $3x^2 - x + k = 0$의 두 근이 $\sin\theta$, $\cos\theta$일 때, 상수 $k$의 값은?

① $-\frac{4}{3}$ ② $-1$ ③ $-\frac{1}{3}$
④ $1$ ⑤ $\frac{4}{3}$

### 060 중

이차방정식 $2x^2 - 2x + k = 0$의 두 근이 $\sin\theta + \cos\theta$, $\sin\theta - \cos\theta$일 때, 상수 $k$의 값을 구하시오.

### 061 중

이차방정식 $9x^2 + kx + 1 = 0$의 두 근이 $\sin^2\theta$, $\cos^2\theta$일 때, $\frac{1}{\sin\theta} + \frac{1}{\cos\theta}$의 값을 구하시오.

(단, $k$는 상수이고, $\pi < \theta < \frac{3}{2}\pi$)

### 062 중

이차방정식 $4x^2 - 2x + k = 0$의 두 근이 $\sin\theta$, $\cos\theta$일 때, $x^2$의 계수가 $-2k$이고 $\tan\theta$, $\frac{1}{\tan\theta}$을 두 근으로 하는 이차방정식을 구하시오. (단, $k$는 상수)

# 최종 점검하기



### 063
유형 01

정수 $n$에 대하여 다음 각을

$360^\circ \times n+\alpha$ $(0^\circ \le \alpha < 360^\circ)$

의 꼴로 나타낼 때, $\alpha$의 값이 나머지 넷과 다른 하나는?

① $-1300^\circ$ ② $-590^\circ$ ③ $500^\circ$
④ $1220^\circ$ ⑤ $1940^\circ$

### 064
유형 02

$\theta$가 제4사분면의 각일 때, 각 $\frac{\theta}{3}$를 나타내는 동경이 존재할 수 없는 사분면은?

① 제1사분면 ② 제2사분면
③ 제3사분면 ④ 제4사분면
⑤ 제2사분면 또는 제4사분면

### 065
유형 03

$600^\circ$를 호도법의 각으로 나타내면 $\frac{b}{a}\pi$이고, $\frac{a}{b}\pi$를 육십분법의 각으로 나타내면 $c^\circ$일 때, $a+b+c$의 값을 구하시오.
(단, $a$, $b$는 서로소인 자연수)

### 066
유형 04

서로 다른 두 각 $\frac{\pi}{9}$, $\theta$의 크기를 각각 3배한 각을 나타내는 두 동경이 일치할 때, 각 $\theta$의 크기를 구하시오. (단, $0<\theta<\pi$)

### 067
유형 05

각 $4\theta$를 나타내는 동경과 각 $8\theta$를 나타내는 동경이 $y$축에 대하여 대칭일 때, 각 $\theta$의 크기의 최댓값과 최솟값의 합을 구하시오. (단, $0<\theta<2\pi$)

### 068
유형 06

호의 길이가 $4\pi$이고, 넓이가 $12\pi$인 부채꼴의 반지름의 길이를 $r$, 중심각의 크기를 $\theta$라 할 때, $\frac{r\pi}{\theta}$의 값은?

① 6 ② 7 ③ 8
④ 9 ⑤ 10

### 069
유형 06

오른쪽 그림은 어느 공연장의 무대와 객석이다. 부채꼴 OAB와 부채꼴 OCD에서 호 AB의 길이는 40 m, 호 CD의 길이는 16 m이고 $\overline{AC}=\overline{BD}=18$ m일 때, 이 공연장의 객석 부분인 도형 ABDC의 넓이를 구하시오.

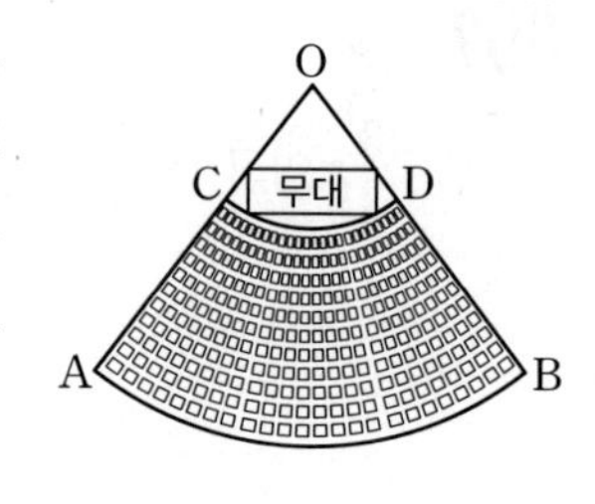


### 070
유형 07

둘레의 길이가 200 m인 부채꼴 모양의 호수를 만들 때, 이 호수의 넓이의 최댓값은?

① $2400\text{ m}^2$ ② $2500\text{ m}^2$ ③ $2600\text{ m}^2$
④ $2700\text{ m}^2$ ⑤ $2800\text{ m}^2$

## 071
유형 08

원점 O와 점 P$(-3, 4)$를 지나는 동경 OP가 나타내는 각의 크기를 $\theta$라 할 때, $15(\cos\theta-\tan\theta)$의 값은?

① 7 ② 9 ③ 11
④ 13 ⑤ 15

## 072
유형 08

오른쪽 그림과 같이 가로, 세로의 길이가 각각 8, 4인 직사각형 ABCD가 원 $x^2+y^2=20$에 내접한다. 두 동경 OA, OC가 나타내는 각의 크기를 각각 $\alpha$, $\beta$라 할 때, $\sin\alpha\cos\beta$의 값을 구하시오.
(단, O는 원점이고, 직사각형의 각 변은 좌표축에 평행하다.)

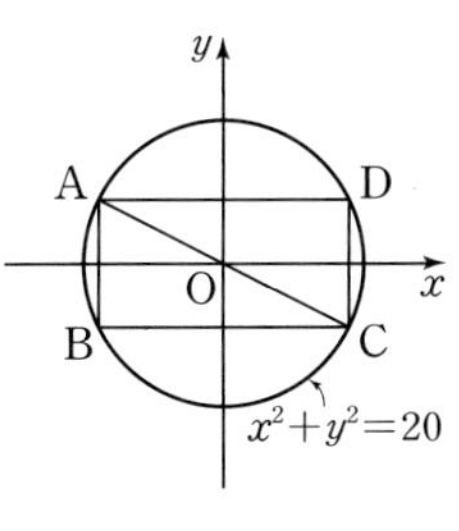


## 073
유형 09

$\theta$가 제2사분면의 각일 때,

$$|\cos\theta-\sin\theta+\tan\theta|-\sqrt{\tan^2\theta}-\sin\theta$$

를 간단히 하시오.

## 074
유형 10

$\dfrac{\sin\theta}{1+\cos\theta}+\dfrac{1}{\tan\theta}$을 간단히 하면?

① $\sin\theta$ ② $\cos\theta$ ③ $\tan\theta$
④ $\dfrac{1}{\sin\theta}$ ⑤ $\dfrac{1}{\cos\theta}$

## 075
유형 11

$\theta$가 제4사분면의 각이고 $\dfrac{1+\cos\theta}{1-\cos\theta}=3$일 때, $\tan\theta$의 값을 구하시오.

## 076
유형 11

$\sin\theta\cos\theta<0$이고 $\sin\theta+3\cos\theta=1$일 때, $\tan\theta$의 값을 구하시오.

## 077
유형 12

$\theta$가 제1사분면의 각이고 $\sin\theta-\cos\theta=\dfrac{\sqrt{5}}{5}$일 때,
$\sin^4\theta-\cos^4\theta$의 값은?

① $-\dfrac{3}{5}$ ② $-\dfrac{\sqrt{3}}{5}$ ③ $\dfrac{1}{5}$
④ $\dfrac{\sqrt{3}}{5}$ ⑤ $\dfrac{3}{5}$

## 078
유형 13

이차방정식 $4x^2+3x-9=0$의 두 근이 $\dfrac{1}{\sin\theta}$, $\dfrac{1}{\cos\theta}$이고, 이차방정식 $9x^2+ax-b=0$의 두 근이 $\sin\theta$, $\cos\theta$일 때, 상수 $a$, $b$에 대하여 $a+b$의 값을 구하시오.

# 삼각함수의 그래프

유형 01 주기함수

유형 02 삼각함수의 그래프의 평행이동과 대칭이동

유형 03 사인함수의 성질

유형 04 코사인함수의 성질

유형 05 탄젠트함수의 성질

유형 06 삼각함수의 값의 대소 비교

유형 07 삼각함수의 그래프의 대칭성

유형 08 조건이 주어진 삼각함수의 미정계수 구하기

유형 09 그래프가 주어진 삼각함수의 미정계수 구하기

유형 10 절댓값 기호를 포함한 삼각함수의 그래프

유형 11 일반각에 대한 삼각함수의 성질

유형 12 일반각에 대한 삼각함수의 성질 – 각의 통일

유형 13 일반각에 대한 삼각함수의 성질 – 도형에의 활용

유형 14 삼각함수의 최대, 최소 – 일차식 꼴

유형 15 삼각함수의 최대, 최소 – 분수식 꼴

유형 16 삼각함수의 최대, 최소 – 이차식 꼴

유형 17 삼각방정식 – 일차식 꼴

유형 18 삼각방정식 – 이차식 꼴

유형 19 삼각방정식의 실근의 개수

유형 20 삼각방정식이 실근을 가질 조건

유형 21 삼각부등식 – 일차식 꼴

유형 22 삼각부등식 – 이차식 꼴

유형 23 삼각방정식과 삼각부등식의 활용

# 삼각함수의 그래프

## 유형 01 | 주기함수

(1) 함수 $f$의 정의역에 속하는 모든 실수 $x$에 대하여 $f(x+p)=f(x)$를 만족시키는 0이 아닌 상수 $p$가 존재할 때, 함수 $f$를 주기함수라 하고, $p$의 값 중에서 최소인 양수를 그 함수의 주기라 한다.

(2) 함수 $f(x)$가 주기가 $p$인 주기함수이면
➡ $f(x)=f(x+p)=f(x+2p)=f(x+3p)=\cdots$

대표 문제

**001** 함수 $f(x)=\sin 4x+\cos \frac{x}{4}+\tan 2x$의 주기를 $p$라 할 때, $f(p)$의 값은?

① $-1$ ② $-\frac{\sqrt{2}}{2}$ ③ $-\frac{1}{2}$
④ $0$ ⑤ $1$

## 유형 02 | 삼각함수의 그래프의 평행이동과 대칭이동

함수 $y=a\sin(bx+c)+d=a\sin b\left(x+\frac{c}{b}\right)+d$의 그래프는 함수 $y=a\sin bx$의 그래프를 $x$축의 방향으로 $-\frac{c}{b}$만큼, $y$축의 방향으로 $d$만큼 평행이동한 것이다.

참고 방정식 $f(x, y)=0$이 나타내는 도형을
(1) $x$축의 방향으로 $a$만큼, $y$축의 방향으로 $b$만큼 평행이동
➡ $f(x-a, y-b)=0$
(2) $x$축에 대하여 대칭이동 ➡ $f(x, -y)=0$
(3) $y$축에 대하여 대칭이동 ➡ $f(-x, y)=0$
(4) 원점에 대하여 대칭이동 ➡ $f(-x, -y)=0$

대표 문제

**002** 함수 $y=\cos 2x$의 그래프를 $x$축의 방향으로 1만큼, $y$축의 방향으로 $a$만큼 평행이동하면 함수 $y=\cos(2x+b)+4$의 그래프와 겹쳐진다. 이때 상수 $a$, $b$에 대하여 $ab$의 값을 구하시오.

★ 중요

## 유형 03 | 사인함수의 성질

(1) 함수 $y=\sin x$의 성질
① 정의역은 실수 전체의 집합이고, 치역은 $\{y \mid -1\le y\le 1\}$이다.
② 그래프는 원점에 대하여 대칭이다.
③ 주기가 $2\pi$인 주기함수이다.

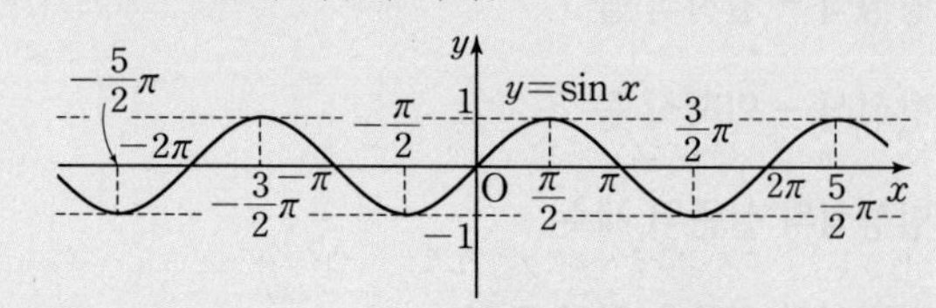


(2) 함수 $y=a\sin(bx+c)+d$의 성질
① 최댓값은 $|a|+d$, 최솟값은 $-|a|+d$이다.
② 주기는 $\frac{2\pi}{|b|}$이다.

대표 문제

**003** 다음 중 함수 $f(x)=3\sin(2x-\pi)+1$에 대한 설명으로 옳지 않은 것은?

① $f(\pi)=1$
② 정의역은 실수 전체의 집합이다.
③ 주기는 $2\pi$이다.
④ 최댓값은 4, 최솟값은 $-2$이다.
⑤ 그래프는 $y=3\sin 2x$의 그래프를 $x$축의 방향으로 $\frac{\pi}{2}$만큼, $y$축의 방향으로 1만큼 평행이동한 것이다.

★ 중요

## 유형 04 | 코사인함수의 성질

(1) 함수 $y=\cos x$의 성질

① 정의역은 실수 전체의 집합이고, 치역은 $\{y \mid -1 \le y \le 1\}$이다.

② 그래프는 $y$축에 대하여 대칭이다.

③ 주기가 $2\pi$인 주기함수이다.

④ 함수 $y=\cos x$의 그래프는 함수 $y=\sin x$의 그래프를 $x$축의 방향으로 $-\frac{\pi}{2}$만큼 평행이동한 것이다.

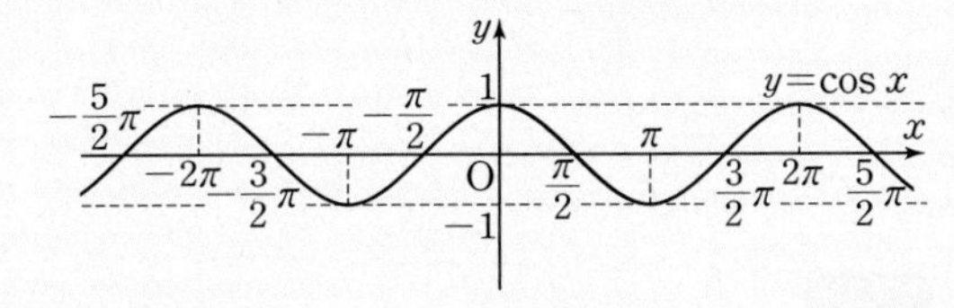


(2) 함수 $y=a\cos(bx+c)+d$의 성질

① 최댓값은 $|a|+d$, 최솟값은 $-|a|+d$이다.

② 주기는 $\frac{2\pi}{|b|}$이다.

대표 문제

**004** 다음 보기 중 함수 $f(x)=-2\cos\left(2x-\frac{\pi}{3}\right)+3$에 대한 설명으로 옳은 것만을 있는 대로 고르시오.

보기
- ㄱ. 최댓값은 5, 최솟값은 1이다.
- ㄴ. 임의의 실수 $x$에 대하여 $f(x+\pi)=f(x)$이다.
- ㄷ. 그래프는 점 $\left(\frac{\pi}{6}, 3\right)$을 지난다.
- ㄹ. 그래프는 직선 $x=\frac{\pi}{6}$에 대하여 대칭이다.

## 유형 05 | 탄젠트함수의 성질

(1) 함수 $y=\tan x$의 성질

① 정의역은 $x \ne n\pi+\frac{\pi}{2}$ ($n$은 정수)인 실수 전체의 집합이고, 치역은 실수 전체의 집합이다.

② 그래프의 점근선은 직선 $x=n\pi+\frac{\pi}{2}$ ($n$은 정수)이다.

③ 그래프는 원점에 대하여 대칭이다.

④ 주기가 $\pi$인 주기함수이다.

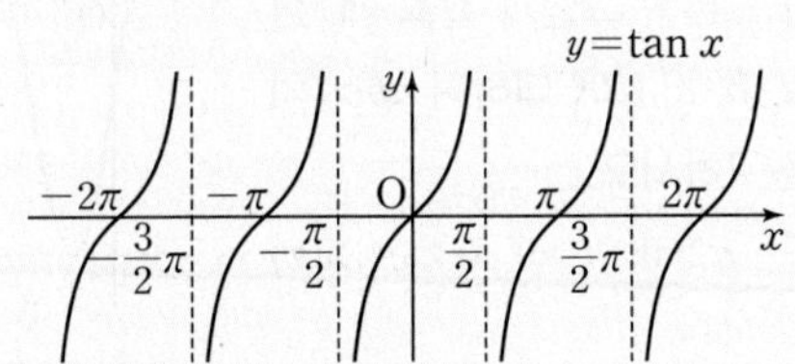


(2) 함수 $y=a\tan(bx+c)+d$의 성질

① 최댓값과 최솟값은 없다.

② 주기는 $\frac{\pi}{|b|}$이다.

대표 문제

**005** 다음 중 함수 $y=4\tan\left(2x-\frac{\pi}{4}\right)$에 대한 설명으로 옳은 것은?

① 주기가 $\pi$인 주기함수이다.
② 최댓값은 4, 최솟값은 $-4$이다.
③ 그래프는 원점을 지난다.
④ 그래프의 점근선의 방정식은 $x=\frac{n}{2}\pi+\frac{3}{8}\pi$ ($n$은 정수)이다.
⑤ 그래프는 $y=4\tan x$의 그래프를 $x$축의 방향으로 $\frac{\pi}{8}$만큼 평행이동한 것이다.

## 유형 06 | 삼각함수의 값의 대소 비교

삼각함수의 값의 대소를 비교할 때에는 주어진 삼각함수의 그래프를 그려 본다.

대표 문제

**006** 세 수 $\sin 1$, $\cos 1$, $\tan 1$의 대소 관계는?

① $\sin 1<\cos 1<\tan 1$
② $\sin 1<\tan 1<\cos 1$
③ $\cos 1<\sin 1<\tan 1$
④ $\cos 1<\tan 1<\sin 1$
⑤ $\tan 1<\sin 1<\cos 1$

★ 중요

## 유형 07 | 삼각함수의 그래프의 대칭성

(1) 함수 $f(x)=\sin x\,(0\le x\le \pi)$에서 $f(a)=f(b)\,(a\ne b)$이면

➡ $\dfrac{a+b}{2}=\dfrac{\pi}{2}$ $\quad\therefore a+b=\pi$

(2) 함수 $f(x)=\cos x\,(0\le x\le 2\pi)$에서 $f(a)=f(b)\,(a\ne b)$이면

➡ $\dfrac{a+b}{2}=\pi$ $\quad\therefore a+b=2\pi$

(3) 함수 $f(x)=\tan x$에서 $f(a)=f(b)$이면

➡ $a-b=n\pi$ (단, $n$은 정수)

대표 문제

**007** 다음 그림과 같이 $0\le x\le 3\pi$에서 함수 $y=\sin x$의 그래프가 직선 $y=k\,(0<k<1)$와 만나는 점의 $x$좌표를 작은 것부터 차례대로 $x_1$, $x_2$, $x_3$, $x_4$라 할 때, $x_1+x_2+x_3+x_4$의 값을 구하시오.

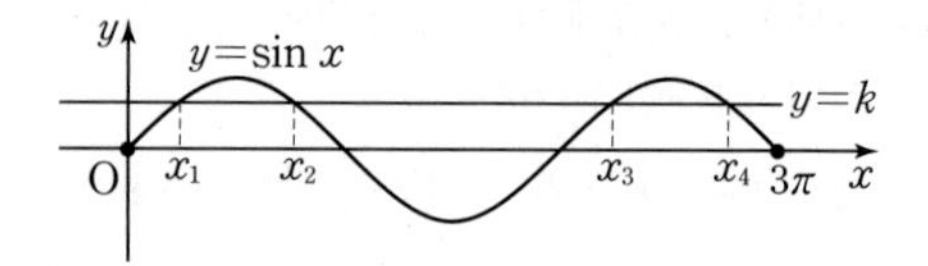


★ 중요

## 유형 08 | 조건이 주어진 삼각함수의 미정계수 구하기

삼각함수의 미정계수는 주어진 최댓값, 최솟값, 주기, 함숫값을 이용하여 구한다.

참고 함수 $y=a\sin(bx+c)+d$에서 상수 $a$, $b$, $c$, $d$에 대하여

$x$축 방향으로의 평행이동 결정

$y=a\sin(bx+c)+d$ – $y$축 방향으로의 평행이동 결정

└ 주기 결정

최댓값, 최솟값 결정

대표 문제

**008** 함수 $f(x)=a\cos\dfrac{\pi}{4}x+b$의 최댓값이 7이고 $f(8)=3$일 때, 상수 $a$, $b$에 대하여 $ab$의 값은? (단, $a<0$)

① $-10$ ② $-5$ ③ $-1$ ④ $5$ ⑤ $10$

★ 중요

## 유형 09 | 그래프가 주어진 삼각함수의 미정계수 구하기

주어진 그래프에서 최댓값, 최솟값, 주기를 구한 후 이를 이용하여 삼각함수의 미정계수를 구한다.

대표 문제

**009** 함수 $y=a\sin(bx+c)+d$의 그래프가 오른쪽 그림과 같을 때, 상수 $a$, $b$, $c$, $d$에 대하여 $abcd$의 값을 구하시오.

(단, $a>0$, $b>0$, $0<c<2\pi$)

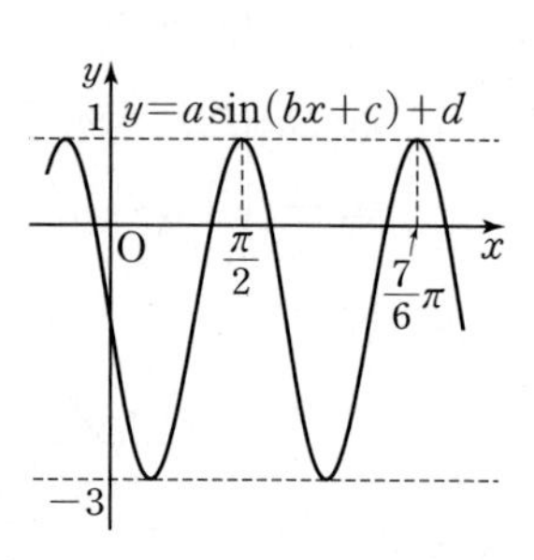


## 유형 10 | 절댓값 기호를 포함한 삼각함수의 그래프

(1) $y=|f(x)|$의 그래프

➡ $y=f(x)$의 그래프를 그린 후 $y\ge 0$인 부분은 그대로 두고 $y<0$인 부분은 $x$축에 대하여 대칭이동한다.

(2) $y=f(|x|)$의 그래프

➡ $y=f(x)$의 그래프에서 $x\ge 0$인 부분만 그린 후 $x<0$인 부분은 $x\ge 0$인 부분을 $y$축에 대하여 대칭이동한다.

대표 문제

**010** 함수 $y=|2\cos(x-\pi)|+1$의 주기를 $a$, 최댓값을 $M$, 최솟값을 $m$이라 할 때, $a(M+m)$의 값은?

① $4\pi$ ② $5\pi$ ③ $6\pi$ ④ $7\pi$ ⑤ $8\pi$

# 완성하기

정답과 해설 59쪽

## 유형 01 주기함수

### 011 대표 문제 다시 보기

함수 $f(x)=\dfrac{\sin x+\cos x-3}{\tan x+2}$의 주기를 $p$라 할 때, $f(2p)$의 값은?

① $-3$ ② $-1$ ③ $1$
④ $3$ ⑤ $5$

### 012 중

모든 실수 $x$에 대하여 함수 $f(x)$가 $f(x+2)=f(x)$를 만족시키고 $f(0)=1$, $f(1)=3$일 때, $f(100)+f(101)+f(102)$의 값은?

① 3 ② 4 ③ 5
④ 6 ⑤ 7

### 013 중

함수 $f(x)$가 다음 조건을 모두 만족시킬 때, $f\left(\dfrac{22}{3}\pi\right)$의 값을 구하시오.

> (가) 모든 실수 $x$에 대하여 $f\left(x+\dfrac{\pi}{2}\right)=f\left(x-\dfrac{\pi}{2}\right)$
> (나) $0\le x<\pi$일 때, $f(x)=\cos\dfrac{1}{2}x$

## 유형 02 삼각함수의 그래프의 평행이동과 대칭이동

### 014 대표 문제 다시 보기

함수 $y=3\sin\left(\pi x-\dfrac{\pi}{2}\right)+2$의 그래프는 함수 $y=3\sin\pi x$의 그래프를 $x$축의 방향으로 $a$만큼, $y$축의 방향으로 $b$만큼 평행이동한 것이다. 이때 $a+b$의 값은? (단, $0<a<2$)

① $1$ ② $\dfrac{3}{2}$ ③ $2$
④ $\dfrac{5}{2}$ ⑤ $3$

### 015 중

함수 $y=\cos 2x-3$의 그래프를 $x$축에 대하여 대칭이동한 후 $x$축의 방향으로 $-\dfrac{\pi}{3}$만큼, $y$축의 방향으로 $a$만큼 평행이동한 그래프의 식은 $y=-\cos(2x+b)+5$이다. 이때 상수 $a$, $b$에 대하여 $ab$의 값을 구하시오.

### 016 중

다음 함수 중 그 그래프가 함수 $y=\sin 2x$의 그래프를 평행이동 또는 대칭이동하여 겹쳐지지 <u>않는</u> 것은?

① $y=\sin(2x-\pi)$ ② $y=\sin 2x+1$
③ $y=2\sin x+3$ ④ $y=-\sin 2x$
⑤ $y=-\sin(2x+2)-4$

★ 중요

## 유형 03 사인함수의 성질

### 017 대표 문제 다시 보기

다음 보기 중 함수 $f(x)=-\sin\left(2x-\frac{\pi}{2}\right)-1$에 대한 설명으로 옳은 것만을 있는 대로 고른 것은?

보기

ㄱ. 모든 실수 $x$에 대하여 $f(x+\pi)=f(x)$이다.
ㄴ. $-1\le f(x)\le 1$
ㄷ. 그래프는 $y=\sin 2x$의 그래프를 평행이동 또는 대칭이동한 것이다.
ㄹ. $0\le x\le\frac{\pi}{2}$에서 $x$의 값이 증가하면 $f(x)$의 값도 증가한다.

① ㄱ, ㄴ ② ㄱ, ㄷ ③ ㄴ, ㄹ
④ ㄱ, ㄷ, ㄹ ⑤ ㄴ, ㄷ, ㄹ

### 018 중

함수 $y=3\sin\left(\pi x-\frac{1}{2}\right)+1$의 주기를 $p$, 최댓값을 $M$, 최솟값을 $m$이라 할 때, $p+M+m$의 값을 구하시오.

★ 중요

## 유형 04 코사인함수의 성질

### 019 대표 문제 다시 보기

다음 중 함수 $f(x)=2\cos(4x+\pi)+2$에 대한 설명으로 옳지 않은 것은?

① 최댓값은 4이다.
② 최솟값은 0이다.
③ 그래프는 원점을 지난다.
④ 임의의 실수 $x$에 대하여 $f(x+\pi)=f(x)$이다.
⑤ 그래프는 $y=2\cos 4x$의 그래프를 $x$축의 방향으로 $-\pi$만큼, $y$축의 방향으로 2만큼 평행이동한 것이다.

### 020 중

함수 $y=-4\cos\left(\frac{\pi}{2}x-3\right)+5$의 주기를 $p$, 최댓값을 $M$, 최솟값을 $m$이라 할 때, $pMm$의 값을 구하시오.

## 유형 05 탄젠트함수의 성질

### 021 대표 문제 다시 보기

다음 보기 중 함수 $y=\tan(3x-\pi)$에 대한 설명으로 옳은 것만을 있는 대로 고른 것은?

보기

ㄱ. 주기는 $\frac{2}{3}\pi$이다.
ㄴ. 최댓값과 최솟값은 없다.
ㄷ. 정의역은 실수 전체의 집합이다.
ㄹ. 그래프는 원점을 지난다.

① ㄱ, ㄷ ② ㄴ, ㄹ ③ ㄱ, ㄴ, ㄷ
④ ㄱ, ㄴ, ㄹ ⑤ ㄴ, ㄷ, ㄹ

### 022 중

다음 중 함수 $y=\tan\frac{1}{3}\left(x+\frac{2}{3}\pi\right)$와 주기가 같은 함수는?

① $y=2\sin\frac{x}{2}$ ② $y=\cos 2x+1$
③ $y=-2\tan\left(x-\frac{\pi}{2}\right)$ ④ $y=\frac{1}{2}\sin(x+3\pi)$
⑤ $y=-3\cos\left(\frac{2}{3}x-\pi\right)$

## 023 상

다음 보기의 함수 중 정의역에 속하는 모든 실수 $x$에 대하여 $f(x+\pi)=f(x)$를 만족시키는 것만을 있는 대로 고르시오.

보기

ㄱ. $f(x)=2\sin x-1$　　ㄴ. $f(x)=\frac{1}{4}\cos 2x$

ㄷ. $f(x)=\tan 2x$　　ㄹ. $f(x)=3\sin\sqrt{2}x$

## 유형 06 삼각함수의 값의 대소 비교

## 024 대표 문제 다시 보기

세 수 $A=\sin 3$, $B=\cos 3$, $C=\tan 3$의 대소 관계는?

① $A<B<C$　② $A<C<B$　③ $B<A<C$
④ $B<C<A$　⑤ $C<A<B$

## 025 중

함수 $f(x)=\sin x$에 대하여 다음 중 옳은 것은?

① $f(1)<f(2)<f(3)$　② $f(1)<f(3)<f(2)$
③ $f(2)<f(1)<f(3)$　④ $f(2)<f(3)<f(1)$
⑤ $f(3)<f(1)<f(2)$

★중요

## 유형 07 삼각함수의 그래프의 대칭성

## 026 대표 문제 다시 보기

다음 그림과 같이 $-2\pi\le x\le 2\pi$에서 함수 $y=\cos x$의 그래프가 직선 $y=\frac{3}{5}$과 만나는 점의 $x$좌표를 작은 것부터 차례대로 $a$, $b$, $c$, $d$라 할 때, $\frac{a+b}{c+d}$의 값을 구하시오.

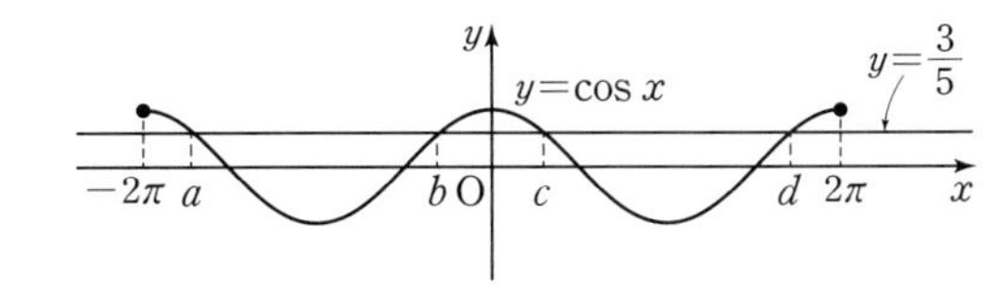


## 027 중

다음 그림과 같이 $0\le x<2\pi$에서 두 함수 $y=\sin x$, $y=\cos x$의 그래프가 직선 $y=-\frac{1}{3}$과 만나는 점의 $x$좌표를 작은 것부터 차례대로 $a$, $b$, $c$, $d$라 할 때, $a-b+c-d$의 값을 구하시오.

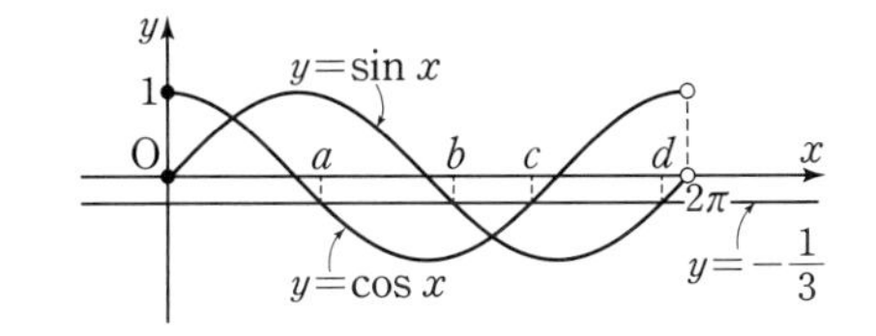


## 028 중

다음 그림과 같이 $0\le x\le 4\pi$에서 함수 $y=\sin\frac{1}{2}x$의 그래프가 직선 $y=\frac{3}{4}$과 만나는 두 점을 A, B라 하고, 직선 $y=-\frac{3}{4}$과 만나는 두 점을 C, D라 하자. 네 점 A, B, C, D의 $x$좌표를 각각 $\alpha$, $\beta$, $\gamma$, $\delta$라 할 때, $\cos(\alpha+\beta+\gamma+\delta)$의 값을 구하시오. (단, $\alpha<\beta<\gamma<\delta$)

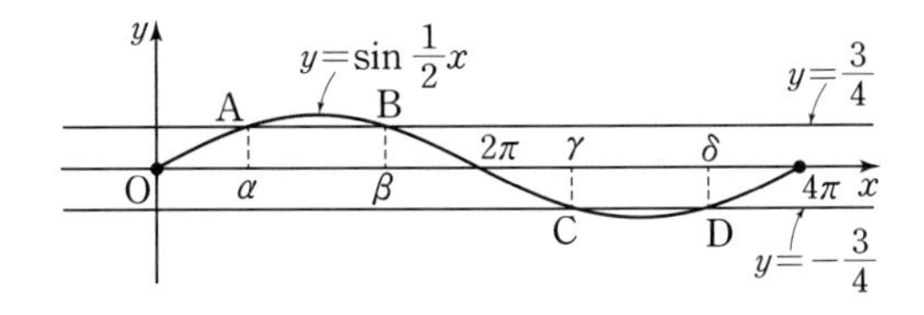

### 029 중

오른쪽 그림과 같이 $0 \le x < \frac{3}{2}\pi$에서 함수 $y=\tan x$의 그래프와 $x$축 및 직선 $y=4$로 둘러싸인 도형의 넓이는?

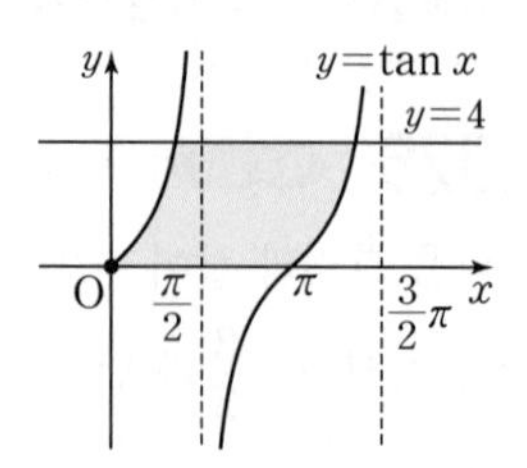


① $3\pi$ ② $\frac{7}{2}\pi$
③ $4\pi$ ④ $\frac{9}{2}\pi$
⑤ $5\pi$

### 030 중

오른쪽 그림과 같이 한 변이 $x$축 위에 있고 두 꼭짓점이 함수 $y=\sin\frac{\pi}{6}x$의 그래프 위에 있는 직사각형 ABCD가 있다. $\overline{BC}=4$일 때, 직사각형 ABCD의 넓이를 구하시오.

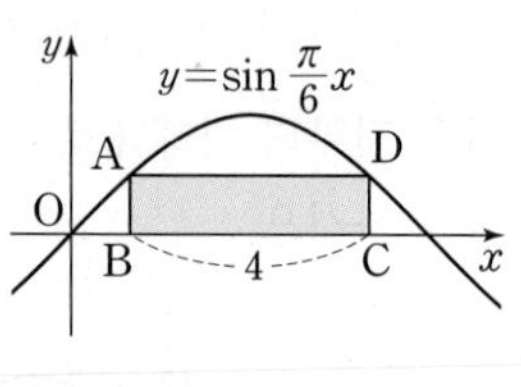


### 031 상 신유형

$0 \le x \le 5\pi$에서 곡선 $y=4\sin\frac{1}{2}x$와 직선 $y=2$가 만나는 서로 다른 두 점을 A, B라 할 때, 이 곡선 위의 점 P에 대하여 삼각형 PAB의 넓이의 최댓값은?

① $8\pi$ ② $9\pi$ ③ $10\pi$
④ $11\pi$ ⑤ $12\pi$

★중요

## 유형 08 조건이 주어진 삼각함수의 미정계수 구하기

### 032 대표 문제 다시 보기

함수 $f(x)=a\sin\left(bx-\frac{\pi}{3}\right)+c$의 최솟값은 $-6$, 주기는 $4\pi$이고 $f(\pi)=0$일 때, 상수 $a$, $b$, $c$에 대하여 $a+b+c$의 값을 구하시오. (단, $a>0$, $b>0$)

### 033 중

함수 $y=-\tan(ax-b)+1$의 주기는 $2\pi$이고 그래프의 점근선의 방정식이 $x=2n\pi$ ($n$은 정수)일 때, 상수 $a$, $b$에 대하여 $8ab$의 값을 구하시오. (단, $a>0$, $0<b<\pi$)

### 034 중

함수 $f(x)=a\cos b\left(x+\frac{\pi}{2}\right)+c$가 다음 조건을 모두 만족시킬 때, $f\left(\frac{\pi}{2}\right)$의 값은? (단, $a>0$, $b>0$이고, $c$는 상수)

> (가) 모든 실수 $x$에 대하여 $f(x+p)=f(x)$를 만족시키는 양수 $p$의 최솟값은 $\pi$이다.
> (나) 함수 $f(x)$의 최댓값은 3, 최솟값은 1이다.

① $-2$ ② $-1$ ③ 1
④ 2 ⑤ 3

### 035 상

함수 $y=k\sin\left(2x+\frac{\pi}{3}\right)+k^2-6$의 그래프가 제1사분면을 지나지 않도록 하는 정수 $k$의 개수를 구하시오.

★ 중요

## 유형 09 그래프가 주어진 삼각함수의 미정계수 구하기

### 036 대표 문제 다시 보기

함수 $y=a\cos(bx-c)$의 그래프가 오른쪽 그림과 같을 때, 상수 $a$, $b$, $c$에 대하여 $abc$의 값을 구하시오.
(단, $a>0$, $b>0$, $0<c<\pi$)

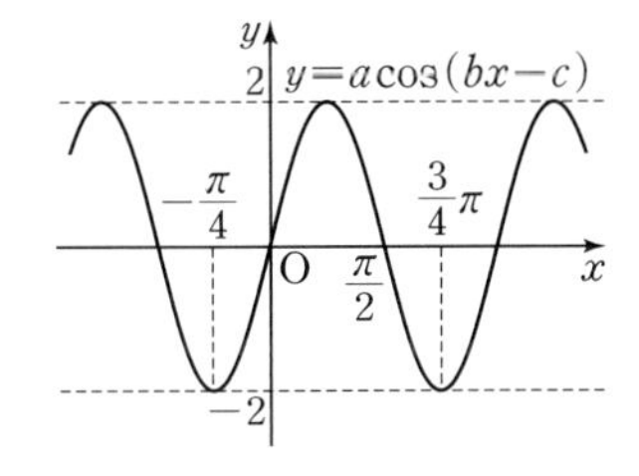


### 037 중

함수 $y=a\sin\left(bx-\frac{5}{8}\pi\right)+c$의 그래프가 오른쪽 그림과 같을 때, 상수 $a$, $b$, $c$에 대하여 $4abc$의 값을 구하시오. (단, $a>0$, $b>0$)

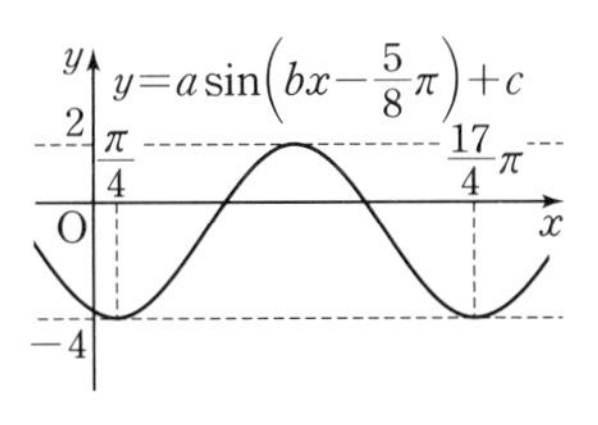


### 038 중

함수 $y=\tan(ax-b)$의 그래프가 오른쪽 그림과 같을 때, 상수 $a$, $b$에 대하여 $9ab$의 값을 구하시오. $\left(\text{단, } a>0,\ 0<b<\frac{\pi}{2}\right)$

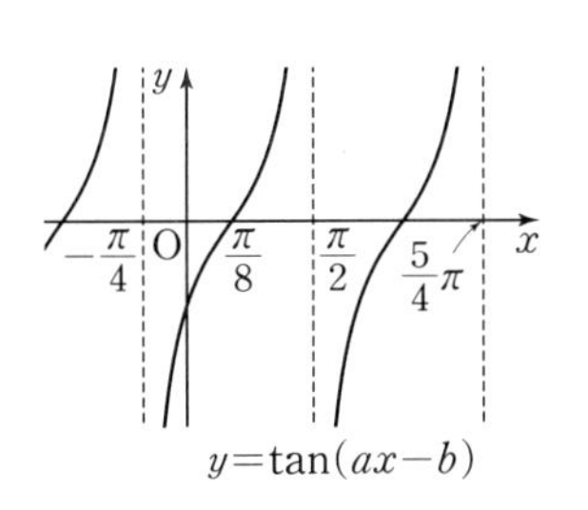


### 039 상

오른쪽 그림과 같이 두 함수 $y=\tan x$, $y=a\sin(bx+c)$의 그래프가 점 $\left(\frac{\pi}{4}, d\right)$에서 만날 때, 상수 $a$, $b$, $c$, $d$에 대하여 $abcd$의 값을 구하시오.
$\left(\text{단, } a>0,\ b>0,\ -\frac{\pi}{2}<c\le 0\right)$

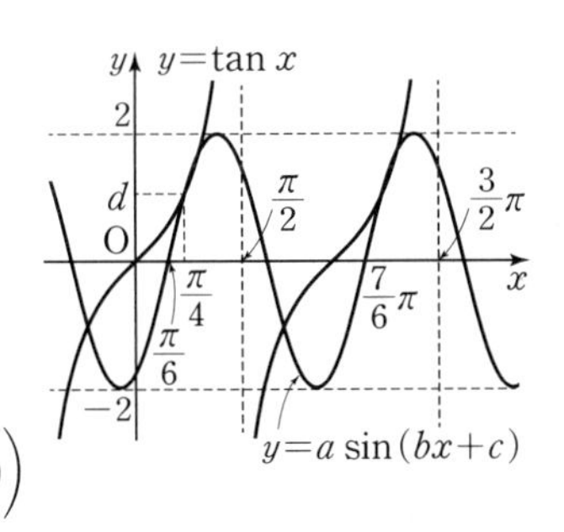


## 유형 10 절댓값 기호를 포함한 삼각함수의 그래프

### 040 대표 문제 다시 보기

함수 $y=\left|\sin\left(x+\frac{\pi}{2}\right)\right|-2$의 주기를 $a$, 최댓값을 $M$, 최솟값을 $m$이라 할 때, $aMm$의 값은?

① $\frac{\pi}{2}$ ② $\pi$ ③ $\frac{3}{2}\pi$
④ $2\pi$ ⑤ $\frac{5}{2}\pi$

### 041 중

다음 중 함수 $y=\tan|x|$에 대한 설명으로 옳지 않은 것은?

① 주기는 없다.
② 치역은 실수 전체의 집합이다.
③ 그래프는 $y$축에 대하여 대칭이다.
④ 최댓값과 최솟값이 존재하지 않는다.
⑤ 그래프의 점근선은 직선 $x=2n\pi+\frac{\pi}{2}$ ($n$은 정수)이다.

### 042 상

다음 보기 중 두 함수의 그래프가 일치하는 것만을 있는 대로 고른 것은?

**보기**

ㄱ. $y=\left|\cos\left(x+\frac{\pi}{2}\right)\right|$, $y=|\sin x|$
ㄴ. $y=|\tan x|$, $y=\tan|x|$
ㄷ. $y=\sin|x|$, $y=\cos|x|$

① ㄱ ② ㄴ ③ ㄱ, ㄷ
④ ㄴ, ㄷ ⑤ ㄱ, ㄴ, ㄷ

06

# 삼각함수의 그래프

★중요

## 유형 11 | 일반각에 대한 삼각함수의 성질

$n$이 정수일 때

(1) $\sin(2n\pi+x)=\sin x$, $\cos(2n\pi+x)=\cos x$,
$\tan(2n\pi+x)=\tan x$

(2) $\sin(-x)=-\sin x$, $\cos(-x)=\cos x$,
$\tan(-x)=-\tan x$

(3) $\sin(\pi\pm x)=\mp\sin x$, $\cos(\pi\pm x)=-\cos x$,
$\tan(\pi\pm x)=\pm\tan x$ (복부호 동순)

(4) $\sin\left(\frac{\pi}{2}\pm x\right)=\cos x$, $\cos\left(\frac{\pi}{2}\pm x\right)=\mp\sin x$,
$\tan\left(\frac{\pi}{2}\pm x\right)=\mp\frac{1}{\tan x}$ (복부호 동순)

대표 문제

**043** $2\sin\frac{7}{6}\pi+\sqrt{2}\cos\frac{15}{4}\pi-4\cos\frac{5}{3}\pi+\tan\frac{5}{4}\pi$의 값은?

① $-\frac{3}{2}$ ② $-1$ ③ $-\frac{1}{2}$
④ $\frac{1}{2}$ ⑤ $1$

## 유형 12 | 일반각에 대한 삼각함수의 성질 – 각의 통일

삼각함수를 포함한 식에서 각의 크기가 여러 가지인 경우에는 다음과 같이 짝을 지어 각을 통일한다.

(1) $\sin\theta+\sin(\pi+\theta)=\sin\theta-\sin\theta=0$

(2) $\sin^2 A+\sin^2\left(\frac{\pi}{2}-A\right)=\sin^2 A+\cos^2 A=1$

(3) $\tan A\times\tan\left(\frac{\pi}{2}-A\right)=\tan A\times\frac{1}{\tan A}=1$

대표 문제

**044** $\sin^2 5°+\sin^2 10°+\sin^2 15°+\cdots+\sin^2 85°$의 값은?

① $\frac{17}{2}$ ② $9$ ③ $\frac{19}{2}$
④ $10$ ⑤ $\frac{21}{2}$

## 유형 13 | 일반각에 대한 삼각함수의 성질 – 도형에의 활용

삼각형 ABC의 세 내각의 크기의 합은 $\pi$이므로 다음을 이용하여 각을 변형한 후 삼각함수 사이의 관계와 삼각함수의 성질을 이용한다.

(1) $A+B+C=\pi$에서 $B+C=\pi-A$

(2) $A+B=\frac{\pi}{2}$이면 $C=\frac{\pi}{2}$

대표 문제

**045** 오른쪽 그림과 같이 선분 AB를 지름으로 하는 원 $O$ 위의 한 점 C에 대하여 $\overline{AC}=6$, $\overline{AO}=5$이다. $\angle CAB=\alpha$, $\angle CBA=\beta$라 할 때, $\cos(2\alpha+\beta)$의 값을 구하시오.

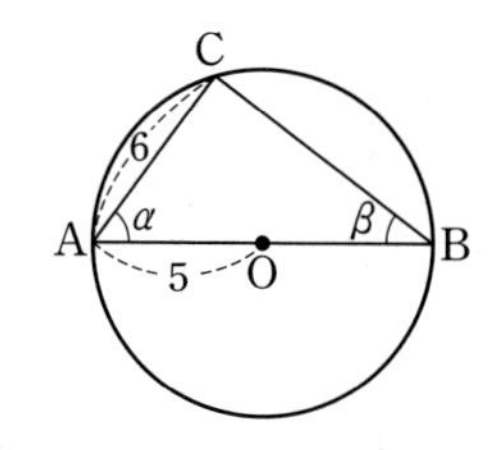


## 유형 14 | 삼각함수의 최대, 최소 – 일차식 꼴

(1) 두 종류 이상의 삼각함수를 포함한 일차식 꼴의 삼각함수의 최대, 최소는 삼각함수의 성질을 이용하여 한 종류의 삼각함수로 통일한 후 구한다.

(2) 절댓값 기호를 포함한 삼각함수의 최대, 최소는 $0\le|\sin x|\le1$, $0\le|\cos x|\le1$임을 이용하여 구한다.

대표 문제

**046** 함수 $y=a|\cos 5x+4|+b$의 최댓값이 7, 최솟값이 3일 때, 상수 $a$, $b$에 대하여 $ab$의 값을 구하시오. (단, $a>0$)

## 유형 15 | 삼각함수의 최대, 최소 – 분수식 꼴

분수식 꼴의 삼각함수의 최대, 최소는 다음과 같은 순서로 구한다.

(1) 삼각함수를 $t$로 치환하여 $t$에 대한 유리함수를 얻는다.

(2) $t$의 값의 범위를 구하고, $t$의 값의 범위에서 최댓값과 최솟값을 구한다.

대표 문제

**047** 함수 $y=\frac{\cos x+3}{\cos x+2}$의 최댓값을 $M$, 최솟값을 $m$이라 할 때, $M+m$의 값을 구하시오.



★ 중요

## 유형 16 | 삼각함수의 최대, 최소 – 이차식 꼴

이차식 꼴의 삼각함수의 최대, 최소는 다음과 같은 순서로 구한다.

(1) $\sin^2 x+\cos^2 x=1$임을 이용하여 한 종류의 삼각함수로 변형한다.

(2) 삼각함수를 $t$로 치환하여 $t$에 대한 이차함수를 얻는다.

(3) $t$의 값의 범위를 구하고, $t$의 값의 범위에서 최댓값과 최솟값을 구한다.

대표 문제

**048** 함수 $y=\sin^2 x+2\cos x$의 최댓값을 $M$, 최솟값을 $m$이라 할 때, $M-m$의 값은?

① $\frac{5}{2}$　② 3　③ $\frac{7}{2}$　④ 4　⑤ $\frac{9}{2}$

★ 중요

## 유형 17 | 삼각방정식 – 일차식 꼴

(1) 방정식 $\sin x=k$ (또는 $\cos x=k$ 또는 $\tan x=k$)의 해
➡ $y=\sin x$ (또는 $y=\cos x$ 또는 $y=\tan x$)의 그래프와 직선 $y=k$의 교점의 $x$좌표를 구한다.

(2) $\sin(ax+b)=k$ 꼴의 방정식
➡ $ax+b=t$로 치환하고 $t$의 값의 범위를 구한 후 방정식을 푼다.

대표 문제

**049** $0\le x<\pi$일 때, 방정식 $2\sin\left(2x+\frac{\pi}{3}\right)-\sqrt{3}=0$을 푸시오.

★ 중요

## 유형 18 | 삼각방정식 – 이차식 꼴

이차식 꼴의 삼각방정식은 다음과 같은 순서로 푼다.

(1) $\sin^2 x+\cos^2 x=1$임을 이용하여 한 종류의 삼각함수에 대한 방정식으로 변형한다.

(2) 삼각함수에 대한 이차방정식을 푼다.

(3) 일차식 꼴의 삼각방정식에서 $x$의 값을 구한다.

대표 문제

**050** $0\le x<2\pi$일 때, 방정식 $2\sin^2 x-\cos x-1=0$의 모든 근의 합은?

① $\pi$　② $\frac{5}{3}\pi$　③ $2\pi$　④ $\frac{7}{3}\pi$　⑤ $3\pi$

## 유형 19 | 삼각방정식의 실근의 개수

삼각방정식 $f(x)=k$의 서로 다른 실근의 개수는 함수 $y=f(x)$의 그래프와 직선 $y=k$의 교점의 개수와 같다.

대표 문제

**051** 방정식 $\sin \pi x=\frac{1}{4}x$의 서로 다른 실근의 개수를 구하시오.

## 유형 20 | 삼각방정식이 실근을 가질 조건

삼각방정식 $f(x)=k$가 실근을 가지려면 함수 $y=f(x)$의 그래프와 직선 $y=k$가 교점을 가져야 한다.

대표 문제

**052** 방정식 $\cos^2 x-2\sin x+4=k$가 실근을 갖도록 하는 실수 $k$의 값의 범위를 구하시오.

★중요

## 유형 21 | 삼각부등식 - 일차식 꼴

(1) 부등식 $\sin x>k$ (또는 $\cos x>k$ 또는 $\tan x>k$)의 해
➡ $y=\sin x$ (또는 $y=\cos x$ 또는 $y=\tan x$)의 그래프가 직선 $y=k$보다 위쪽에 있는 $x$의 값의 범위

(2) 부등식 $\sin x<k$ (또는 $\cos x<k$ 또는 $\tan x<k$)의 해
➡ $y=\sin x$ (또는 $y=\cos x$ 또는 $y=\tan x$)의 그래프가 직선 $y=k$보다 아래쪽에 있는 $x$의 값의 범위

대표 문제

**053** $0\le x<2\pi$에서 부등식 $\sin\left(x+\frac{\pi}{4}\right)<\frac{\sqrt{2}}{2}$의 해가 $\alpha<x<\beta$일 때, $\alpha+\beta$의 값은?

① $\frac{\pi}{2}$  ② $\pi$  ③ $\frac{3}{2}\pi$  ④ $2\pi$  ⑤ $\frac{5}{2}\pi$

## 유형 22 | 삼각부등식 - 이차식 꼴

이차식 꼴의 삼각부등식은 다음과 같은 순서로 푼다.

(1) $\sin^2 x+\cos^2 x=1$임을 이용하여 한 종류의 삼각함수에 대한 부등식으로 변형한다.

(2) 삼각함수에 대한 이차부등식을 푼다.

(3) 일차식 꼴의 삼각부등식에서 $x$의 값의 범위를 구한다.

대표 문제

**054** $-\pi<x<\pi$에서 부등식 $2\cos^2 x-3\ge 3\sin x$의 해가 $\alpha\le x\le\beta$일 때, $\cos(\beta-\alpha)$의 값을 구하시오.

## 유형 23 | 삼각방정식과 삼각부등식의 활용

이차방정식 또는 이차부등식에서 계수가 삼각함수로 주어지고 근에 대한 조건이 있는 경우에는 이차방정식의 판별식을 이용하여 삼각함수를 포함한 식을 세운다.

대표 문제

**055** 모든 실수 $x$에 대하여 부등식 $x^2-2x+2\cos\theta>0$이 성립하도록 하는 $\theta$의 값의 범위는? (단, $0\le\theta<\pi$)

① $0\le\theta<\frac{\pi}{3}$  ② $0\le\theta<\frac{\pi}{2}$  ③ $0\le\theta<\frac{2}{3}\pi$  ④ $\frac{\pi}{2}\le\theta<\frac{2}{3}\pi$  ⑤ $\frac{\pi}{2}\le\theta<\pi$

정답과 해설 64쪽

★ 중요

## 유형 11 일반각에 대한 삼각함수의 성질

### 056 대표 문제 다시 보기

$2\sin\frac{11}{3}\pi-3\tan\frac{5}{3}\pi+4\cos\frac{7}{6}\pi$의 값은?

① $-2\sqrt{3}$ ② $-\sqrt{3}$ ③ $0$
④ $\sqrt{3}$ ⑤ $2\sqrt{3}$

### 057 중

오른쪽 삼각함수표를 이용하여 $\sin 110°+\cos 260°$의 값을 구하시오.

| $\theta$ | $\sin\theta$ | $\cos\theta$ | $\tan\theta$ |
|---|---|---|---|
| $10°$ | 0.1736 | 0.9848 | 0.1763 |
| $20°$ | 0.3420 | 0.9397 | 0.3640 |

### 058 중

다음 보기 중 옳은 것만을 있는 대로 고르시오.

보기

ㄱ. $\cos 1080°\times\sin(-330°)+\tan 240°\times\cos 150°=-1$

ㄴ. $\sqrt{2}\sin\frac{13}{4}\pi+2\cos\left(-\frac{4}{3}\pi\right)+\sqrt{3}\tan\left(-\frac{7}{6}\pi\right)=-1$

ㄷ. $\log_2\left(\sin\frac{7}{3}\pi\right)+\log_2\left(\tan\frac{13}{6}\pi\right)+\log_2\left(\cos\frac{11}{3}\pi\right)=2$

### 059 중

다음 식을 간단히 하시오.

$$\frac{\sin\left(\frac{\pi}{2}+\theta\right)\cos^2(2\pi-\theta)}{\sin\left(\frac{3}{2}\pi+\theta\right)}-\frac{\cos\left(\frac{3}{2}\pi-\theta\right)\sin\left(\frac{\pi}{2}+\theta\right)}{\tan\left(\frac{\pi}{2}+\theta\right)}$$

### 060 중

직선 $2x-\sqrt{2}y+1=0$이 $x$축의 양의 방향과 이루는 각의 크기를 $\theta$라 할 때, $\frac{\cos\left(\theta-\frac{\pi}{2}\right)}{1-\sin(-\theta)}+\frac{\sin(\theta-\pi)}{1+\sin(\pi+\theta)}$의 값을 구하시오.

## 유형 12 일반각에 대한 삼각함수의 성질 – 각의 통일

### 061 대표 문제 다시 보기

$\cos^2 10°+\cos^2 20°+\cos^2 30°+\cdots+\cos^2 90°$의 값은?

① 1 ② 2 ③ 3
④ 4 ⑤ 5

### 062 중

$\tan(1°+\theta)\tan(89°-\theta)$의 값은?

① $-\sqrt{3}$ ② $-\frac{\sqrt{3}}{3}$ ③ $\frac{\sqrt{3}}{3}$
④ $1$ ⑤ $\sqrt{3}$

### 063 중

$\sin 1°+\sin 2°+\sin 3°+\cdots+\sin 360°$의 값을 구하시오.

## 유형 13 일반각에 대한 삼각함수의 성질 – 도형에의 활용

### 064 대표 문제 다시 보기

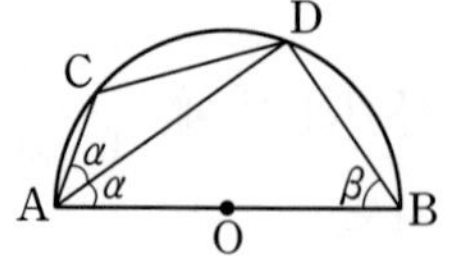


오른쪽 그림과 같이 선분 AB를 지름으로 하는 반원 $O$ 위의 두 점 C, D에 대하여 $\overline{AC}=2$, $\overline{AO}=3$이다. $\angle CAD=\angle DAB=\alpha$, $\angle ABD=\beta$라 할 때, $\cos(\beta-\alpha)$의 값을 구하시오.

### 065 중

삼각형 ABC에 대하여 다음 중 옳은 것은?

① $\sin A=\cos(B+C)$
② $\cos A=\sin(B+C)$
③ $\sin\frac{A}{2}=\sin\frac{B+C}{2}$
④ $\tan B\tan(A+C)=1$
⑤ $\tan\frac{A}{2}\tan\frac{B+C}{2}=1$

### 066 상

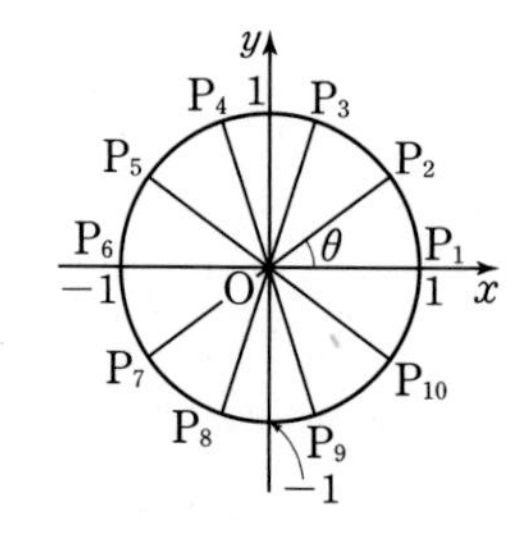


오른쪽 그림과 같이 원점 O를 중심으로 하고 반지름의 길이가 1인 원을 10등분 한 점을 차례대로 $P_1$, $P_2$, $\cdots$, $P_{10}$이라 하자. 점 $P_1$의 좌표가 $(1, 0)$이고 $\angle P_1OP_2=\theta$라 할 때,

$\cos\theta+\cos 2\theta+\cos 3\theta+\cdots+\cos 10\theta$

의 값을 구하시오.

## 유형 14 삼각함수의 최대, 최소 – 일차식 꼴

### 067 대표 문제 다시 보기

함수 $y=a|2\sin 2x-3|+b$의 최댓값이 1, 최솟값이 $-3$일 때, 상수 $a$, $b$에 대하여 $a-b$의 값은? (단, $a>0$)

① $-5$ ② $-3$ ③ $-1$
④ 3 ⑤ 5

### 068 하

함수 $y=\sin\left(\frac{3}{2}\pi+x\right)-\cos x+2$의 최댓값을 $M$, 최솟값을 $m$이라 할 때, $M+m$의 값을 구하시오.

### 069 중

함수 $y=-|\tan x-2|+k$의 최댓값과 최솟값의 합이 4일 때, 상수 $k$의 값은? $\left(\text{단, } -\frac{\pi}{4}\le x\le\frac{\pi}{4}\right)$

① 0 ② 1 ③ 2
④ 3 ⑤ 4

## 유형 15 삼각함수의 최대, 최소 – 분수식 꼴

### 070 대표 문제 다시 보기

함수 $y=\frac{\sin x+2}{\sin x-2}$의 최댓값을 $M$, 최솟값을 $m$이라 할 때, $Mm$의 값은?

① 1 ② $\frac{4}{3}$ ③ $\frac{5}{3}$
④ 2 ⑤ $\frac{7}{3}$

### 071 중

$0\le x\le\frac{\pi}{4}$일 때, 함수 $y=\frac{3\tan x+1}{\tan x+1}$의 최댓값과 최솟값의 합을 구하시오.

### 072 중

함수 $y=\frac{a\cos x}{\cos x-2}$의 최댓값이 1, 최솟값이 $b$일 때, 상수 $a$, $b$에 대하여 $\frac{b}{a}$의 값은? (단, $a>0$)

① $-3$ ② $-2$ ③ $-1$
④ 1 ⑤ 2

### 073 중

함수 $y=\frac{2|\cos x|+3}{|\cos x|+1}$의 치역이 $\{y\,|\,a\le y\le b\}$일 때, $ab$의 값은?

① $\frac{11}{2}$ ② 6 ③ $\frac{13}{2}$
④ 7 ⑤ $\frac{15}{2}$

★ 중요

## 유형 16 삼각함수의 최대, 최소 – 이차식 꼴

### 074 대표 문제 다시 보기

함수 $y=\cos^2 x-4\sin(\pi+x)+2$의 최댓값을 $M$, 최솟값을 $m$이라 할 때, $M+m$의 값은?

① 2 ② 4 ③ 6
④ 8 ⑤ 10

### 075 중

함수 $y=-2\sin^2 x-2\cos x+k$의 최댓값과 최솟값의 합이 $\frac{3}{2}$일 때, 상수 $k$의 값을 구하시오.

## 076 중

함수 $y=a\sin^2 x+2a\cos x+1$의 최댓값이 3, 최솟값이 $b$일 때, 상수 $a$, $b$에 대하여 $a-b$의 값은? (단, $a>0$)

① $-4$　② $-2$　③ 1　④ 2　⑤ 4

## 077 중

함수 $y=\sin^2\left(\frac{3}{2}\pi+x\right)+\cos^2(\pi+x)-2\sin\left(\frac{\pi}{2}-x\right)$의 치역이 $\{y|a\leq y\leq b\}$일 때, $ab$의 값은?

① $-6$　② $-5$　③ $-4$　④ $-3$　⑤ $-2$

## 078 상

두 함수

$f(x)=-\cos^2 x-2\sin x+1$, $g(x)=-x^2+4x+2$

에 대하여 합성함수 $(g\circ f)(x)$의 최댓값을 $M$, 최솟값을 $m$이라 할 때, $M+m$의 값을 구하시오.

★ 중요

### 유형 17 삼각방정식 - 일차식 꼴

## 079 대표 문제 다시 보기

$0\leq x<4\pi$일 때, 방정식 $\tan\left(\frac{x}{2}-\frac{\pi}{4}\right)=\sqrt{3}$의 모든 근의 합을 구하시오.

## 080 중

$0\leq x<4\pi$일 때, 다음 중 방정식

$\cos\left(\frac{\pi}{2}-x\right)-\sin(\pi+x)=\sqrt{3}$의 해가 아닌 것은?

① $x=\frac{\pi}{3}$　② $x=\frac{2}{3}\pi$　③ $x=\frac{4}{3}\pi$　④ $x=\frac{7}{3}\pi$　⑤ $x=\frac{8}{3}\pi$

## 081 중

$0\leq x\leq 2\pi$일 때, 방정식 $\sin x+\cos x=0$을 만족시키는 모든 $x$의 값의 합을 구하시오.

## 082 중

$0\leq x<\frac{3}{2}\pi$에서 방정식 $|\cos x|=\frac{\sqrt{3}}{2}$의 근을 작은 것부터 차례대로 $x_1$, $x_2$, $x_3$이라 할 때, $x_1-x_2+x_3$의 값을 구하시오.

### 083 중

$-\frac{\pi}{4}<x<\frac{\pi}{4}$에서 방정식 $\sin 2x=\sqrt{3}\cos 2x$의 근을 $\alpha$라 할 때, $\sin(\pi+\alpha)$의 값은?

① $-1$ ② $-\frac{\sqrt{3}}{2}$ ③ $-\frac{\sqrt{2}}{2}$
④ $-\frac{1}{2}$ ⑤ $0$

### 084 중

$0\le x<2\pi$일 때, 다음 중 방정식 $\cos(\pi\sin x)=0$의 해가 아닌 것은?

① $x=\frac{\pi}{6}$ ② $x=\frac{5}{6}\pi$ ③ $x=\frac{7}{6}\pi$
④ $x=\frac{3}{2}\pi$ ⑤ $x=\frac{11}{6}\pi$

### 085 상

이차함수 $y=x^2-4x\cos\theta-4\sin^2\theta$의 그래프의 꼭짓점이 직선 $y=4x$ 위에 있도록 하는 모든 $\theta$의 값의 합을 구하시오.
(단, $0\le\theta<2\pi$)

★중요

## 유형 18 삼각방정식 – 이차식 꼴

### 086 대표 문제 다시 보기

$0\le x<2\pi$일 때, 방정식 $2\cos^2 x-5\sin x+1=0$을 푸시오.

### 087 중

$-\frac{\pi}{2}<x<\frac{\pi}{2}$에서 방정식 $3\tan^2 x-4\sqrt{3}\tan x+3=0$의 두 근을 $\alpha$, $\beta$라 할 때, $\cos(\beta-\alpha)$의 값은? (단, $\alpha<\beta$)

① $-\frac{\sqrt{3}}{2}$ ② $-\frac{\sqrt{2}}{2}$ ③ $-\frac{1}{2}$
④ $\frac{1}{2}$ ⑤ $\frac{\sqrt{3}}{2}$

### 088 중

직각삼각형이 아닌 삼각형 ABC에서

$$2\cos^2 A-\sin A\cos A+\sin^2 A-1=0$$

이 성립할 때, $\tan(B+C)$의 값은?

① $-\sqrt{3}$ ② $-1$ ③ $-\frac{\sqrt{3}}{3}$
④ $\frac{\sqrt{3}}{3}$ ⑤ $1$

### 089 상

$\pi<\theta<\frac{3}{2}\pi$에서 방정식 $5\sin^2\theta-\sin\theta\cos\theta-2=0$을 만족시키는 $\theta$에 대하여 $\sin\theta+\cos\theta$의 값을 구하시오.

## 유형 19 삼각방정식의 실근의 개수

### 090 대표 문제 다시 보기

방정식 $\cos \pi x=\frac{2}{5}x$의 서로 다른 실근의 개수는?

① 5 ② 6 ③ 7
④ 8 ⑤ 9

### 091 중

방정식 $\sin |x|=\frac{1}{8}x$의 서로 다른 실근의 개수를 구하시오.

### 092 상

두 함수 $f(x)=\sin x$, $g(x)=2\cos 2x$에 대하여 방정식 $f(x)-g(x)=0$의 서로 다른 실근의 개수는?

(단, $0<x\leq 2\pi$)

① 3 ② 4 ③ 5
④ 6 ⑤ 7

## 유형 20 삼각방정식이 실근을 가질 조건

### 093 대표 문제 다시 보기

방정식 $4\sin^2 x+4\cos x-2+k=0$이 실근을 갖도록 하는 실수 $k$의 최댓값은?

① 3 ② 4 ③ 5
④ 6 ⑤ 7

### 094 중

$-\frac{\pi}{4}\leq x\leq\frac{\pi}{4}$에서 방정식 $a\tan x=2a+1$이 실근을 갖도록 하는 실수 $a$의 값의 범위가 $\alpha\leq a\leq\beta$일 때, $\alpha+\beta$의 값은?

① $-\frac{4}{3}$ ② $-1$ ③ $-\frac{2}{3}$
④ $-\frac{1}{3}$ ⑤ 0

### 095 중

$0\leq x<\pi$일 때, 방정식 $\left|\sin 2x+\frac{1}{2}\right|=k$가 서로 다른 3개의 실근을 갖도록 하는 실수 $k$의 값을 구하시오.

## 096 상

$x$에 대한 방정식 $\sin x-|\sin x|=ax-2$가 서로 다른 3개의 실근을 갖도록 하는 양수 $a$의 값의 범위를 구하시오.

★ 중요

## 유형 21 삼각부등식 – 일차식 꼴

## 097 대표 문제 다시 보기

$0<x<2\pi$에서 부등식 $\cos\left(x-\frac{\pi}{3}\right)-\frac{1}{2}\le 0$의 해가 $\alpha\le x<\beta$일 때, $\beta-\alpha$의 값은?

① $\frac{\pi}{3}$　② $\frac{2}{3}\pi$　③ $\pi$
④ $\frac{4}{3}\pi$　⑤ $\frac{5}{3}\pi$

## 098 하

$0\le x<2\pi$일 때, 부등식 $\cos x\ge\sin x$를 푸시오.

## 099 중

$\frac{\pi}{2}<x<\frac{3}{2}\pi$일 때, 부등식 $3\tan x-\sqrt{3}\ge 0$을 만족시키는 $x$의 최솟값은?

① $\frac{2}{3}\pi$　② $\frac{5}{6}\pi$　③ $\pi$
④ $\frac{7}{6}\pi$　⑤ $\frac{4}{3}\pi$

## 100 중

$\alpha+\beta=\frac{\pi}{2}$일 때, 부등식 $1<\sin\alpha+\cos\beta\le\sqrt{3}$을 만족시키는 $\alpha$의 값의 범위를 구하시오. (단, $0\le\alpha<\pi$)

## 101 중

어떤 테니스 선수가 라켓으로 테니스공을 쳤을 때, 테니스공의 처음 속력을 $v$ m/s, 테니스공이 라켓에 맞는 순간 지면과 이루는 각의 크기를 $\theta$, 테니스공이 날아간 거리를 $f(\theta)$ m라 하면

$$f(\theta)=\frac{v^2\sin 2\theta}{10}$$

가 성립한다고 한다. 테니스공의 처음 속력이 20 m/s일 때, 테니스공이 날아간 거리가 20 m 이상이 되게 하는 $\theta$의 값의 범위를 구하시오.

$\left(\text{단, } 0\le\theta\le\frac{\pi}{2}\text{이고, 공기의 저항은 고려하지 않는다.}\right)$

정답과 해설 70쪽

## 유형 22 삼각부등식 – 이차식 꼴

**102** 대표 문제 다시 보기

$0 \le x < 2\pi$에서 부등식 $4\sin^2 x + 8\cos x < 7$의 해가 $\alpha < x < \beta$일 때, $\beta - \alpha$의 값은?

① $\frac{2}{3}\pi$ ② $\pi$ ③ $\frac{4}{3}\pi$
④ $\frac{5}{3}\pi$ ⑤ $2\pi$

**103** 중

$-\frac{\pi}{2} < x < \frac{\pi}{2}$일 때, 부등식 $\tan^2 x - (1+\sqrt{3})\tan x < -\sqrt{3}$을 푸시오.

**104** 상

모든 실수 $\theta$에 대하여 부등식 $\sin^2\theta + 2\cos\theta - a < 0$이 성립하도록 하는 실수 $a$의 값의 범위는?

① $a < -2$ ② $a < -1$ ③ $-2 < a < 0$
④ $-1 < a < 2$ ⑤ $a > 2$

## 유형 23 삼각방정식과 삼각부등식의 활용

**105** 대표 문제 다시 보기

다음 중 모든 실수 $x$에 대하여 부등식 $x^2 - 2\sqrt{2}x\sin\theta + 1 > 0$이 성립하도록 하는 $\theta$의 값이 아닌 것은? (단, $0 \le \theta < 2\pi$)

① $\frac{\pi}{6}$ ② $\frac{5}{6}\pi$ ③ $\pi$
④ $\frac{4}{3}\pi$ ⑤ $\frac{11}{6}\pi$

**106** 중

$x$에 대한 이차방정식

$$x^2 - 2(2\cos\theta - 1)x + 8\cos\theta - 4 = 0$$

이 중근을 갖도록 하는 모든 $\theta$의 값의 합을 구하시오.

(단, $0 \le \theta < 2\pi$)

**107** 중

이차함수 $y = x^2 - 2\sqrt{3}x\tan\theta + 1$의 그래프가 $x$축과 만나지 않도록 하는 $\theta$의 값의 범위가 $\alpha < \theta < \beta$일 때, $\beta - \alpha$의 값을 구하시오. $\left(\text{단, } -\frac{\pi}{2} < \theta < \frac{\pi}{2}\right)$

**108** 중

$x$에 대한 이차방정식 $x^2 - 4x\sin\theta + 6\cos\theta = 0$의 두 근이 모두 양수가 되도록 하는 $\theta$의 값의 범위를 구하시오.

(단, $0 \le \theta < 2\pi$)

# 최종 점검하기



**109** 유형 01

모든 실수 $x$에 대하여 함수 $f(x)$가 $f(x+1)=f(x-2)$를 만족시키고 $f(1)=5$, $f(2)=3$일 때, $2f(20)+5f(10)$의 값은?

① 27 ② 28 ③ 29 ④ 30 ⑤ 31

**110** 유형 02

함수 $y=\cos\frac{\pi}{4}x+4$의 그래프를 $x$축의 방향으로 $\frac{1}{2}$만큼 평행이동한 그래프가 점 $\left(\frac{11}{6}, a\right)$를 지날 때, $a$의 값을 구하시오.

**111** 유형 03

다음 중 함수 $y=3\sin\left(4x-\frac{\pi}{3}\right)-2$에 대한 설명으로 옳지 않은 것은?

① 정의역은 실수 전체의 집합이다.

② 주기가 $\frac{\pi}{2}$인 주기함수이다.

③ 최댓값은 1, 최솟값은 $-5$이다.

④ 그래프는 함수 $y=3\cos 4x$의 그래프를 평행이동하면 겹쳐질 수 있다.

⑤ 그래프는 점 $\left(\frac{3}{8}\pi, -\frac{1}{2}\right)$을 지난다.

**112** 유형 04

함수 $y=2\cos\left(3x+\frac{\pi}{2}\right)+4$의 주기를 $a$, 최댓값을 $b$, 최솟값을 $c$라 할 때, $abc$의 값을 구하시오.

**113** 유형 05

함수 $y=\tan\left(\pi x-\frac{\pi}{3}\right)$의 주기와 그래프의 점근선의 방정식을 차례대로 나열한 것은? (단, $n$은 정수)

① $1$, $x=n+\frac{1}{2}$ ② $1$, $x=n+\frac{5}{6}$ ③ $\pi$, $x=n+\frac{2}{3}$ ④ $\pi$, $x=n+\frac{5}{6}$ ⑤ $2$, $x=n+\frac{1}{2}$

**114** 유형 03+04+05

다음 조건을 모두 만족시키는 함수 $f(x)$는?

(가) 모든 실수 $x$에 대하여 $f(x+2\pi)=f(x)$이다.
(나) 모든 실수 $x$에 대하여 $f(-x)=-f(x)$이다.
(다) 함수 $f(x)$의 최댓값과 최솟값의 차는 10이다.

① $f(x)=5\sin\frac{x}{2}$ ② $f(x)=5\cos\frac{x}{2}$ ③ $f(x)=5\tan\frac{x}{2}$ ④ $f(x)=5\sin x$ ⑤ $f(x)=5\cos x$

**115** 유형 07

다음 그림과 같이 $0\le x<\frac{5}{2}\pi$에서 함수 $y=\cos x$의 그래프가 직선 $y=a\,(0<a<1)$와 만나는 점의 $x$좌표를 작은 것부터 차례대로 $\alpha$, $\beta$, $\gamma$라 할 때, $\cos(\alpha+\beta+\gamma)$의 값은?

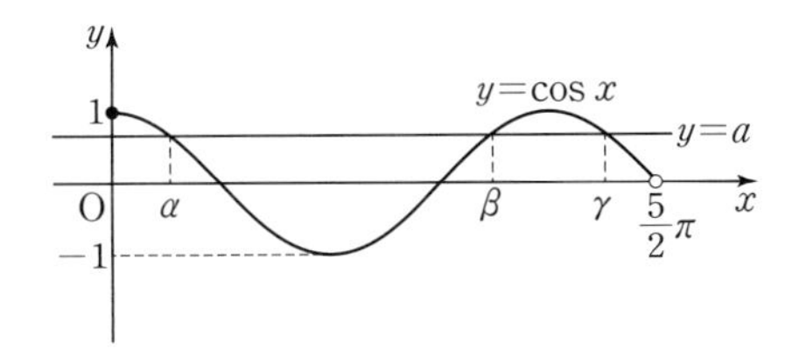


① $-1$ ② $-a$ ③ $0$ ④ $a$ ⑤ $1$

## 116

유형 08

함수 $f(x)=a\sin bx+c$의 최댓값은 2, 주기는 $\frac{\pi}{2}$이고, $f\left(\frac{\pi}{24}\right)=0$일 때, 상수 $a$, $b$, $c$에 대하여 $abc$의 값은?

(단, $a>0$, $b>0$)

① $-32$ ② $-28$ ③ $-24$
④ $-20$ ⑤ $-16$

## 117

유형 09

함수 $y=a\cos(bx-c)+d$의 그래프가 오른쪽 그림과 같을 때, 상수 $a$, $b$, $c$, $d$에 대하여 $abcd$의 값을 구하시오.

(단, $a>0$, $b>0$, $0<c<2\pi$)

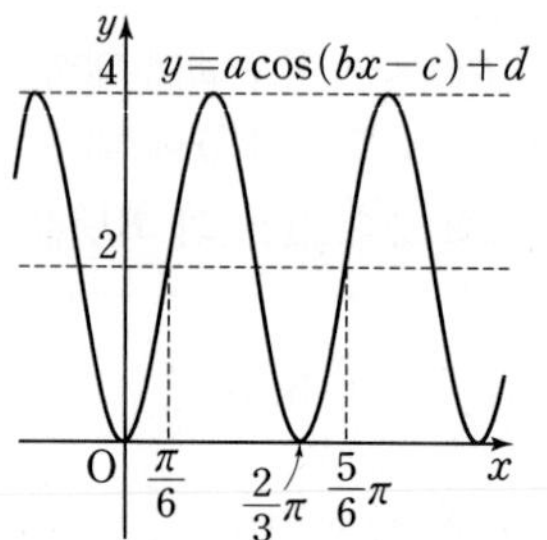


## 118

유형 10

다음 보기의 함수 중 모든 실수 $x$에 대하여 $f(-x)=f(x)$를 만족시키는 것만을 있는 대로 고르시오.

**보기**

ㄱ. $f(x)=|\sin x|$
ㄴ. $f(x)=\cos\left(2x-\frac{\pi}{2}\right)$
ㄷ. $f(x)=\cos|x|$
ㄹ. $f(x)=\left|\tan\frac{x}{2}\right|$

## 119

유형 11+12

다음 보기 중 옳은 것만을 있는 대로 고른 것은?

**보기**

ㄱ. $\sin 330°+\tan\frac{9}{4}\pi+\cos\left(\frac{5}{2}\pi-\frac{\pi}{6}\right)=1$
ㄴ. $2^{\sin^2 10°}\times 2^{\sin^2 20°}\times 2^{\sin^2 30°}\times\cdots\times 2^{\sin^2 80°}=8$
ㄷ. $(\sin 20°+\cos 20°)^2+(\sin 70°-\cos 70°)^2=1$
ㄹ. $\sin^2\theta+\sin^2\left(\frac{\pi}{2}+\theta\right)+\cos^2\left(\frac{3}{2}\pi+\theta\right)+\cos^2(\pi-\theta)=2$

① ㄱ, ㄴ ② ㄱ, ㄹ ③ ㄴ, ㄷ
④ ㄴ, ㄹ ⑤ ㄷ, ㄹ

## 120

유형 13

오른쪽 그림과 같이 반지름의 길이가 1인 사분원의 호 AB를 6등분하는 점을 각각 $P_1$, $P_2$, $P_3$, $P_4$, $P_5$라 하자. 점 $P_1$, $P_2$, $P_3$, $P_4$, $P_5$에서 반지름 OA에 내린 수선의 발을 각각 $Q_1$, $Q_2$, $Q_3$, $Q_4$, $Q_5$라 할 때,

$$\overline{P_1Q_1}^2+\overline{P_2Q_2}^2+\overline{P_3Q_3}^2+\overline{P_4Q_4}^2+\overline{P_5Q_5}^2$$

의 값을 구하시오.

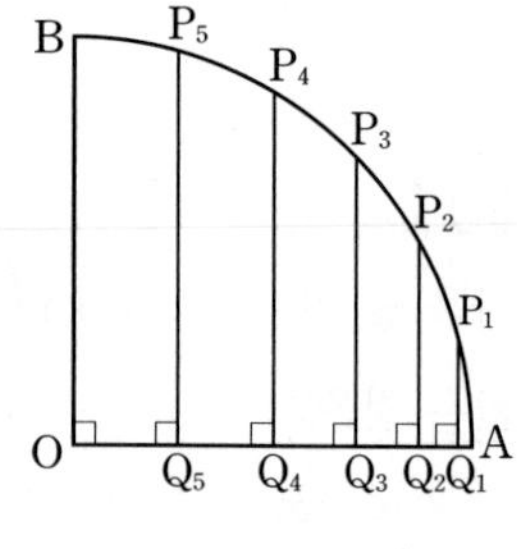


## 121

유형 14

함수 $y=-\left|\sin\left(\frac{\pi}{2}+x\right)-3\right|+k$의 최댓값과 최솟값의 합이 4일 때, 상수 $k$의 값은?

① 3 ② 4 ③ 5
④ 6 ⑤ 7

## 122
유형 15

함수 $y=\frac{2\cos x}{\cos x+3}$의 최댓값과 최솟값의 합을 구하시오.

## 123
유형 16

$0\le x<\frac{\pi}{2}$일 때, 함수 $y=\frac{1}{\tan^2\left(\frac{3}{2}\pi+x\right)}+2\tan x+6$은 $x=a$에서 최솟값 $m$을 갖는다. 이때 $a+m$의 값은?

① 4 ② 6 ③ 8 ④ 10 ⑤ 12

## 124
유형 18

$0<\theta<\frac{\pi}{2}$일 때, 방정식 $\sqrt{3}\sin\theta=\sqrt{2}\cos\theta$를 만족시키는 $\theta$의 값을 구하시오.

## 125
유형 20

방정식 $4\cos^2 x+4\sin(x+4\pi)+k=0$이 실근을 갖도록 하는 실수 $k$의 최댓값을 $M$, 최솟값을 $m$이라 할 때, $M-m$의 값은?

① 7 ② 9 ③ 11 ④ 13 ⑤ 15

## 126
유형 18+21

$0<x<\pi$일 때, 방정식 $\log\cos x+\log\sin\left(\frac{\pi}{2}-x\right)=\log\frac{1}{2}$을 푸시오.

## 127
유형 21

삼각형 ABC에서 $\sin A+\sin(B+C)\ge 1$이 성립할 때, $\cos A$의 최댓값은?

① 0 ② $\frac{1}{2}$ ③ $\frac{\sqrt{2}}{2}$ ④ $\frac{\sqrt{3}}{2}$ ⑤ 1

## 128
유형 22

$0\le x<2\pi$에서 부등식

$$2\cos^2\left(x-\frac{\pi}{3}\right)-\cos\left(x+\frac{\pi}{6}\right)-1\ge 0$$

의 해가 $\alpha\le x\le\beta$일 때, $\frac{\beta}{\alpha}$의 값을 구하시오.

## 129
유형 23

$x$에 대한 이차방정식 $x^2-2x\sin\theta-2\cos^2\theta+1=0$의 두 근 사이에 1이 있을 때, $\theta$는 제몇 사분면의 각인지 말하시오.

(단, $0<\theta<2\pi$)

Ⅱ. 삼각함수

# 사인법칙과 코사인법칙

유형 01 사인법칙

유형 02 사인법칙의 변형

유형 03 사인법칙을 이용한 삼각형의 결정

유형 04 사인법칙의 실생활에의 활용

유형 05 코사인법칙

유형 06 코사인법칙의 변형

유형 07 사인법칙과 코사인법칙

유형 08 코사인법칙을 이용한 삼각형의 결정

유형 09 코사인법칙의 실생활에의 활용

유형 10 삼각형의 넓이 (1)

유형 11 삼각형의 넓이 (2)

유형 12 삼각형의 넓이를 이용하여 사각형의 넓이 구하기

유형 13 사각형의 넓이

# 사인법칙과 코사인법칙

★중요

## 유형 01 | 사인법칙

삼각형 ABC의 외접원의 반지름의 길이를 $R$라 하면

$$\frac{a}{\sin A}=\frac{b}{\sin B}=\frac{c}{\sin C}=2R$$

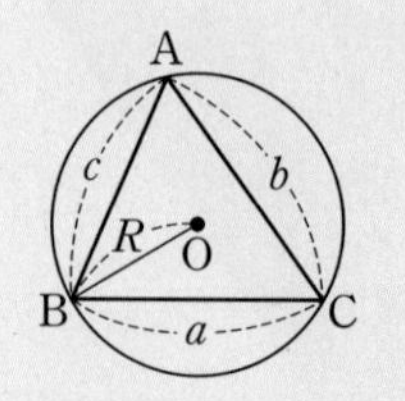


대표 문제

**001** 삼각형 ABC에서 $a=2\sqrt{3}$, $c=2$, $A=120°$일 때, $\cos B$의 값은?

① $\frac{1}{4}$ ② $\frac{1}{2}$ ③ $\frac{\sqrt{2}}{2}$
④ $\frac{3}{4}$ ⑤ $\frac{\sqrt{3}}{2}$

## 유형 02 | 사인법칙의 변형

삼각형 ABC에서 외접원의 반지름의 길이를 $R$라 하면

(1) $\sin A=\frac{a}{2R}$, $\sin B=\frac{b}{2R}$, $\sin C=\frac{c}{2R}$

(2) $a=2R\sin A$, $b=2R\sin B$, $c=2R\sin C$

(3) $a : b : c=\sin A : \sin B : \sin C$

대표 문제

**002** 삼각형 ABC에서 $\frac{a+b}{6}=\frac{b+c}{7}=\frac{c+a}{9}$일 때, $\sin A : \sin B : \sin C$를 가장 간단한 자연수의 비로 나타내시오.

## 유형 03 | 사인법칙을 이용한 삼각형의 결정

삼각형 ABC에서 $\sin A$, $\sin B$, $\sin C$에 대한 관계식이 주어지면

$$\sin A=\frac{a}{2R},\ \sin B=\frac{b}{2R},\ \sin C=\frac{c}{2R}$$

($R$는 외접원의 반지름의 길이)

임을 이용하여 세 변의 길이 $a$, $b$, $c$ 사이의 관계를 조사한 후 삼각형의 모양을 결정한다.

대표 문제

**003** 삼각형 ABC에서 $b\sin B=c\sin C$가 성립할 때, 삼각형 ABC는 어떤 삼각형인가?

① $a=b$인 이등변삼각형 ② $a=c$인 이등변삼각형
③ $b=c$인 이등변삼각형 ④ $A=90°$인 직각삼각형
⑤ $B=90°$인 직각삼각형

## 유형 04 | 사인법칙의 실생활에의 활용

한 변의 길이와 그 양 끝각의 크기가 주어진 삼각형에서 나머지 변의 길이를 구할 때에는 다음과 같은 순서로 한다.

(1) $A+B+C=180°$임을 이용하여 나머지 한 각의 크기를 구한다.

(2) 사인법칙을 이용하여 나머지 두 변의 길이를 구한다.

대표 문제

**004** 오른쪽 그림과 같이 어느 골프 코스에는 카트가 지나갈 수 있는 도로 옆에 해저드(Hazard)가 있다. 20 m 떨어진 도로 위 두 지점 A, B에서 해저드 건너편의 한 지점 C를 바라본 각의 크기가 각각 60°, 75°일 때, 두 지점 B, C 사이의 거리를 구하시오.

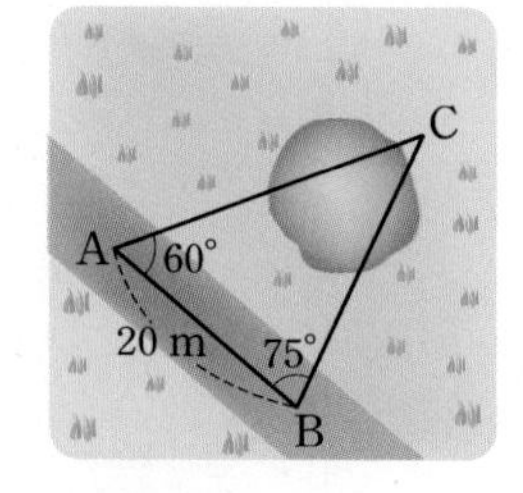

★ 중요

## 유형 05 | 코사인법칙

삼각형 ABC에서 두 변의 길이와 그 끼인각의 크기가 주어지면 코사인법칙을 이용하여 나머지 한 변의 길이를 구할 수 있다.

➡ $a^2=b^2+c^2-2bc\cos A$, $b^2=c^2+a^2-2ca\cos B$,
$c^2=a^2+b^2-2ab\cos C$

대표 문제

**005** 오른쪽 그림과 같이 원에 내접하는 사각형 ABCD에서 $\overline{AB}=2$, $\overline{AD}=3$이고 $C=60°$일 때, $\overline{BD}$의 길이를 구하시오.

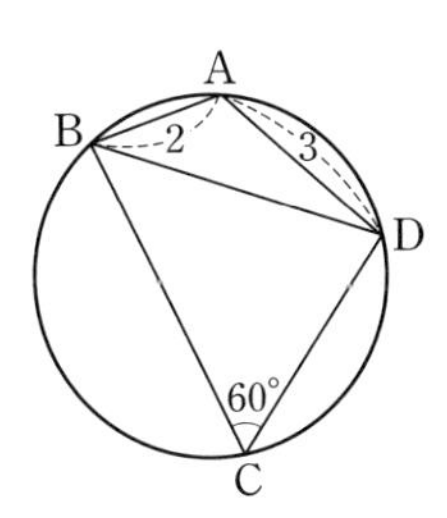


★ 중요

## 유형 06 | 코사인법칙의 변형

삼각형 ABC에서 세 변의 길이가 주어지면 코사인법칙의 변형을 이용하여 세 각의 크기를 구할 수 있다.

➡ $\cos A=\dfrac{b^2+c^2-a^2}{2bc}$, $\cos B=\dfrac{c^2+a^2-b^2}{2ca}$,
$\cos C=\dfrac{a^2+b^2-c^2}{2ab}$

대표 문제

**006** 오른쪽 그림과 같이 $\overline{AB}=4$, $\overline{AC}=6$인 삼각형 ABC에서 변 BC 위에 점 D를 잡을 때, $\overline{BD}=4$, $\overline{CD}=4$이다. 이때 $\overline{AD}$의 길이를 구하시오.

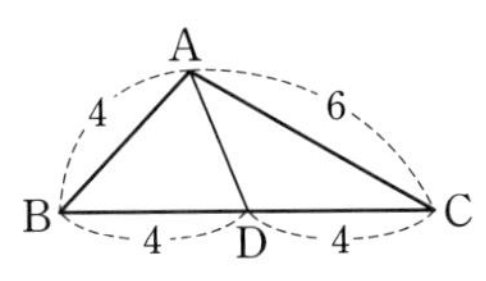


## 유형 07 | 사인법칙과 코사인법칙

(1) 삼각형의 두 변의 길이와 그 끼인각의 크기가 주어질 때
➡ 코사인법칙을 이용하여 나머지 한 변의 길이를 구한 후 사인법칙을 이용하여 각의 크기를 구한다.

(2) 삼각형 ABC에서 $\sin A$, $\sin B$, $\sin C$의 값의 비가 주어질 때
➡ 사인법칙을 이용하여 변의 길이의 비를 구한 후 코사인법칙의 변형을 이용하여 각의 크기를 구한다.

대표 문제

**007** 삼각형 ABC에서

$\sin A : \sin B : \sin C=1 : \sqrt{2} : \sqrt{3}$

일 때, $\cos A$의 값은?

① $\dfrac{1}{2}$ ② $\dfrac{\sqrt{3}}{3}$ ③ $\dfrac{\sqrt{6}}{3}$
④ $\dfrac{\sqrt{3}}{2}$ ⑤ $\dfrac{2\sqrt{2}}{3}$

## 유형 08 | 코사인법칙을 이용한 삼각형의 결정

삼각형 ABC에서 세 각의 크기 $A$, $B$, $C$에 대한 관계식이 주어지면 사인법칙과 코사인법칙을 이용하여 세 변의 길이 $a$, $b$, $c$ 사이의 관계를 조사한 후 삼각형의 모양을 결정한다.

대표 문제

**008** 삼각형 ABC에서 $a\cos B=b\cos A$가 성립할 때, 삼각형 ABC는 어떤 삼각형인지 말하시오.

## 유형 09 | 코사인법칙의 실생활에의 활용

(1) 삼각형에서 두 변의 길이와 그 끼인각의 크기를 알 때
➡ 코사인법칙을 이용하여 나머지 한 변의 길이를 구한다.

(2) 삼각형에서 세 변의 길이가 주어질 때
➡ 코사인법칙의 변형을 이용하여 한 각의 크기를 구한다.

대표 문제

**009** 오른쪽 그림과 같이 두 지점 A, B를 직선으로 연결하는 도로를 건설하기 위해 C 지점에서 측정하였더니 $\overline{AC}=4$ km, $\overline{BC}=3$ km, $\angle ACB=120°$이었다. 이때 건설되는 도로의 길이를 구하시오.

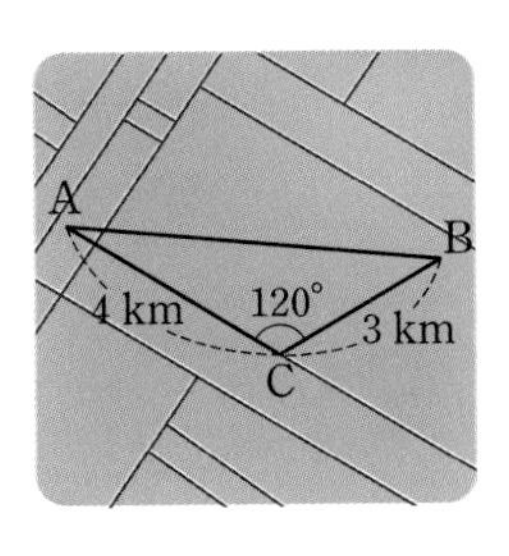

★ 중요

## 유형 10 | 삼각형의 넓이 (1)

삼각형 ABC에서 두 변의 길이와 그 끼인각의 크기를 알 때, 삼각형 ABC의 넓이 $S$는

$$S=\frac{1}{2}ab\sin C=\frac{1}{2}bc\sin A=\frac{1}{2}ca\sin B$$

대표 문제

**010** 삼각형 ABC에서 $a=12$, $c=11$이고 넓이가 $33\sqrt{3}$일 때, $B$의 값을 구하시오. (단, $0°<B<90°$)

## 유형 11 | 삼각형의 넓이 (2)

삼각형 ABC의 넓이를 $S$라 하면

(1) 외접원의 반지름의 길이가 $R$일 때

➡ $S=\frac{abc}{4R}=2R^2\sin A\sin B\sin C$

(2) 세 변의 길이가 주어질 때(헤론의 공식)

➡ $S=\sqrt{s(s-a)(s-b)(s-c)}$ $\left(\text{단, } s=\frac{a+b+c}{2}\right)$

대표 문제

**011** 세 변의 길이가 5, 7, 8인 삼각형의 넓이는?

① 12 ② $10\sqrt{2}$ ③ 15
④ $10\sqrt{3}$ ⑤ 18

## 유형 12 | 삼각형의 넓이를 이용하여 사각형의 넓이 구하기

삼각형의 넓이를 이용하여 사각형의 넓이를 구할 때에는 다음과 같은 순서로 한다.

(1) 사각형을 두 개의 삼각형으로 나눈다.

(2) 각각의 삼각형의 넓이를 구한다.

(3) (2)에서 구한 두 삼각형의 넓이의 합을 구한다.

대표 문제

**012** 오른쪽 그림과 같은 사각형 ABCD에서 $\overline{AB}=5$, $\overline{BC}=8$, $\overline{CD}=\overline{DA}=3$이고 $A=120°$이다. 이때 사각형 ABCD의 넓이를 구하시오.

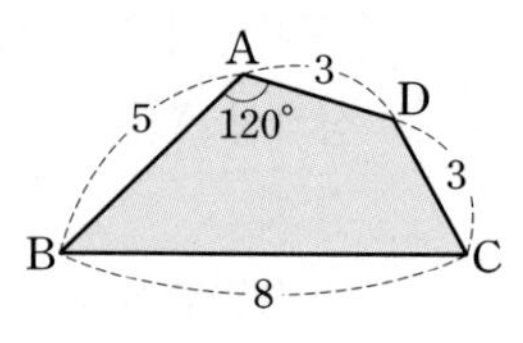


## 유형 13 | 사각형의 넓이

(1) 이웃하는 두 변의 길이가 $a$, $b$이고 그 끼인각의 크기가 $\theta$인 평행사변형의 넓이 $S$는

$$S=ab\sin\theta$$

(2) 두 대각선의 길이가 $p$, $q$이고 두 대각선이 이루는 각의 크기가 $\theta$인 사각형의 넓이 $S$는

$$S=\frac{1}{2}pq\sin\theta$$

대표 문제

**013** 오른쪽 그림과 같이 $\overline{AB}=4$, $\overline{BC}=5$, $\overline{AC}=\sqrt{21}$인 평행사변형 ABCD의 넓이를 구하시오.

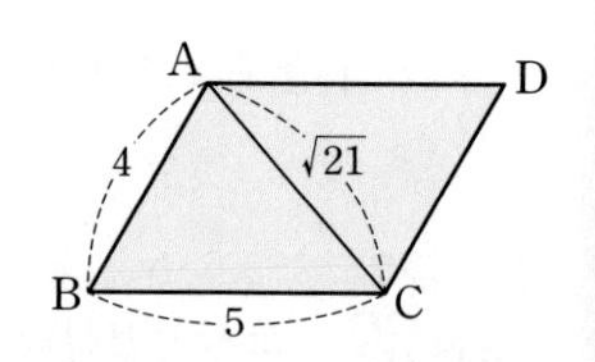

★ 중요

## 유형 01 사인법칙

**014** 대표 문제 다시 보기

삼각형 ABC에서 $a=4$, $c=3$, $A=60°$일 때, $\cos^2 C$의 값을 구하시오.

**015** 하

삼각형 ABC에서 $b=6$, $A=45°$, $C=75°$일 때, 외접원의 반지름의 길이 $R$에 대하여 $aR$의 값을 구하시오.

**016** 중

오른쪽 그림과 같이 원 위의 네 점 A, B, C, D에 대하여 $\overline{BC}=4\sqrt{6}$이고 $\angle ACB=45°$, $\angle BDC=60°$일 때, $\overline{AB}$의 길이는?

① 7　② $3\sqrt{6}$　③ 8　④ $6\sqrt{2}$　⑤ 9

**017** 중

반지름의 길이가 $2\sqrt{5}$인 원에 내접하는 삼각형 ABC에서 $5\sin A\times\sin(B+C)=4$가 성립할 때, $\overline{BC}$의 길이는?

① 5　② 6　③ 7　④ 8　⑤ 9

**018** 중

오른쪽 그림과 같이 $\overline{AB}=4$, $\overline{AC}=6$인 삼각형 ABC에서 변 BC의 중점을 D라 하고, $\angle BAD=\alpha$, $\angle CAD=\beta$라 할 때, $\dfrac{\sin\alpha}{\sin\beta}$의 값을 구하시오.

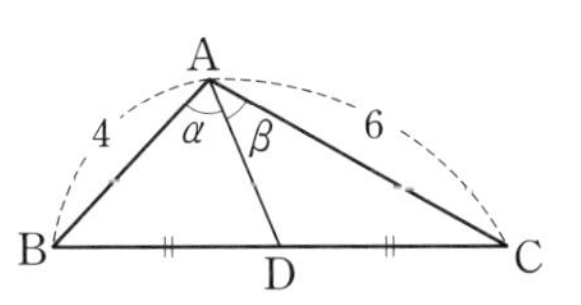


**019** 상

오른쪽 그림과 같이 $\overline{AB}=10$, $\overline{BC}=6$, $\overline{CA}=8$인 직각삼각형 ABC의 내부에 $\overline{AP}=6$인 점 P가 있다. 점 P에서 변 AB와 변 AC에 내린 수선의 발을 각각 Q, R라 할 때, $\overline{QR}$의 길이를 구하시오.

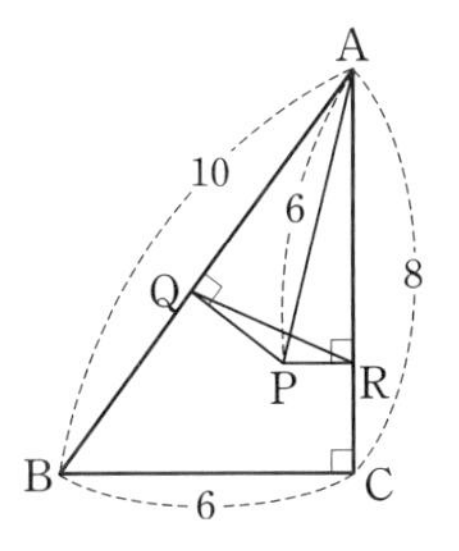


## 유형 02 사인법칙의 변형

**020** 대표 문제 다시 보기

삼각형 ABC에서

$$(b+c):(c+a):(a+b)=5:6:7$$

일 때, $\dfrac{\sin A+\sin B}{\sin C}$의 값을 구하시오.

**021** 중

삼각형 ABC에서 $A:B:C=2:3:1$일 때, $a:b:c$는?

① $1:2:\sqrt{3}$　② $1:\sqrt{3}:2$　③ $2:1:\sqrt{3}$　④ $2:\sqrt{3}:1$　⑤ $\sqrt{3}:2:1$

### 022 중

반지름의 길이가 8인 원에 내접하는 삼각형 ABC에서 $a+b+c=28$일 때, $\sin A+\sin B+\sin C$의 값을 구하시오.

## 유형 03 사인법칙을 이용한 삼각형의 결정

### 023 대표 문제 다시 보기

삼각형 ABC에서

$$a\sin^2 A=b\sin^2 B=c\sin^2 C$$

가 성립할 때, 삼각형 ABC는 어떤 삼각형인가?

① 정삼각형
② $a=c$인 이등변삼각형
③ $b=c$인 이등변삼각형
④ $A=90°$인 직각삼각형
⑤ $C=90°$인 직각삼각형

### 024 중

삼각형 ABC에서

$$a\sin A+b\sin B-c\sin(A+B)=0$$

이 성립할 때, 삼각형 ABC는 어떤 삼각형인지 말하시오.

### 025 상

이차방정식

$$(\sin A+\sin B)x^2+2x\sin C+\sin A-\sin B=0$$

이 중근을 가질 때, 삼각형 ABC는 어떤 삼각형인지 말하시오.

## 유형 04 사인법칙의 실생활에의 활용

### 026 대표 문제 다시 보기

오른쪽 그림과 같이 6 m 떨어진 해변의 두 지점 A, B에서 바다 위의 한 지점 C에 떠 있는 부표를 바라본 각의 크기가 각각 105°, 30°일 때, 두 지점 A, C 사이의 거리는?

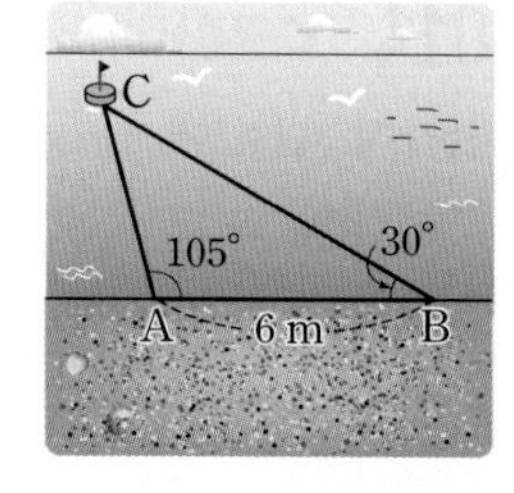


① 4 m
② $3\sqrt{2}$ m
③ 5 m
④ $3\sqrt{3}$ m
⑤ $4\sqrt{2}$ m

### 027 중

전망대의 높이 $\overline{PQ}$를 구하기 위해 오른쪽 그림과 같이 123 m 떨어진 두 지점 A, B에서 각을 측정하였더니 $\angle QAB=45°$, $\angle QBA=75°$, $\angle PBQ=30°$이었다. 이때 전망대의 높이를 구하시오.

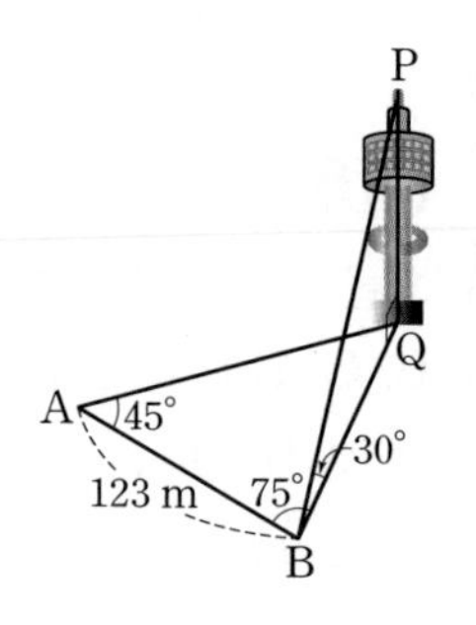


### 028 중

오른쪽 그림과 같이 400 m 떨어진 두 지점 A, B에서 빌딩의 꼭대기 C를 올려본각의 크기가 각각 30°, 45°일 때, 빌딩의 높이를 구하시오.

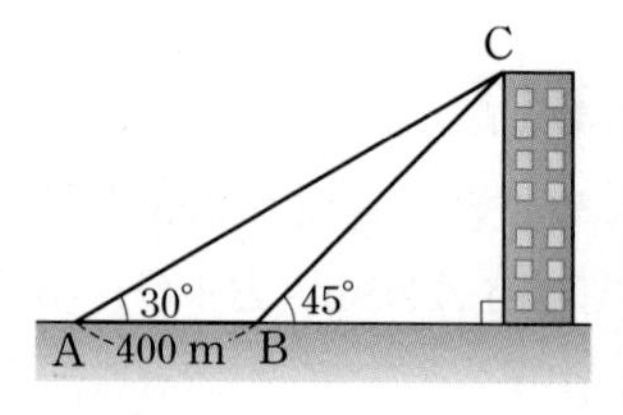

★ 중요

## 유형 05 코사인법칙

### 029 대표 문제 다시 보기

오른쪽 그림과 같이 원에 내접하는 사각형 ABCD에서 $\overline{BC}=2\sqrt{2}$, $\overline{BD}=\sqrt{5}$이고 $A=135°$일 때, $\overline{CD}$의 길이는?

(단, $\overline{CD}>\overline{BC}$)

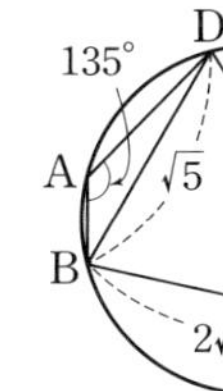


① 3 ② $2\sqrt{3}$
③ 4 ④ $3\sqrt{2}$
⑤ $2\sqrt{5}$

### 030 하

삼각형 ABC에서 $A=60°$, $b=4$, $c=3$일 때, $a$의 값은?

① 3 ② $2\sqrt{3}$ ③ $\sqrt{13}$
④ $\sqrt{15}$ ⑤ $3\sqrt{2}$

### 031 중

삼각형 ABC에서 $A=120°$, $\overline{AB}=x$, $\overline{AC}=\dfrac{1}{x}$일 때, $\overline{BC}$의 길이의 최솟값을 구하시오.

### 032 중

오른쪽 그림과 같이 밑면의 반지름의 길이가 4, 모선의 길이가 12인 원뿔에서 모선 AB의 중점을 M이라 하자. 점 B에서 출발하여 원뿔의 옆면을 따라 점 M에 이르는 최단 거리를 구하시오.

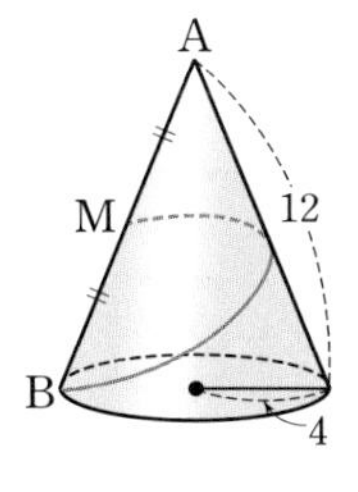


★ 중요

## 유형 06 코사인법칙의 변형

### 033 대표 문제 다시 보기

오른쪽 그림과 같은 삼각형 ABC에서 변 BC 위에 점 D를 잡을 때, $\overline{AB}=8$, $\overline{BD}=6$, $\overline{AD}=6$, $\overline{CD}=2$이다. 이때 $\overline{AC}$의 길이를 구하시오.

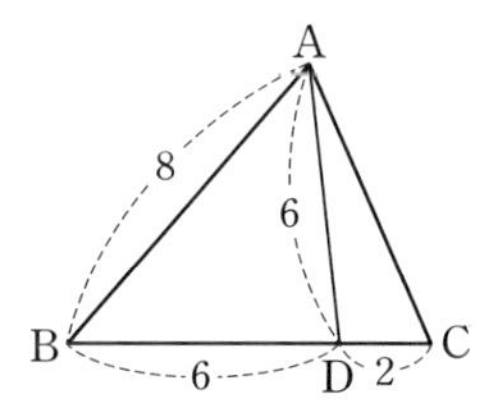


### 034 중

삼각형 ABC에서 $c^2=a^2+b^2+ab$일 때, $\tan C$의 값은?

① $-\sqrt{3}$ ② $-1$ ③ $-\dfrac{\sqrt{3}}{3}$
④ $\dfrac{\sqrt{3}}{3}$ ⑤ $\sqrt{3}$

### 035 중

오른쪽 그림과 같이 $\overline{AB}=2$, $\overline{BC}=4$, $B=60°$인 평행사변형 ABCD의 두 대각선이 이루는 각의 크기를 $\alpha$라 할 때, $\cos\alpha$의 값을 구하시오. (단, $0°<\alpha<90°$)

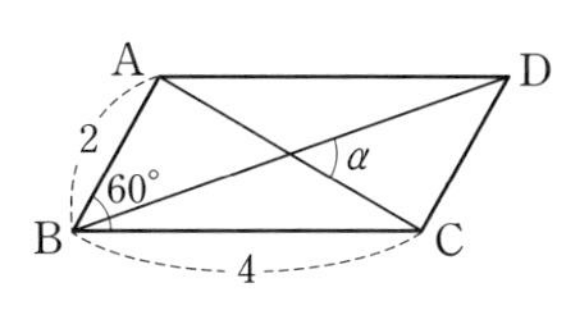


### 036 중

오른쪽 그림과 같이 한 변의 길이가 12인 정사각형 ABCD가 있다. $\overline{AD}$의 중점을 M, $\overline{CD}$를 1 : 2로 내분하는 점을 E, $\angle MBE=\theta$라 할 때, $\cos\theta$의 값을 구하시오.

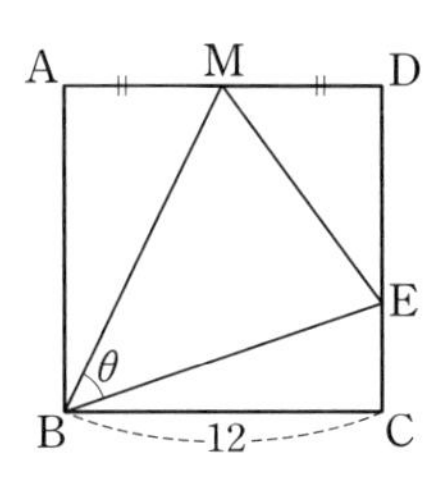

### 037 상

삼각형 ABC에서 $a=4$, $b=6$일 때, $A$의 값이 최대가 되도록 하는 $c$의 값을 구하시오.

## 유형 07 사인법칙과 코사인법칙

### 038 대표 문제 다시 보기

삼각형 ABC에서

$$\sin A : \sin B : \sin C = 7 : 8 : 13$$

일 때, 세 각 중 가장 큰 각의 크기는?

① $45^\circ$　② $60^\circ$　③ $90^\circ$
④ $105^\circ$　⑤ $120^\circ$

### 039 중

삼각형 ABC에서 $b=3$, $c=2$, $A=60^\circ$일 때, 삼각형 ABC의 외접원의 반지름의 길이를 구하시오.

### 040 상

오른쪽 그림과 같이 $\overline{AC}=\sqrt{6}$, $\overline{BC}=\sqrt{3}$, $B=45^\circ$인 삼각형 ABC에서 변 AB 위에 점 D를 잡을 때, $\overline{CD}=\sqrt{2}$이다. 이때 모든 $\overline{AD}$의 길이의 합을 구하시오.

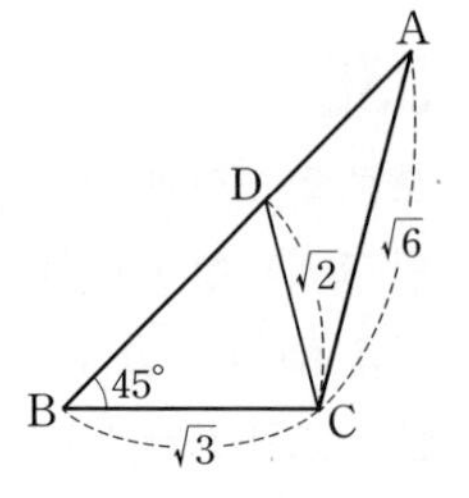


## 유형 08 코사인법칙을 이용한 삼각형의 결정

### 041 대표 문제 다시 보기

삼각형 ABC에서

$$a\cos B + \frac{ab}{c}\cos C + b\cos A = c$$

가 성립할 때, 삼각형 ABC는 어떤 삼각형인가?

① $a=b$인 이등변삼각형
② $b=c$인 이등변삼각형
③ $A=90^\circ$인 직각삼각형
④ $B=90^\circ$인 직각삼각형
⑤ $C=90^\circ$인 직각삼각형

### 042 중

삼각형 ABC에서

$$\sin B = 2\sin A\cos C$$

가 성립할 때, 삼각형 ABC는 어떤 삼각형인지 말하시오.

### 043 상

삼각형 ABC에서

$$\sin A\cos A + \sin(A+B)\cos(A+B) = 0$$

이 성립할 때, 다음 보기 중 삼각형 ABC가 될 수 있는 것만을 있는 대로 고른 것은?

보기
ㄱ. $A=90^\circ$인 직각삼각형　ㄴ. $B=90^\circ$인 직각삼각형
ㄷ. $a=c$인 이등변삼각형　ㄹ. $b=c$인 이등변삼각형

① ㄱ　② ㄴ　③ ㄱ, ㄹ
④ ㄴ, ㄷ　⑤ ㄷ, ㄹ

## 유형 09 코사인법칙의 실생활에의 활용

### 044 대표 문제 다시 보기

오른쪽 그림과 같이 집라인의 출발 지점 A와 도착 지점 B 사이의 거리를 구하기 위해 C 지점에서 측정하였더니 $\overline{AC}=80$ m, $\overline{BC}=120$ m, $\angle ACB=60°$이었다. 이때 두 지점 A, B 사이의 거리는?

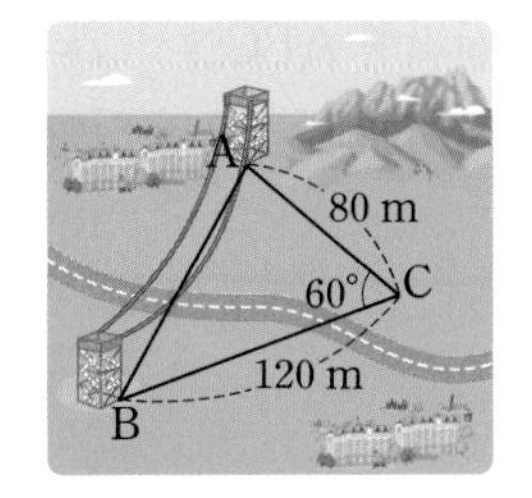


① $42\sqrt{5}$ m  ② 100 m  ③ $40\sqrt{7}$ m
④ 110 m  ⑤ $70\sqrt{3}$ m

### 045 중

오른쪽 그림과 같이 워터파크에 있는 원 모양의 물놀이 시설에 덮개를 만들려고 한다. 덮개의 둘레 위의 세 점 A, B, C를 잡아 거리를 측정하였더니 $\overline{AB}=7$ m, $\overline{BC}=8$ m, $\overline{CA}=13$ m이었다. 이때 덮개의 넓이를 구하시오.

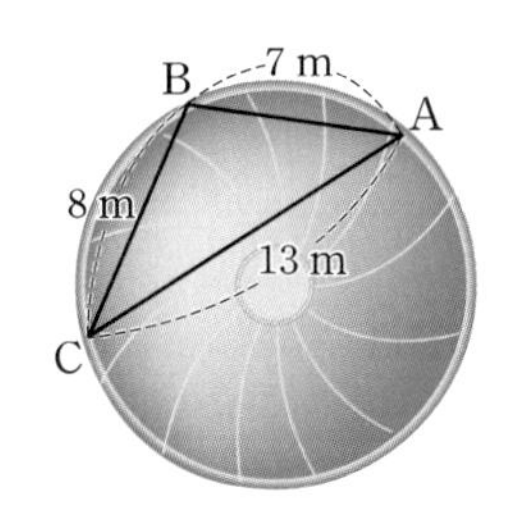


### 046 중

오른쪽 그림과 같이 높이가 각각 30 m, 45 m인 두 건물의 옥상 사이의 거리를 구하려고 한다. C 지점에서 두 지점 A, B를 올려본각의 크기가 모두 60°일 때, 두 지점 A, B 사이의 거리를 구하시오.

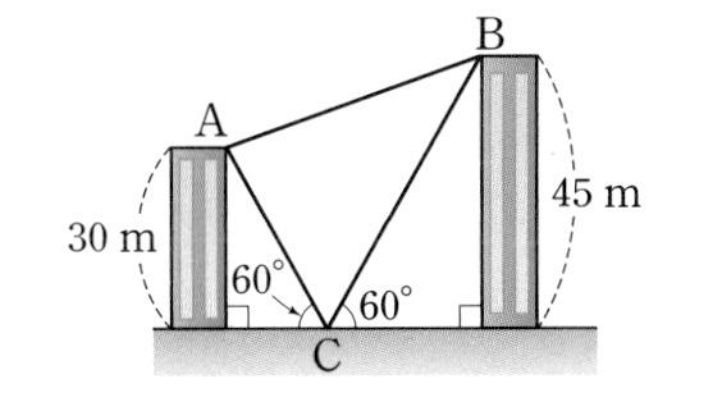


중요

## 유형 10 삼각형의 넓이 (1)

### 047 대표 문제 다시 보기

삼각형 ABC에서 $b=6$, $c=4$이고 넓이가 $6\sqrt{3}$일 때, $a$의 값을 구하시오. (단, $A>90°$)

### 048 하

삼각형 ABC에서 $a=6$, $b=8$, $\sin(A+B)=\frac{1}{3}$일 때, 삼각형 ABC의 넓이는?

① 6  ② 7  ③ 8
④ 9  ⑤ 10

### 049 중

오른쪽 그림과 같이 중심이 점 O이고 반지름의 길이가 18인 원 위의 세 점 A, B, C에 대하여

$\widehat{AB} : \widehat{BC} : \widehat{CA} = 5 : 3 : 4$

일 때, 삼각형 ABC의 넓이는?

① $81(1+\sqrt{3})$  ② $81(2+\sqrt{3})$  ③ $81(3+\sqrt{3})$
④ $81(4+\sqrt{3})$  ⑤ $81(5+\sqrt{3})$

### 050 중

삼각형 ABC에서 $a=4\sqrt{3}$, $b=8$, $C=30°$일 때, 삼각형 ABC의 내접원의 반지름의 길이를 구하시오.

# 핵심유형 완성하기

## 051 중

오른쪽 그림과 같이 $\overline{AB}=10$, $\overline{AC}=6$, $A=120°$인 삼각형 ABC에서 ∠A의 이등분선이 $\overline{BC}$와 만나는 점을 D라 할 때, $\overline{AD}$의 길이를 구하시오.

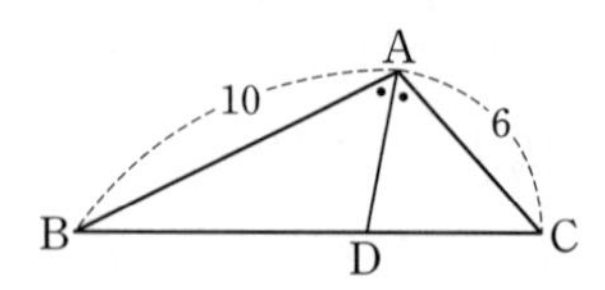


## 052 상

오른쪽 그림의 삼각형 ABC에서 $\overline{AB}=3$, $\overline{AC}=2$, $\overline{BC}=4$이고 사각형 BDEC는 선분 BC를 한 변으로 하는 정사각형일 때, 삼각형 ABD의 넓이는?

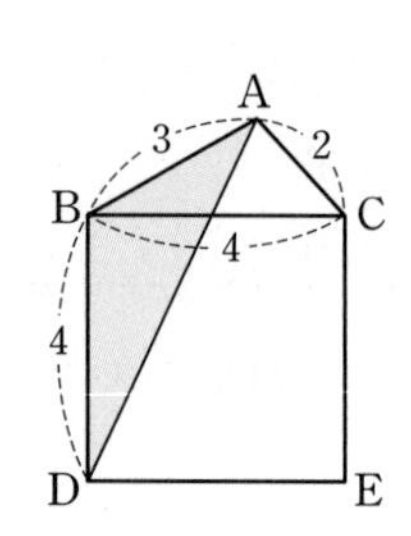

① 5　② $\frac{21}{4}$

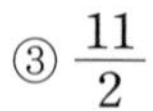

③ $\frac{11}{2}$　④ $\frac{23}{4}$

⑤ 6

## 053 상 신유형

오른쪽 그림과 같이 $\overline{AB}=8$, $\overline{AC}=10$, $A=60°$인 삼각형 ABC에서 $\overline{AB}$, $\overline{AC}$ 위에 각각 점 P, Q를 잡을 때, 삼각형 APQ의 넓이가 삼각형 ABC의 넓이의 $\frac{1}{4}$이 되도록 하는 $\overline{PQ}$의 길이의 최솟값은?

① 4　② $3\sqrt{2}$　③ $2\sqrt{5}$

④ $2\sqrt{6}$　⑤ 5

## 유형 11 삼각형의 넓이 (2)

## 054 대표 문제 다시 보기

삼각형 ABC에서 $a=7$, $b=8$, $c=9$일 때, 삼각형 ABC의 내접원의 반지름의 길이를 구하시오.

## 055 하

반지름의 길이가 3인 원에 내접하는 삼각형 ABC의 넓이가 $2\sqrt{3}$일 때, 삼각형의 세 변의 길이의 곱은?

① $22\sqrt{3}$　② 39　③ 40

④ $24\sqrt{3}$　⑤ $30\sqrt{2}$

## 056 중

삼각형 ABC에서 $\sin A : \sin B : \sin C = 2 : 3 : 3$이고 넓이가 $32\sqrt{2}$일 때, 삼각형 ABC의 둘레의 길이는?

① 28　② 29　③ 30

④ 31　⑤ 32

## 057 중

오른쪽 그림과 같이 반지름의 길이가 3인 원에 세 변의 길이가 각각 $a$, $b$, 5이고 넓이가 10인 삼각형 ABC가 내접한다. 이때 $a+b$의 최솟값을 구하시오.

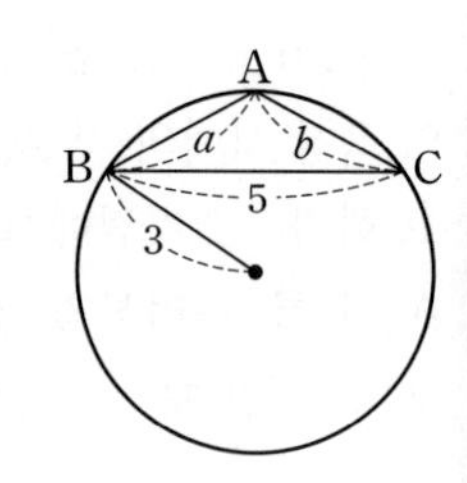

## 유형 12 삼각형의 넓이를 이용하여 사각형의 넓이 구하기

**058** 대표 문제 다시 보기

오른쪽 그림과 같은 사각형 ABCD에서 $\overline{AB}=7$, $\overline{BC}=\overline{CD}=8$, $\overline{DA}=9$이고 $B=120^\circ$일 때, 사각형 ABCD의 넓이를 구하시오.

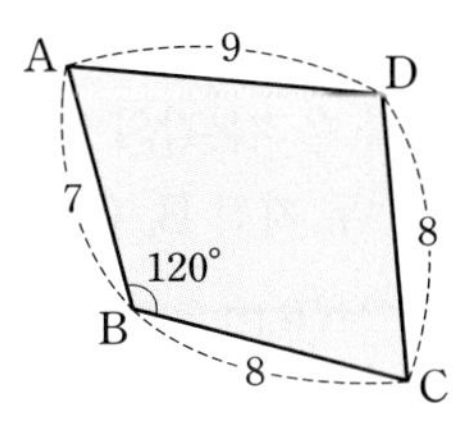


**059** 중

다음 그림과 같은 사각형 ABCD에서 $\overline{AD} /\!/ \overline{BC}$이고 $\overline{AB}=\sqrt{6}$, $\overline{BC}=8$, $\overline{AD}=2\sqrt{3}$, $\angle ADB=45^\circ$일 때, 사각형 ABCD의 넓이는?

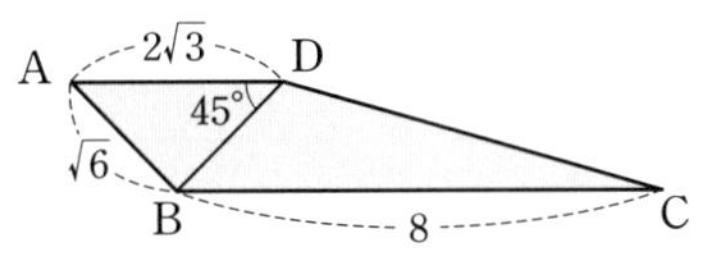


① $3+\sqrt{3}$ ② $3+2\sqrt{3}$ ③ $3+3\sqrt{3}$
④ $3+4\sqrt{3}$ ⑤ $3+5\sqrt{3}$

**060** 중

오른쪽 그림과 같이 원에 내접하는 사각형 ABCD에서 $\overline{AB}=6$, $\overline{BC}=9$, $\overline{CD}=\overline{DA}=3$일 때, 사각형 ABCD의 넓이를 구하시오.

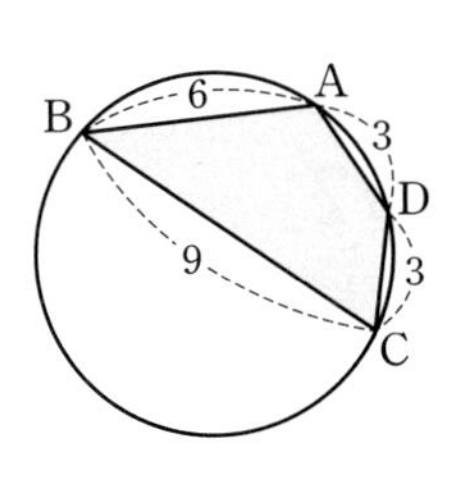


## 유형 13 사각형의 넓이

**061** 대표 문제 다시 보기

$\overline{AB}=4$, $\overline{BC}=5$이고 대각선 BD의 길이가 6인 평행사변형 ABCD의 넓이를 구하시오.

**062** 하

오른쪽 그림과 같이 $\overline{AB}=5$, $\overline{BC}=6$인 평행사변형 ABCD의 넓이가 $15\sqrt{3}$일 때, $C$의 값을 구하시오. (단, $90^\circ < C < 180^\circ$)

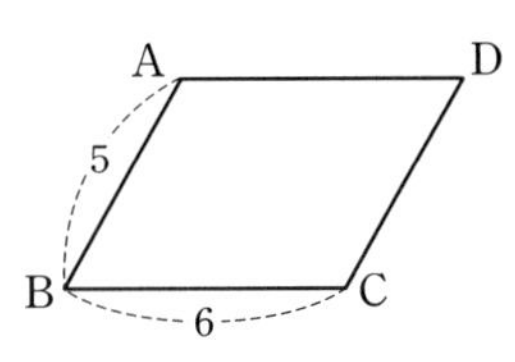


**063** 중

오른쪽 그림과 같은 사각형 ABCD에서 두 대각선의 길이가 각각 4, 6이고 두 대각선이 이루는 각의 크기가 $\theta$이다. $\cos\theta=\frac{1}{4}$일 때, 사각형 ABCD의 넓이는?

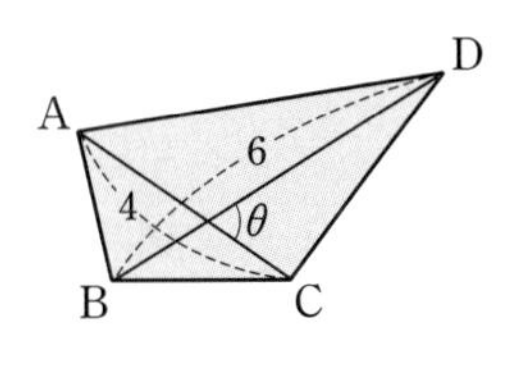


① 11 ② $3\sqrt{15}$ ③ 12
④ $4\sqrt{10}$ ⑤ 13

**064** 상

두 대각선의 길이의 합이 20인 사각형 ABCD의 넓이의 최댓값은?

① 42 ② 44 ③ 46
④ 48 ⑤ 50

## 065

유형 01

오른쪽 그림과 같은 삼각형 ABC에서 $\overline{BC}=6$, $B=105°$, $C=45°$일 때, $\overline{AB}$의 길이는?

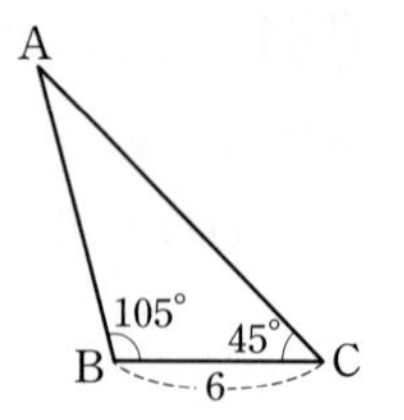


① 8　② $6\sqrt{2}$　③ $5\sqrt{3}$　④ 9　⑤ $7\sqrt{2}$

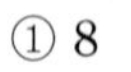

## 066

유형 01

오른쪽 그림과 같이 $A=90°$인 직각삼각형 ABC에서 점 D는 변 AB의 중점이고, $\overline{AB}=\overline{AC}=4$일 때, 삼각형 BCD의 외접원의 넓이는?

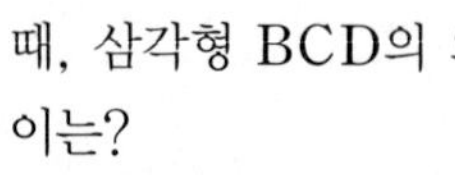

① $8\pi$　② $9\pi$　③ $10\pi$　④ $11\pi$　⑤ $12\pi$

## 067

유형 02

삼각형 ABC의 세 변의 길이 $a$, $b$, $c$에 대하여

$$a-2b+c=0,\ 3a+b-2c=0$$

일 때, $\sin A : \sin B : \sin C$를 가장 간단한 자연수의 비로 나타내시오.

## 068

유형 03

삼각형 ABC에서 $\sin^2 A+\cos^2 B+\sin^2 C=1$이 성립할 때, 삼각형 ABC는 어떤 삼각형인지 말하시오.

## 069

유형 04

오른쪽 그림과 같이 90 m만큼 떨어진 두 지점 A, B에서 지점 C에 떠 있는 비행기를 올려본각의 크기가 각각 45°, 75°일 때, 두 지점 B, C 사이의 거리는?

① $24\sqrt{6}$ m　② $27\sqrt{6}$ m　③ $30\sqrt{6}$ m　④ $33\sqrt{6}$ m　⑤ $36\sqrt{6}$ m

## 070

유형 05

삼각형 ABC에서 $a=7$, $c=3$, $A=120°$일 때, $b$의 값은?

① 5　② $\frac{11}{2}$　③ 6　④ $\frac{13}{2}$　⑤ 7

## 071

유형 05

오른쪽 그림과 같이 원에 내접하는 사각형 ABCD에서 $\overline{AB}=2$, $\overline{BC}=6$, $\overline{CD}=\overline{DA}=4$일 때, $\overline{BD}$의 길이를 구하시오.

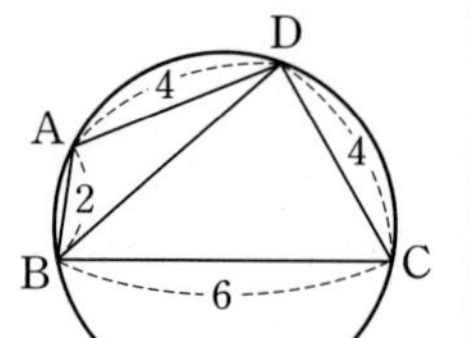


## 072

유형 06

오른쪽 그림과 같이 $\overline{AB}=4$, $\overline{BC}=6$, $\overline{CA}=2\sqrt{7}$인 삼각형 ABC에서 $\overline{BC}$를 1 : 2로 내분하는 점을 D라 할 때, $\overline{AD}$의 길이를 구하시오.

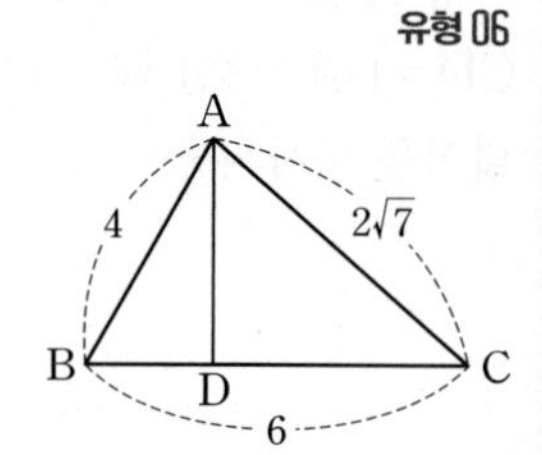

## 073
유형 07

삼각형 ABC에서 $a=4$, $b=5$, $c=6$일 때, 삼각형 ABC의 외접원의 반지름의 길이를 구하시오.

## 074
유형 08

삼각형 ABC에서

$$\sin A+\sin C=\sin B(\cos A+\cos C)$$

가 성립할 때, 삼각형 ABC는 어떤 삼각형인가?

① $a=b$인 이등변삼각형　② $b=c$인 이등변삼각형
③ $A=90°$인 직각삼각형　④ $B=90°$인 직각삼각형
⑤ $C=90°$인 직각삼각형

## 075
유형 09

오른쪽 그림과 같이 A 지점에서 지면과 수직으로 물로켓을 쏘아 올리고 최고 높이 $\overline{PA}$를 측정하기 위해 10 m 떨어진 두 지점 B, C에서 각도를 측정하였더니 $\angle ABC=120°$, $\angle PBA=45°$, $\angle PCA=30°$이었다. 이때 물로켓의 최고 높이를 구하시오.

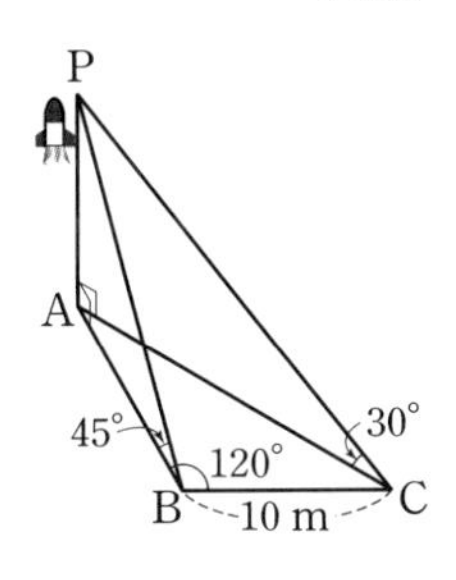


## 076
유형 10

오른쪽 그림과 같이 반지름의 길이가 8인 원에 내접하는 삼각형 ABC에서 $B=\frac{\pi}{3}$일 때, 색칠한 부분의 넓이를 구하시오.

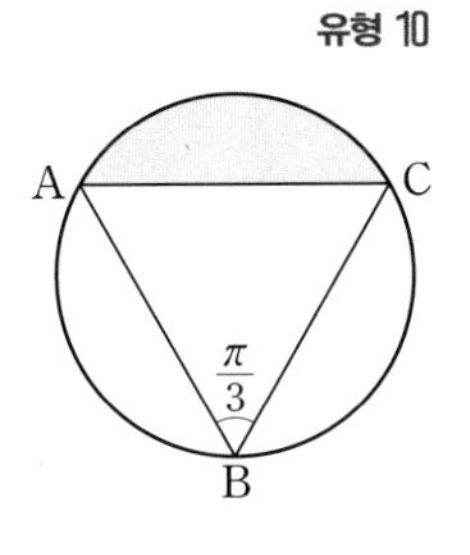


## 077
유형 10

오른쪽 그림과 같이 원에 내접하는 사각형 ABCD에서 $\overline{AD}=3$, $\overline{BC}=2$, $\overline{CD}=4$이고 삼각형 ACD의 넓이가 $4\sqrt{2}$일 때, $\overline{AB}$의 길이는? (단, $0°<D<90°$)

① $2\sqrt{2}$　② 3
③ $\sqrt{10}$　④ $2\sqrt{3}$
⑤ 4

## 078
유형 12

오른쪽 그림과 같은 사각형 ABCD에서 $\overline{AB}=3$, $\overline{BC}=6$, $\overline{CD}=2$이고 $B=60°$, $C=75°$일 때, 사각형 ABCD의 넓이를 구하시오.

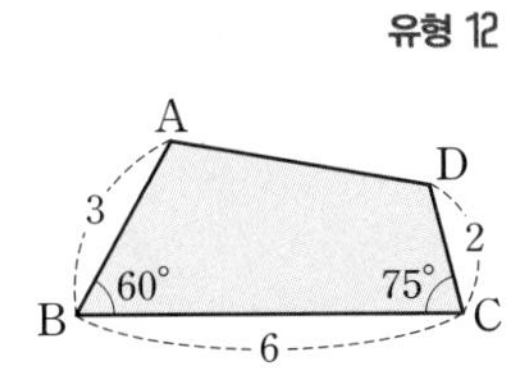


## 079
유형 13

오른쪽 그림과 같은 사각형 ABCD에서 $B=C=90°$, $\overline{AB}=\overline{BC}=6$, $\overline{CD}=12$이다. 두 대각선 AC, BD가 이루는 각의 크기를 $\theta$라 할 때, $\cos\theta$의 값을 구하시오.

(단, $0°<\theta<90°$)

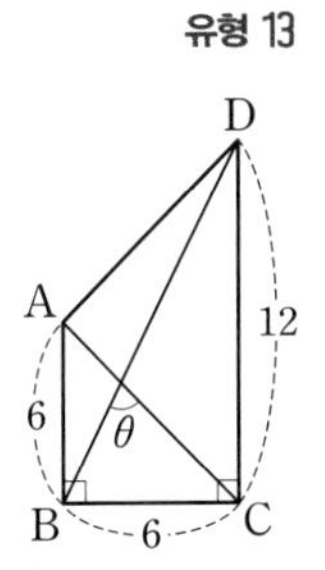

# 등차수열과 등비수열

유형 01 등차수열의 일반항

유형 02 등차수열에서 조건을 만족시키는 항

유형 03 두 수 사이에 수를 넣어 만든 등차수열

유형 04 등차중항

유형 05 등차수열을 이루는 수

유형 06 등차수열의 합

유형 07 두 수 사이에 수를 넣어 만든 등차수열의 합

유형 08 부분의 합이 주어진 등차수열의 합

유형 09 등차수열의 합의 최대, 최소

유형 10 나머지가 같은 자연수의 합

유형 11 등차수열의 합의 활용

유형 12 등차수열의 합과 일반항 사이의 관계

유형 13 등비수열의 일반항

유형 14 등비수열에서 조건을 만족시키는 항

유형 15 두 수 사이에 수를 넣어 만든 등비수열

유형 16 등비중항

유형 17 등비수열을 이루는 수

유형 18 등비수열의 활용

유형 19 등비수열의 합

유형 20 부분의 합이 주어진 등비수열의 합

유형 21 등비수열의 합의 활용

유형 22 등비수열의 합과 일반항 사이의 관계

유형 23 원리합계

# 등차수열과 등비수열

★ 중요

## 유형 01 | 등차수열의 일반항

(1) 첫째항이 $a$, 공차가 $d$인 등차수열의 일반항 $a_n$은

$$a_n=a+(n-1)d\ (n=1,\ 2,\ 3,\ \cdots)$$

예 첫째항이 2, 공차가 3인 등차수열의 일반항 $a_n$은 $a_n=2+(n-1)\times 3=3n-1$

(2) 등차수열 $\{a_n\}$의 일반항 $a_n$을 구할 때에는 첫째항을 $a$, 공차를 $d$로 놓고 주어진 조건을 이용하여 $a$, $d$에 대한 방정식을 세운다.

대표 문제

**001** 등차수열 $\{a_n\}$에서 $a_2=44$, $a_7=9$일 때, $a_{15}$의 값은?

① $-54$ ② $-50$ ③ $-47$ ④ $-43$ ⑤ $-40$

## 유형 02 | 등차수열에서 조건을 만족시키는 항

첫째항이 $a$, 공차가 $d$인 등차수열 $\{a_n\}$에서

(1) 처음으로 $k$보다 커지는 항

➡ $a_n=a+(n-1)d>k$를 만족시키는 자연수 $n$의 최솟값을 구한다.

(2) 처음으로 $k$보다 작아지는 항

➡ $a_n=a+(n-1)d<k$를 만족시키는 자연수 $n$의 최솟값을 구한다.

대표 문제

**002** 첫째항이 $-32$이고 공차가 3인 등차수열 $\{a_n\}$에서 처음으로 양수가 되는 항은 제몇 항인가?

① 제10항 ② 제11항 ③ 제12항 ④ 제13항 ⑤ 제14항

## 유형 03 | 두 수 사이에 수를 넣어 만든 등차수열

두 수 $a$와 $b$ 사이에 $k$개의 수를 넣어 등차수열을 만들면 첫째항이 $a$, 제$(k+2)$항이 $b$이다.

➡ $b=a+(k+1)d$ (단, $d$는 공차)

대표 문제

**003** 네 수 9, $x$, $y$, 27이 이 순서대로 등차수열을 이룰 때, $x+y$의 값을 구하시오.

★ 중요

## 유형 04 | 등차중항

세 수 $a$, $b$, $c$가 이 순서대로 등차수열을 이룰 때, $b$를 $a$와 $c$의 등차중항이라 한다. 이때 $b-a=c-b$이므로

$$2b=a+c \iff b=\frac{a+c}{2}$$

대표 문제

**004** 세 수 $a$, $a^2$, $a^2+2$가 이 순서대로 등차수열을 이룰 때, 양수 $a$의 값은?

① $\frac{1}{4}$ ② $\frac{1}{2}$ ③ 1 ④ 2 ⑤ 4

## 유형 05 | 등차수열을 이루는 수

(1) 세 수가 등차수열을 이루면
➡ 세 수를 $a-d$, $a$, $a+d$로 놓고 주어진 조건을 이용하여 식을 세운다.

(2) 네 수가 등차수열을 이루면
➡ 네 수를 $a-3d$, $a-d$, $a+d$, $a+3d$로 놓고 주어진 조건을 이용하여 식을 세운다.

대표 문제

**005** 등차수열을 이루는 세 수의 합이 18이고 제곱의 합이 140일 때, 세 수의 곱을 구하시오.

★ 중요

## 유형 06 | 등차수열의 합

첫째항이 $a$, 제$n$항이 $l$, 공차가 $d$인 등차수열의 첫째항부터 제$n$항까지의 합을 $S_n$이라 하면

(1) 첫째항과 제$n$항이 주어질 때
➡ $S_n=\dfrac{n(a+l)}{2}$

(2) 첫째항과 공차가 주어질 때
➡ $S_n=\dfrac{n\{2a+(n-1)d\}}{2}$

대표 문제

**006** $a_2=5$, $a_8=17$인 등차수열 $\{a_n\}$의 첫째항부터 제15항까지의 합은?

① 250 ② 255 ③ 260 ④ 265 ⑤ 270

## 유형 07 | 두 수 사이에 수를 넣어 만든 등차수열의 합

두 수 $a$와 $b$ 사이에 $k$개의 수를 넣어 만든 등차수열의 합을 $S_n$이라 하면 $S_n$은 첫째항이 $a$, 끝항이 $b$, 항수가 $k+2$인 등차수열의 합이다.

➡ $S_n=\dfrac{(k+2)(a+b)}{2}$

대표 문제

**007** 두 수 2와 74 사이에 $m$개의 수를 넣어 만든 수열

$2,\ a_1,\ a_2,\ a_3,\ \cdots,\ a_m,\ 74$

가 이 순서대로 등차수열을 이룬다. 이 수열의 모든 항의 합이 950일 때, $m$의 값을 구하시오.

## 유형 08 | 부분의 합이 주어진 등차수열의 합

첫째항이 $a$, 공차가 $d$인 등차수열에서 첫째항부터 제$k$항까지의 합은 다음과 같은 순서로 구한다.

(1) 첫째항부터 제$n$항까지의 합을 $S_n$이라 하면

$$S_n=\frac{n\{2a+(n-1)d\}}{2}$$

임을 이용하여 $a$, $d$에 대한 방정식을 세운다.

(2) (1)의 식을 연립하여 $a$, $d$의 값을 구한다.

(3) $S_k$의 값을 구한다.

대표 문제

**008** 등차수열 $\{a_n\}$의 첫째항부터 제$n$항까지의 합을 $S_n$이라 할 때, $S_{10}=80$, $S_{20}=360$이다. 이때 $S_{30}$의 값은?

① 800 ② 820 ③ 840 ④ 860 ⑤ 880

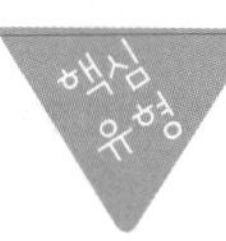

# 08 등차수열과 등비수열

정답과 해설 83쪽

★ 중요

## 유형 09 | 등차수열의 합의 최대, 최소

(1) 등차수열의 합의 최댓값
➡ (첫째항)>0, (공차)<0인 경우 제$(k+1)$항에서 처음으로 음수가 나오면 첫째항부터 제$k$항까지의 합이 최대이다.

(2) 등차수열의 합의 최솟값
➡ (첫째항)<0, (공차)>0인 경우 제$(k+1)$항에서 처음으로 양수가 나오면 첫째항부터 제$k$항까지의 합이 최소이다.

대표 문제

**009** 첫째항이 $-22$이고 공차가 4인 등차수열 $\{a_n\}$의 첫째항부터 제$n$항까지의 합을 $S_n$이라 할 때, $S_n$의 최솟값을 구하시오.

## 유형 10 | 나머지가 같은 자연수의 합

(1) 자연수 $d$로 나누었을 때의 나머지가 $a\,(0<a<d)$인 자연수를 작은 것부터 차례대로 나열하면

$a,\ a+d,\ a+2d,\ a+3d,\ \cdots$

➡ 첫째항이 $a$, 공차가 $d$인 등차수열

(2) 자연수 $d$로 나누어떨어지는 자연수를 작은 것부터 차례대로 나열하면

$d,\ 2d,\ 3d,\ 4d,\ \cdots$

➡ 첫째항과 공차가 모두 $d$인 등차수열

대표 문제

**010** 두 자리의 자연수 중에서 6으로 나누었을 때의 나머지가 5인 수의 총합은?

① 636 ② 689 ③ 742 ④ 795 ⑤ 848

## 유형 11 | 등차수열의 합의 활용

주어진 상황에서 등차수열을 찾아 등차수열의 합에 대한 식을 세운다.

대표 문제

**011** 연속하는 30개의 자연수의 합이 645일 때, 30개의 자연수 중에서 가장 작은 수를 구하시오.

★ 중요

## 유형 12 | 등차수열의 합과 일반항 사이의 관계

수열 $\{a_n\}$의 첫째항부터 제$n$항까지의 합 $S_n$이 주어지면

(i) $n\geq 2$일 때, $a_n=S_n-S_{n-1}$

(ii) $n=1$일 때, $a_1=S_1$

임을 이용하여 일반항 $a_n$을 구한다.

참고 $S_n$과 $a_n$ 사이의 관계는 등차수열뿐만 아니라 모든 수열에서 성립한다.

대표 문제

**012** 수열 $\{a_n\}$의 첫째항부터 제$n$항까지의 합 $S_n$이 $S_n=3n^2-n+1$일 때, $a_1+a_{10}$의 값은?

① 58 ② 59 ③ 60 ④ 61 ⑤ 62

★중요

## 유형 01 등차수열의 일반항

### 013 대표 문제 다시 보기

등차수열 $\{a_n\}$에서 $a_{13}=-58$, $a_{21}=-98$일 때, $a_{33}$의 값을 구하시오.

### 014 하

다음 등차수열의 제30항은?

$$-2,\quad 3,\quad 8,\quad 13,\quad \cdots$$

① 128 ② 133 ③ 138
④ 143 ⑤ 148

### 015 중

첫째항이 3인 등차수열 $\{a_n\}$에서 $4(a_2+a_3)=a_{10}$일 때, 이 수열의 공차는?

① $-9$ ② $-8$ ③ $-7$
④ $-6$ ⑤ $-5$

### 016 중

등차수열 $\{a_n\}$에서 $a_2=\log 12$, $a_4=\log 48$일 때, 이 수열의 일반항 $a_n$을 구하시오.

### 017 중

두 등차수열 $\{a_n\}$, $\{b_n\}$의 공차가 각각 $d_1$, $d_2$일 때, 다음 보기 중 옳은 것만을 있는 대로 고르시오.

보기
ㄱ. 수열 $\{a_{2n}\}$은 공차가 $2d_1$인 등차수열이다.
ㄴ. 수열 $\{b_n^2\}$은 공차가 $d_2^2$인 등차수열이다.
ㄷ. 수열 $\{a_n+b_n\}$은 공차가 $d_1+d_2$인 등차수열이다.

### 018 중

등차수열 $\{a_n\}$에서 $a_3+a_{12}=25$, $a_{10}-a_4=30$일 때, 60은 제몇 항인가?

① 제15항 ② 제16항 ③ 제17항
④ 제18항 ⑤ 제19항

### 019 중

공차가 $-3$인 등차수열 $\{a_n\}$의 제15항이 $-25$이다. 수열 $\{b_n\}$에 대하여 $b_n=a_{2n}$일 때, $b_6$의 값은?

① $-18$ ② $-16$ ③ $-14$
④ $-12$ ⑤ $-10$

### 020 상

공차가 양수인 등차수열 $\{a_n\}$이 다음 조건을 모두 만족시킬 때, $a_4$의 값을 구하시오.

(가) $a_5+a_7=0$
(나) $|a_3|+|a_8|=15$

## 유형 02 등차수열에서 조건을 만족시키는 항

**021** 대표 문제 다시 보기

첫째항이 7이고 공차가 $-\frac{3}{4}$인 등차수열 $\{a_n\}$에서 처음으로 음수가 되는 항은 제몇 항인지 구하시오.

**022** 중

등차수열 $\{a_n\}$에서 제3항과 제7항은 절댓값이 같고 부호가 반대이며 제10항은 20일 때, $a_n>100$을 만족시키는 자연수 $n$의 최솟값은?

① 28 ② 29 ③ 30
④ 31 ⑤ 32

**023** 중

첫째항이 19인 등차수열 $\{a_n\}$에서 $a_{11}=-11$일 때, $|a_n|$의 최솟값을 구하시오.

**024** 상

두 등차수열 $\{a_n\}$, $\{b_n\}$이

$\{a_n\}$: $5, \frac{14}{3}, \frac{13}{3}, 4, \frac{11}{3}, \cdots,$

$\{b_n\}$: $-15, -\frac{29}{2}, -14, -\frac{27}{2}, -13, \cdots$

일 때, 수열 $\{b_n-a_n\}$이 처음으로 양수가 되는 항은 제몇 항인가?

① 제24항 ② 제25항 ③ 제26항
④ 제27항 ⑤ 제28항

## 유형 03 두 수 사이에 수를 넣어 만든 등차수열

**025** 대표 문제 다시 보기

여섯 개의 수 $6, x, y, z, w, -14$가 이 순서대로 등차수열을 이룰 때, $\frac{zw}{x^2+y^2}$의 값을 구하시오.

**026** 중

두 수 $-7$과 17 사이에 $m$개의 수를 넣어 만든 수열

$-7, a_1, a_2, a_3, \cdots, a_m, 17$

이 이 순서대로 공차가 $\frac{2}{3}$인 등차수열을 이룰 때, $m$의 값을 구하시오.

**027** 중

두 수 13과 103 사이에 $m$개의 수를 넣어 만든 수열

$13, a_1, a_2, a_3, \cdots, a_m, 103$

이 이 순서대로 등차수열을 이룬다. 다음 중 이 수열의 공차가 될 수 없는 것은?

① 3 ② 4 ③ 6
④ 9 ⑤ 10

**028** 중

두 등차수열 $\{a_n\}$, $\{b_n\}$과 서로 다른 두 수 $x$, $y$에 대하여 두 수열 $\{c_n\}$, $\{d_n\}$이

$\{c_n\}$: $x, a_1, a_2, a_3, a_4, a_5, y,$

$\{d_n\}$: $x, b_1, b_2, b_3, y$

이고 수열 $\{c_n\}$, $\{d_n\}$이 각각 이 순서대로 등차수열을 이룰 때, $\frac{b_3-b_2}{a_5-a_4}$의 값을 구하시오.

★ 중요

## 유형 04 등차중항

### 029 대표 문제 다시 보기

세 수 $a-1$, $a^2+1$, $3a+1$이 이 순서대로 등차수열을 이룰 때, $a$의 값은?

① $-2$ ② $-1$ ③ 1
④ 2 ⑤ 3

### 030 중

오른쪽 그림에서 가로줄과 세로줄에 있는 세 수가 각각 화살표 방향의 순서대로 등차수열을 이룬다. 예를 들어 6, $a$, 10과 10, 7, $d$가 각각 이 순서대로 등차수열을 이룬다. 이때 $a-b+c-d$의 값을 구하시오.

| 6 | $a$ | 10 |
|---|---|---|
| $b$ | 5 | 7 |
| 0 | $c$ | $d$ |

### 031 중

자연수 $a$, $b$에 대하여 네 수 $\log_2 3$, $\log_2 a$, $\log_2 12$, $\log_2 b$가 이 순서대로 등차수열을 이룰 때, $b-a$의 값은?

① 10 ② 12 ③ 14
④ 16 ⑤ 18

### 032 중

다항식 $f(x)=x^2+ax+b$를 $x-1$, $x+1$, $x+2$로 나누었을 때의 나머지가 이 순서대로 등차수열을 이루고, $f(x)$는 $x-2$로 나누어떨어진다. 이때 상수 $a$, $b$에 대하여 $ab$의 값을 구하시오.

### 033 중

직각삼각형의 세 변의 길이 $a$, $b$, 10이 이 순서대로 등차수열을 이룰 때, 이 직각삼각형의 넓이를 구하시오.

(단, $a<b<10$)

## 유형 05 등차수열을 이루는 수

### 034 대표 문제 다시 보기

등차수열을 이루는 세 수의 합이 12이고 곱이 48일 때, 세 수의 제곱의 합은?

① 52 ② 54 ③ 56
④ 58 ⑤ 60

### 035 중

삼차방정식 $x^3+3x^2+px+q=0$의 세 실근이 등차수열을 이룰 때, 실수 $p$, $q$에 대하여 $p-q$의 값을 구하시오.

### 036 중

등차수열을 이루는 네 수의 합이 8이고, 가운데 두 수의 곱은 가장 작은 수와 가장 큰 수의 곱보다 8이 클 때, 네 수 중 가장 작은 수를 구하시오.

## 037 상

오른쪽 그림과 같이 $\overline{BC}=9\sqrt{5}$, $\angle B=90°$인 직각삼각형 ABC의 꼭짓점 B에서 빗변 AC에 내린 수선의 발을 D라 하자. 세 선분 AD, CD, AB의 길이가 이 순서대로 등차수열을 이룰 때, 직각삼각형 ABC의 넓이를 구하시오.

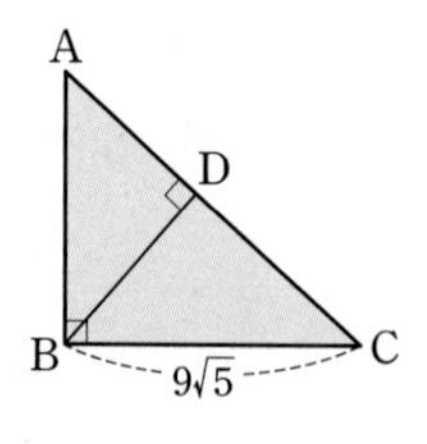


★ 중요

### 유형 06 등차수열의 합

## 038 대표 문제 다시 보기

$a_4=7$, $a_{20}-a_{10}=30$인 등차수열 $\{a_n\}$의 첫째항부터 제12항까지의 합은?

① 170 ② 172 ③ 174
④ 176 ⑤ 178

## 039 중

다음 등차수열의 합은?

| 26, 23, 20, ⋯, −16 |
|---|

① 63 ② 66 ③ 69
④ 72 ⑤ 75

## 040 중

첫째항이 8이고 제$k$항이 $-30$인 등차수열 $\{a_n\}$의 첫째항부터 제$k$항까지의 합이 $-220$일 때, 이 수열의 공차를 구하시오.

## 041 중

$a_3=3$, $a_7=3a_5$인 등차수열 $\{a_n\}$의 첫째항부터 제$n$항까지의 합을 $S_n$이라 할 때, $S_n<0$을 만족시키는 자연수 $n$의 최솟값을 구하시오.

## 042 중

두 등차수열 $\{a_n\}$, $\{b_n\}$에 대하여 $a_1+b_1=10$이고

$$(a_1+a_2+a_3+\cdots+a_9)+(b_1+b_2+b_3+\cdots+b_9)=54$$

일 때, $a_9+b_9$의 값은?

① $-4$ ② $-2$ ③ 0
④ 2 ⑤ 4

## 043 상

$a_1=43$, $a_{10}=7$인 등차수열 $\{a_n\}$에 대하여 $|a_1|+|a_2|+|a_3|+\cdots+|a_{15}|$의 값을 구하시오.

## 유형 07 두 수 사이에 수를 넣어 만든 등차수열의 합

### 044 대표 문제 다시 보기

두 수 6과 48 사이에 $m$개의 수를 넣어 만든 수열

$6,\ a_1,\ a_2,\ a_3,\ \cdots,\ a_m,\ 48$

이 이 순서대로 등차수열을 이룬다. 이 수열의 모든 항의 합이 594일 때, $m$의 값은?

① 20　② 21　③ 22　④ 23　⑤ 24

### 045 중

두 수 5와 $-33$ 사이에 18개의 수를 넣어 만든 수열

$5,\ a_1,\ a_2,\ a_3,\ \cdots,\ a_{18},\ -33$

이 이 순서대로 등차수열을 이룰 때, $a_1+a_2+a_3+\cdots+a_{18}$의 값을 구하시오.

### 046 중

두 수 $-4$와 50 사이에 $m$개의 수를 넣어 만든 수열

$-4,\ a_1,\ a_2,\ a_3,\ \cdots,\ a_m,\ 50$

이 이 순서대로 등차수열을 이루고 $a_1+a_2+a_3+\cdots+a_m=391$일 때, $m$의 값은?

① 15　② 16　③ 17　④ 18　⑤ 19

## 유형 08 부분의 합이 주어진 등차수열의 합

### 047 대표 문제 다시 보기

등차수열 $\{a_n\}$의 첫째항부터 제$n$항까지의 합을 $S_n$이라 할 때, $S_5=-5,\ S_{15}=-165$이다. 이때 $S_{25}$의 값을 구하시오.

### 048 중

등차수열 $\{a_n\}$의 첫째항부터 제$n$항까지의 합을 $S_n$이라 할 때, $S_4=34,\ S_8=116$이다. 이때 $a_9+a_{10}+a_{11}+\cdots+a_{20}$의 값은?

① 533　② 534　③ 535　④ 536　⑤ 537

### 049 중

등차수열 $\{a_n\}$이 다음 조건을 모두 만족시킬 때, $a_6+a_7+a_8+\cdots+a_{15}$의 값을 구하시오.

(가) $a_1+a_2+a_3+\cdots+a_{10}=-15$
(나) $a_{11}+a_{12}+a_{13}+\cdots+a_{20}=-115$

★ 중요

## 유형 09 등차수열의 합의 최대, 최소

**050** 대표 문제 다시 보기

첫째항이 21이고 공차가 $-2$인 등차수열 $\{a_n\}$의 첫째항부터 제$n$항까지의 합을 $S_n$이라 할 때, $S_n$의 최댓값을 구하시오.

**051** 중

$a_1=-13$, $a_{12}=9$인 등차수열 $\{a_n\}$의 첫째항부터 제$k$항까지의 합이 최소이고, 그때의 최솟값이 $m$일 때, $k+m$의 값은?

① $-42$ ② $-40$ ③ $-38$
④ $-36$ ⑤ $-34$

**052** 중

첫째항이 $-9$인 등차수열 $\{a_n\}$의 첫째항부터 제$n$항까지의 합을 $S_n$이라 할 때, $S_3=S_7$이다. 이때 $S_n$의 값이 최소가 되는 자연수 $n$의 값을 구하시오.

**053** 상

첫째항이 21이고 공차가 정수인 등차수열 $\{a_n\}$의 첫째항부터 제$n$항까지의 합을 $S_n$이라 할 때, $S_1$, $S_2$, $S_3$, $\cdots$ 중에서 최댓값은 $S_{11}$이다. 이때 $S_{20}$의 값은? (단, $a_n\neq0$)

① 32 ② 34 ③ 36
④ 38 ⑤ 40

## 유형 10 나머지가 같은 자연수의 합

**054** 대표 문제 다시 보기

두 자리의 자연수 중에서 7로 나누었을 때의 나머지가 3인 수의 총합을 구하시오.

**055** 중

50 이상 100 이하의 자연수 중에서 2 또는 3으로 나누어떨어지는 수의 총합은?

① 2605 ② 2615 ③ 2625
④ 2635 ⑤ 2645

**056** 상

두 집합

$A=\{x\,|\,x=3n+2,\ n$은 자연수$\}$,
$B=\{y\,|\,y=5n+1,\ n$은 자연수$\}$

에 대하여 집합 $A\cap B$의 원소를 작은 것부터 차례대로 나열한 수열을 $\{a_n\}$이라 하자. 이때 $a_1+a_2+a_3+\cdots+a_8$의 값을 구하시오.

## 유형 11 등차수열의 합의 활용

**057** 대표 문제 다시 보기

연속하는 15개의 자연수의 합이 315일 때, 15개의 자연수 중에서 가장 큰 수는?

① 25 ② 26 ③ 27
④ 28 ⑤ 29

## 058 중

어떤 $n$각형의 내각의 크기는 공차가 $20°$인 등차수열을 이룬다고 한다. 가장 작은 내각의 크기가 $70°$일 때, $n$의 값을 구하시오. (단, 한 내각의 크기는 $180°$보다 작다.)

## 059 상

오른쪽 그림은 두 곡선 $y=x^2+ax+b$, $y=x^2$의 교점에서 오른쪽 방향으로 두 곡선 사이에 $y$축과 평행한 선분 10개를 일정한 간격으로 그은 것이다. 이 선분 10개 중 가장 짧은 선분의 길이는 1이고, 가장 긴 선분의 길이는 5일 때, 10개의 선분의 길이의 합을 구하시오.

(단, $a>0$이고 $a$, $b$는 상수)

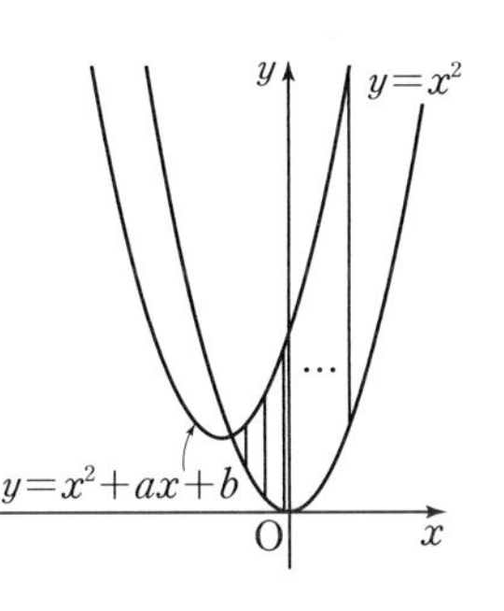


★중요

### 유형 12 등차수열의 합과 일반항 사이의 관계

## 060 대표 문제 다시 보기

수열 $\{a_n\}$의 첫째항부터 제$n$항까지의 합 $S_n$이 $S_n=-2n^2+3n+1$일 때, $a_1+a_3+a_5$의 값은?

① $-20$　② $-18$　③ $-16$　④ $-14$　⑤ $-12$

## 061 중

수열 $\{a_n\}$의 첫째항부터 제$n$항까지의 합 $S_n$이 $S_n=-2n^2+9n$일 때, $a_n>0$을 만족시키는 자연수 $n$의 개수는?

① 1　② 2　③ 3　④ 4　⑤ 5

## 062 중

수열 $\{a_n\}$의 첫째항부터 제$n$항까지의 합 $S_n$이 다항식 $x^2+3x$를 일차식 $x+n$으로 나누었을 때의 나머지와 같을 때, $a_k=18$을 만족시키는 자연수 $k$의 값을 구하시오.

## 063 중

첫째항부터 제$n$항까지의 합이 각각 $n^2+kn$, $-2n^2+23n$인 두 수열 $\{a_n\}$, $\{b_n\}$에서 $a_4=b_4$일 때, 상수 $k$의 값은?

① $-2$　② $-1$　③ 1　④ 2　⑤ 3

## 064 중

수열 $\{a_n\}$의 첫째항부터 제$n$항까지의 합 $S_n$이 $S_n=-n^2+7n$일 때, $a_2+a_4+a_6+\cdots+a_{2k}=-140$을 만족시키는 자연수 $k$의 값을 구하시오.

# 등차수열과 등비수열

★ 중요

## 유형 13 | 등비수열의 일반항

(1) 첫째항이 $a$, 공비가 $r$인 등비수열의 일반항 $a_n$은

$a_n=ar^{n-1}$ ($n=1, 2, 3, \cdots$)

예 첫째항이 2, 공비가 3인 등비수열의 일반항 $a_n$은

$a_n=2\times3^{n-1}$

(2) 등비수열 $\{a_n\}$의 일반항 $a_n$을 구할 때에는 첫째항을 $a$, 공비를 $r$로 놓고 주어진 조건을 이용하여 $a$, $r$에 대한 방정식을 세운다.

대표 문제

**065** 공비가 양수인 등비수열 $\{a_n\}$에서 $a_3=3$, $a_5=12$일 때, $a_8$의 값은?

① 80 ② 84 ③ 88
④ 92 ⑤ 96

## 유형 14 | 등비수열에서 조건을 만족시키는 항

첫째항이 $a$, 공비가 $r$인 등비수열 $\{a_n\}$에서

(1) 처음으로 $k$보다 커지는 항

➡ $a_n=ar^{n-1}>k$를 만족시키는 자연수 $n$의 최솟값을 구한다.

(2) 처음으로 $k$보다 작아지는 항

➡ $a_n=ar^{n-1}<k$를 만족시키는 자연수 $n$의 최솟값을 구한다.

대표 문제

**066** $a_2=9$, $a_5=243$인 등비수열 $\{a_n\}$에서 처음으로 3000보다 커지는 항은 제몇 항인가?

① 제7항 ② 제8항 ③ 제9항
④ 제10항 ⑤ 제11항

## 유형 15 | 두 수 사이에 수를 넣어 만든 등비수열

두 수 $a$와 $b$ 사이에 $k$개의 수를 넣어 등비수열을 만들면 첫째항이 $a$, 제$(k+2)$항이 $b$이다.

➡ $b=ar^{k+1}$ (단, $r$는 공비)

대표 문제

**067** 두 수 6과 96 사이에 3개의 양수를 넣어 만든 수열

$6, x, y, z, 96$

이 이 순서대로 등비수열을 이룰 때, $x+y+z$의 값을 구하시오.

★ 중요

## 유형 16 | 등비중항

세 수 $a$, $b$, $c$가 이 순서대로 등비수열을 이룰 때, $b$를 $a$와 $c$의 등비중항이라 한다. 이때 $\frac{b}{a}=\frac{c}{b}$이므로

$b^2=ac$

대표 문제

**068** 세 수 $a$, 4, $b$가 이 순서대로 등차수열을 이루고 세 수 $a$, 3, $b$가 이 순서대로 등비수열을 이룰 때, $a^2+b^2$의 값은?

① 40 ② 42 ③ 44
④ 46 ⑤ 48

## 유형 17 | 등비수열을 이루는 수

(1) 세 수가 등비수열을 이루면
➡ 세 수를 $a$, $ar$, $ar^2$으로 놓고 주어진 조건을 이용하여 식을 세운다.

(2) 네 수가 등비수열을 이루면
➡ 네 수를 $a$, $ar$, $ar^2$, $ar^3$으로 놓고 주어진 조건을 이용하여 식을 세운다.

대표 문제

**069** 삼차방정식 $x^3-19x^2+114x+k=0$의 세 실근이 등비수열을 이룰 때, 실수 $k$의 값은?

① $-432$ ② $-216$ ③ $-108$
④ $-36$ ⑤ $-18$



★중요

## 유형 18 | 등비수열의 활용

(1) 도형의 길이, 넓이, 부피 등이 일정한 비율로 변할 때에는 처음 몇 개의 항을 나열하여 규칙을 찾은 후 일반항을 구한다.

(2) 처음의 양을 $a$, 매회(또는 매년) 증가율을 $r$라 할 때, $n$회(또는 $n$년) 후의 양은 $a(1+r)^n$임을 이용한다.

대표 문제

**070** 한 변의 길이가 1인 정삼각형이 있다. 오른쪽 그림과 같이 첫 번째 시행에서 정삼각형의 각 변의 중점을 이어 만든 정삼각형을 제거한다. 두 번째 시행에서는 첫 번째 시행의 결과로 남아 있는 3개의 정삼각형에서 각각 각 변의 중점을 이어 만든 정삼각형을 제거한다. 이와 같은 시행을 계속할 때, 10번째 시행 후 남아 있는 도형의 넓이는?

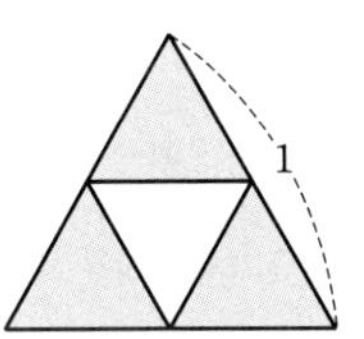


① $\frac{\sqrt{3}}{4}\times\left(\frac{3}{4}\right)^9$ ② $\frac{\sqrt{3}}{4}\times\left(\frac{3}{4}\right)^{10}$ ③ $\frac{\sqrt{3}}{2}\times\left(\frac{3}{4}\right)^9$
④ $\frac{\sqrt{3}}{2}\times\left(\frac{3}{4}\right)^{10}$ ⑤ $\sqrt{3}\times\left(\frac{3}{4}\right)^{10}$

★중요

## 유형 19 | 등비수열의 합

첫째항이 $a$, 공비가 $r$인 등비수열의 첫째항부터 제$n$항까지의 합을 $S_n$이라 하면

(1) $r\neq1$일 때 ➡ $S_n=\frac{a(1-r^n)}{1-r}=\frac{a(r^n-1)}{r-1}$

(2) $r=1$일 때 ➡ $S_n=na$

대표 문제

**071** $a_3=-12$, $a_7=-192$이고 공비가 음수인 등비수열 $\{a_n\}$의 첫째항부터 제$n$항까지의 합을 $S_n$이라 할 때, $S_7$의 값을 구하시오.

## 유형 20 | 부분의 합이 주어진 등비수열의 합

첫째항이 $a$, 공비가 $r$인 등비수열에서 첫째항부터 제$k$항까지의 합은 다음과 같은 순서로 구한다.

(1) 첫째항부터 제$n$항까지의 합을 $S_n$이라 하면

$$S_n=\frac{a(1-r^n)}{1-r}=\frac{a(r^n-1)}{r-1}$$

임을 이용하여 $a$, $r$에 대한 방정식을 세운다.

(2) (1)의 식을 연립하여 $a$, $r$의 값을 구한다.

(3) $S_k$의 값을 구한다.

대표 문제

**072** 등비수열 $\{a_n\}$의 첫째항부터 제$n$항까지의 합을 $S_n$이라 할 때, $S_5=20$, $S_{10}=60$이다. 이때 $S_{15}$의 값은?

① 100　② 110　③ 120　④ 130　⑤ 140

## 유형 21 | 등비수열의 합의 활용

처음의 양을 $a$, 매회(또는 매년) 증가율을 $r$라 할 때, $n$회(또는 $n$년) 후의 총합은

$$a+ar+ar^2+\cdots+ar^{n-1}=\frac{a(1-r^n)}{1-r}$$

임을 이용한다.

대표 문제

**073** 오른쪽 그림과 같이 길이가 3인 선분 $A_1B$를 지름으로 하는 원 $C_1$이 있다. 선분 $A_1B$를 1 : 2로 내분하는 점을 $A_2$라 하고, 선분 $A_2B$를 지름으로 하는 원을 $C_2$라 하자. 이와 같은 방법으로 원 $C_3$, $C_4$, $\cdots$, $C_n$을 차례대로 만들고 원 $C_n$의 둘레의 길이를 $l_n$이라 할 때, $l_1+l_2+l_3+\cdots+l_{10}$의 값을 구하시오.

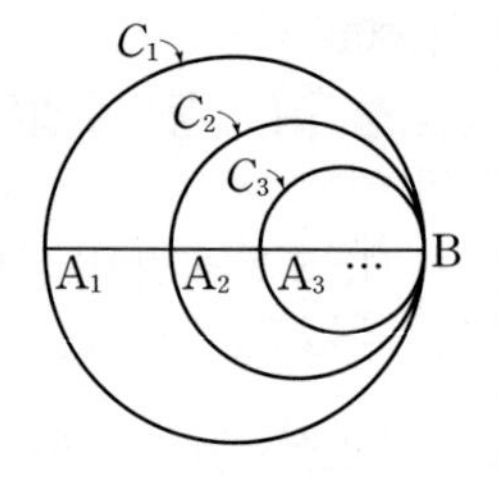


## 유형 22 | 등비수열의 합과 일반항 사이의 관계

수열 $\{a_n\}$의 첫째항부터 제$n$항까지의 합 $S_n$이 주어지면

(i) $n\ge2$일 때, $a_n=S_n-S_{n-1}$

(ii) $n=1$일 때, $a_1=S_1$

임을 이용하여 일반항 $a_n$을 구한다.

대표 문제

**074** 수열 $\{a_n\}$의 첫째항부터 제$n$항까지의 합 $S_n$이 $S_n=3^n-1$일 때, $\frac{a_6+a_7}{a_1+a_2}$의 값은?

① 9　② 27　③ 81　④ 243　⑤ 729

★중요

## 유형 23 | 원리합계

연이율 $r$, 1년마다 복리로 매년 $a$원씩 $n$년 동안 적립할 때, $n$년 말의 원리합계 $S_n$은

(1) 매년 초에 적립하는 경우

➡ $S_n=a(1+r)+a(1+r)^2+\cdots+a(1+r)^n$

$=\frac{a(1+r)\{(1+r)^n-1\}}{r}$(원)

(2) 매년 말에 적립하는 경우

➡ $S_n=a+a(1+r)+\cdots+a(1+r)^{n-1}$

$=\frac{a\{(1+r)^n-1\}}{r}$(원)

대표 문제

**075** 연이율 5%, 1년마다 복리로 매년 초에 20만 원씩 12년 동안 적립할 때, 12년 말의 적립금의 원리합계를 구하시오.

(단, $1.05^{12}=1.8$로 계산한다.)

정답과 해설 91쪽



★중요

## 유형 13 등비수열의 일반항

### 076 대표 문제 다시 보기

등비수열 $\{a_n\}$에서 $a_2=4$, $a_5=108$일 때, $a_6$의 값을 구하시오.

### 077 하

첫째항이 $\frac{1}{4}$이고 공비가 $\sqrt{2}$인 등비수열 $\{a_n\}$에서 8은 제몇 항인가?

① 제8항 ② 제9항 ③ 제10항
④ 제11항 ⑤ 제12항

### 078 중

첫째항이 $a$이고 공비가 $r$인 등비수열 $\{a_n\}$에서 $a_4+a_5=3$, $a_4 : a_5=2 : 1$일 때, $ar$의 값은?

① 4 ② 6 ③ 8
④ 10 ⑤ 12

### 079 중

첫째항이 2이고 공비가 4인 등비수열 $\{a_n\}$에 대하여 수열 $\{\log_2 a_n\}$의 첫째항부터 제10항까지의 합을 구하시오.

### 080 상

첫째항과 공비가 모두 0이 아닌 등비수열 $\{a_n\}$에 대하여

$$\frac{a_6}{a_1}+\frac{a_7}{a_2}+\frac{a_8}{a_3}+\cdots+\frac{a_{25}}{a_{20}}=100$$

일 때, $\frac{a_{25}}{a_{10}}$의 값은?

① 110 ② 115 ③ 120
④ 125 ⑤ 130

## 유형 14 등비수열에서 조건을 만족시키는 항

### 081 대표 문제 다시 보기

$a_3=36$, $a_6=972$인 등비수열 $\{a_n\}$에서 처음으로 4000보다 커지는 항은 제몇 항인지 구하시오.

### 082 중

공비가 양수인 등비수열 $\{a_n\}$에서 $a_5=8$, $a_7=16$일 때, $a_n^2>1600$을 만족시키는 자연수 $n$의 최솟값은?

① 6 ② 7 ③ 8
④ 9 ⑤ 10

### 083 중

등비수열 $\{a_n\}$에서 $a_3+a_6=\frac{7}{16}$, $a_4+a_7=-\frac{7}{32}$일 때, $|a_n|<\frac{1}{1000}$을 만족시키는 자연수 $n$의 최솟값을 구하시오.

## 유형 15 두 수 사이에 수를 넣어 만든 등비수열

### 084 대표 문제 다시 보기

두 수 24와 $\frac{3}{2}$ 사이에 3개의 양수를 넣어 만든 수열

$24,\ a_1,\ a_2,\ a_3,\ \frac{3}{2}$

이 이 순서대로 등비수열을 이룰 때, $a_3-a_1$의 값을 구하시오.

### 085 중

두 수 12와 $\frac{4}{243}$ 사이에 $m$개의 수를 넣어 만든 수열

$12,\ a_1,\ a_2,\ a_3,\ \cdots,\ a_m,\ \frac{4}{243}$

가 이 순서대로 공비가 $\frac{1}{3}$인 등비수열을 이룰 때, $m$의 값은?

① 4 ② 5 ③ 6
④ 7 ⑤ 8

### 086 중

두 수 4와 324 사이에 7개의 양수를 넣어 만든 수열

$4,\ a_1,\ a_2,\ a_3,\ \cdots,\ a_7,\ 324$

가 이 순서대로 등비수열을 이룬다. $a_1\times a_2\times a_3\times\cdots\times a_7=6^k$일 때, 상수 $k$의 값을 구하시오.

★중요

## 유형 16 등비중항

### 087 대표 문제 다시 보기

세 수 $a$, 6, $b$가 이 순서대로 등차수열을 이루고 세 수 2, $a$, $b$가 이 순서대로 등비수열을 이룰 때, 양수 $a$, $b$에 대하여 $5a-2b$의 값을 구하시오.

### 088 중

세 양수 $9a$, $a+4$, $a$가 이 순서대로 등비수열을 이룰 때, $a$의 값을 구하시오.

### 089 중

1이 아닌 두 양수 $a$, $b$에 대하여 세 수 $a$, 3, $b$가 이 순서대로 등비수열을 이룰 때, $\frac{1}{\log_a 3}+\frac{1}{\log_b 3}$의 값은?

① 1 ② 2 ③ 3
④ 4 ⑤ 5

### 090 중

오른쪽 그림과 같이 두 함수 $y=2\sqrt{x}$, $y=\sqrt{x}$의 그래프와 직선 $x=k$가 만나는 점을 각각 A, B라 하고, 직선 $x=k$가 $x$축과 만나는 점을 C라 하자. $\overline{BC}$, $\overline{OC}$, $\overline{AC}$가 이 순서대로 등비수열을 이룰 때, 양수 $k$의 값을 구하시오. (단, O는 원점)

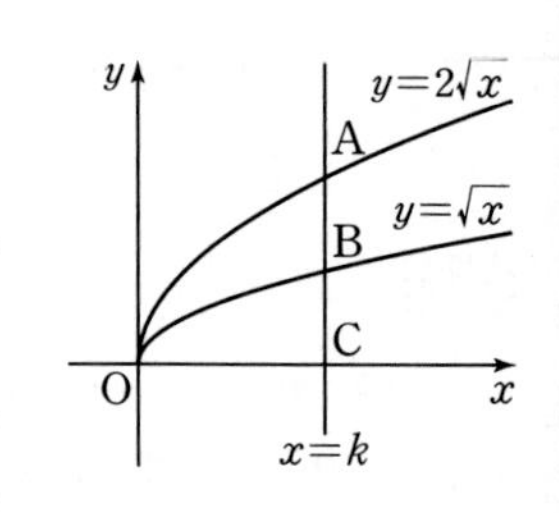


### 091 상

삼각형 ABC의 세 변의 길이 $a$, $b$, $c$가 이 순서대로 등차수열을 이루고, 세 내각의 크기 $A$, $B$, $C$에 대하여 $\sin A$, $\sin B$, $\sin C$가 이 순서대로 등비수열을 이룰 때, 삼각형 ABC는 어떤 삼각형인지 구하시오.

정답과 해설 92쪽



## 유형 17 등비수열을 이루는 수

### 092 대표 문제 다시 보기

삼차방정식 $x^3+px^2-6x+8=0$의 세 실근이 등비수열을 이룰 때, 실수 $p$의 값은?

① $-3$　　② $-1$　　③ $0$
④ $1$　　⑤ $3$

### 093 중

등비수열을 이루는 세 실수의 합이 21이고 곱이 $-729$일 때, 세 수 중 가장 큰 수를 구하시오.

### 094 중

모든 모서리의 길이의 합이 56, 겉넓이가 112인 직육면체의 가로의 길이, 세로의 길이, 높이가 이 순서대로 등비수열을 이룰 때, 이 직육면체의 부피는?

① 62　　② 64　　③ 66
④ 68　　⑤ 70

★ 중요

## 유형 18 등비수열의 활용

### 095 대표 문제 다시 보기

한 변의 길이가 9인 정사각형이 있다. 오른쪽 그림과 같이 첫 번째 시행에서 정사각형을 9등분 하여 중앙의 정사각형을 제거한다. 두 번째 시행에서는 첫 번째 시행의 결과로 남아 있는 8개의 정사각형을 각각 다시 9등분 하여 중앙의 정사각형을 제거한다. 이와 같은 시행을 계속할 때, 10번째 시행 후 남아 있는 도형의 넓이를 $\frac{2^q}{3^p}$이라 하자. 자연수 $p$, $q$에 대하여 $p+q$의 값을 구하시오.

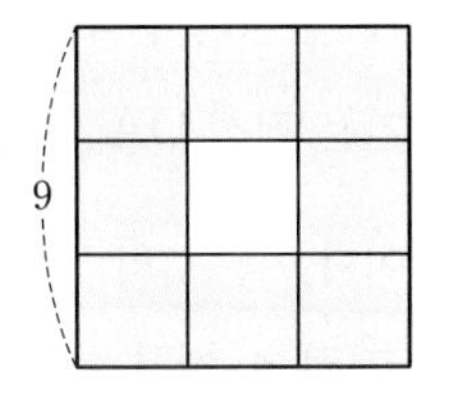


### 096 중

떨어뜨린 높이의 $\frac{2}{3}$만큼 다시 튀어 오르는 공을 27 m의 높이에서 떨어뜨렸다. 이 공이 6번째 튀어 올랐을 때의 높이는?

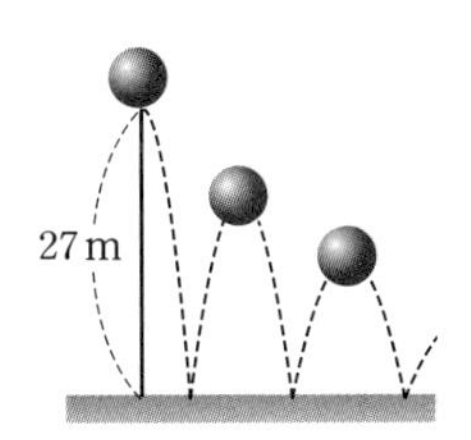


① $\frac{2^4}{3^3}$ m　　② $\frac{2^5}{3^3}$ m　　③ $\frac{2^6}{3^3}$ m
④ $\frac{2^5}{3^4}$ m　　⑤ $\frac{2^6}{3^4}$ m

### 097 중

다음 그림과 같이 지름의 길이가 2인 원 $O_1$을 그린 후 원 $O_1$에 외접하면서 지름의 길이가 원 $O_1$의 $\frac{1}{2}$인 원 $O_2$를 그린다. 이와 같은 방법으로 원 $O_3$, $O_4$, $O_5$, $\cdots$, $O_n$을 그려 나갈 때, 원 $O_n$의 둘레의 길이를 $a_n$이라 하자. 이때 $a_{10}$의 값을 구하시오. (단, 모든 원의 중심은 일직선 위에 있다.)

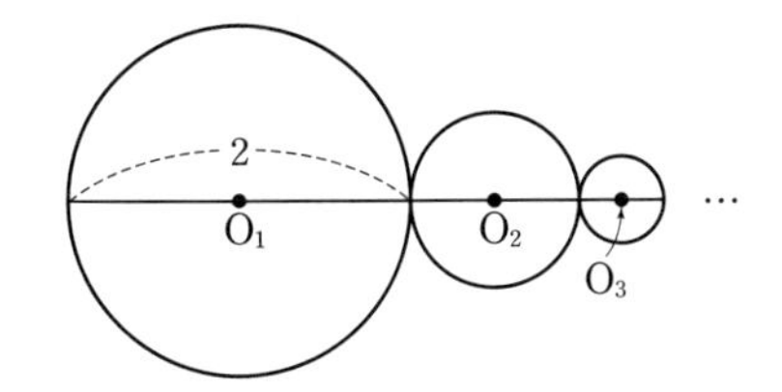

## 098 상

오른쪽 그림과 같이 원점 O와 직선 $y=1$ 위의 점 $A_1$, $A_2$, $A_3$, $\cdots$, $A_n$에 대하여 직선 $OA_{n+1}$의 기울기는 직선 $OA_n$의 기울기의 $\frac{5}{3}$배이다. 점 $A_1$의 좌표가 $\left(\frac{5}{3}, 1\right)$이고 점 $A_n$에서 $x$축에 내린 수선의 발을 $B_n$이라 할 때, 다음 중 길이가 $\left(\frac{3}{5}\right)^6$인 선분은?

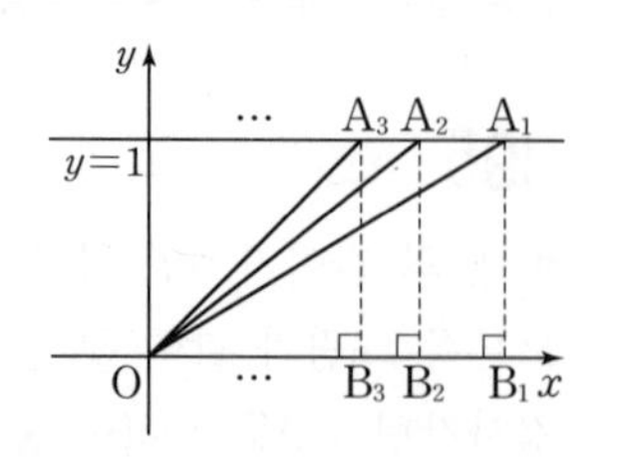


① $\overline{OB_6}$　② $\overline{OB_7}$　③ $\overline{OB_8}$
④ $\overline{OB_9}$　⑤ $\overline{OB_{10}}$

★ 중요

### 유형 19 등비수열의 합

## 099 대표 문제 다시 보기

$a_2=12$, $a_4=108$이고 공비가 양수인 등비수열 $\{a_n\}$의 첫째항부터 제5항까지의 합을 구하시오.

## 100 하

다음 등비수열의 첫째항부터 제$n$항까지의 합을 $S_n$이라 할 때, $S_k=728$을 만족시키는 자연수 $k$의 값을 구하시오.

| 2, 6, 18, 54, $\cdots$ |
|---|

## 101 중

첫째항이 2인 등비수열 $\{a_n\}$의 첫째항부터 제$n$항까지의 합을 $S_n$이라 할 때, $\frac{S_6}{S_3}=28$이다. 이때 $S_5$의 값을 구하시오.

## 102 중

첫째항이 1이고 공비가 $-3$인 등비수열 $\{a_n\}$에 대하여 수열 $a_1+a_2$, $a_2+a_3$, $a_3+a_4$, $\cdots$의 첫째항부터 제10항까지의 합은?

① $\frac{1}{2}(3^9-1)$　② $\frac{1}{2}(3^9+1)$　③ $\frac{1}{2}(3^{10}-1)$
④ $\frac{1}{2}(3^{10}+1)$　⑤ $\frac{1}{2}(3^{11}-1)$

## 103 중

첫째항이 1, 제5항이 16이고 공비가 양수인 등비수열 $\{a_n\}$에서 첫째항부터 제$n$항까지의 합이 처음으로 $10^6$보다 크게 되는 자연수 $n$의 값을 구하시오. (단, $\log 2=0.301$로 계산한다.)

## 104 상

수열 9, 99, 999, 9999, $\cdots$의 첫째항부터 제10항까지의 합은?

① $\frac{100}{9}(10^9-1)$　② $\frac{100}{3}(10^9-2)$
③ $\frac{10}{9}(10^{10}-1)$　④ $\frac{10}{3}(10^{10}-2)$
⑤ $\frac{10}{9}(10^{10}-11)$

## 유형 20 부분의 합이 주어진 등비수열의 합

**105** 대표 문제 다시 보기

첫째항부터 제3항까지의 합이 15, 첫째항부터 제6항까지의 합이 25인 등비수열 $\{a_n\}$의 첫째항부터 제9항까지의 합을 구하시오.

**106** 중

공비가 음수인 등비수열 $\{a_n\}$의 첫째항부터 제$n$항까지의 합을 $S_n$이라 할 때, $S_4=-5$, $S_8=-85$이다. 이때 $a_8$의 값을 구하시오.

**107** 중

등비수열 $\{a_n\}$에서

$a_1+a_3+a_5+a_7=17$,

$a_1+a_2+a_3+\cdots+a_8=-34$

일 때, 이 수열의 공비는?

① $-3$ ② $-\frac{3}{2}$ ③ $\frac{3}{2}$

④ $2$ ⑤ $3$

**108** 상

첫째항이 2인 등비수열 $\{a_n\}$의 첫째항부터 제$n$항까지의 합 $S_n$이 다음 조건을 모두 만족시킬 때, $a_6$의 값을 구하시오.

(가) $S_{10}-S_2=4S_8$
(나) $S_{10}<S_8$

## 유형 21 등비수열의 합의 활용

**109** 대표 문제 다시 보기

오른쪽 그림과 같이 한 변의 길이가 2인 정삼각형 ABC의 각 변의 중점을 연결하여 만든 정삼각형을 $A_1B_1C_1$이라 하고, 정삼각형 $A_1B_1C_1$의 각 변의 중점을 연결하여 만든 정삼각형을 $A_2B_2C_2$라 하자. 이와 같은 방법으로 정삼각형 $A_3B_3C_3$, $A_4B_4C_4$, $\cdots$를 차례대로 만들고 정삼각형 $A_nB_nC_n$의 넓이를 $S_n$이라 할 때, $S_1+S_2+S_3+\cdots+S_{10}$의 값은?

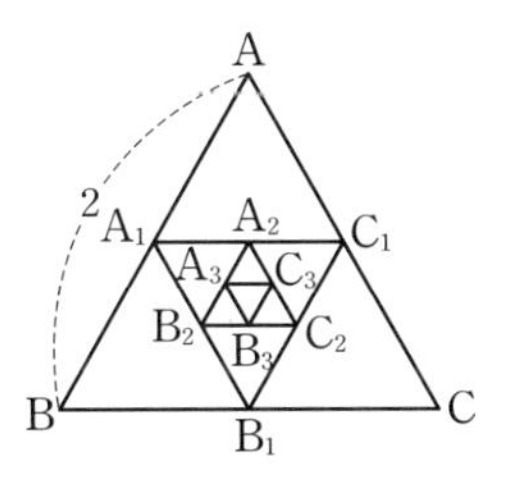


① $\frac{\sqrt{3}}{4}\left\{1-\left(\frac{1}{4}\right)^{10}\right\}$ ② $\frac{\sqrt{3}}{3}\left\{1-\left(\frac{1}{4}\right)^{10}\right\}$

③ $\frac{\sqrt{3}}{2}\left\{1-\left(\frac{1}{4}\right)^{10}\right\}$ ④ $\sqrt{3}\left\{1-\left(\frac{1}{4}\right)^{10}\right\}$

⑤ $3\sqrt{3}\left\{1-\left(\frac{1}{4}\right)^{10}\right\}$

**110** 중

은지는 일주일 동안 걸어서 여행하는 계획을 세웠다. 첫째 날에는 5 km를 이동하고 둘째 날부터는 전날 이동한 거리의 10 % 씩 늘려서 이동할 때, 일주일 동안 은지가 이동하는 거리는? (단, $1.1^7=1.9$로 계산한다.)

① 41 km ② 42 km ③ 43 km

④ 44 km ⑤ 45 km

**111** 중

어느 통신사의 신규 가입자의 수가 매년 일정한 비율로 증가하고 있다. 2004년부터 2011년까지 8년 동안의 신규 가입자의 수가 12만 명이고, 2012년부터 2019년까지 8년 동안의 신규 가입자의 수가 16만 명일 때, 2020년의 신규 가입자의 수는 2004년의 신규 가입자의 수의 몇 배인지 구하시오.

정답과 해설 96쪽

## 유형 22 등비수열의 합과 일반항 사이의 관계

### 112 대표 문제 다시 보기

수열 $\{a_n\}$의 첫째항부터 제$n$항까지의 합 $S_n$이 $S_n=2^n-3$일 때, $a_1+a_3+a_5+a_7$의 값은?

① 74 ② 77 ③ 80
④ 83 ⑤ 86

### 113 중

수열 $\{a_n\}$의 첫째항부터 제$n$항까지의 합 $S_n$이 $S_n=6\times 8^n+k$이다. 이 수열이 첫째항부터 등비수열을 이루도록 하는 상수 $k$의 값은?

① $-6$ ② $-3$ ③ 1
④ 3 ⑤ 6

### 114 중

수열 $\{a_n\}$의 첫째항부터 제$n$항까지의 합 $S_n$이 $S_n=3^{n+1}-3$일 때, $a_n>1000$을 만족시키는 자연수 $n$의 최솟값을 구하시오.

### 115 상

모든 항이 양수인 수열 $\{a_n\}$에 대하여

$$\log_3 a_1+\log_3 a_2+\log_3 a_3+\cdots+\log_3 a_n=\frac{n^2-n}{2}$$

이 성립할 때, $a_2+a_4$의 값을 구하시오.

★ 중요

## 유형 23 원리합계

### 116 대표 문제 다시 보기

연이율 8 %, 1년마다 복리로 매년 초에 100만 원씩 10년 동안 적립할 때, 10년 말의 적립금의 원리합계를 구하시오.

(단, $1.08^{10}=2.2$로 계산한다.)

### 117 중

연이율 5 %, 1년마다 복리로 매년 말에 10만 원씩 10년 동안 적립할 때, 10년 말의 적립금의 원리합계는?

(단, $1.05^{10}=1.63$으로 계산한다.)

① 124만 원 ② 125만 원 ③ 126만 원
④ 127만 원 ⑤ 128만 원

### 118 중

대원이의 부모님이 대원이의 대학 등록금 마련을 위해 월이율 0.4 %, 1개월마다 복리로 매월 초에 20만 원씩 3년 동안 적립할 때, 3년 말의 적립금의 원리합계는?

(단, $1.004^{36}=1.15$로 계산한다.)

① 751만 원 ② 753만 원 ③ 755만 원
④ 757만 원 ⑤ 759만 원

### 119 중

매년 초에 $a$만 원씩 10년 동안 적립하여 10년째 말까지 650만 원을 마련하려고 한다. 연이율이 4 %이고 1년마다 복리로 계산할 때, $a$의 값을 구하시오. (단, $1.04^{10}=1.5$로 계산한다.)

# 최종 점검하기



**120** 유형 01

등차수열 $\{a_n\}$에서 $a_1+a_2+a_3=-30$, $a_4+a_5+a_6=15$일 때, $a_{10}$의 값은?

① 20 ② 25 ③ 30
④ 35 ⑤ 40

**121** 유형 02

$a_2=-74$, $a_{13}=-30$인 등차수열 $\{a_n\}$에서 처음으로 양수가 되는 항은 제몇 항인가?

① 제18항 ② 제19항 ③ 제20항
④ 제21항 ⑤ 제22항

**122** 유형 02

두 등차수열 $\{a_n\}$, $\{b_n\}$이

$\{a_n\}$: 18, 16, 14, 12, $\cdots$,

$\{b_n\}$: 12, 9, 6, 3, $\cdots$

일 때, $a_n \le 4b_n$을 만족시키는 자연수 $n$의 개수를 구하시오.

**123** 유형 03

두 수 3과 35 사이에 15개의 수를 넣어 만든 수열

3, $a_1$, $a_2$, $a_3$, $\cdots$, $a_{15}$, 35

가 이 순서대로 등차수열을 이룰 때, $a_6$의 값을 구하시오.

**124** 유형 05

모든 모서리의 길이의 합이 36, 부피가 24인 직육면체의 가로의 길이, 세로의 길이, 높이가 이 순서대로 등차수열을 이룰 때, 이 직육면체의 겉넓이는?

① 50 ② 51 ③ 52
④ 53 ⑤ 54

**125** 유형 06

$a_3+a_5=22$, $a_6+a_{10}=-2$인 등차수열 $\{a_n\}$의 첫째항부터 제$n$항까지의 합을 $S_n$이라 할 때, $S_{20}$의 값을 구하시오.

**126** 유형 08

등차수열 $\{a_n\}$의 첫째항부터 제$n$항까지의 합을 $S_n$이라 할 때, $S_{10}=-80$, $S_{20}=40$이다. 이때 $|a_1|+|a_2|+|a_3|+\cdots+|a_{17}|$의 값을 구하시오.

**127** 유형 09

$a_2=35$, $a_7=a_5-6$인 등차수열 $\{a_n\}$의 첫째항부터 제$n$항까지의 합을 $S_n$이라 할 때, $S_n$의 값이 최대가 되는 자연수 $n$의 값을 구하시오.

## 128
유형 10

3으로 나누면 1이 남고, 4로 나누어떨어지는 자연수를 작은 것부터 차례대로 나열한 수열 $\{a_n\}$의 첫째항부터 제$n$항까지의 합을 $S_n$이라 할 때, $S_{10}$의 값을 구하시오.

## 129
유형 11

크기가 같은 벽돌로 10층짜리 탑을 쌓으려고 한다. 탑의 각 층의 벽돌의 개수는 맨 아래층에서 한 층씩 위로 올라갈수록 일정한 개수만큼 줄어든다. 맨 위층의 벽돌의 개수는 2이고, 탑 전체의 벽돌의 개수는 4층의 벽돌의 개수의 7배보다 15만큼 더 많을 때, 필요한 전체 벽돌의 개수를 구하시오.

## 130
유형 12

수열 $\{a_n\}$의 첫째항부터 제$n$항까지의 합 $S_n$이 $S_n=2n^2+9n$일 때, 이 수열은 첫째항이 $a$, 공차가 $d$인 등차수열이다. 이때 $a+d$의 값은?

① 13 ② 14 ③ 15 ④ 16 ⑤ 17

## 131
유형 13

공비가 음수인 등비수열 $\{a_n\}$에서 $\frac{a_3+a_5+a_7}{a_1+a_3+a_5}=9$일 때, 이 수열의 공비를 구하시오.

## 132
유형 14

첫째항이 5, 공비가 2인 등비수열 $\{a_n\}$에서 $a_n<5000$을 만족시키는 모든 자연수 $n$의 값의 합을 구하시오.

## 133
유형 15

두 수 3과 30 사이에 5개의 수를 넣어 만든 수열

$3,\ a_1,\ a_2,\ a_3,\ a_4,\ a_5,\ 30$

이 이 순서대로 등비수열을 이룰 때, $a_1a_5$의 값을 구하시오.

## 134
유형 04+16

세 정수 $x$, $2y$, 10이 이 순서대로 공차가 $d$인 등차수열을 이루고, 세 정수 4, $x$, $13-y$가 이 순서대로 공비가 $r$인 등비수열을 이룰 때, $dr$의 값은?

① 3 ② $\frac{7}{2}$ ③ 4 ④ $\frac{9}{2}$ ⑤ 5

## 135
유형 17

네 양수 $a$, $b$, $c$, $d$가 이 순서대로 등비수열을 이루면서 다음 조건을 모두 만족시킬 때, $ad+bc$의 값을 구하시오.

(가) $\log_2 a-\log_2 c=2$
(나) $2^a\times2^b\times2^c\times2^d=2^{15}$

## 136

유형 17

등비수열을 이루는 세 실수의 합이 14이고 각 수의 제곱의 합이 84일 때, 세 수의 곱을 구하시오.

## 137

유형 18

오른쪽 그림과 같이 $\overline{AB}=1$, $\overline{BC}=2$, $\angle B=90°$인 직각삼각형 ABC에서 한 꼭짓점이 $\overline{AC}$ 위에 있고 한 변이 $\overline{BC}$ 위에 있는 정사각형의 한 변의 길이를 차례대로 $a_1$, $a_2$, $a_3$, $\cdots$이라 할 때, $a_6$의 값은?

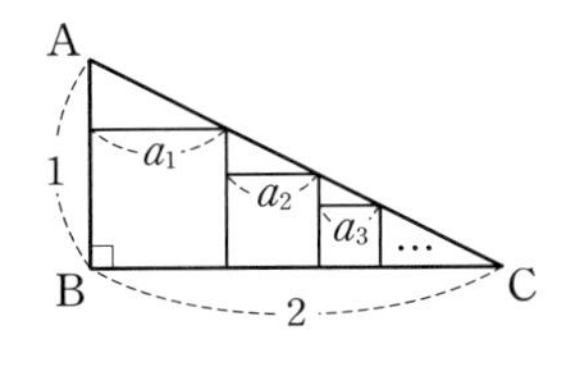


① $\frac{1}{2}\times\left(\frac{2}{3}\right)^6$ ② $\left(\frac{2}{3}\right)^6$ ③ $2\times\left(\frac{2}{3}\right)^6$
④ $\left(\frac{2}{3}\right)^5$ ⑤ $2\times\left(\frac{2}{3}\right)^5$

## 138

유형 01+13+19

두 수열 $\{a_n\}$, $\{b_n\}$의 일반항이 $a_n=\left(\frac{1}{2}\right)^{n-1}$, $b_n=\left(\frac{1}{3}\right)^{n-1}$일 때, 다음 보기 중 옳은 것만을 있는 대로 고르시오.

**보기**

ㄱ. 수열 $\{a_n\}$의 첫째항부터 제$n$항까지의 합을 $S_n$이라 하면 $a_n+S_n=2$이다.
ㄴ. 수열 $\{\log_3 b_n\}$은 등차수열이다.
ㄷ. 수열 $\{a_nb_n\}$은 등차수열이다.
ㄹ. 수열 $\{b_{n+1}-b_n\}$은 등비수열이다.

## 139

유형 20

등비수열 $\{a_n\}$에서

$$a_1+a_2+a_3+a_4=14,\ a_5+a_6+a_7+a_8=112$$

일 때, $a_9+a_{10}+a_{11}+a_{12}$의 값을 구하시오.

## 140

유형 21

오른쪽 그림과 같이 $\angle XOY=30°$일 때, $\overline{OP_1}=2$인 $\overline{OX}$ 위의 점 $P_1$에 대하여 점 $P_1$에서 $\overline{OY}$에 내린 수선의 발을 $P_2$, 점 $P_2$에서 $\overline{OX}$에 내린 수선의 발을 $P_3$이라 하자. 이와 같은 방법으로 점 $P_4$, $P_5$, $P_6$, $\cdots$을 정할 때, $\overline{P_1P_2}+\overline{P_2P_3}+\overline{P_3P_4}+\overline{P_4P_5}+\overline{P_5P_6}$의 값을 구하시오.

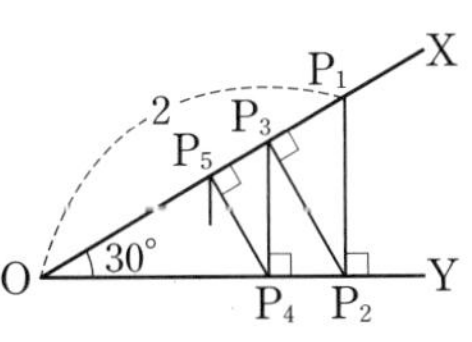


## 141

유형 13+19+22

수열 $\{a_n\}$의 첫째항부터 제$n$항까지의 합 $S_n$이 $S_n=2^n-1$일 때, 다음 보기 중 옳은 것만을 있는 대로 고른 것은?

**보기**

ㄱ. $a_n=2^{n-1}$
ㄴ. $a_1+a_3+a_5+a_7+a_9=341$
ㄷ. 수열 $\{a_{2n}\}$의 공비는 4이다.

① ㄱ ② ㄴ ③ ㄱ, ㄴ
④ ㄱ, ㄷ ⑤ ㄱ, ㄴ, ㄷ

## 142

유형 23

예린이는 매년 초에 5만 원씩 연이율 1 %의 복리로 10년 동안 적립하고, 서연이는 매년 초에 10만 원씩 연이율 1 %의 복리로 5년 동안 적립한다. 예린이가 10년 후 연말에 받는 금액은 서연이가 5년 후 연말에 받는 금액의 몇 배인지 구하시오.

(단, $1.01^5=1.05$로 계산한다.)

# 수열의 합

**유형 01** 합의 기호 $\sum$의 뜻

**유형 02** $\sum$와 등차수열, 등비수열

**유형 03** $\sum$의 성질

**유형 04** 자연수의 거듭제곱의 합

**유형 05** $\sum$를 여러 개 포함한 식의 계산

**유형 06** $\sum$를 이용한 여러 가지 수열의 합

**유형 07** 제$k$항에 $n$이 포함된 수열의 합

**유형 08** $\sum$로 표현된 수열의 합과 일반항 사이의 관계

**유형 09** 분수 꼴인 수열의 합

**유형 10** 분모에 근호가 포함된 수열의 합

**유형 11** (등차수열)$\times$(등비수열) 꼴의 수열의 합

**유형 12** 여러 가지 수열의 응용

# 수열의 합

## 유형 01 | 합의 기호 $\sum$의 뜻

수열 $\{a_n\}$의 첫째항부터 제$n$항까지의 합을 기호 $\sum$를 사용하여 $\sum_{k=1}^{n} a_k$와 같이 나타낸다.

➡ $a_1+a_2+a_3+\cdots+a_n=\sum_{k=1}^{n} a_k$

참고 (1) $\sum_{k=1}^{n} a_{2k}=a_2+a_4+a_6+\cdots+a_{2n}$

(2) $\sum_{k=1}^{n} a_{2k-1}=a_1+a_3+a_5+\cdots+a_{2n-1}$

(3) $\sum_{k=1}^{n} (a_{2k-1}+a_{2k})=a_1+a_2+a_3+a_4+\cdots+a_{2n-1}+a_{2n}=\sum_{k=1}^{2n} a_k$

대표 문제

**001** $\sum_{k=1}^{n} (a_{2k-1}+a_{2k})=n^2+3n$일 때, $\sum_{k=1}^{10} a_k$의 값은?

① 40 ② 90 ③ 130 ④ 270 ⑤ 460

## 유형 02 | $\sum$와 등차수열, 등비수열

(1) 수열 $\{a_n\}$이 첫째항이 $a$, 공차가 $d$인 등차수열일 때

➡ $\sum_{k=1}^{n} a_k=\frac{n\{2a+(n-1)d\}}{2}$

(2) 수열 $\{a_n\}$이 첫째항이 $a$, 공비가 $r$인 등비수열일 때

➡ $\sum_{k=1}^{n} a_k=\frac{a(1-r^n)}{1-r}=\frac{a(r^n-1)}{r-1}$ (단, $r\neq1$)

대표 문제

**002** 등차수열 $\{a_n\}$에서 $a_3=2$, $a_8=-8$일 때, $\sum_{k=1}^{200} a_{2k}-\sum_{k=1}^{200} a_{2k-1}$의 값을 구하시오.

★ 중요

## 유형 03 | $\sum$의 성질

두 수열 $\{a_n\}$, $\{b_n\}$과 상수 $c$에 대하여

(1) $\sum_{k=1}^{n} (a_k+b_k)=\sum_{k=1}^{n} a_k+\sum_{k=1}^{n} b_k$

(2) $\sum_{k=1}^{n} (a_k-b_k)=\sum_{k=1}^{n} a_k-\sum_{k=1}^{n} b_k$

(3) $\sum_{k=1}^{n} ca_k=c\sum_{k=1}^{n} a_k$

(4) $\sum_{k=1}^{n} c=cn$

대표 문제

**003** $\sum_{k=1}^{20} a_k=15$, $\sum_{k=1}^{20} b_k=18$일 때, $\sum_{k=1}^{20} (3a_k-4b_k+2)$의 값은?

① 9 ② 11 ③ 13 ④ 15 ⑤ 17

★ 중요

## 유형 04 | 자연수의 거듭제곱의 합

(1) $1+2+3+\cdots+n=\sum_{k=1}^{n} k=\frac{n(n+1)}{2}$

(2) $1^2+2^2+3^2+\cdots+n^2=\sum_{k=1}^{n} k^2=\frac{n(n+1)(2n+1)}{6}$

(3) $1^3+2^3+3^3+\cdots+n^3=\sum_{k=1}^{n} k^3=\left\{\frac{n(n+1)}{2}\right\}^2$

대표 문제

**004** $\sum_{k=1}^{10} (3k-2)^2-\sum_{k=1}^{10} (3k)^2$의 값은?

① $-640$ ② $-630$ ③ $-620$ ④ $-610$ ⑤ $-600$

## 유형 05 | $\sum$를 여러 개 포함한 식의 계산

$\sum$를 여러 개 포함한 식은 상수인 것과 상수가 아닌 것을 구별한 후 괄호 안의 $\sum$부터 차례대로 계산한다.

예 $\sum_{k=1}^{n}(k+n)$에서 $n$은 상수이므로

$\sum_{k=1}^{n}(k+n)=\sum_{k=1}^{n}k+\sum_{k=1}^{n}n=\frac{n(n+1)}{2}+n\times n$

대표 문제

**005** $\sum_{m=1}^{7}\left(\sum_{k=1}^{m}k\right)$의 값을 구하시오.

09

## 유형 06 | $\sum$를 이용한 여러 가지 수열의 합

여러 가지 수열의 합은 다음과 같은 순서로 구한다.

(1) 더하는 각 항의 규칙을 찾아 일반항 $a_n$을 구한다.

(2) $\sum$의 성질과 자연수의 거듭제곱의 합을 이용하여 $\sum_{k=1}^{n}a_k$의 값을 구한다.

대표 문제

**006** $1\times2+2\times3+3\times4+\cdots+15\times16$의 값은?

① 1240 ② 1280 ③ 1320 ④ 1360 ⑤ 1400

## 유형 07 | 제$k$항에 $n$이 포함된 수열의 합

제$k$항에 $n$이 포함된 수열의 합은 다음과 같은 순서로 구한다.

(1) 더하는 각 항의 규칙을 찾아 제$k$항 $a_k$를 $k$와 $n$에 대한 식으로 나타낸다.

(2) $\sum_{k=1}^{n}a_k$에서 $n$은 상수임에 유의하여 수열의 합을 구한다.

대표 문제

**007** 다음 식을 간단히 하시오.

$$1\times n+3\times(n-1)+5\times(n-2)+\cdots+(2n-1)\times1$$

## 유형 08 | $\sum$로 표현된 수열의 합과 일반항 사이의 관계

수열 $\{a_n\}$의 첫째항부터 제$n$항까지의 합을 $S_n$이라 하면 $S_n=\sum_{k=1}^{n}a_k$이므로

$$a_1=S_1,\ a_n=S_n-S_{n-1}=\sum_{k=1}^{n}a_k-\sum_{k=1}^{n-1}a_k\ (n\geq2)$$

임을 이용하여 $a_n$을 구한다.

대표 문제

**008** 수열 $\{a_n\}$에 대하여 $\sum_{k=1}^{n}a_k=n^2-n$일 때, $\sum_{k=1}^{5}a_{2k-1}$의 값은?

① 30 ② 35 ③ 40 ④ 45 ⑤ 50

## 수열의 합

정답과 해설 100쪽

★ 중요

### 유형 09 | 분수 꼴인 수열의 합

일반항 $a_n$이 분수 꼴인 수열의 합 $\sum_{k=1}^{n} a_k$는 다음과 같은 순서로 구한다.

(1) 일반항 $a_n$을 구한 후 제$k$항에서 $a_k$를 변형한다.

➡ $\sum_{k=1}^{n} \frac{1}{(k+a)(k+b)} = \frac{1}{b-a} \sum_{k=1}^{n} \left( \frac{1}{k+a} - \frac{1}{k+b} \right)$

(단, $a \neq b$)

(2) $k$에 1, 2, 3, $\cdots$, $n$을 차례대로 대입하여 간단히 한다.

대표 문제

**009** $\frac{1}{1\times3}+\frac{1}{3\times5}+\frac{1}{5\times7}+\cdots+\frac{1}{19\times21}$의 값은?

① $\frac{5}{11}$ ② $\frac{10}{21}$ ③ $\frac{11}{21}$

④ $\frac{6}{11}$ ⑤ $\frac{13}{21}$

★ 중요

### 유형 10 | 분모에 근호가 포함된 수열의 합

일반항 $a_n$의 분모에 근호가 포함된 수열의 합 $\sum_{k=1}^{n} a_k$는 다음과 같은 순서로 구한다.

(1) 일반항 $a_n$을 구한 후 제$k$항에서 $a_k$의 분모를 유리화한다.

➡ $\sum_{k=1}^{n} \frac{1}{\sqrt{k}+\sqrt{k+1}} = \sum_{k=1}^{n} \frac{\sqrt{k}-\sqrt{k+1}}{(\sqrt{k}+\sqrt{k+1})(\sqrt{k}-\sqrt{k+1})}$

$= \sum_{k=1}^{n} (\sqrt{k+1}-\sqrt{k})$

(2) $k$에 1, 2, 3, $\cdots$, $n$을 차례대로 대입하여 간단히 한다.

대표 문제

**010** 첫째항이 1이고 공차가 2인 등차수열 $\{a_n\}$에 대하여 $\sum_{k=1}^{40} \frac{1}{\sqrt{a_k}+\sqrt{a_{k+1}}}$의 값을 구하시오.

### 유형 11 | (등차수열)×(등비수열) 꼴의 수열의 합

(등차수열)×(등비수열) 꼴의 수열의 합은 다음과 같은 순서로 구한다.

(1) 주어진 수열의 합 $S$에 등비수열의 공비 $r\,(r\neq1)$를 곱한다.

(2) $S-rS$를 계산하여 $S$의 값을 구한다.

대표 문제

**011** $1+2\times2+3\times2^2+4\times2^3+\cdots+10\times2^9$의 값은?

① $-9\times2^{10}+1$ ② $-2^{10}+1$ ③ $2^{10}+1$

④ $9\times2^{10}+1$ ⑤ $9\times2^{11}+1$

### 유형 12 | 여러 가지 수열의 응용

항의 위치를 찾거나 특정한 위치에 있는 항을 구할 때에는 다음을 이용한다.

(1) 각 줄에 있는 항의 개수의 규칙을 파악한다.

(2) 가로줄, 세로줄, 대각선으로 놓인 수들이 갖는 규칙을 파악한다.

참고 수열이 나열된 경우 규칙성을 갖도록 몇 개의 항씩 묶은 후 각 묶음의 항의 개수와 규칙을 파악한다.

대표 문제

**012** 자연수를 오른쪽과 같이 규칙적으로 배열할 때, 위에서 9번째 줄의 왼쪽에서 10번째에 있는 수를 구하시오.

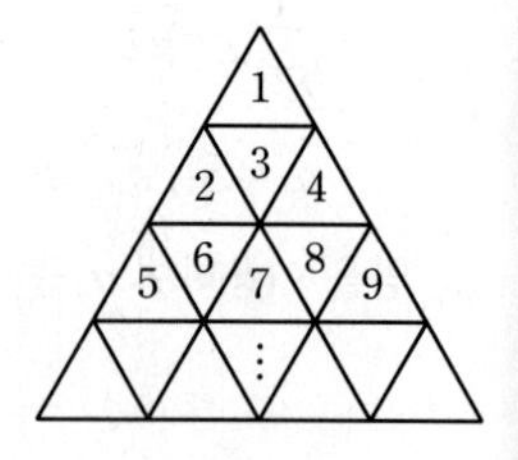

## 유형 01 합의 기호 $\sum$의 뜻

**013** 대표 문제 다시 보기

$\sum_{k=1}^{n}(a_{2k-1}+a_{2k})=3n^2-n$일 때, $\sum_{k=1}^{16}a_k$의 값을 구하시오.

**014** 하

다음 중 옳지 않은 것은?

① $5+10+15+\cdots+5n=\sum_{k=1}^{n}5k$

② $3+5+7+\cdots+19=\sum_{k=2}^{10}(2k-1)$

③ $1+2+4+\cdots+2^n=\sum_{k=1}^{n}2^k$

④ $-1+1-1+1-1+1-1=\sum_{k=1}^{7}(-1)^k$

⑤ $4+9+16+\cdots+121=\sum_{k=1}^{10}(k+1)^2$

**015** 하

함수 $f(x)$에 대하여 $f(1)=4$, $f(15)=70$일 때,

$\sum_{k=1}^{14}f(k+1)-\sum_{k=3}^{16}f(k-2)$의 값을 구하시오.

**016** 중

$\sum_{k=1}^{5}a_k=20$, $\sum_{k=1}^{5}ka_k=60$, $\sum_{k=1}^{5}ka_{k+1}=100$일 때, $a_6$의 값은?

① 3 ② 6 ③ 9 ④ 12 ⑤ 15

**017** 중

다음 보기 중 옳은 것만을 있는 대로 고른 것은?

보기

ㄱ. $\sum_{k=1}^{n}k=\sum_{k=0}^{n}k$

ㄴ. $\sum_{k=1}^{n}2^k=\sum_{k=0}^{n}2^k$

ㄷ. $\sum_{k=1}^{5}a_k+\sum_{k=1}^{5}a_{k+5}=\sum_{k=1}^{10}a_k$

ㄹ. $\sum_{i=1}^{20}(2i-1)^2+\sum_{j=1}^{20}(2j)^2=\sum_{k=1}^{40}k^2$

① ㄱ, ㄷ ② ㄴ, ㄷ ③ ㄴ, ㄹ ④ ㄱ, ㄴ, ㄹ ⑤ ㄱ, ㄷ, ㄹ

## 유형 02 $\sum$와 등차수열, 등비수열

**018** 대표 문제 다시 보기

등차수열 $\{a_n\}$에서 $a_{10}=21$, $a_4+a_8=10$일 때,

$\sum_{k=1}^{10}a_{2k}-\sum_{k=1}^{10}a_{2k-1}$의 값을 구하시오.

**019** 중

모든 항이 양수인 등비수열 $\{a_n\}$에 대하여 $\frac{a_3+a_7}{a_1+a_5}=4$,

$\sum_{k=1}^{3}a_{2k-1}=42$일 때, $a_4$의 값은?

① 8 ② 12 ③ 16 ④ 20 ⑤ 24

## 020 중

$\sum_{k=1}^{20} 2^{-k} \sin \frac{k\pi}{2}$의 값은?

① $2\left\{\left(\frac{1}{2}\right)^{20}-1\right\}$　② $\frac{1}{2}\left\{\left(\frac{1}{2}\right)^{20}-1\right\}$　③ $\frac{1}{5}\left\{\left(\frac{1}{2}\right)^{20}-1\right\}$　④ $\frac{2}{5}\left\{1-\left(\frac{1}{2}\right)^{20}\right\}$　⑤ $\frac{5}{2}\left\{1-\left(\frac{1}{2}\right)^{20}\right\}$

## 021 중

등차수열 $\{a_n\}$에 대하여 $a_{10}=20$, $\sum_{k=1}^{9} k(a_k-a_{k+1})=-135$일 때, $a_{15}$의 값을 구하시오.

★ 중요

### 유형 03 Σ의 성질

## 022 대표 문제 다시 보기

$\sum_{k=1}^{10} a_k=6$, $\sum_{k=1}^{10} a_k^2=10$일 때, $\sum_{k=1}^{10} (2a_k-1)^2$의 값을 구하시오.

## 023 중

$\sum_{k=1}^{15} (a_k+b_k)=8$, $\sum_{k=1}^{15} (a_k-b_k)=-2$일 때, $\sum_{k=1}^{15} (5a_k-2b_k+3)$의 값을 구하시오.

## 024 중

$\sum_{k=1}^{n} a_k=2n$, $\sum_{k=1}^{n} b_k=\frac{1}{3}n^2$일 때, $\sum_{k=11}^{15} (2a_k-3b_k)$의 값을 구하시오.

## 025 중

$\sum_{k=1}^{n} (3a_k+b_k)^2=n^2+2n$, $\sum_{k=1}^{n} (a_k-3b_k)^2=6n+10$일 때, $\sum_{k=1}^{10} \left(a_k^2+b_k^2-\frac{1}{2}\right)$의 값은?

① 12　② 14　③ 16　④ 18　⑤ 20

## 026 중

$\sum_{k=1}^{50} \frac{5^k-3^k}{4^k}=a\left(\frac{5}{4}\right)^{50}+b\left(\frac{3}{4}\right)^{50}+c$일 때, 정수 $a$, $b$, $c$에 대하여 $a-b-c$의 값을 구하시오.

## 027 상

$\sum_{k=1}^{n} \frac{1}{1+a_k}=n^2+2n$일 때, $\sum_{k=1}^{n} \frac{1-a_k}{1+a_k}$를 $n$에 대한 식으로 나타내면?

① $n^2+2n$　② $n^2+3n$　③ $2n^2+n$　④ $2n^2+2n$　⑤ $2n^2+3n$

★ 중요

## 유형 04 자연수의 거듭제곱의 합

### 028 대표 문제 다시 보기

$\sum_{k=1}^{20}(k+1)^2-\sum_{k=1}^{20}(k^2-1)$의 값은?

① 420 ② 440 ③ 460
④ 470 ⑤ 480

### 029 하

$\sum_{k=1}^{n}(6-2k)=-50$을 만족시키는 자연수 $n$의 값을 구하시오.

### 030 중

$\sum_{k=1}^{20}\frac{1+2+3+\cdots+k}{k+1}$의 값은?

① 100 ② 105 ③ 110
④ 115 ⑤ 120

### 031 중

이차방정식 $x^2-2x-3=0$의 두 근을 $\alpha$, $\beta$라 할 때, $\sum_{k=1}^{10}(\alpha-k)(\beta-k)$의 값을 구하시오.

### 032 중

$\sum_{k=1}^{7}(c-k)^2$의 값이 최소가 되도록 하는 상수 $c$의 값과 그때의 최솟값 $m$에 대하여 $c+m$의 값은?

① 32 ② 34 ③ 36
④ 38 ⑤ 40

### 033 중

수열 $\{a_n\}$에 대하여 $a_{2n-1}=\left(\frac{1}{2}\right)^n$, $a_{2n}=6^n$일 때, $\sum_{k=1}^{20}\log_3 a_k$의 값을 구하시오.

### 034 중

자연수 $n$에 대하여 직선 $y=x+a_n$이 원 $(x-n)^2+(y-2n^2-n)^2=3n$을 이등분할 때, $\sum_{k=1}^{6}ka_k$의 값을 구하시오.

### 035 상

$\sum_{k=1}^{10}k^2+\sum_{k=2}^{10}k^2+\sum_{k=3}^{10}k^2+\cdots+\sum_{k=9}^{10}k^2+\sum_{k=10}^{10}k^2=S^2$이라 할 때, 양수 $S$의 값을 구하시오.

## 유형 05 ∑를 여러 개 포함한 식의 계산

**036** 대표 문제 다시 보기

$\sum_{l=1}^{13}\left\{\sum_{k=1}^{l}(2k-l)\right\}$의 값을 구하시오.

**037** 중

$\sum_{m=1}^{n}\left\{\sum_{l=1}^{m}\left(\sum_{k=1}^{l}1\right)\right\}=56$을 만족시키는 자연수 $n$의 값은?

① 6 ② 7 ③ 8
④ 9 ⑤ 10

**038** 중

$m+n=6$, $mn=8$일 때, $\sum_{k=1}^{m}\left\{\sum_{l=1}^{n}(k+l)\right\}$의 값을 구하시오.

**039** 상

$\sum_{n=1}^{10}\left[\sum_{k=1}^{n}\{(-1)^{n-1}\times(2k-1)\}\right]$의 값은?

① $-60$ ② $-55$ ③ $-50$
④ $-45$ ⑤ $-40$

## 유형 06 ∑를 이용한 여러 가지 수열의 합

**040** 대표 문제 다시 보기

$1\times2^2+3\times4^2+5\times6^2+\cdots+11\times12^2$의 값을 구하시오.

**041** 중

수열 $2^2$, $5^2$, $8^2$, $\cdots$의 첫째항부터 제$n$항까지의 합 $S_n$이

$$S_n=\frac{n(6n^2+an+b)}{2}$$

일 때, 상수 $a$, $b$에 대하여 $a-b$의 값을 구하시오.

**042** 중

$1+(1+2)+(1+2+3)+\cdots+(1+2+3+\cdots+10)$의 값은?

① 200 ② 210 ③ 220
④ 230 ⑤ 240

**043** 중

오른쪽 그림과 같이 두 함수

$f(x)=x^2\,(x\geq0)$,

$g(x)=(x+2)^2\,(x\geq0)$

의 그래프가 직선 $x=n$과 만나는 점을 각각 $\mathrm{A}_n$, $\mathrm{B}_n$이라 하자. 선분 $\mathrm{A}_n\mathrm{B}_n$의 길이를 $a_n$이라 할 때, $\sum_{k=1}^{10}a_k$의 값을 구하시오.

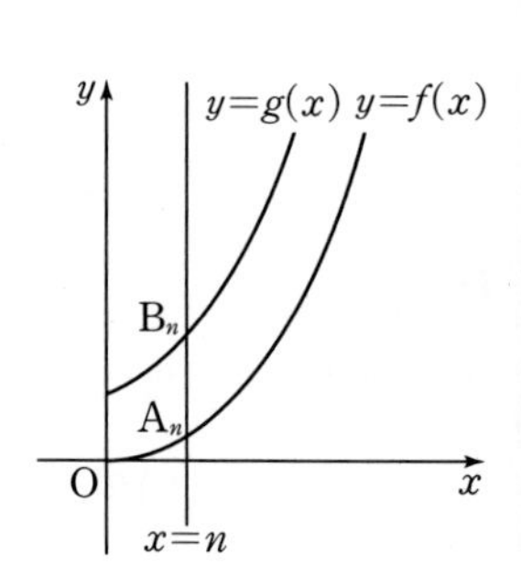

## 유형 07 제$k$항에 $n$이 포함된 수열의 합

**044** 대표 문제 다시 보기

다음 식을 간단히 하시오.

$$1\times(n-1)+2\times(n-2)+3\times(n-3)+\cdots+(n-1)\times1$$

**045** 중

다음 수열의 첫째항부터 제$n$항까지의 합은?

$$\left(\frac{1+n}{n}\right)^2,\ \left(\frac{2+n}{n}\right)^2,\ \left(\frac{3+n}{n}\right)^2,\ \cdots$$

① $\frac{(2n+1)(6n+1)}{3n}$ ② $\frac{(2n+1)(6n+1)}{6n}$
③ $\frac{(2n+1)(7n+1)}{3n}$ ④ $\frac{(2n+1)(7n+1)}{6n}$
⑤ $\frac{(2n+1)(8n+1)}{6n}$

## 유형 08 $\Sigma$로 표현된 수열의 합과 일반항 사이의 관계

**046** 대표 문제 다시 보기

수열 $\{a_n\}$에 대하여 $\sum_{k=1}^{n}a_k=n^2+2n$일 때, $\sum_{k=1}^{4}(2k-1)a_k$의 값을 구하시오.

**047** 중

수열 $\{a_n\}$에 대하여 $\sum_{k=1}^{n}a_k=\frac{2n}{n+1}$일 때, $\sum_{k=1}^{5}\frac{1}{a_k}$의 값을 구하시오.

**048** 중

수열 $\{a_n\}$에 대하여 $\sum_{k=1}^{n}a_k=3^n-1$이다. $\sum_{k=1}^{6}a_{2k}=\frac{3^q-3}{p}$일 때, 자연수 $p$, $q$에 대하여 $p+q$의 값은?

① 16 ② 17 ③ 18
④ 19 ⑤ 20

**049** 중

수열 $\{a_n\}$에 대하여 $\sum_{k=1}^{n}a_k=\log_3\frac{(n+1)(n+2)}{2}$일 때, $\sum_{k=1}^{8}a_{2k}$의 값을 구하시오.

★ 중요

## 유형 09 분수 꼴인 수열의 합

**050** 대표 문제 다시 보기

$\frac{1}{3^2-1}+\frac{1}{5^2-1}+\frac{1}{7^2-1}+\cdots+\frac{1}{23^2-1}=\frac{q}{p}$일 때, 서로소인 두 자연수 $p$, $q$에 대하여 $p-q$의 값을 구하시오.

**051** 중

수열 $\frac{1}{1\times4}$, $\frac{1}{4\times7}$, $\frac{1}{7\times10}$, $\cdots$의 첫째항부터 제10항까지의 합을 구하시오.

### 052 중

$1+\frac{1}{1+2}+\frac{1}{1+2+3}+\cdots+\frac{1}{1+2+3+\cdots+100}$의 값은?

① $\frac{9}{5}$　② $\frac{182}{101}$　③ $\frac{46}{25}$　④ $\frac{200}{101}$　⑤ 2

### 053 중

$n$이 자연수일 때, $x$에 대한 이차방정식 $x^2+2x-(4n^2-1)=0$의 두 근을 $\alpha_n$, $\beta_n$이라 하자. 이때 $\sum_{n=1}^{15}\left(\frac{1}{\alpha_n}+\frac{1}{\beta_n}\right)$의 값을 구하시오.

### 054 중

수열 $\{a_n\}$에 대하여 $\sum_{k=1}^{n}a_k=n^2-2n$일 때, $\sum_{k=1}^{10}\frac{1}{a_k a_{k+1}}$의 값을 구하시오.

### 055 상 신유형

$x$에 대한 방정식 $\sin x=\frac{2}{(4n-1)\pi}x\,(n=1,\ 2,\ 3,\ \cdots)$의 양의 실근의 개수를 $a_n$이라 할 때, $\sum_{n=1}^{9}\frac{40}{(a_n+1)(a_n+3)}$의 값을 구하시오.

★ 중요

## 유형 10 분모에 근호가 포함된 수열의 합

### 056 대표 문제 다시 보기

수열 $\frac{1}{\sqrt{2}+\sqrt{3}}$, $\frac{1}{\sqrt{3}+\sqrt{4}}$, $\frac{1}{\sqrt{4}+\sqrt{5}}$, $\cdots$의 첫째항부터 제16항까지의 합을 구하시오.

### 057 중

수열 $\{a_n\}$의 일반항이 $a_n=\frac{1}{\sqrt{n}+\sqrt{n+1}}$일 때, $\sum_{k=1}^{m}a_k=3$을 만족시키는 자연수 $m$의 값을 구하시오.

### 058 중

오른쪽 그림과 같이 두 곡선 $y=\sqrt{x+2}$, $y=-\sqrt{x}$가 직선 $x=n$과 만나는 점을 각각 $P_n$, $Q_n$이라 하자. 선분 $P_nQ_n$의 길이를 $a_n$이라 할 때, $\sum_{k=1}^{48}\frac{1}{a_k}$의 값을 구하시오.

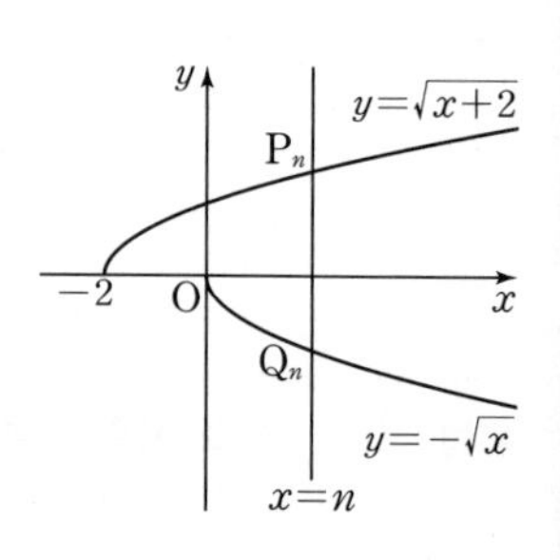


### 059 상

자연수 $n$에 대하여 $27\times2^{n-1}$의 양의 약수의 개수를 $a_n$이라 하자. $f(n)=\sum_{k=1}^{n}\frac{1}{\sqrt{a_k}+\sqrt{a_{k+1}}}$일 때, $f(n)$의 값이 자연수가 되도록 하는 100 이하의 모든 자연수 $n$의 값의 합을 구하시오.

## 유형 11 (등차수열)×(등비수열) 꼴의 수열의 합

### 060 대표 문제 다시 보기

$1-2\times3+3\times3^2-4\times3^3+\cdots-16\times3^{15}=\dfrac{a-b\times3^{16}}{16}$을 만족시키는 자연수 $a$, $b$에 대하여 $a+b$의 값을 구하시오.
(단, $a<10$)

### 061 상

다항함수 $f(x)=1+4x+7x^2+10x^3+\cdots+31x^{10}$에 대하여 $f(2)$의 값은?

① $28\times2^{11}+1$ ② $28\times2^{11}+5$ ③ $36\times2^{11}+5$
④ $28\times2^{12}+1$ ⑤ $28\times2^{12}+5$

## 유형 12 여러 가지 수열의 응용

### 062 대표 문제 다시 보기

자연수를 오른쪽과 같이 규칙적으로 배열할 때, 위에서 10번째 줄의 왼쪽에서 5번째에 있는 수를 구하시오.

1
2 3
4 5 6
7 8 9 10
11 12 13 14 15
⋮

### 063 중

다음 수열에서 $\dfrac{2}{13}$는 제몇 항인지 구하시오.

$$\frac{1}{2}, \frac{1}{3}, \frac{2}{3}, \frac{1}{4}, \frac{2}{4}, \frac{3}{4}, \frac{1}{5}, \frac{2}{5}, \frac{3}{5}, \frac{4}{5}, \cdots$$

### 064 중

순서쌍을 오른쪽과 같이 규칙적으로 배열할 때, 순서쌍 $(8, 24)$는 위에서 $p$번째 줄의 왼쪽에서 $q$번째에 있다. 이때 $p+q$의 값을 구하시오.

(1, 1)
(1, 2), (2, 1)
(1, 3), (2, 2), (3, 1)
(1, 4), (2, 3), (3, 2), (4, 1)
⋮

### 065 상

자연수를 오른쪽 표와 같이 규칙적으로 배열할 때, 위에서 8번째 줄의 왼쪽에서 9번째 칸에 있는 수는?

① 73 ② 74
③ 75 ④ 76
⑤ 77

| 1 | 4 | 9 | 16 | 25 | ⋯ |
|---|---|---|---|---|---|
| 2 | 3 | 8 | 15 | 24 | |
| 5 | 6 | 7 | 14 | 23 | |
| 10 | 11 | 12 | 13 | 22 | |
| 17 | 18 | 19 | 20 | 21 | |
| ⋮ | | | | | ⋱ |

## 066
유형 01

$\sum_{k=1}^{n}(a_{3k-2}+a_{3k-1}+a_{3k})=3n^2-2n$일 때, $\sum_{k=1}^{30}a_k$의 값은?

① 200 ② 220 ③ 240
④ 260 ⑤ 280

## 067
유형 01

수열 $\{a_n\}$의 일반항이 $a_n=\log_2\left(1+\frac{1}{n}\right)$일 때, $\sum_{k=1}^{m}a_k=5$를 만족시키는 자연수 $m$의 값은?

① 31 ② 33 ③ 35
④ 37 ⑤ 39

## 068
유형 02

자연수 $n$에 대하여 다항식 $P(x)=x^{n-1}(3x-1)$을 $x-3$으로 나누었을 때의 나머지를 $a_n$이라 할 때, $\sum_{k=1}^{n}a_k$를 $n$에 대한 식으로 나타내면?

① $\frac{1}{4}(3^n-1)$ ② $\frac{1}{2}(3^n-1)$ ③ $3^n-1$
④ $2(3^n-1)$ ⑤ $4(3^n-1)$

## 069
유형 03

$\sum_{k=1}^{20}(a_k-b_k)^2=8$, $\sum_{k=1}^{20}a_kb_k=14$일 때, $\sum_{k=1}^{20}(a_k^2+b_k^2)$의 값을 구하시오.

## 070
유형 01+03

$\sum_{k=1}^{n}(a_{2k-1}+a_{2k})=3n^2-2n$일 때, $\sum_{k=1}^{10}(2a_k-5)$의 값을 구하시오.

## 071
유형 04

$\sum_{k=1}^{4}(k+1)^3-3\sum_{k=1}^{4}k(k+1)$의 값은?

① 102 ② 104 ③ 106
④ 108 ⑤ 110

## 072
유형 04

첫째항이 $-1$, 공차가 $-2$인 등차수열 $\{a_n\}$과 첫째항이 3, 공차가 2인 등차수열 $\{b_n\}$에 대하여 $\sum_{k=1}^{10}a_kb_k$의 값을 구하시오.

## 073
유형 05

$\sum_{n=1}^{k}\left\{\sum_{m=1}^{n}(m+n)\right\}=147$을 만족시키는 자연수 $k$의 값은?

① 3 ② 4 ③ 5
④ 6 ⑤ 7

## 074
유형 06

수열 1, 1+3, 1+3+5, 1+3+5+7, …의 첫째항부터 제6항까지의 합을 구하시오.

## 075
유형 07

자연수 $n$에 대하여

$$2\times(2n-1)+4\times(2n-3)+6\times(2n-5)+\cdots+2n\times1 = \frac{an(n+b)(2n+c)}{3}$$

일 때, 상수 $a$, $b$, $c$에 대하여 $a+b+c$의 값은?

① $-3$ ② $-1$ ③ 0 ④ 1 ⑤ 3

## 076
유형 08

수열 $\{a_n\}$에 대하여 $\sum_{k=1}^{n} a_k = n^2-11n$일 때, $\sum_{k=1}^{10} |a_{2k}|$의 값을 구하시오.

## 077
유형 09

수열 $\{a_n\}$에 대하여 $a_n = \frac{1^2+2^2+3^2+\cdots+n^2}{2n+1}$일 때,

$\frac{1}{a_1}+\frac{1}{a_2}+\frac{1}{a_3}+\cdots+\frac{1}{a_{20}}$의 값을 구하시오.

## 078
유형 10

자연수 $n$에 대하여 $f(n)=\sqrt{3n+9}+\sqrt{3n+6}$일 때, $\sum_{k=1}^{m} \frac{1}{f(k)}=1$을 만족시키는 자연수 $m$의 값은?

① 6 ② 7 ③ 8 ④ 9 ⑤ 10

## 079
유형 11

$S_n = 1+\frac{2}{2}+\frac{3}{2^2}+\cdots+\frac{n}{2^{n-1}}$일 때, $S_{10}=a-3\left(\frac{1}{2}\right)^b$을 만족시키는 자연수 $a$, $b$에 대하여 $a+b$의 값은?

① 11 ② 13 ③ 15 ④ 17 ⑤ 19

## 080
유형 12

자연수를 오른쪽과 같이 규칙적으로 배열할 때, $n$행에 나열되는 수들의 합을 $a_n$이라 하자. 이때 $\sum_{k=1}^{10} a_k$의 값을 구하시오.

| | | | | | |
|---|---|---|---|---|---|
| 1행 | | | 1 | | |
| 2행 | | 2 | | 4 | |
| 3행 | | 3 | 6 | 9 | |
| 4행 | 4 | 8 | | 12 | 16 |
| 5행 | 5 | 10 | 15 | 20 | 25 |
| ⋮ | | | ⋮ | | |

Ⅲ. 수열

# 10 수학적 귀납법

**유형 01** 등차수열의 귀납적 정의

**유형 02** 등비수열의 귀납적 정의

**유형 03** $a_{n+1}=a_n+f(n)$ 꼴인 수열의 귀납적 정의

**유형 04** $a_{n+1}=a_nf(n)$ 꼴인 수열의 귀납적 정의

**유형 05** 여러 가지 수열의 귀납적 정의

**유형 06** 같은 수가 반복되는 수열

**유형 07** $a_n$과 $S_n$ 사이의 관계식이 주어진 수열

**유형 08** 수열의 귀납적 정의의 활용

**유형 09** 수학적 귀납법

**유형 10** 수학적 귀납법 – 등식의 증명

**유형 11** 수학적 귀납법 – 배수의 증명

**유형 12** 수학적 귀납법 – 부등식의 증명

핵심 유형 10

Ⅲ. 수열

# 수학적 귀납법

★ 중요

## 유형 01 | 등차수열의 귀납적 정의

수열 $\{a_n\}$에서 $n=1, 2, 3, \cdots$일 때

(1) $a_{n+1}-a_n=d$ 또는 $a_{n+1}=a_n+d$ ($d$는 일정)

➡ 공차가 $d$인 등차수열

(2) $a_{n+2}-a_{n+1}=a_{n+1}-a_n$ 또는 $2a_{n+1}=a_n+a_{n+2}$

➡ 등차수열

대표 문제

**001** 수열 $\{a_n\}$이

$a_1=200,\ a_{n+1}=a_n-4\ (n=1, 2, 3, \cdots)$

로 정의될 때, $a_k=12$를 만족시키는 자연수 $k$의 값은?

① 42 ② 44 ③ 46 ④ 48 ⑤ 50

★ 중요

## 유형 02 | 등비수열의 귀납적 정의

수열 $\{a_n\}$에서 $n=1, 2, 3, \cdots$일 때

(1) $a_{n+1}\div a_n=r$ 또는 $a_{n+1}=ra_n$ ($r$는 일정)

➡ 공비가 $r$인 등비수열

(2) $a_{n+2}\div a_{n+1}=a_{n+1}\div a_n$ 또는 $a_{n+1}{}^2=a_na_{n+2}$

➡ 등비수열

대표 문제

**002** 수열 $\{a_n\}$이

$a_2=4,\ a_n=2a_{n+1}\ (n=1, 2, 3, \cdots)$

로 정의될 때, $\sum_{k=1}^{6}a_k$의 값을 구하시오.

## 유형 03 | $a_{n+1}=a_n+f(n)$ 꼴인 수열의 귀납적 정의

주어진 식의 $n$에 $1, 2, 3, \cdots, n-1$을 차례대로 대입한 후 변끼리 더하여 수열 $\{a_n\}$의 일반항을 구한다.

➡ $a_n=a_1+f(1)+f(2)+\cdots+f(n-1)$

$=a_1+\sum_{k=1}^{n-1}f(k)$

대표 문제

**003** 수열 $\{a_n\}$이

$a_1=1,\ a_{n+1}=a_n+2n-1\ (n=1, 2, 3, \cdots)$

로 정의될 때, $a_{20}$의 값은?

① 290 ② 325 ③ 362 ④ 401 ⑤ 442

## 유형 04 | $a_{n+1}=a_nf(n)$ 꼴인 수열의 귀납적 정의

주어진 식의 $n$에 $1, 2, 3, \cdots, n-1$을 차례대로 대입한 후 변끼리 곱하여 수열 $\{a_n\}$의 일반항을 구한다.

➡ $a_n=a_1f(1)f(2)\times\cdots\times f(n-1)$

대표 문제

**004** 수열 $\{a_n\}$이

$a_1=3,\ a_{n+1}=\dfrac{n+3}{n+1}a_n\ (n=1, 2, 3, \cdots)$

으로 정의될 때, $a_{30}$의 값을 구하시오.

## 유형 05 | 여러 가지 수열의 귀납적 정의

수열 $\{a_n\}$의 일반항을 구할 수 없는 경우에는 주어진 식을 적절히 변형한 후 $n$에 1, 2, 3, …을 차례대로 대입하여 항을 구한다.

대표 문제

**005** 수열 $\{a_n\}$이

$$a_1=8,\ a_{n+1}=\frac{1}{2}a_n+2\ (n=1,\ 2,\ 3,\ \cdots)$$

로 정의될 때, $a_5$의 값을 구하시오.

★ 중요

## 유형 06 | 같은 수가 반복되는 수열

주어진 식의 $n$에 1, 2, 3, …을 차례대로 대입하여 같은 수가 반복되는 규칙을 찾는다.

대표 문제

**006** 수열 $\{a_n\}$이

$$a_1=1,\ a_{n+1}=\begin{cases} a_n-2 & (a_n\geq 3) \\ a_n+1 & (a_n<3) \end{cases}\ (n=1,\ 2,\ 3,\ \cdots)$$

로 정의될 때, $a_{29}$의 값을 구하시오.

## 유형 07 | $a_n$과 $S_n$ 사이의 관계식이 주어진 수열

수열의 합과 일반항 사이의 관계에 의하여

$$a_1=S_1,\ a_n=S_n-S_{n-1}\ (n\geq 2)$$

임을 이용하여 주어진 등식을 $a_n$ 또는 $S_n$에 대한 식으로 변형한다.

대표 문제

**007** 수열 $\{a_n\}$의 첫째항부터 제$n$항까지의 합을 $S_n$이라 하면

$$a_1=2,\ S_n=3a_n-4\ (n=1,\ 2,\ 3,\ \cdots)$$

가 성립한다. 이때 $a_{20}$의 값은?

① $\frac{3^{20}}{2^{20}}$　② $\frac{3^{20}}{2^{19}}$　③ $\frac{3^{19}}{2^{19}}$　④ $\frac{3^{19}}{2^{18}}$　⑤ $\frac{3^{18}}{2^{18}}$

★ 중요

## 유형 08 | 수열의 귀납적 정의의 활용

수열의 귀납적 정의의 활용 문제는 다음과 같은 순서로 푼다.

(1) 처음 몇 개의 항을 나열하여 규칙을 파악한다.

(2) 제$n$항을 $a_n$으로 놓고, $a_n$과 $a_{n+1}$ 사이의 관계식을 찾는다.

대표 문제

**008** 어떤 용기에 세균을 넣으면 1시간 동안 4마리는 죽고 나머지는 각각 2마리로 분열한다고 한다. 이 용기에 12마리의 세균을 넣고 $n$시간 후 용기에 살아 있는 세균의 수를 $a_n$이라 할 때, $a_5$의 값을 구하시오.

# 10 수학적 귀납법

정답과 해설 111쪽

## 유형 09 | 수학적 귀납법

모든 자연수 $n$에 대하여 명제 $p(n)$이
(i) $p(1)$이 참이다.
(ii) $p(k)$가 참이면 $p(k+1)$도 참이다. (단, $k$는 자연수)
를 모두 만족시키면 명제 $p(n)$은 참이다.

대표 문제

**009** 모든 자연수 $n$에 대하여 명제 $p(n)$이 아래의 조건을 모두 만족시킬 때, 다음 중 반드시 참인 것은?

(가) $p(1)$이 참이다.
(나) $p(n)$이 참이면 $p(3n)$도 참이다.
(다) $p(n)$이 참이면 $p(5n)$도 참이다.

① $p(30)$　② $p(60)$　③ $p(105)$
④ $p(120)$　⑤ $p(225)$

★ 중요

## 유형 10 | 수학적 귀납법 − 등식의 증명

모든 자연수 $n$에 대하여 명제 $p(n)$이 성립함을 증명하려면 다음 두 가지를 보이면 된다.
(i) $n=1$일 때, 명제 $p(n)$이 성립한다.
(ii) $n=k$일 때, 명제 $p(n)$이 성립한다고 가정하면 $n=k+1$일 때도 명제 $p(n)$이 성립한다.

대표 문제

**010** 모든 자연수 $n$에 대하여 등식
$$1+3+5+\cdots+(2n-1)=n^2$$
이 성립함을 수학적 귀납법으로 증명하시오.

## 유형 11 | 수학적 귀납법 − 배수의 증명

모든 자연수 $n$에 대하여 $f(n)$이 $l$의 배수임을 증명하려면 다음 두 가지를 보이면 된다.
(i) $f(1)$이 $l$의 배수이다.
(ii) $f(k)$가 $l$의 배수라 가정하면 $f(k+1)$도 $l$의 배수이다.

대표 문제

**011** 모든 자연수 $n$에 대하여 $n(n^2+5)$가 6의 배수임을 수학적 귀납법으로 증명하시오.

## 유형 12 | 수학적 귀납법 − 부등식의 증명

$n\geq m$($m$은 자연수)인 모든 자연수 $n$에 대하여 명제 $p(n)$이 성립함을 증명하려면 다음 두 가지를 보이면 된다.
(i) $n=m$일 때, 명제 $p(n)$이 성립한다.
(ii) $n=k\,(k\geq m)$일 때, 명제 $p(n)$이 성립한다고 가정하면 $n=k+1$일 때도 명제 $p(n)$이 성립한다.

**012** $n\geq 3$인 모든 자연수 $n$에 대하여 부등식
$$2^{n+1}>n(n-1)$$
이 성립함을 수학적 귀납법으로 증명하시오.

# 핵심유형 완성하기

정답과 해설 111쪽

★ 중요

## 유형 01 등차수열의 귀납적 정의

### 013 대표 문제 다시 보기

수열 $\{a_n\}$이

$$a_1=-2,\ a_{n+1}-a_n=3\ (n=1,\ 2,\ 3,\ \cdots)$$

으로 정의될 때, $a_k=232$를 만족시키는 자연수 $k$의 값은?

① 71　② 73　③ 75　④ 77　⑤ 79

### 014 하

수열 $\{a_n\}$이

$$a_{n+2}-a_{n+1}=a_{n+1}-a_n\ (n=1,\ 2,\ 3,\ \cdots)$$

을 만족시키고 $a_6=8$, $a_{12}=20$일 때, $a_{18}$의 값을 구하시오.

### 015 중

수열 $\{a_n\}$이

$$2a_{n+1}=a_n+a_{n+2}\ (n=1,\ 2,\ 3,\ \cdots)$$

를 만족시키고, 수열 $\{a_n\}$의 첫째항부터 제$n$항까지의 합을 $S_n$이라 할 때, $S_4=56$, $S_8=80$이다. 이때 $S_n$의 값이 최대가 되도록 하는 자연수 $n$의 값을 구하시오.

### 016 중

수열 $\{a_n\}$이

$$a_1=2,\ a_2=4,\ a_{n+2}-2a_{n+1}+a_n=0\ (n=1,\ 2,\ 3,\ \cdots)$$

으로 정의된다. 수열 $\{a_n\}$의 첫째항부터 제$n$항까지의 합을 $S_n$이라 할 때, $\sum_{k=1}^{16}\frac{1}{S_k}$의 값을 구하시오.

★ 중요

## 유형 02 등비수열의 귀납적 정의

### 017 대표 문제 다시 보기

수열 $\{a_n\}$이

$$a_1=3,\ \frac{a_{n+1}}{a_n}=3\ (n=1,\ 2,\ 3,\ \cdots)$$

으로 정의될 때, $\sum_{k=1}^{5}a_k$의 값은?

① 360　② 363　③ 366　④ 369　⑤ 372

### 018 중

수열 $\{a_n\}$이

$$a_1=1,\ a_{n+1}=\sqrt{a_na_{n+2}}\ (n=1,\ 2,\ 3,\ \cdots)$$

로 정의되고 $\frac{a_4}{a_1}+\frac{a_5}{a_2}+\frac{a_6}{a_3}=81$일 때, $\frac{a_{20}}{a_{10}}$의 값은?

① $3^7$　② $3^8$　③ $3^9$　④ $3^{10}$　⑤ $3^{11}$

### 019 중

수열 $\{a_n\}$이

$$\frac{a_{n+2}}{a_{n+1}}=\frac{a_{n+1}}{a_n}\ (n=1,\ 2,\ 3,\ \cdots)$$

을 만족시키고 $a_1=3$, $a_4=24$이다. 수열 $\{a_n\}$의 첫째항부터 제$n$항까지의 합을 $S_n$이라 할 때, $S_{10}$의 값을 구하시오.

## 유형 03 $a_{n+1}=a_n+f(n)$ 꼴인 수열의 귀납적 정의

### 020 대표 문제 다시 보기

수열 $\{a_n\}$이

$$a_1=2,\ a_{n+1}=a_n+2n^2\ (n=1,\ 2,\ 3,\ \cdots)$$

으로 정의될 때, $a_7$의 값은?

① 184 ② 186 ③ 188
④ 190 ⑤ 192

### 021 중

수열 $\{a_n\}$이

$$a_1=4,\ a_n=a_{n-1}+3^{n-1}\ (n=2,\ 3,\ 4,\ \cdots)$$

으로 정의될 때, $a_m=124$를 만족시키는 자연수 $m$의 값은?

① 4 ② 5 ③ 6
④ 7 ⑤ 8

### 022 중

수열 $\{a_n\}$이

$$a_1=2,\ a_{n+1}=a_n+f(n)\ (n=1,\ 2,\ 3,\ \cdots)$$

으로 정의되고 $\sum_{k=1}^{n} f(k)=2n^2+1$일 때, $a_{10}$의 값을 구하시오.

### 023 중

수열 $\{a_n\}$이

$$a_1=5,\ a_{n+1}-a_n=\frac{1}{1+2+3+\cdots+n}\ (n=1,\ 2,\ 3,\ \cdots)$$

로 정의될 때, $|a_n-7|<\frac{1}{20}$을 만족시키는 자연수 $n$의 최솟값을 구하시오.

## 유형 04 $a_{n+1}=a_nf(n)$ 꼴인 수열의 귀납적 정의

### 024 대표 문제 다시 보기

수열 $\{a_n\}$이

$$a_1=6,\ (n+1)a_{n+1}=(n+2)a_n\ (n=1,\ 2,\ 3,\ \cdots)$$

으로 정의될 때, $a_{19}$의 값을 구하시오.

### 025 중

수열 $\{a_n\}$이

$$a_1=1,\ \sqrt{n+1}\,a_{n+1}=\sqrt{n}\,a_n\ (n=1,\ 2,\ 3,\ \cdots)$$

으로 정의될 때, $a_k=\frac{1}{7}$을 만족시키는 자연수 $k$의 값은?

① 45 ② 46 ③ 47
④ 48 ⑤ 49

### 026 중

수열 $\{a_n\}$이

$$a_1=1,\ a_{n+1}=2^n a_n\ (n=1,\ 2,\ 3,\ \cdots)$$

으로 정의될 때, $\sum_{k=1}^{10}\log_2 a_k$의 값을 구하시오.

### 027 상

수열 $\{a_n\}$이

$$a_1=1,\ a_{n+1}=\frac{a_n}{n+1}\ (n=1,\ 2,\ 3,\ \cdots)$$

으로 정의될 때, $\frac{1}{a_1}+\frac{1}{a_2}+\frac{1}{a_3}+\cdots+\frac{1}{a_{40}}$을 60으로 나누었을 때의 나머지는?

① 31 ② 33 ③ 35
④ 37 ⑤ 39

## 유형 05 여러 가지 수열의 귀납적 정의

**028** 대표 문제 다시 보기

수열 $\{a_n\}$이

$$a_1=-2,\ a_{n+1}=-2a_n+6\ (n=1,\ 2,\ 3,\ \cdots)$$

으로 정의될 때, $a_5-a_3$의 값은?

① $-48$　② $-40$　③ $-32$
④ $-24$　⑤ $-16$

**029** 중

수열 $\{a_n\}$이

$$a_1=3,\ a_{n+1}+a_n=n\ (n=1,\ 2,\ 3,\ \cdots)$$

으로 정의될 때, $a_6$의 값을 구하시오.

**030** 중

수열 $\{a_n\}$이

$$a_1=1,\ a_{n+1}=\frac{a_n}{1+na_n}\ (n=1,\ 2,\ 3,\ \cdots)$$

으로 정의될 때, $a_5$의 값을 구하시오.

**031** 중

수열 $\{a_n\}$이

$$a_1=1,\ a_{n+1}={a_n}^2+a_n\ (n=1,\ 2,\ 3,\ \cdots)$$

으로 정의될 때, $\sum_{k=1}^{100}\log(a_k+1)$의 값은? (단, $a_n>0$)

① $a_{100}$　② $a_{101}$　③ $\log a_{99}$
④ $\log a_{100}$　⑤ $\log a_{101}$

중요

## 유형 06 같은 수가 반복되는 수열

**032** 대표 문제 다시 보기

수열 $\{a_n\}$이

$$a_1=21,\ a_{n+1}=\begin{cases}\frac{1}{2}a_n & (a_n\text{은 짝수})\\ a_n+3 & (a_n\text{은 홀수})\end{cases}\ (n=1,\ 2,\ 3,\ \cdots)$$

으로 정의될 때, $a_{13}$의 값은?

① 1　② 3　③ 6
④ 12　⑤ 24

**033** 중

수열 $\{a_n\}$이

$$a_1=1,\ a_2=2,\ a_na_{n+1}a_{n+2}=1\ (n=1,\ 2,\ 3,\ \cdots)$$

로 정의될 때, $\sum_{k=1}^{50}a_k$의 값은?

① 56　② 57　③ 58
④ 59　⑤ 60

**034** 중

수열 $\{a_n\}$이

$$a_1=2,\ a_{n+1}=(7a_n\text{을 5로 나누었을 때의 나머지})\ (n=1,\ 2,\ 3,\ \cdots)$$

로 정의될 때, $a_{100}+a_{101}+a_{102}-a_{103}$의 값을 구하시오.

## 유형 07 $a_n$과 $S_n$ 사이의 관계식이 주어진 수열

### 035 대표 문제 다시 보기

수열 $\{a_n\}$의 첫째항부터 제$n$항까지의 합을 $S_n$이라 하면

$$a_1=1,\ S_n=2a_n-1\ (n=1,\ 2,\ 3,\ \cdots)$$

이 성립한다. 이때 $a_5+a_6$의 값을 구하시오.

### 036 하

수열 $\{a_n\}$의 첫째항부터 제$n$항까지의 합을 $S_n$이라 하면

$$S_1=1,\ S_{n+1}=\frac{1}{2}S_n+\frac{1}{3}\ (n=1,\ 2,\ 3,\ \cdots)$$

이 성립한다. 이때 $a_4$의 값을 구하시오.

### 037 중

수열 $\{a_n\}$의 첫째항부터 제$n$항까지의 합을 $S_n$이라 하면

$$a_1=-2,\ S_n=2a_n+2n\ (n=1,\ 2,\ 3,\ \cdots)$$

이 성립한다. 이때 $a_5$의 값을 구하시오.

### 038 상

수열 $\{a_n\}$이

$$a_1=5,\ a_{n+1}=a_1+a_2+a_3+\cdots+a_n\ (n=1,\ 2,\ 3,\ \cdots)$$

으로 정의될 때, $a_n>1000$을 만족시키는 자연수 $n$의 최솟값을 구하시오.

★ 중요

## 유형 08 수열의 귀납적 정의의 활용

### 039 대표 문제 다시 보기

어느 호수의 물고기 수가 매년 20 %씩 감소하여 이 지역의 자치 단체에서는 매년 말 호수에 물고기를 1000마리씩 풀어 놓는다고 한다. 이 호수의 2020년 초 물고기 수가 10000마리일 때, 2024년 초 물고기 수를 구하시오.

### 040 하

어느 수족관에서는 매일 전날 들어 있던 물의 절반을 버리고 다시 8 L의 물을 채워 넣는다. 이와 같은 시행을 $n$번 반복한 후 수족관에 들어 있는 물의 양을 $a_n$ L라 할 때, $a_n$과 $a_{n+1}$ 사이의 관계식을 구하시오.

### 041 중

농도가 9 %인 소금물 300 g이 담겨 있는 그릇이 있다. 이 그릇에서 소금물 50 g을 덜어 낸 다음 농도가 6 %인 소금물 50 g을 다시 넣는 것을 1회 시행이라 하자. 같은 시행을 $n$회 반복한 후 이 그릇에 담긴 소금물의 농도를 $a_n$ %라 하면

$$a_{n+1}=pa_n+q\ (n=1,\ 2,\ 3,\ \cdots)$$

가 성립한다. 이때 상수 $p$, $q$에 대하여 $p+q$의 값을 구하시오.

### 042 중

다음 그림과 같이 크기가 같은 정사각형을 변끼리 붙여 새로운 도형을 만들려고 한다. 이와 같은 과정을 반복하여 $n$단계를 만드는 데 필요한 정사각형의 개수를 $a_n$이라 할 때, $a_n$과 $a_{n+1}$ 사이의 관계식을 구하시오.

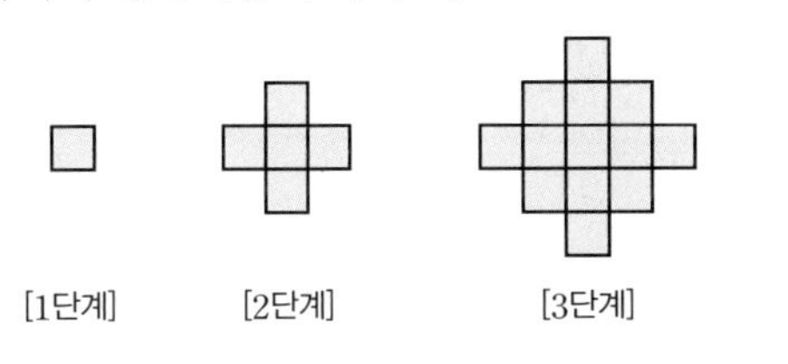


### 043 중

다음 그림과 같이 평면 위에 $n$개의 원을 그릴 때, 임의의 두 원은 항상 두 점에서 만나고, 세 개 이상의 원이 동시에 지나는 점은 없도록 하자. $n$개의 원의 교점의 개수를 $a_n$이라 할 때, $a_6$의 값을 구하시오.

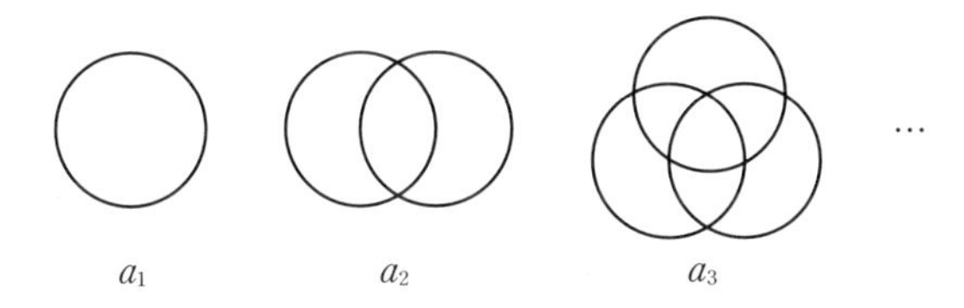


### 044 상

오른쪽 그림과 같이 한 변의 길이가 1인 정오각형에서 꼭짓점 $\mathrm{P}_1$을 출발한 점 A는 다음과 같은 규칙에 따라 시계 반대 방향으로 정오각형의 변을 따라 움직인다.

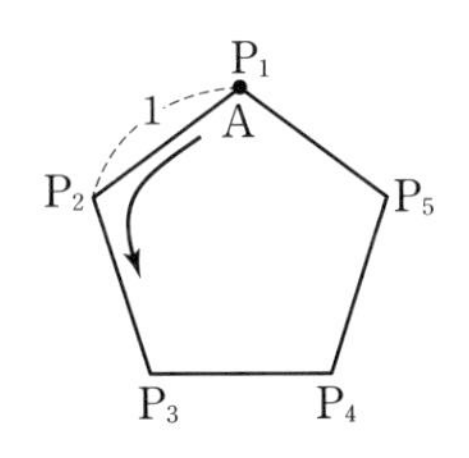


> (가) 첫 번째에 점 A는 1만큼 이동하여 꼭짓점 $\mathrm{P}_2$에 도착한다.
> (나) 점 A가 $n$번째에 꼭짓점 $\mathrm{P}_i$ $(i=1, 2, 3, 4, 5)$에 도착하면 $(n+1)$번째에는 꼭짓점 $\mathrm{P}_i$를 출발하여 $i$만큼 이동한다.

점 A가 $n$번째에 도착한 꼭짓점 $\mathrm{P}_i$에 대하여 수열 $\{a_n\}$을 $a_n=i$라 하자. 예를 들어 $a_1=2$, $a_2=4$이다. 이때 $\sum_{k=1}^{100} a_k$의 값을 구하시오.

## 유형 09 수학적 귀납법

### 045 대표 문제 다시 보기

모든 자연수 $n$에 대하여 명제 $p(n)$이 아래의 조건을 모두 만족시킬 때, 다음 중 반드시 참인 것은?

> (가) $p(1)$이 참이다.
> (나) $p(n)$이 참이면 $p(2n)$도 참이다.

① $p(12)$　② $p(18)$　③ $p(24)$
④ $p(32)$　⑤ $p(36)$

### 046 중

모든 자연수 $n$에 대하여 명제 $p(n)$이 참이면 명제 $p(n+2)$가 참일 때, 다음 보기 중 옳은 것만을 있는 대로 고르시오.

> **보기**
> ㄱ. $p(1)$이 참이면 $p(7)$도 참이다.
> ㄴ. $p(2)$가 참이면 $p(20)$도 참이다.
> ㄷ. $p(1)$, $p(2)$가 참이면 모든 자연수 $n$에 대하여 $p(n)$이 참이다.

### 047 중

모든 자연수 $n$에 대하여 명제 $p(n)$이 아래의 조건을 모두 만족시킨다.

> (가) $p(1)$이 참이다.
> (나) ☐

위의 조건에 의하여 명제 $p(125)$가 반드시 참일 때, 다음 보기 중 조건 (나)가 될 수 있는 것만을 있는 대로 고르시오.

> **보기**
> ㄱ. $p(n)$이 참이면 $p(n+2)$도 참이다.
> ㄴ. $p(n)$이 참이면 $p(2n+3)$도 참이다.
> ㄷ. $p(n+4)$가 거짓이면 $p(n)$도 거짓이다.

★ 중요

## 유형 10 수학적 귀납법 – 등식의 증명

### 048 대표 문제 다시 보기

다음은 모든 자연수 $n$에 대하여 등식

$$1\times2+2\times3+3\times4+\cdots+n(n+1)$$
$$=\frac{1}{3}n(n+1)(n+2)$$

가 성립함을 수학적 귀납법으로 증명하는 과정이다. (가), (나)에 알맞은 것을 차례대로 나열한 것은?

> (i) $n=1$일 때
> (좌변)$=1\times2=2$, (우변)$=\frac{1}{3}\times1\times2\times3=2$
> 이므로 주어진 등식이 성립한다.
> (ii) $n=k$일 때, 주어진 등식이 성립한다고 가정하면
> $1\times2+2\times3+3\times4+\cdots+k(k+1)$
> $=\frac{1}{3}k(k+1)(k+2)$
> 위의 식의 양변에 [ (가) ]을(를) 더하면
> $1\times2+2\times3+3\times4+\cdots+k(k+1)+$ [ (가) ]
> $=\frac{1}{3}k(k+1)(k+2)+$ [ (가) ]
> $=\frac{1}{3}(k+1)(k+2)($ [ (나) ] $)$
> 따라서 $n=k+1$일 때도 주어진 등식이 성립한다.
> (i), (ii)에서 모든 자연수 $n$에 대하여 주어진 등식이 성립한다.

① $(k+1)(k+2)$, $k+1$
② $(k+1)(k+2)$, $k+2$
③ $(k+1)(k+2)$, $k+3$
④ $(k+2)(k+3)$, $k+2$
⑤ $(k+2)(k+3)$, $k+3$

### 049 중

다음은 모든 자연수 $n$에 대하여 등식

$$1^2+2^2+3^2+\cdots+n^2=\frac{1}{6}n(n+1)(2n+1)$$

이 성립함을 수학적 귀납법으로 증명하는 과정이다. (가), (나)에 알맞은 식을 각각 $f(k)$, $g(k)$라 할 때, $f(2)+g(2)$의 값을 구하시오.

> (i) $n=1$일 때
> (좌변)$=1^2=1$, (우변)$=\frac{1}{6}\times1\times2\times3=1$
> 이므로 주어진 등식이 성립한다.
> (ii) $n=k$일 때, 주어진 등식이 성립한다고 가정하면
> $1^2+2^2+3^2+\cdots+k^2=\frac{1}{6}k(k+1)(2k+1)$
> 위의 식의 양변에 [ (가) ]을(를) 더하면
> $1^2+2^2+3^2+\cdots+k^2+$ [ (가) ]
> $=\frac{1}{6}k(k+1)(2k+1)+$ [ (가) ]
> $=\frac{1}{6}(k+1)(2k^2+k+$ [ (나) ] $)$
> $=\frac{1}{6}(k+1)(k+2)(2k+3)$
> 따라서 $n=k+1$일 때도 주어진 등식이 성립한다.
> (i), (ii)에서 모든 자연수 $n$에 대하여 주어진 등식이 성립한다.

## 050 중

다음은 모든 자연수 $n$에 대하여 등식

$$\sum_{k=1}^{n}(-1)^{k-1}(n+1-k)^2=\sum_{k=1}^{n}k$$

가 성립함을 수학적 귀납법으로 증명하는 과정이다. (가)에 알맞은 식을 $f(m)$이라 할 때, $f(8)$의 값은?

> (i) $n=1$일 때
> (좌변)$=1$, (우변)$=1$
> 이므로 주어진 등식이 성립한다.
> (ii) $n=m$일 때, 주어진 등식이 성립한다고 가정하면
> $\sum_{k=1}^{m}(-1)^{k-1}(m+1-k)^2=\sum_{k=1}^{m}k$
> $n=m+1$일 때
> $\sum_{k=1}^{m+1}(-1)^{k-1}(m+2-k)^2$
> $=(-1)^0\times(m+1)^2+(-1)^1\times m^2$
> $\qquad+(-1)^2\times(m-1)^2+\cdots+(-1)^m\times 1^2$
> $=(m+1)^2+(-1)\times\sum_{k=1}^{m}(-1)^{k-1}(m+1-k)^2$
> $=(m+1)^2-$ (가)
> $=\sum_{k=1}^{m+1}k$
> 따라서 $n=m+1$일 때도 주어진 등식이 성립한다.
> (i), (ii)에서 모든 자연수 $n$에 대하여 주어진 등식이 성립한다.

① 32 ② 34 ③ 36
④ 38 ⑤ 40

## 유형 11 수학적 귀납법 – 배수의 증명

## 051 대표 문제 다시 보기

다음은 모든 자연수 $n$에 대하여 $3^{2n}-1$이 8의 배수임을 수학적 귀납법으로 증명하는 과정이다. (가), (나), (다)에 알맞은 것을 구하시오.

> (i) $n=1$일 때
> $3^2-1=8$이므로 8의 배수이다.
> (ii) $n=k$일 때, $3^{2k}-1=8m$($m$은 자연수)이라 가정하면
> $n=k+1$일 때
> $3^{2(k+1)}-1=$ (가) $\times 3^{2k}-1$
> $=9(3^{2k}-1)+$ (나)
> $=9\times 8m+$ (나)
> $=8\times($ (다) $)$
> 따라서 $n=k+1$일 때도 8의 배수이다.
> (i), (ii)에서 모든 자연수 $n$에 대하여 $3^{2n}-1$은 8의 배수이다.

## 052 중

다음은 모든 자연수 $n$에 대하여 $7^n+5^{n-1}$은 2로 나누어떨어짐을 수학적 귀납법으로 증명하는 과정이다. (가), (나)에 알맞은 것을 구하시오.

> (i) $n=1$일 때
> $7^1+5^{1-1}=8=2\times 4$이므로 2로 나누어떨어진다.
> (ii) $n=k$일 때, $7^k+5^{k-1}=2m$($m$은 자연수)이라 가정하면
> $n=k+1$일 때
> $7^{k+1}+5^k=7\times 7^k+5\times$ (가)
> $=7(7^k+5^{k-1})-2\times$ (가)
> $=7\times$ (나) $-2\times$ (가)
> $=2\times(7m-5^{k-1})$
> 따라서 $n=k+1$일 때도 2로 나누어떨어진다.
> (i), (ii)에서 모든 자연수 $n$에 대하여 $7^n+5^{n-1}$은 2로 나누어떨어진다.

정답과 해설 117쪽

## 유형 12 수학적 귀납법 – 부등식의 증명

### 053 대표 문제 다시 보기

다음은 $n \ge 4$인 모든 자연수 $n$에 대하여 부등식

$1 \times 2 \times 3 \times \cdots \times n > 2^n$

이 성립함을 수학적 귀납법으로 증명하는 과정이다. (가), (나)에 알맞은 것을 차례대로 나열한 것은?

> (i) $n=4$일 때
> (좌변)$=1 \times 2 \times 3 \times 4=24$, (우변)$=2^4=16$
> 이므로 주어진 부등식이 성립한다.
> (ii) $n=k(k \ge 4)$일 때, 주어진 부등식이 성립한다고 가정하면
> $1 \times 2 \times 3 \times \cdots \times k > 2^k$
> 위의 식의 양변에 [ (가) ]을(를) 곱하면
> $1 \times 2 \times 3 \times \cdots \times k \times ($ (가) $) > 2^k \times ($ (가) $)$
> 이때 $2^k \times ($ (가) $) >$ [ (나) ]이므로
> $1 \times 2 \times 3 \times \cdots \times k \times ($ (가) $) >$ [ (나) ]
> 따라서 $n=k+1$일 때도 주어진 부등식이 성립한다.
> (i), (ii)에서 $n \ge 4$인 모든 자연수 $n$에 대하여 주어진 부등식이 성립한다.

① $k$, $2^{k+1}$ ② $k$, $2^{k+2}$ ③ $k+1$, $2^{k-1}$
④ $k+1$, $2^k$ ⑤ $k+1$, $2^{k+1}$

### 054 중

다음은 $n \ge 2$인 모든 자연수 $n$에 대하여 부등식

$$\frac{1}{1^2}+\frac{1}{2^2}+\frac{1}{3^2}+\cdots+\frac{1}{n^2}<2-\frac{1}{n}$$

이 성립함을 수학적 귀납법으로 증명하는 과정이다. (가), (나)에 알맞은 것을 각각 $f(k)$, $a$라 할 때, $f(a)$의 값은?

> (i) $n=2$일 때
> (좌변)$=\frac{1}{1^2}+\frac{1}{2^2}=\frac{5}{4}$, (우변)$=2-\frac{1}{2}=\frac{3}{2}$
> 이므로 주어진 부등식이 성립한다.
> (ii) $n=k(k \ge 2)$일 때, 주어진 부등식이 성립한다고 가정하면
> $\frac{1}{1^2}+\frac{1}{2^2}+\frac{1}{3^2}+\cdots+\frac{1}{k^2}<2-\frac{1}{k}$
> 위의 식의 양변에 [ (가) ]을(를) 더하면
> $\frac{1}{1^2}+\frac{1}{2^2}+\frac{1}{3^2}+\cdots+\frac{1}{k^2}+$ [ (가) ] $<2-\frac{1}{k}+$ [ (가) ]
> 이때
> $\left\{2-\frac{1}{k}+\text{(가)}\right\}-\left(2-\frac{1}{k+1}\right)=-\frac{\text{(나)}}{k(k+1)^2}<0$
> 이므로 $2-\frac{1}{k}+$ [ (가) ] $<2-\frac{1}{k+1}$
> $\therefore \frac{1}{1^2}+\frac{1}{2^2}+\frac{1}{3^2}+\cdots+\frac{1}{(k+1)^2}<2-\frac{1}{k+1}$
> 따라서 $n=k+1$일 때도 주어진 부등식이 성립한다.
> (i), (ii)에서 $n \ge 2$인 모든 자연수 $n$에 대하여 주어진 부등식이 성립한다.

① $\frac{1}{25}$ ② $\frac{1}{16}$ ③ $\frac{1}{9}$
④ $\frac{1}{4}$ ⑤ $1$

# 최종 점검하기



정답과 해설 118쪽

### 055

유형 01

모든 항이 양수인 수열 $\{a_n\}$이

$$\log_2 a_{n+1}+1=\log_2 (a_n+a_{n+2})\ (n=1,\ 2,\ 3,\ \cdots)$$

를 만족시키고 $a_3=8$, $a_7=20$일 때, $a_{15}$의 값을 구하시오.

### 056

유형 02

수열 $\{a_n\}$이

$$a_1=8,\ a_{n+1}=2a_n\ (n=1,\ 2,\ 3,\ \cdots)$$

으로 정의될 때, 수열 $\{a_n\}$에서 처음으로 1000보다 커지는 항은 제몇 항인지 구하시오.

### 057

유형 03

수열 $\{a_n\}$이

$$a_1=10,\ a_{n+1}-a_n=2n\ (n=1,\ 2,\ 3,\ \cdots)$$

으로 정의될 때, $a_m=82$를 만족시키는 자연수 $m$의 값은?

① 6 ② 7 ③ 8 ④ 9 ⑤ 10

### 058

유형 04

수열 $\{a_n\}$이

$$a_1=1,\ a_{n+1}=\left(1+\frac{1}{n}\right)a_n\ (n=1,\ 2,\ 3,\ \cdots)$$

으로 정의될 때, $\sum_{k=1}^{10}(a_{2k-1}+a_{2k})$의 값은?

① 200 ② 210 ③ 220 ④ 230 ⑤ 240

### 059

유형 05

수열 $\{a_n\}$이

$$a_1=1,\ a_2=2,\ a_{n+2}=a_n+3\ (n=1,\ 2,\ 3,\ \cdots)$$

으로 정의될 때, $a_{13}+a_{14}$의 값은?

① 36 ② 37 ③ 38 ④ 39 ⑤ 40

### 060

유형 06

수열 $\{a_n\}$이

$$a_1=1,\ a_2=2,\ a_3=4,$$
$$a_n a_{n+2}=a_{n-1}a_{n+1}\ (n=2,\ 3,\ 4,\ \cdots)$$

로 정의될 때, $a_{50}+a_{52}+a_{54}$의 값을 구하시오.

### 061

유형 07

수열 $\{a_n\}$의 첫째항부터 제$n$항까지의 합을 $S_n$이라 하면

$$3S_n=a_{n+1}+7\ (n=1,\ 2,\ 3,\ \cdots)$$

이 성립한다. $a_{20}=ka_{18}$일 때, 상수 $k$의 값을 구하시오.

### 062

유형 08

지홍이는 방학 중에 자전거 여행을 하기로 했다. 여행 첫날에 26 km를 이동하고 다음 날부터는 매일 전날 이동한 거리의 절반에 5 km를 더 이동한다. 이때 여행 첫날부터 5일째까지 이동한 거리를 구하시오.

정답과 해설 119쪽

## 063

유형 09

모든 자연수 $n$에 대하여 명제 $p(n)$이 참이면 명제 $p(n+3)$이 참일 때, 다음 보기 중 옳은 것만을 있는 대로 고른 것은? (단, $k$는 자연수)

**보기**

ㄱ. $p(1)$이 참이면 $p(3k+1)$도 참이다.
ㄴ. $p(2)$가 참이면 $p(3k)$도 참이다.
ㄷ. $p(1)$, $p(2)$, $p(3)$이 참이면 $p(k)$도 참이다.

① ㄱ　② ㄴ　③ ㄱ, ㄴ　④ ㄱ, ㄷ　⑤ ㄱ, ㄴ, ㄷ

## 064

유형 10

다음은 모든 자연수 $n$에 대하여 등식

$$\frac{1}{2}+\frac{2}{2^2}+\frac{3}{2^3}+\cdots+\frac{n}{2^n}=2-\frac{n+2}{2^n}$$

가 성립함을 수학적 귀납법으로 증명하는 과정이다. (가), (나), (다)에 알맞은 것을 각각 $a$, $f(k)$, $g(k)$라 할 때, $f(2a)+g(2a)$의 값을 구하시오.

(i) $n=1$일 때
(좌변)$=\frac{1}{2}$, (우변)$=$ (가)
이므로 주어진 등식이 성립한다.
(ii) $n=k$일 때, 주어진 등식이 성립한다고 가정하면
$\frac{1}{2}+\frac{2}{2^2}+\frac{3}{2^3}+\cdots+\frac{k}{2^k}=2-\frac{k+2}{2^k}$
위의 식의 양변에 (나) 을(를) 더하면
$\frac{1}{2}+\frac{2}{2^2}+\frac{3}{2^3}+\cdots+\frac{k}{2^k}+$ (나)
$=2-\frac{k+2}{2^k}+$ (나)
$=2-$ (다)
따라서 $n=k+1$일 때도 주어진 등식이 성립한다.
(i), (ii)에서 모든 자연수 $n$에 대하여 주어진 등식이 성립한다.

## 065

유형 11

다음은 모든 자연수 $n$에 대하여 $2^{2n}-1$이 3의 배수임을 수학적 귀납법으로 증명하는 과정이다. (가), (나)에 알맞은 것을 각각 $a$, $f(m)$이라 할 때, $f(a)$의 값을 구하시오.

(i) $n=1$일 때
$2^2-1=3$이므로 3의 배수이다.
(ii) $n=k$일 때, $2^{2k}-1=3m$ ($m$은 자연수)이라 가정하면
$n=k+1$일 때
$2^{2(k+1)}-1=$ (가) $\times 2^{2k}-1$
$=3\times($ (나) $)$
따라서 $n=k+1$일 때도 3의 배수이다.
(i), (ii)에서 모든 자연수 $n$에 대하여 $2^{2n}-1$은 3의 배수이다.

## 066

유형 12

다음은 $n\geq 2$인 모든 자연수 $n$에 대하여 부등식

$$1+\frac{1}{2}+\frac{1}{3}+\cdots+\frac{1}{n}>\frac{2n}{n+1}$$

이 성립함을 수학적 귀납법으로 증명하는 과정이다. (가), (나)에 알맞은 것을 구하시오.

(i) $n=2$일 때
(좌변)$=1+\frac{1}{2}=\frac{3}{2}$, (우변)$=\frac{2\times2}{2+1}=\frac{4}{3}$
이므로 주어진 부등식이 성립한다.
(ii) $n=k(k\geq 2)$일 때
주어진 부등식이 성립한다고 가정하면
$1+\frac{1}{2}+\frac{1}{3}+\cdots+\frac{1}{k}>\frac{2k}{k+1}$
위의 식의 양변에 $\frac{1}{k+1}$을 더하면
$1+\frac{1}{2}+\frac{1}{3}+\cdots+\frac{1}{k}+\frac{1}{k+1}>$ (가)
이때 (가) $-\frac{2k+2}{k+2}=\frac{\text{(나)}}{(k+1)(k+2)}>0$이므로
$1+\frac{1}{2}+\frac{1}{3}+\cdots+\frac{1}{k}+\frac{1}{k+1}>\frac{2(k+1)}{k+2}$
따라서 $n=k+1$일 때도 주어진 부등식이 성립한다.
(i), (ii)에서 $n\geq 2$인 모든 자연수 $n$에 대하여 주어진 부등식이 성립한다.

# 상용로그표

| 수 | 0 | 1 | 2 | 3 | 4 | 5 | 6 | 7 | 8 | 9 |
|---|---|---|---|---|---|---|---|---|---|---|
| 1.0 | .0000 | .0043 | .0086 | .0128 | .0170 | .0212 | .0253 | .0294 | .0334 | .0374 |
| 1.1 | .0414 | .0453 | .0492 | .0531 | .0569 | .0607 | .0645 | .0682 | .0719 | .0755 |
| 1.2 | .0792 | .0828 | .0864 | .0899 | .0934 | .0969 | .1004 | .1038 | .1072 | .1106 |
| 1.3 | .1139 | .1173 | .1206 | .1239 | .1271 | .1303 | .1335 | .1367 | .1399 | .1430 |
| 1.4 | .1461 | .1492 | .1523 | .1553 | .1584 | .1614 | .1644 | .1673 | .1703 | .1732 |
| 1.5 | .1761 | .1790 | .1818 | .1847 | .1875 | .1903 | .1931 | .1959 | .1987 | .2014 |
| 1.6 | .2041 | .2068 | .2095 | .2122 | .2148 | .2175 | .2201 | .2227 | .2253 | .2279 |
| 1.7 | .2304 | .2330 | .2355 | .2380 | .2405 | .2430 | .2455 | .2480 | .2504 | .2529 |
| 1.8 | .2553 | .2577 | .2601 | .2625 | .2648 | .2672 | .2695 | .2718 | .2742 | .2765 |
| 1.9 | .2788 | .2810 | .2833 | .2856 | .2878 | .2900 | .2923 | .2945 | .2967 | .2989 |
| 2.0 | .3010 | .3032 | .3054 | .3075 | .3096 | .3118 | .3139 | .3160 | .3181 | .3201 |
| 2.1 | .3222 | .3243 | .3263 | .3284 | .3304 | .3324 | .3345 | .3365 | .3385 | .3404 |
| 2.2 | .3424 | .3444 | .3464 | .3483 | .3502 | .3522 | .3541 | .3560 | .3579 | .3598 |
| 2.3 | .3617 | .3636 | .3655 | .3674 | .3692 | .3711 | .3729 | .3747 | .3766 | .3784 |
| 2.4 | .3802 | .3820 | .3838 | .3856 | .3874 | .3892 | .3909 | .3927 | .3945 | .3962 |
| 2.5 | .3979 | .3997 | .4014 | .4031 | .4048 | .4065 | .4082 | .4099 | .4116 | .4133 |
| 2.6 | .4150 | .4166 | .4183 | .4200 | .4216 | .4232 | .4249 | .4265 | .4281 | .4298 |
| 2.7 | .4314 | .4330 | .4346 | .4362 | .4378 | .4393 | .4409 | .4425 | .4440 | .4456 |
| 2.8 | .4472 | .4487 | .4502 | .4518 | .4533 | .4548 | .4564 | .4579 | .4594 | .4609 |
| 2.9 | .4624 | .4639 | .4654 | .4669 | .4683 | .4698 | .4713 | .4728 | .4742 | .4757 |
| 3.0 | .4771 | .4786 | .4800 | .4814 | .4829 | .4843 | .4857 | .4871 | .4886 | .4900 |
| 3.1 | .4914 | .4928 | .4942 | .4955 | .4969 | .4983 | .4997 | .5011 | .5024 | .5038 |
| 3.2 | .5051 | .5065 | .5079 | .5092 | .5105 | .5119 | .5132 | .5145 | .5159 | .5172 |
| 3.3 | .5185 | .5198 | .5211 | .5224 | .5237 | .5250 | .5263 | .5276 | .5289 | .5302 |
| 3.4 | .5315 | .5328 | .5340 | .5353 | .5366 | .5378 | .5391 | .5403 | .5416 | .5428 |
| 3.5 | .5441 | .5453 | .5465 | .5478 | .5490 | .5502 | .5514 | .5527 | .5539 | .5551 |
| 3.6 | .5563 | .5575 | .5587 | .5599 | .5611 | .5623 | .5635 | .5647 | .5658 | .5670 |
| 3.7 | .5682 | .5694 | .5705 | .5717 | .5729 | .5740 | .5752 | .5763 | .5775 | .5786 |
| 3.8 | .5798 | .5809 | .5821 | .5832 | .5843 | .5855 | .5866 | .5877 | .5888 | .5899 |
| 3.9 | .5911 | .5922 | .5933 | .5944 | .5955 | .5966 | .5977 | .5988 | .5999 | .6010 |
| 4.0 | .6021 | .6031 | .6042 | .6053 | .6064 | .6075 | .6085 | .6096 | .6107 | .6117 |
| 4.1 | .6128 | .6138 | .6149 | .6160 | .6170 | .6180 | .6191 | .6201 | .6212 | .6222 |
| 4.2 | .6232 | .6243 | .6253 | .6263 | .6274 | .6284 | .6294 | .6304 | .6314 | .6325 |
| 4.3 | .6335 | .6345 | .6355 | .6365 | .6375 | .6385 | .6395 | .6405 | .6415 | .6425 |
| 4.4 | .6435 | .6444 | .6454 | .6464 | .6474 | .6484 | .6493 | .6503 | .6513 | .6522 |
| 4.5 | .6532 | .6542 | .6551 | .6561 | .6571 | .6580 | .6590 | .6599 | .6609 | .6618 |
| 4.6 | .6628 | .6637 | .6646 | .6656 | .6665 | .6675 | .6684 | .6693 | .6702 | .6712 |
| 4.7 | .6721 | .6730 | .6739 | .6749 | .6758 | .6767 | .6776 | .6785 | .6794 | .6803 |
| 4.8 | .6812 | .6821 | .6830 | .6839 | .6848 | .6857 | .6866 | .6875 | .6884 | .6893 |
| 4.9 | .6902 | .6911 | .6920 | .6928 | .6937 | .6946 | .6955 | .6964 | .6972 | .6981 |
| 5.0 | .6990 | .6998 | .7007 | .7016 | .7024 | .7033 | .7042 | .7050 | .7059 | .7067 |
| 5.1 | .7076 | .7084 | .7093 | .7101 | .7110 | .7118 | .7126 | .7135 | .7143 | .7152 |
| 5.2 | .7160 | .7168 | .7177 | .7185 | .7193 | .7202 | .7210 | .7218 | .7226 | .7235 |
| 5.3 | .7243 | .7251 | .7259 | .7267 | .7275 | .7284 | .7292 | .7300 | .7308 | .7316 |
| 5.4 | .7324 | .7332 | .7340 | .7348 | .7356 | .7364 | .7372 | .7380 | .7388 | .7396 |

# 상용로그표

| 수 | 0 | 1 | 2 | 3 | 4 | 5 | 6 | 7 | 8 | 9 |
|---|---|---|---|---|---|---|---|---|---|---|
| **5.5** | .7404 | .7412 | .7419 | .7427 | .7435 | .7443 | .7451 | .7459 | .7466 | .7474 |
| **5.6** | .7482 | .7490 | .7497 | .7505 | .7513 | .7520 | .7528 | .7536 | .7543 | .7551 |
| **5.7** | .7559 | .7566 | .7574 | .7582 | .7589 | .7597 | .7604 | .7612 | .7619 | .7627 |
| **5.8** | .7634 | .7642 | .7649 | .7657 | .7664 | .7672 | .7679 | .7686 | .7694 | .7701 |
| **5.9** | .7709 | .7716 | .7723 | .7731 | .7738 | .7745 | .7752 | .7760 | .7767 | .7774 |
| **6.0** | .7782 | .7789 | .7796 | .7803 | .7810 | .7818 | .7825 | .7832 | .7839 | .7846 |
| **6.1** | .7853 | .7860 | .7868 | .7875 | .7882 | .7889 | .7896 | .7903 | .7910 | .7917 |
| **6.2** | .7924 | .7931 | .7938 | .7945 | .7952 | .7959 | .7966 | .7973 | .7980 | .7987 |
| **6.3** | .7993 | .8000 | .8007 | .8014 | .8021 | .8028 | .8035 | .8041 | .8048 | .8055 |
| **6.4** | .8062 | .8069 | .8075 | .8082 | .8089 | .8096 | .8102 | .8109 | .8116 | .8122 |
| **6.5** | .8129 | .8136 | .8142 | .8149 | .8156 | .8162 | .8169 | .8176 | .8182 | .8189 |
| **6.6** | .8195 | .8202 | .8209 | .8215 | .8222 | .8228 | .8235 | .8241 | .8248 | .8254 |
| **6.7** | .8261 | .8267 | .8274 | .8280 | .8287 | .8293 | .8299 | .8306 | .8312 | .8319 |
| **6.8** | .8325 | .8331 | .8338 | .8344 | .8351 | .8357 | .8363 | .8370 | .8376 | .8382 |
| **6.9** | .8388 | .8395 | .8401 | .8407 | .8414 | .8420 | .8426 | .8432 | .8439 | .8445 |
| **7.0** | .8451 | .8457 | .8463 | .8470 | .8476 | .8482 | .8488 | .8494 | .8500 | .8506 |
| **7.1** | .8513 | .8519 | .8525 | .8531 | .8537 | .8543 | .8549 | .8555 | .8561 | .8567 |
| **7.2** | .8573 | .8579 | .8585 | .8591 | .8597 | .8603 | .8609 | .8615 | .8621 | .8627 |
| **7.3** | .8633 | .8639 | .8645 | .8651 | .8657 | .8663 | .8669 | .8675 | .8681 | .8686 |
| **7.4** | .8692 | .8698 | .8704 | .8710 | .8716 | .8722 | .8727 | .8733 | .8739 | .8745 |
| **7.5** | .8751 | .8756 | .8762 | .8768 | .8774 | .8779 | .8785 | .8791 | .8797 | .8802 |
| **7.6** | .8808 | .8814 | .8820 | .8825 | .8831 | .8837 | .8842 | .8848 | .8854 | .8859 |
| **7.7** | .8865 | .8871 | .8876 | .8882 | .8887 | .8893 | .8899 | .8904 | .8910 | .8915 |
| **7.8** | .8921 | .8927 | .8932 | .8938 | .8943 | .8949 | .8954 | .8960 | .8965 | .8971 |
| **7.9** | .8976 | .8982 | .8987 | .8993 | .8998 | .9004 | .9009 | .9015 | .9020 | .9025 |
| **8.0** | .9031 | .9036 | .9042 | .9047 | .9053 | .9058 | .9063 | .9069 | .9074 | .9079 |
| **8.1** | .9085 | .9090 | .9096 | .9101 | .9106 | .9112 | .9117 | .9122 | .9128 | .9133 |
| **8.2** | .9138 | .9143 | .9149 | .9154 | .9159 | .9165 | .9170 | .9175 | .9180 | .9186 |
| **8.3** | .9191 | .9196 | .9201 | .9206 | .9212 | .9217 | .9222 | .9227 | .9232 | .9238 |
| **8.4** | .9243 | .9248 | .9253 | .9258 | .9263 | .9269 | .9274 | .9279 | .9284 | .9289 |
| **8.5** | .9294 | .9299 | .9304 | .9309 | .9315 | .9320 | .9325 | .9330 | .9335 | .9340 |
| **8.6** | .9345 | .9350 | .9355 | .9360 | .9365 | .9370 | .9375 | .9380 | .9385 | .9390 |
| **8.7** | .9395 | .9400 | .9405 | .9410 | .9415 | .9420 | .9425 | .9430 | .9435 | .9440 |
| **8.8** | .9445 | .9450 | .9455 | .9460 | .9465 | .9469 | .9474 | .9479 | .9484 | .9489 |
| **8.9** | .9494 | .9499 | .9504 | .9509 | .9513 | .9518 | .9523 | .9528 | .9533 | .9538 |
| **9.0** | .9542 | .9547 | .9552 | .9557 | .9562 | .9566 | .9571 | .9576 | .9581 | .9586 |
| **9.1** | .9590 | .9595 | .9600 | .9605 | .9609 | .9614 | .9619 | .9624 | .9628 | .9633 |
| **9.2** | .9638 | .9643 | .9647 | .9652 | .9657 | .9661 | .9666 | .9671 | .9675 | .9680 |
| **9.3** | .9685 | .9689 | .9694 | .9699 | .9703 | .9708 | .9713 | .9717 | .9722 | .9727 |
| **9.4** | .9731 | .9736 | .9741 | .9745 | .9750 | .9754 | .9759 | .9763 | .9768 | .9773 |
| **9.5** | .9777 | .9782 | .9786 | .9791 | .9795 | .9800 | .9805 | .9809 | .9814 | .9818 |
| **9.6** | .9823 | .9827 | .9832 | .9836 | .9841 | .9845 | .9850 | .9854 | .9859 | .9863 |
| **9.7** | .9868 | .9872 | .9877 | .9881 | .9886 | .9890 | .9894 | .9899 | .9903 | .9908 |
| **9.8** | .9912 | .9917 | .9921 | .9926 | .9930 | .9934 | .9939 | .9943 | .9948 | .9952 |
| **9.9** | .9956 | .9961 | .9965 | .9969 | .9974 | .9978 | .9983 | .9987 | .9991 | .9996 |

# 삼각함수표

| θ | sin θ | cos θ | tan θ |
|---|---|---|---|
| 0° | 0.0000 | 1.0000 | 0.0000 |
| 1° | 0.0175 | 0.9998 | 0.0175 |
| 2° | 0.0349 | 0.9994 | 0.0349 |
| 3° | 0.0523 | 0.9986 | 0.0524 |
| 4° | 0.0698 | 0.9976 | 0.0699 |
| 5° | 0.0872 | 0.9962 | 0.0875 |
| 6° | 0.1045 | 0.9945 | 0.1051 |
| 7° | 0.1219 | 0.9925 | 0.1228 |
| 8° | 0.1392 | 0.9903 | 0.1405 |
| 9° | 0.1564 | 0.9877 | 0.1584 |
| 10° | 0.1736 | 0.9848 | 0.1763 |
| 11° | 0.1908 | 0.9816 | 0.1944 |
| 12° | 0.2079 | 0.9781 | 0.2126 |
| 13° | 0.2250 | 0.9744 | 0.2309 |
| 14° | 0.2419 | 0.9703 | 0.2493 |
| 15° | 0.2588 | 0.9659 | 0.2679 |
| 16° | 0.2756 | 0.9613 | 0.2867 |
| 17° | 0.2924 | 0.9563 | 0.3057 |
| 18° | 0.3090 | 0.9511 | 0.3249 |
| 19° | 0.3256 | 0.9455 | 0.3443 |
| 20° | 0.3420 | 0.9397 | 0.3640 |
| 21° | 0.3584 | 0.9336 | 0.3839 |
| 22° | 0.3746 | 0.9272 | 0.4040 |
| 23° | 0.3907 | 0.9205 | 0.4245 |
| 24° | 0.4067 | 0.9135 | 0.4452 |
| 25° | 0.4226 | 0.9063 | 0.4663 |
| 26° | 0.4384 | 0.8988 | 0.4877 |
| 27° | 0.4540 | 0.8910 | 0.5095 |
| 28° | 0.4695 | 0.8829 | 0.5317 |
| 29° | 0.4848 | 0.8746 | 0.5543 |
| 30° | 0.5000 | 0.8660 | 0.5774 |
| 31° | 0.5150 | 0.8572 | 0.6009 |
| 32° | 0.5299 | 0.8480 | 0.6249 |
| 33° | 0.5446 | 0.8387 | 0.6494 |
| 34° | 0.5592 | 0.8290 | 0.6745 |
| 35° | 0.5736 | 0.8192 | 0.7002 |
| 36° | 0.5878 | 0.8090 | 0.7265 |
| 37° | 0.6018 | 0.7986 | 0.7536 |
| 38° | 0.6157 | 0.7880 | 0.7813 |
| 39° | 0.6293 | 0.7771 | 0.8098 |
| 40° | 0.6428 | 0.7660 | 0.8391 |
| 41° | 0.6561 | 0.7547 | 0.8693 |
| 42° | 0.6691 | 0.7431 | 0.9004 |
| 43° | 0.6820 | 0.7314 | 0.9325 |
| 44° | 0.6947 | 0.7193 | 0.9657 |
| 45° | 0.7071 | 0.7071 | 1.0000 |

| θ | sin θ | cos θ | tan θ |
|---|---|---|---|
| 45° | 0.7071 | 0.7071 | 1.0000 |
| 46° | 0.7193 | 0.6947 | 1.0355 |
| 47° | 0.7314 | 0.6820 | 1.0724 |
| 48° | 0.7431 | 0.6691 | 1.1106 |
| 49° | 0.7547 | 0.6561 | 1.1504 |
| 50° | 0.7660 | 0.6428 | 1.1918 |
| 51° | 0.7771 | 0.6293 | 1.2349 |
| 52° | 0.7880 | 0.6157 | 1.2799 |
| 53° | 0.7986 | 0.6018 | 1.3270 |
| 54° | 0.8090 | 0.5878 | 1.3764 |
| 55° | 0.8192 | 0.5736 | 1.4281 |
| 56° | 0.8290 | 0.5592 | 1.4826 |
| 57° | 0.8387 | 0.5446 | 1.5399 |
| 58° | 0.8480 | 0.5299 | 1.6003 |
| 59° | 0.8572 | 0.5150 | 1.6643 |
| 60° | 0.8660 | 0.5000 | 1.7321 |
| 61° | 0.8746 | 0.4848 | 1.8040 |
| 62° | 0.8829 | 0.4695 | 1.8807 |
| 63° | 0.8910 | 0.4540 | 1.9626 |
| 64° | 0.8988 | 0.4384 | 2.0503 |
| 65° | 0.9063 | 0.4226 | 2.1445 |
| 66° | 0.9135 | 0.4067 | 2.2460 |
| 67° | 0.9205 | 0.3907 | 2.3559 |
| 68° | 0.9272 | 0.3746 | 2.4751 |
| 69° | 0.9336 | 0.3584 | 2.6051 |
| 70° | 0.9397 | 0.3420 | 2.7475 |
| 71° | 0.9455 | 0.3256 | 2.9042 |
| 72° | 0.9511 | 0.3090 | 3.0777 |
| 73° | 0.9563 | 0.2924 | 3.2709 |
| 74° | 0.9613 | 0.2756 | 3.4874 |
| 75° | 0.9659 | 0.2588 | 3.7321 |
| 76° | 0.9703 | 0.2419 | 4.0108 |
| 77° | 0.9744 | 0.2250 | 4.3315 |
| 78° | 0.9781 | 0.2079 | 4.7046 |
| 79° | 0.9816 | 0.1908 | 5.1446 |
| 80° | 0.9848 | 0.1736 | 5.6713 |
| 81° | 0.9877 | 0.1564 | 6.3138 |
| 82° | 0.9903 | 0.1392 | 7.1154 |
| 83° | 0.9925 | 0.1219 | 8.1443 |
| 84° | 0.9945 | 0.1045 | 9.5144 |
| 85° | 0.9962 | 0.0872 | 11.4301 |
| 86° | 0.9976 | 0.0698 | 14.3007 |
| 87° | 0.9986 | 0.0523 | 19.0811 |
| 88° | 0.9994 | 0.0349 | 28.6363 |
| 89° | 0.9998 | 0.0175 | 57.2900 |
| 90° | 1.0000 | 0.0000 | |

# 빠른답 체크

## 01 지수 8~19쪽

| | | | |
|---|---|---|---|
| 001 ② | 002 ⑤ | 003 ② | 004 10 |
| 005 $\frac{1}{8}$ | 006 ④ | 007 4 | 008 ① |
| 009 ③ | 010 $\frac{3}{2}$ | 011 $\frac{1}{3}$ | 012 ⑤ |
| 013 2배 | 014 ⑤ | 015 $-30$ | 016 ② |
| 017 ㄱ, ㄴ | 018 ④ | 019 ④ | 020 $\sqrt[3]{3}$ |
| 021 1 | 022 7 | 023 ① | 024 $-3$ |
| 025 ④ | 026 2 | 027 ③ | 028 1 |
| 029 ④ | 030 ④ | 031 ③ | 032 $\frac{29}{24}$ |
| 033 59 | 034 14 | 035 $\frac{4}{33}$ | 036 ③ |
| 037 ④ | 038 $\frac{7}{12}$ | 039 ① | 040 42 |
| 041 ③ | 042 ⑤ | 043 ④ | 044 4 |
| 045 4 | 046 ⑤ | 047 18 | 048 ② |
| 049 3 | 050 ④ | 051 $\frac{3}{5}$ | 052 ③ |
| 053 5 | 054 1 | 055 ④ | 056 ② |
| 057 6 | 058 ① | 059 49 | 060 ⑤ |
| 061 ④ | 062 ⑤ | 063 ① | 064 $\frac{6}{5}$ |
| 065 640 hPa | 066 ① | 067 4 | 068 ② |
| 069 ① | 070 ② | 071 ④ | 072 ④ |
| 073 3 | 074 ④ | 075 2 | 076 ⑤ |
| 077 ② | 078 ② | 079 $\frac{2}{3}$ | 080 $\frac{3}{4}$ |
| 081 ⑤ | 082 2 | | |

## 02 로그 22~37쪽

| | | | |
|---|---|---|---|
| 001 192 | 002 2 | 003 ④ | 004 18 |
| 005 ④ | 006 ③ | 007 $\frac{3}{2}$ | 008 ① |
| 009 6 | 010 $\sqrt{3}$ | 011 ④ | 012 25 |
| 013 ④ | 014 ① | 015 3 | 016 ① |
| 017 1 | 018 ② | 019 2 | 020 9 |
| 021 ④ | 022 10 | 023 ③ | 024 2 |
| 025 8 | 026 $\frac{25}{4}$ | 027 25 | 028 ① |
| 029 ① | 030 ④ | 031 $\frac{2a+3}{ab+1}$ | 032 ② |
| 033 ⑤ | 034 ③ | 035 $-\frac{1}{2}$ | 036 ② |
| 037 ① | 038 $\frac{7}{10}$ | 039 9 | 040 ① |
| 041 ⑤ | 042 4 | 043 17 | 044 $-1$ |
| 045 ⑤ | 046 ② | 047 3.3343 | 048 ② |
| 049 ③ | 050 ③ | 051 ② | 052 ③ |
| 053 $-6$ | 054 12 | 055 ① | 056 11.9 |
| 057 ① | 058 ⑤ | 059 ⑤ | 060 2.0949 |
| 061 ④ | 062 ① | 063 20.1 | 064 ③ |
| 065 2 | 066 ④ | 067 3 | 068 5 |
| 069 10000 | 070 ⑤ | 071 360 | 072 ③ |
| 073 ② | 074 $-\frac{9}{5}$ | 075 $\frac{1}{2}$배 | 076 ② |
| 077 0.98 | 078 ⑤ | 079 32.7 % | 080 10.4 % |
| 081 ④ | 082 3 | 083 $\frac{5}{2}$ | 084 ④ |
| 085 ① | 086 ② | 087 ③ | 088 ④ |
| 089 $\frac{17}{4}$ | 090 0 | 091 4 | 092 ① |
| 093 2.0333 | 094 ① | 095 ④ | 096 ⑤ |
| 097 8 | 098 3 | 099 ④ | |
| 100 $x^2-19x+90=0$ | | 101 ③ | |

## 03 지수함수 40~57쪽

001 8　002 ④　003 ④　004 4
005 ④　006 $\frac{15}{4}$　007 ②　008 36
009 5　010 ③　011 10　012 $\frac{28}{27}$
013 ⑤　014 ⑤　015 ④
016 $a<-3$ 또는 $a>2$　017 $-4$　018 ④
019 ②　020 ②　021 ①　022 $k<2$
023 ①　024 ①　025 2　026 ③
027 2　028 ③　029 $\frac{15}{2}$　030 ⑤
031 ②　032 ⑤　033 $\frac{17}{4}$　034 ①
035 $\frac{16}{3}$　036 ②　037 ②　038 34
039 ②　040 4　041 2　042 73
043 ①　044 22　045 ①　046 ②
047 50　048 ③　049 ①　050 $-\frac{5}{2}$
051 1　052 ④　053 3　054 ⑤
055 ④　056 2　057 $0<x<1$ 또는 $x>5$
058 ⑤　059 10장　060 ②　061 ①
062 $-2$　063 $\frac{13}{9}$　064 12　065 $-3$
066 ③　067 27　068 ⑤　069 2
070 84　071 ①　072 ③　073 $-24$
074 $x=1$ 또는 $x=2$　075 ①　076 3
077 ③　078 ④　079 ③　080 $a<x<d$
081 2　082 $6<a\le 8$　083 ③　084 4
085 ④　086 ①　087 8　088 ⑤
089 $-4$　090 ④　091 3시간　092 12시간
093 ②　094 6　095 ①　096 ④
097 1　098 ①　099 $\frac{1}{32}$　100 ⑤
101 9　102 $-2$　103 4　104 ②
105 ①　106 ②　107 ⑤　108 5
109 $-3<k<-2$　110 ①　111 $-2$
112 ④　113 ③　114 4회

## 04 로그함수 60~79쪽

001 2　002 ③　003 ②　004 $-3$
005 ⑤　006 ⑤　007 ③　008 ④
009 4　010 ⑤　011 $2\sqrt{2}$　012 ④
013 ④　014 16　015 ④　016 6
017 ①　018 4　019 ①　020 ④
021 ①　022 ③　023 $\frac{1}{3}$　024 ④
025 $\frac{20}{3}$　026 9　027 ⑤　028 ②
029 29　030 ②　031 ③　032 6
033 ④　034 $A<C<B$　035 ①
036 15　037 ①　038 ⑤　039 ①
040 $\frac{1}{2}$　041 ④　042 2　043 8
044 ④　045 9　046 160　047 $\frac{1}{81}$
048 1000　049 ③　050 $\frac{5}{3}$　051 $x=9$
052 ⑤　053 $\frac{1}{4}$　054 $\frac{1}{100}$　055 ④
056 ②　057 20　058 9　059 ①
060 10 m　061 $x=\frac{5}{3}$　062 ②　063 ②
064 4　065 ④　066 ④　067 $\frac{1}{64}$
068 $x=\frac{1}{27}$ 또는 $x=\frac{1}{3}$　069 ⑤　070 ④
071 8　072 9　073 ④　074 ⑤
075 ④　076 ④　077 $x=\frac{1}{15}$　078 ①
079 2　080 $1<x<2$　081 ①　082 ⑤
083 ③　084 31　085 ④　086 $1<x<10$
087 ⑤　088 15　089 ③　090 $\alpha<x<\beta$
091 $0<x<\frac{1}{10}$ 또는 $x>\frac{\sqrt{10}}{10}$　092 ④　093 ④
094 16　095 ④　096 $a\ge 10$　097 ①
098 15개월　099 $\frac{1}{10000}$기압 이상 $\frac{1}{100}$기압 이하
100 9 g　101 7　102 ④　103 ③
104 ㄱ, ㄷ, ㄹ, ㅂ　105 ②　106 2
107 $\log_a b<-1<\log_b a<0$　108 1　109 ②
110 ③　111 20　112 ③　113 4
114 21　115 ①　116 2　117 ④
118 22　119 59　120 1　121 ②
122 ④　123 4

# 빠른답 체크

## 05 삼각함수 82~93쪽

001 ②　002 ④　003 ④　004 $\frac{2}{3}\pi$
005 $\frac{2}{7}\pi$　006 ④　007 4　008 ②
009 ②　010 2　011 24　012 ④
013 $-\frac{7}{8}$　014 ③　015 ⑤　016 ㄴ, ㅁ, ㅂ
017 제2사분면 또는 제4사분면　018 ③　019 ④
020 ③　021 ㄱ, ㄷ, ㄹ　022 ④　023 ③
024 ⑤　025 $\frac{1}{2}$　026 ⑤　027 ②
028 4　029 $4\pi$　030 ①
031 $(100+56\pi)$ cm　032 ⑤　033 $\frac{\pi}{2}$
034 $\frac{25}{36}$배　035 ①　036 ④　037 18
038 16 m　039 $-1$　040 ③　041 $-\frac{3}{10}$
042 $\frac{1}{5}$　043 제4사분면　044 ②　045 제2사분면
046 ②　047 0　048 ⑤　049 ③
050 $-2\sin\theta$　051 $-8$　052 $-\frac{\sqrt{3}}{2}$　053 ①
054 $-\frac{\sqrt{15}}{16}$　055 $\frac{\sqrt{31}}{4}$　056 $\sqrt{15}$　057 $-\frac{\sqrt{2}}{2}$
058 ②　059 ①　060 $-1$　061 $-\sqrt{15}$
062 $3x^2+8x+3=0$　063 ②　064 ①
065 67　066 $\frac{7}{9}\pi$　067 $2\pi$　068 ④
069 504 $\text{m}^2$　070 ②　071 ③　072 $\frac{2}{5}$
073 $-\cos\theta$　074 ④　075 $-\sqrt{3}$　076 $-\frac{4}{3}$
077 ⑤　078 1

## 06 삼각함수의 그래프 96~117쪽

001 ⑤　002 $-8$　003 ③　004 ㄱ, ㄴ, ㄹ
005 ④　006 ③　007 $6\pi$　008 ①
009 $-6\pi$　010 ①　011 ②　012 ③
013 $\frac{\sqrt{3}}{2}$　014 ④　015 $\frac{4}{3}\pi$　016 ③
017 ②　018 4　019 ⑤　020 36
021 ②　022 ⑤　023 ㄴ, ㄷ　024 ④
025 ⑤　026 $-1$　027 $-\pi$　028 1
029 ③　030 2　031 ⑤　032 $\frac{5}{2}$
033 $2\pi$　034 ⑤　035 5　036 $2\pi$
037 $-6$　038 $2\pi$　039 $-\frac{4}{3}\pi$　040 ④
041 ⑤　042 ①　043 ②　044 ①
045 $-\frac{4}{5}$　046 $-6$　047 $\frac{10}{3}$　048 ④
049 $x=0$ 또는 $x=\frac{\pi}{6}$　050 ⑤　051 7
052 $2\le k\le 6$　053 ⑤　054 $-\frac{1}{2}$　055 ①
056 ③　057 0.7661　058 ㄱ　059 $-1$
060 $-4$　061 ④　062 ④　063 0
064 $\frac{2\sqrt{2}}{3}$　065 ⑤　066 0　067 ⑤
068 4　069 ⑤　070 ①　071 3
072 ③　073 ⑤　074 ②　075 1
076 ④　077 ⑤　078 3　079 $\frac{13}{3}\pi$
080 ③　081 $\frac{5}{2}\pi$　082 $\frac{\pi}{2}$　083 ④
084 ④　085 $2\pi$　086 $x=\frac{\pi}{6}$ 또는 $x=\frac{5}{6}\pi$
087 ⑤　088 ②　089 $-\sqrt{2}$　090 ①
091 6　092 ②　093 ④　094 ①
095 $\frac{1}{2}$　096 $\frac{1}{2\pi}<a<\frac{1}{\pi}$　097 ④
098 $0\le x\le\frac{\pi}{4}$ 또는 $\frac{5}{4}\pi\le x<2\pi$　099 ④
100 $\frac{\pi}{6}<a\le\frac{\pi}{3}$ 또는 $\frac{2}{3}\pi\le a<\frac{5}{6}\pi$
101 $\frac{\pi}{12}\le\theta\le\frac{5}{12}\pi$　102 ③
103 $\frac{\pi}{4}<x<\frac{\pi}{3}$　104 ⑤　105 ④
106 $2\pi$　107 $\frac{\pi}{3}$　108 $\frac{\pi}{3}\le\theta<\frac{\pi}{2}$
109 ⑤　110 $\frac{9}{2}$　111 ⑤　112 $8\pi$
113 ②　114 ④　115 ④　116 ①
117 $12\pi$　118 ㄱ, ㄷ, ㄹ　119 ②　120 $\frac{5}{2}$
121 ③　122 $-\frac{1}{2}$　123 ②　124 $\frac{\pi}{6}$
125 ②　126 $x=\frac{\pi}{4}$　127 ④　128 9
129 제1사분면 또는 제2사분면

## 사인법칙과 코사인법칙 120~131쪽

001 ⑤　002 4 : 2 : 5　003 ③　004 $10\sqrt{6}$ m

005 $\sqrt{19}$　006 $\sqrt{10}$　007 ③

008 $a=b$인 이등변삼각형　009 $\sqrt{37}$ km　010 60°

011 ④　012 $\frac{39\sqrt{3}}{4}$　013 $10\sqrt{3}$　014 $\frac{37}{64}$

015 $12\sqrt{2}$　016 ③　017 ④　018 $\frac{3}{2}$

019 $\frac{18}{5}$　020 $\frac{7}{2}$　021 ⑤　022 $\frac{7}{4}$

023 ①　024 $C=90°$인 직각삼각형

025 $A=90°$인 직각삼각형　026 ②　027 $41\sqrt{2}$ m

028 $200(\sqrt{3}+1)$ m　029 ①　030 ③

031 $\sqrt{3}$　032 $6\sqrt{7}$　033 $\frac{8\sqrt{6}}{3}$　034 ①

035 $\frac{\sqrt{21}}{7}$　036 $\frac{\sqrt{2}}{2}$　037 $2\sqrt{5}$　038 ⑤

039 $\frac{\sqrt{21}}{3}$　040 $3\sqrt{2}$　041 ⑤

042 $a=c$인 이등변삼각형　043 ④　044 ③

045 $\frac{169}{3}\pi$ m$^2$　046 $10\sqrt{21}$ m　047 $2\sqrt{19}$　048 ③

049 ③　050 $2(\sqrt{3}-1)$　051 $\frac{15}{4}$　052 ②

053 ③　054 $\sqrt{5}$　055 ④　056 ⑤

057 $4\sqrt{6}$　058 $14\sqrt{3}+6\sqrt{35}$　059 ④

060 $\frac{45\sqrt{3}}{4}$　061 $\frac{15\sqrt{7}}{2}$　062 120°　063 ②

064 ⑤　065 ②　066 ③　067 3 : 5 : 7

068 $B=90°$인 직각삼각형　069 ③　070 ①

071 $2\sqrt{7}$　072 $2\sqrt{3}$　073 $\frac{8\sqrt{7}}{7}$　074 ④

075 10 m　076 $\frac{64}{3}\pi-16\sqrt{3}$　077 ②

078 $\frac{9\sqrt{3}+3\sqrt{6}}{2}$　079 $\frac{\sqrt{10}}{10}$

## 등차수열과 등비수열 134~155쪽

001 ③　002 ③　003 36　004 ④

005 120　006 ②　007 23　008 ③

009 −72　010 ④　011 7　012 ②

013 −158　014 ④　015 ③

016 $a_n=\log(2^n\times3)$　017 ㄱ, ㄷ　018 ③

019 ②　020 −6　021 제11항　022 ④

023 1　024 ③　025 $\frac{15}{2}$　026 35

027 ②　028 $\frac{3}{2}$　029 ③　030 3

031 ⑤　032 −6　033 24　034 ③

035 2　036 −1　037 $81\sqrt{5}$　038 ③

039 ⑤　040 −2　041 8　042 ④

043 281　044 ①　045 −252　046 ③

047 −525　048 ②　049 −65　050 121

051 ①　052 5　053 ⑤　054 676

055 ③　056 508　057 ④　058 6

059 30　060 ①　061 ②　062 11

063 ④　064 10　065 ⑤　066 ②

067 84　068 ④　069 ②　070 ②

071 −129　072 ⑤　073 $9\pi\left\{1-\left(\frac{2}{3}\right)^{10}\right\}$

074 ④　075 336만 원　076 324　077 ④

078 ③　079 100　080 ④　081 제8항

082 ⑤　083 12　084 −9　085 ②

086 14　087 4　088 2　089 ②

090 2　091 정삼각형　092 ①　093 27

094 ②　095 46　096 ③　097 $\frac{\pi}{256}$

098 ③　099 484　100 6　101 242

102 ③　103 20　104 ①　105 $\frac{95}{3}$

106 −128　107 ①　108 −64　109 ②

110 ⑤　111 $\frac{16}{9}$배　112 ④　113 ①

114 6　115 30　116 1620만 원　117 ③

118 ②　119 50　120 ③　121 ④

122 4　123 15　124 ③　125 −170

126 145　127 13　128 580　129 155

130 ③　131 −3　132 55　133 90

134 ①　135 16　136 64　137 ②

138 ㄱ, ㄴ, ㄹ　139 896　140 $\frac{37+14\sqrt{3}}{16}$

141 ⑤　142 1.025배

## 09 수열의 합 158~169쪽

| | | | |
|---|---|---|---|
| 001 ① | 002 $-400$ | 003 ③ | 004 ③ |
| 005 84 | 006 ④ | 007 $\frac{n(n+1)(2n+1)}{6}$ | |
| 008 ③ | 009 ② | 010 4 | 011 ④ |
| 012 74 | 013 184 | 014 ③ | 015 66 |
| 016 ④ | 017 ⑤ | 018 40 | 019 ③ |
| 020 ④ | 021 35 | 022 26 | 023 50 |
| 024 $-105$ | 025 ② | 026 10 | 027 ⑤ |
| 028 ③ | 029 10 | 030 ② | 031 245 |
| 032 ① | 033 55 | 034 882 | 035 55 |
| 036 91 | 037 ① | 038 32 | 039 ② |
| 040 3164 | 041 4 | 042 ③ | 043 260 |
| 044 $\frac{n(n-1)(n+1)}{6}$ | | 045 ④ | 046 116 |
| 047 35 | 048 ② | 049 2 | 050 37 |
| 051 $\frac{10}{31}$ | 052 ④ | 053 $\frac{30}{31}$ | 054 $-\frac{10}{19}$ |
| 055 9 | 056 $2\sqrt{2}$ | 057 15 | 058 $3+2\sqrt{2}$ |
| 059 160 | 060 66 | 061 ② | 062 50 |
| 063 제68항 | 064 39 | 065 ② | 066 ⑤ |
| 067 ① | 068 ⑤ | 069 36 | 070 80 |
| 071 ② | 072 $-1530$ | 073 ④ | 074 91 |
| 075 ⑤ | 076 124 | 077 $\frac{40}{7}$ | 078 ④ |
| 079 ① | 080 1705 | | |

## 10 수학적 귀납법 172~184쪽

| | | | |
|---|---|---|---|
| 001 ④ | 002 $\frac{63}{4}$ | 003 ③ | 004 496 |
| 005 $\frac{17}{4}$ | 006 2 | 007 ④ | 008 136 |
| 009 ⑤ | 010 풀이 참조 | 011 풀이 참조 | 012 풀이 참조 |
| 013 ⑤ | 014 32 | 015 9 | 016 $\frac{16}{17}$ |
| 017 ② | 018 ④ | 019 3069 | 020 ① |
| 021 ② | 022 165 | 023 41 | 024 60 |
| 025 ⑤ | 026 165 | 027 ② | 028 ① |
| 029 0 | 030 $\frac{1}{11}$ | 031 ⑤ | 032 ② |
| 033 ④ | 034 4 | 035 48 | 036 $-\frac{1}{24}$ |
| 037 $-62$ | 038 10 | 039 7048마리 | |
| 040 $a_{n+1}=\frac{1}{2}a_n+8$ $(n=1, 2, 3, \cdots)$ | | | 041 $\frac{11}{6}$ |
| 042 $a_{n+1}=a_n+4n$ $(n=1, 2, 3, \cdots)$ | | | 043 30 |
| 044 250 | 045 ④ | 046 ㄱ, ㄴ, ㄷ | 047 ㄱ, ㄴ, ㄷ |
| 048 ③ | 049 27 | 050 ③ | |
| 051 (가) 9 (나) 8 (다) $9m+1$ | | 052 (가) $5^{k-1}$ (나) $2m$ | |
| 053 ⑤ | 054 ④ | 055 44 | 056 제8항 |
| 057 ④ | 058 ② | 059 ④ | 060 6 |
| 061 16 | 062 81 km | 063 ④ | 064 $\frac{3}{2}$ |
| 065 17 | 066 (가) $\frac{2k+1}{k+1}$ (나) $k$ | | |

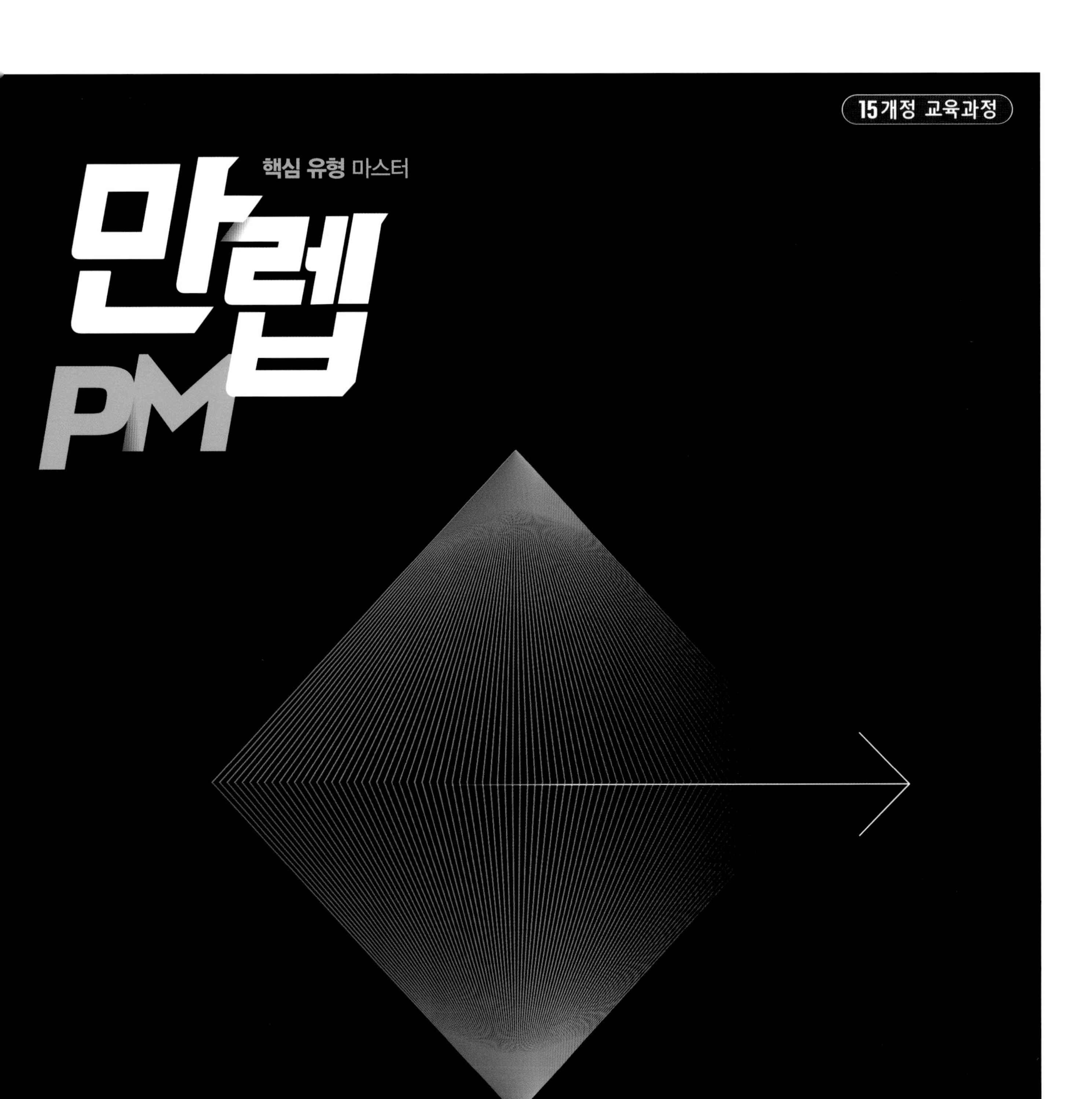


# 수학 Ⅰ

# 정답과 해설

**책 속의 가접 별책** (특허 제 0557442호)
'과 해설'은 본책에서 쉽게 분리할 수 있도록 제작되었으므로
과정에서 분리될 수 있으나 파본이 아닌 정상제품입니다.

ABOVE IMAGINATION

우리는 남다른 상상과 혁신으로
교육 문화의 새로운 전형을 만들어
모든 이의 행복한 경험과 성장에 기여한다

# 정답과 해설

## 수학 I

# 01 지수

8~19쪽

## 001 답 ②

① 8의 세제곱근은 방정식 $x^3=8$의 근이므로

$x^3-8=0$, $(x-2)(x^2+2x+4)=0$

$\therefore x=2$ 또는 $x=-1\pm\sqrt{3}i$

따라서 8의 세제곱근은 2, $-1\pm\sqrt{3}i$의 3개이다.

② $(-4)^2=16$의 네제곱근 중 실수인 것은 $\pm\sqrt[4]{16}=\pm2$이다.

③ $\sqrt{25}=5$의 제곱근 중 실수인 것은 $\pm\sqrt{5}$이다.

④ $-81$의 네제곱근 중 실수인 것은 없다.

⑤ $n$이 짝수일 때, $-36$의 $n$제곱근 중 실수인 것은 없다.

## 002 답 ⑤

① $\sqrt[3]{9}\times\sqrt[3]{3}=\sqrt[3]{27}=\sqrt[3]{3^3}=3$

② $\dfrac{\sqrt[3]{75}}{\sqrt[3]{5}}=\sqrt[3]{\dfrac{75}{5}}=\sqrt[3]{15}$

③ $\sqrt{\sqrt[3]{6}}=\sqrt[6]{6}$

④ $\sqrt[8]{4^3}=\sqrt[8]{(2^2)^3}=\sqrt[8]{2^6}=\sqrt[4]{2^3}$

⑤ $\left(\sqrt{7}\times\dfrac{1}{\sqrt[3]{7}}\right)^6=(\sqrt{7})^6\times\left(\dfrac{1}{\sqrt[3]{7}}\right)^6$

$=\sqrt{7^6}\times\dfrac{1}{\sqrt[3]{7^6}}$

$=7^3\times\dfrac{1}{7^2}=7$

## 003 답 ②

$\dfrac{4^{-3}+2^{-3}}{9}\times\dfrac{10}{27^2+3^8}=\dfrac{(2^2)^{-3}+2^{-3}}{9}\times\dfrac{10}{(3^3)^2+3^8}$

$=\dfrac{2^{-6}+2^{-3}}{9}\times\dfrac{10}{3^6+3^8}$

$=\dfrac{2^{-6}(1+2^3)}{9}\times\dfrac{10}{3^6(1+3^2)}$

$=2^{-6}\times3^{-6}=6^{-6}$

## 004 답 10

$\left\{\left(\dfrac{1}{2}\right)^{\frac{3}{4}}\right\}^{\frac{8}{3}}\times125^{-\frac{2}{3}}\times100^{\frac{3}{2}}=\left(\dfrac{1}{2}\right)^{\frac{3}{4}\times\frac{8}{3}}\times(5^3)^{-\frac{2}{3}}\times(10^2)^{\frac{3}{2}}$

$=\left(\dfrac{1}{2}\right)^2\times5^{-2}\times10^3$

$=2^{-2}\times5^{-2}\times10^3$

$=10^{-2}\times10^3$

$=10^{-2+3}=10$

## 005 답 $\dfrac{1}{8}$

$\sqrt{\sqrt[3]{\sqrt{a}}}\times\sqrt{\sqrt[3]{\sqrt[4]{a}}}=\sqrt[12]{a}\times\sqrt[24]{a}$

$=a^{\frac{1}{12}}\times a^{\frac{1}{24}}$

$=a^{\frac{1}{12}+\frac{1}{24}}=a^{\frac{1}{8}}$

$\therefore k=\dfrac{1}{8}$

## 006 답 ④

$4^3=a$에서 $(2^2)^3=a$, $2^6=a$ $\quad\therefore 2=a^{\frac{1}{6}}$

$27^2=b$에서 $(3^3)^2=b$, $3^6=b$ $\quad\therefore 3=b^{\frac{1}{6}}$

$\therefore 36^5=(2^2\times3^2)^5=2^{10}\times3^{10}$

$=(a^{\frac{1}{6}})^{10}\times(b^{\frac{1}{6}})^{10}=a^{\frac{5}{3}}b^{\frac{5}{3}}$

## 007 답 4

$\left(\dfrac{1}{256}\right)^{\frac{1}{n}}=(2^{-8})^{\frac{1}{n}}=2^{-\frac{8}{n}}$이 자연수가 되려면 $-\dfrac{8}{n}$이 음이 아닌 정수이어야 한다.

따라서 구하는 정수 $n$은 $-8$, $-4$, $-2$, $-1$의 4개이다.

## 008 답 ①

$(a^{\frac{1}{4}}-b^{\frac{1}{4}})(a^{\frac{1}{4}}+b^{\frac{1}{4}})(a^{\frac{1}{2}}+b^{\frac{1}{2}})$

$=\{(a^{\frac{1}{4}})^2-(b^{\frac{1}{4}})^2\}(a^{\frac{1}{2}}+b^{\frac{1}{2}})$

$=(a^{\frac{1}{2}}-b^{\frac{1}{2}})(a^{\frac{1}{2}}+b^{\frac{1}{2}})$

$=(a^{\frac{1}{2}})^2-(b^{\frac{1}{2}})^2$

$=a-b$

## 009 답 ③

$a+a^{-1}=(a^{\frac{1}{2}}+a^{-\frac{1}{2}})^2-2$

$=(\sqrt{5})^2-2=3$

$\therefore a^2+a^{-2}=(a+a^{-1})^2-2$

$=3^2-2=7$

## 010 답 $\dfrac{3}{2}$

구하는 식의 분모, 분자에 $a^x$을 곱하면

$\dfrac{a^x+a^{-x}}{a^x-a^{-x}}=\dfrac{a^x(a^x+a^{-x})}{a^x(a^x-a^{-x})}=\dfrac{a^{2x}+1}{a^{2x}-1}$

$=\dfrac{5+1}{5-1}=\dfrac{3}{2}$

## 011 답 $\dfrac{1}{3}$

$2^x=216$에서 $2=216^{\frac{1}{x}}=(6^3)^{\frac{1}{x}}=6^{\frac{3}{x}}$ $\quad\cdots\cdots$ ㉠

$3^y=216$에서 $3=216^{\frac{1}{y}}=(6^3)^{\frac{1}{y}}=6^{\frac{3}{y}}$ $\quad\cdots\cdots$ ㉡

㉠×㉡을 하면

$6=6^{\frac{3}{x}}\times6^{\frac{3}{y}}$, $6^{\frac{3}{x}+\frac{3}{y}}=6$

$3\left(\dfrac{1}{x}+\dfrac{1}{y}\right)=1$ $\quad\therefore \dfrac{1}{x}+\dfrac{1}{y}=\dfrac{1}{3}$

## 012 답 ⑤

$\sqrt[3]{3}=3^{\frac{1}{3}}$, $\sqrt[4]{4}=4^{\frac{1}{4}}=2^{\frac{1}{2}}$, $\sqrt[6]{6}=6^{\frac{1}{6}}$

2, 3, 6의 최소공배수가 6이므로

$3^{\frac{1}{3}}=3^{\frac{2}{6}}=(3^2)^{\frac{1}{6}}=9^{\frac{1}{6}}$

$2^{\frac{1}{2}}=2^{\frac{3}{6}}=(2^3)^{\frac{1}{6}}=8^{\frac{1}{6}}$

이때 $6^{\frac{1}{6}}<8^{\frac{1}{6}}<9^{\frac{1}{6}}$이므로 $\sqrt[6]{6}<\sqrt[4]{4}<\sqrt[3]{3}$

## 013 답 2배

수심이 8 m인 곳에서의 빛의 세기는 $I_8=I_0\times\left(\frac{1}{2}\right)^2$

수심이 12 m인 곳에서의 빛의 세기는 $I_{12}=I_0\times\left(\frac{1}{2}\right)^3$

$$\therefore \frac{I_8}{I_{12}}=\frac{I_0\times\left(\frac{1}{2}\right)^2}{I_0\times\left(\frac{1}{2}\right)^3}=2$$

따라서 수심이 8 m인 곳에서의 빛의 세기는 수심이 12 m인 곳에서의 빛의 세기의 2배이다.

## 014 답 ⑤

① 27의 세제곱근은 방정식 $x^3=27$의 근이므로

$x^3-27=0$, $(x-3)(x^2+3x+9)=0$

$\therefore x=3$ 또는 $x=\frac{-3\pm3\sqrt{3}i}{2}$

따라서 27의 세제곱근은 3, $\frac{-3\pm3\sqrt{3}i}{2}$의 3개이다.

② $-\sqrt{64}=-8$의 세제곱근 중 실수인 것은 $\sqrt[3]{-8}=-2$이다.

③ $0.1^2=0.01$의 제곱근 중 실수인 것은 $\pm0.1$이다.

④ $n$이 홀수일 때, $-5$의 $n$제곱근 중 실수인 것은 $\sqrt[n]{-5}$이다.

⑤ $n$이 짝수일 때, $-9$의 $n$제곱근 중 실수인 것은 없다.

## 015 답 −30

$\sqrt{625}=25$의 네제곱근 중 양의 실수인 것은 $\sqrt[4]{25}=\sqrt{5}$이므로

$a=\sqrt{5}$

$-216$의 세제곱근 중 실수인 것은 $\sqrt[3]{-216}=-6$이므로

$b=-6$

$\therefore a^2b=(\sqrt{5})^2\times(-6)=-30$

## 016 답 ②

① $\sqrt[3]{-5}$는 실수이므로 $(-5,\ 3)\in S$

② $\sqrt{-3}$은 실수가 아니므로 $(-3,\ 2)\notin S$

③ $\sqrt[3]{-3}$은 실수이므로 $(-3,\ 3)\in S$

④ $\sqrt{3}$은 실수이므로 $(3,\ 2)\in S$

⑤ $\sqrt[3]{5}$는 실수이므로 $(5,\ 3)\in S$

## 017 답 ㄱ, ㄴ

ㄱ. 6의 제곱근 중 실수인 것은 방정식 $x^2=6$의 실근이므로 $\pm\sqrt{6}$의 2개이고, $-7$의 세제곱근 중 실수인 것은 방정식 $x^3=-7$의 실근이므로 $\sqrt[3]{-7}$의 1개이다.

$\therefore N(6,\ 2)+N(-7,\ 3)=2+1=3$

ㄴ. $n$이 홀수일 때, $N(x,\ n)=1$

ㄷ. $n$이 짝수일 때

$x>0$이면 $N(x,\ n)=2$

$x=0$이면 $N(x,\ n)=1$

$x<0$이면 $N(x,\ n)=0$

따라서 보기 중 옳은 것은 ㄱ, ㄴ이다.

## 018 답 ④

① $\sqrt[3]{4}\times\sqrt[3]{16}=\sqrt[3]{64}=\sqrt[3]{4^3}=4$

② $\frac{\sqrt[3]{0.01}}{\sqrt[3]{10}}=\sqrt[3]{\frac{0.01}{10}}=\sqrt[3]{0.001}=\sqrt[3]{0.1^3}=0.1$

③ $\sqrt[3]{2^6}\div(\sqrt[5]{32})^2=\sqrt[3]{4^3}\div(\sqrt[5]{2^5})^2=4\div2^2=1$

④ $\sqrt{\sqrt{81}}\times\sqrt[3]{\sqrt{64}}=\sqrt[4]{81}\times\sqrt[6]{64}=\sqrt[4]{3^4}\times\sqrt[6]{2^6}=3\times2=6$

⑤ $\sqrt[9]{4^6}\times\sqrt[6]{4^2}=\sqrt[3]{4^2}\times\sqrt[3]{4}=\sqrt[3]{4^3}=4$

## 019 답 ④

$$\begin{aligned}\sqrt[3]{54}-\sqrt[6]{16}\times\sqrt[3]{4}+3\sqrt[3]{2}&=\sqrt[3]{2\times3^3}-\sqrt[6]{2^4}\times\sqrt[3]{2^2}+3\sqrt[3]{2}\\&=3\sqrt[3]{2}-\sqrt[3]{2^2}\times\sqrt[3]{2^2}+3\sqrt[3]{2}\\&=3\sqrt[3]{2}-2\sqrt[3]{2}+3\sqrt[3]{2}\\&=4\sqrt[3]{2}\end{aligned}$$

## 020 답 $\sqrt[3]{3}$

$$\begin{aligned}\frac{\sqrt[3]{81}+\sqrt[6]{36}}{\sqrt[3]{9}\times\sqrt[3]{3}+\sqrt[3]{\sqrt{4}}}&=\frac{\sqrt[3]{3^3\times3}+\sqrt[6]{6^2}}{\sqrt[3]{3^2}\times\sqrt[3]{3}+\sqrt[6]{2^2}}=\frac{3\sqrt[3]{3}+\sqrt[3]{6}}{\sqrt[3]{3^3}+\sqrt[3]{2}}\\&=\frac{\sqrt[3]{3}(3+\sqrt[3]{2})}{3+\sqrt[3]{2}}=\sqrt[3]{3}\end{aligned}$$

## 021 답 1

$$\begin{aligned}\sqrt[4]{\frac{\sqrt{a}}{\sqrt[3]{a}}}\times\sqrt{\frac{\sqrt[3]{a}}{\sqrt[4]{a}}}\times\sqrt[3]{\frac{\sqrt[4]{a}}{\sqrt{a}}}&=\frac{\sqrt[4]{\sqrt{a}}}{\sqrt[4]{\sqrt[3]{a}}}\times\frac{\sqrt{\sqrt[3]{a}}}{\sqrt{\sqrt[4]{a}}}\times\frac{\sqrt[3]{\sqrt[4]{a}}}{\sqrt[3]{\sqrt{a}}}\\&=\frac{\sqrt[8]{a}}{\sqrt[12]{a}}\times\frac{\sqrt[6]{a}}{\sqrt[8]{a}}\times\frac{\sqrt[12]{a}}{\sqrt[6]{a}}\\&=1\end{aligned}$$

## 022 답 7

$$\begin{aligned}&\sqrt{\sqrt[3]{a^3b^4}\times\sqrt{a^5b^2}}\div\sqrt[4]{\sqrt[3]{a^9b^5}}\\&=\sqrt{\sqrt[3]{a^3b^4}}\times\sqrt{\sqrt{a^5b^2}}\div\sqrt[4]{\sqrt[3]{a^9b^5}}\\&=\sqrt[6]{a^3b^4}\times\sqrt[4]{a^5b^2}\div\sqrt[12]{a^9b^5}\\&=\frac{\sqrt[12]{a^6b^8}\times\sqrt[12]{a^{15}b^6}}{\sqrt[12]{a^9b^5}}\\&=\sqrt[12]{\frac{a^6b^8\times a^{15}b^6}{a^9b^5}}\\&=\sqrt[12]{a^{12}b^9}=a\sqrt[4]{b^3}\end{aligned}$$

따라서 $p=4$, $q=3$이므로 $p+q=7$

## 023 답 ①

$$\begin{aligned}\frac{25^{-2}+5^{-5}}{3}\times\frac{5}{3^7+3^5}&=\frac{(5^2)^{-2}+5^{-5}}{3}\times\frac{5}{3^7+3^5}\\&=\frac{5^{-4}+5^{-5}}{3}\times\frac{5}{3^7+3^5}\\&=\frac{5^{-5}(5+1)}{3}\times\frac{5}{3^5(3^2+1)}\\&=5^{-5}\times3^{-5}=15^{-5}\end{aligned}$$

## 024 답 −3

$3^{-3}\div(3^{-2})^{-4}\times3^8=3^{-3}\div3^8\times3^8=3^{-3-8+8}=3^{-3}$

$\therefore k=-3$

**025** 답 ④

$$\sqrt{\frac{8^{-4}+4^{-11}}{8^{-10}+4^{-10}}}=\sqrt{\frac{(2^3)^{-4}+(2^2)^{-11}}{(2^3)^{-10}+(2^2)^{-10}}}=\sqrt{\frac{2^{-12}+2^{-22}}{2^{-30}+2^{-20}}}$$
$$=\sqrt{\frac{2^{-22}(2^{10}+1)}{2^{-30}(1+2^{10})}}=\sqrt{2^{-22-(-30)}}$$
$$=\sqrt{2^8}=2^4=16$$

**026** 답 2

$$\frac{1}{2^{-3}+1}+\frac{1}{2^{-1}+1}+\frac{1}{2+1}+\frac{1}{2^3+1}$$
$$=\frac{2^3}{2^3(2^{-3}+1)}+\frac{2}{2(2^{-1}+1)}+\frac{1}{2+1}+\frac{1}{2^3+1}$$
$$=\frac{2^3}{1+2^3}+\frac{2}{1+2}+\frac{1}{2+1}+\frac{1}{2^3+1}$$
$$=\frac{2^3+1}{2^3+1}+\frac{2+1}{2+1}=1+1=2$$

**027** 답 ③

$$\left\{\left(\frac{16}{9}\right)^{-\frac{2}{3}}\right\}^{\frac{3}{4}}\times\left\{\left(\frac{1}{4}\right)^{\frac{6}{5}}\right\}^{-\frac{5}{2}}=\left(\frac{16}{9}\right)^{-\frac{2}{3}\times\frac{3}{4}}\times\left(\frac{1}{4}\right)^{\frac{6}{5}\times\left(-\frac{5}{2}\right)}$$
$$=\left(\frac{16}{9}\right)^{-\frac{1}{2}}\times\left(\frac{1}{4}\right)^{-3}$$
$$=\left\{\left(\frac{4}{3}\right)^2\right\}^{-\frac{1}{2}}\times4^3$$
$$=\frac{3}{4}\times4^3=48$$

**028** 답 1

$$\sqrt{\sqrt{81}}\times3^{-\frac{1}{3}}\div\left(\frac{1}{9}\right)^{-\frac{1}{3}}=\sqrt[4]{3^4}\times3^{-\frac{1}{3}}\div9^{\frac{1}{3}}$$
$$=3\times3^{-\frac{1}{3}}\times3^{-\frac{2}{3}}$$
$$=3^{1-\frac{1}{3}-\frac{2}{3}}=3^0=1$$

**029** 답 ④

$$(a^{\sqrt{3}})^{3\sqrt{2}}\times(a^{\frac{1}{3}})^{6\sqrt{6}}\div a^{4\sqrt{6}}=a^{3\sqrt{6}}\times a^{2\sqrt{6}}\div a^{4\sqrt{6}}$$
$$=a^{3\sqrt{6}+2\sqrt{6}-4\sqrt{6}}=a^{\sqrt{6}}$$

$\therefore\ k=\sqrt{6}$

**030** 답 ④

이차방정식의 근과 계수의 관계에 의하여

$\alpha+\beta=3,\ \alpha\beta=\frac{1}{2}$

$$\therefore\ \{2^\alpha\times2^\beta+(49^\alpha)^\beta+1\}^{\alpha\beta}=(2^{\alpha+\beta}+7^{2\alpha\beta}+1)^{\alpha\beta}$$
$$=(2^3+7^{2\times\frac{1}{2}}+1)^{\frac{1}{2}}$$
$$=(2^3+8)^{\frac{1}{2}}=(2\times2^3)^{\frac{1}{2}}$$
$$=2^2=4$$

**031** 답 ③

$$\sqrt{a\sqrt[3]{\sqrt[3]{a}\times a^2}}=\sqrt{a}\times\sqrt{\sqrt[3]{\sqrt[3]{a}}}\times\sqrt{\sqrt[3]{a^2}}=\sqrt{a}\times\sqrt[18]{a}\times\sqrt[3]{a}$$
$$=a^{\frac{1}{2}}\times a^{\frac{1}{18}}\times a^{\frac{1}{3}}=a^{\frac{1}{2}+\frac{1}{18}+\frac{1}{3}}=a^{\frac{8}{9}}$$

$\therefore\ k=\frac{8}{9}$

**032** 답 $\frac{29}{24}$

$$\sqrt{3\times\sqrt[3]{9}\times\sqrt[4]{27}}=\sqrt{3}\times\sqrt{\sqrt[3]{3^2}}\times\sqrt{\sqrt[4]{3^3}}=\sqrt{3}\times\sqrt[3]{3}\times\sqrt[8]{3^3}$$
$$=3^{\frac{1}{2}}\times3^{\frac{1}{3}}\times3^{\frac{3}{8}}=3^{\frac{1}{2}+\frac{1}{3}+\frac{3}{8}}=3^{\frac{29}{24}}$$

$\therefore\ k=\frac{29}{24}$

**033** 답 59

$$\sqrt[3]{2\sqrt[3]{2\sqrt[3]{2}}}=\sqrt[3]{2}\times\sqrt[3]{\sqrt[3]{2}}\times\sqrt[3]{\sqrt[3]{\sqrt[3]{2}}}=\sqrt[3]{2}\times\sqrt[9]{2}\times\sqrt[27]{2}$$
$$=2^{\frac{1}{3}}\times2^{\frac{1}{9}}\times2^{\frac{1}{27}}=2^{\frac{1}{3}+\frac{1}{9}+\frac{1}{27}}=2^{\frac{13}{27}}$$
$$\sqrt[6]{4\sqrt[6]{4}}=\sqrt[6]{4}\times\sqrt[6]{\sqrt[6]{4}}=\sqrt[6]{2^2}\times\sqrt[6]{\sqrt[6]{2^2}}=\sqrt[3]{2}\times\sqrt[18]{2}$$
$$=2^{\frac{1}{3}}\times2^{\frac{1}{18}}=2^{\frac{1}{3}+\frac{1}{18}}=2^{\frac{7}{18}}$$
$$\therefore\ \frac{\sqrt[3]{2\sqrt[3]{2\sqrt[3]{2}}}}{\sqrt[6]{4\sqrt[6]{4}}}=2^{\frac{13}{27}}\div2^{\frac{7}{18}}=2^{\frac{13}{27}-\frac{7}{18}}=2^{\frac{5}{54}}$$

따라서 $p=54,\ q=5$이므로

$p+q=59$

**034** 답 14

$$\sqrt[3]{a\sqrt[4]{a^3\sqrt{a}}}\div\sqrt[6]{\sqrt[4]{a^k}\times a}$$
$$=\sqrt[3]{a}\times\sqrt[3]{\sqrt[4]{a^3}}\times\sqrt[3]{\sqrt{a}}\div(\sqrt[6]{\sqrt[4]{a^k}}\times\sqrt[6]{a})$$
$$=\sqrt[3]{a}\times\sqrt[4]{a}\times\sqrt[6]{a}\div\sqrt[24]{a^k}\div\sqrt[6]{a}$$
$$=a^{\frac{1}{3}}\times a^{\frac{1}{4}}\times a^{\frac{1}{6}}\div a^{\frac{k}{24}}\div a^{\frac{1}{6}}$$
$$=a^{\frac{1}{3}+\frac{1}{4}+\frac{1}{6}-\frac{k}{24}-\frac{1}{6}}=a^{\frac{14-k}{24}}$$

따라서 $a^{\frac{14-k}{24}}=1$이므로

$\frac{14-k}{24}=0\qquad\therefore\ k=14$

**035** 답 $\frac{4}{33}$

$\sqrt[n]{\sqrt[m]{a}}=a^{\frac{1}{mn}}$이므로 $f(m,\ n)=\frac{1}{mn}$

$$\therefore\ f(3,\ 5)+f(5,\ 7)+f(7,\ 9)+f(9,\ 11)$$
$$=\frac{1}{3\times5}+\frac{1}{5\times7}+\frac{1}{7\times9}+\frac{1}{9\times11}$$
$$=\frac{1}{2}\left\{\left(\frac{1}{3}-\frac{1}{5}\right)+\left(\frac{1}{5}-\frac{1}{7}\right)+\left(\frac{1}{7}-\frac{1}{9}\right)+\left(\frac{1}{9}-\frac{1}{11}\right)\right\}$$
$$=\frac{1}{2}\left(\frac{1}{3}-\frac{1}{11}\right)=\frac{4}{33}$$

**036** 답 ③

$3^5=a$에서 $3=a^{\frac{1}{5}}$

$16^2=b$에서 $(2^4)^2=b,\ 2^8=b\qquad\therefore\ 2=b^{\frac{1}{8}}$

$$\therefore\ 18^6=(2\times3^2)^6=2^6\times3^{12}$$
$$=(b^{\frac{1}{8}})^6\times(a^{\frac{1}{5}})^{12}=a^{\frac{12}{5}}b^{\frac{3}{4}}$$

**037** 답 ④

$25^2=a$에서 $(5^2)^2=a,\ 5^4=a\qquad\therefore\ 5=a^{\frac{1}{4}}$

$\therefore\ 125^{10}=(5^3)^{10}=5^{30}=(a^{\frac{1}{4}})^{30}=a^{\frac{15}{2}}$

### 038 답 $\frac{7}{12}$

$a=\sqrt[3]{5}=5^{\frac{1}{3}}$에서 $a^3=5$

$b=\sqrt{3}=3^{\frac{1}{2}}$에서 $b^2=3$

$\therefore\ \sqrt[12]{45}=\sqrt[12]{3^2\times5}=\sqrt[6]{3}\times\sqrt[12]{5}=3^{\frac{1}{6}}\times5^{\frac{1}{12}}=(b^2)^{\frac{1}{6}}\times(a^3)^{\frac{1}{12}}=a^{\frac{1}{4}}b^{\frac{1}{3}}$

따라서 $m=\frac{1}{4}$, $n=\frac{1}{3}$이므로 $m+n=\frac{7}{12}$

### 039 답 ①

$\left(\frac{1}{729}\right)^{\frac{1}{n}}=(3^{-6})^{\frac{1}{n}}=3^{-\frac{6}{n}}$이 자연수가 되려면 $-\frac{6}{n}$이 음이 아닌 정수이어야 한다.

따라서 정수 $n$은 $-6$, $-3$, $-2$, $-1$이므로 구하는 합은

$-6+(-3)+(-2)+(-1)=-12$

### 040 답 42

$a^3=5$, $b^6=7$, $c^7=13$에서 $a=5^{\frac{1}{3}}$, $b=7^{\frac{1}{6}}$, $c=13^{\frac{1}{7}}$

$\therefore\ (abc)^n=(5^{\frac{1}{3}}\times7^{\frac{1}{6}}\times13^{\frac{1}{7}})^n=5^{\frac{n}{3}}\times7^{\frac{n}{6}}\times13^{\frac{n}{7}}$

따라서 $(abc)^n$, 즉 $5^{\frac{n}{3}}\times7^{\frac{n}{6}}\times13^{\frac{n}{7}}$이 자연수가 되도록 하는 자연수 $n$의 값은 3, 6, 7의 공배수이므로 자연수 $n$의 최솟값은 42이다.

### 041 답 ③

$\sqrt[6]{3\sqrt{5}}=\sqrt[6]{3}\times\sqrt[6]{\sqrt{5}}=3^{\frac{1}{6}}\times5^{\frac{1}{12}}$

즉, $3^{\frac{1}{6}}\times5^{\frac{1}{12}}$이 자연수 $N$의 $n$제곱근이라 하면

$(3^{\frac{1}{6}}\times5^{\frac{1}{12}})^n=3^{\frac{n}{6}}\times5^{\frac{n}{12}}=N$

따라서 $3^{\frac{n}{6}}\times5^{\frac{n}{12}}$이 자연수가 되도록 하는 자연수 $n$의 값은 6, 12의 공배수이어야 한다.

이때 $2\le n\le150$이므로 $n$은 12, 24, 36, …, 144의 12개이다.

### 042 답 ⑤

$(a^{\frac{1}{3}}-b^{\frac{1}{3}})(a^{\frac{2}{3}}+a^{\frac{1}{3}}b^{\frac{1}{3}}+b^{\frac{2}{3}})+(a^{\frac{1}{2}}-b^{\frac{1}{2}})(a^{\frac{1}{2}}+b^{\frac{1}{2}})$

$=\{(a^{\frac{1}{3}})^3-(b^{\frac{1}{3}})^3\}+\{(a^{\frac{1}{2}})^2-(b^{\frac{1}{2}})^2\}$

$=(a-b)+(a-b)=2a-2b$

### 043 답 ④

$5^{2+\sqrt{2}}=A$, $5^{2-\sqrt{2}}=B$라 하면

$(5^{2+\sqrt{2}}+5^{2-\sqrt{2}})^2-(5^{2+\sqrt{2}}-5^{2-\sqrt{2}})^2$

$=(A+B)^2-(A-B)^2$

$=\{(A+B)+(A-B)\}\{(A+B)-(A-B)\}$

$=2A\times2B=4AB$

$=4\times5^{2+\sqrt{2}}\times5^{2-\sqrt{2}}=4\times5^{2+\sqrt{2}+2-\sqrt{2}}=4\times5^4$

### 044 답 4

$a=\sqrt[3]{4}-\frac{1}{\sqrt[3]{4}}=4^{\frac{1}{3}}-4^{-\frac{1}{3}}$의 양변을 세제곱하면

$a^3=(4^{\frac{1}{3}}-4^{-\frac{1}{3}})^3=4-3(4^{\frac{1}{3}}-4^{-\frac{1}{3}})-\frac{1}{4}$

이때 $4^{\frac{1}{3}}-4^{-\frac{1}{3}}=a$이므로 $a^3=4-3a-\frac{1}{4}$

$\therefore\ a^3+3a+\frac{1}{4}=4$

### 045 답 4

$\frac{1}{1-a^{-1}}+\frac{1}{1+a^{-1}}+\frac{2}{1+a^{-2}}+\frac{4}{1-a^4}$

$=\frac{1+a^{-1}+1-a^{-1}}{(1-a^{-1})(1+a^{-1})}+\frac{2}{1+a^{-2}}+\frac{4}{1-a^4}$

$=\frac{2}{1-a^{-2}}+\frac{2}{1+a^{-2}}+\frac{4}{1-a^4}$

$=\frac{2+2a^{-2}+2-2a^{-2}}{(1-a^{-2})(1+a^{-2})}+\frac{4}{1-a^4}$

$=\frac{4}{1-a^{-4}}+\frac{4}{1-a^4}$

$=\frac{4(1-a^4)+4(1-a^{-4})}{(1-a^{-4})(1-a^4)}$

$=\frac{8-4a^4-4a^{-4}}{2-a^4-a^{-4}}$

$=\frac{4(2-a^4-a^{-4})}{2-a^4-a^{-4}}=4$

### 046 답 ⑤

$a+a^{-1}=(a^{\frac{1}{2}}+a^{-\frac{1}{2}})^2-2=(\sqrt{6})^2-2=4$

$\therefore\ a^3+a^{-3}=(a+a^{-1})^3-3(a+a^{-1})$

$=4^3-3\times4=52$

### 047 답 18

$8^x+8^{-x}=(2^3)^x+(2^3)^{-x}=(2^x)^3+(2^{-x})^3$

$=(2^x+2^{-x})^3-3(2^x+2^{-x})$

$=3^3-3\times3=18$

### 048 답 ②

$x^2+x^{-2}=(x+x^{-1})^2-2=14$이므로

$(x+x^{-1})^2=16$

그런데 $x>0$이므로 $x+x^{-1}=4$

$x+x^{-1}=(x^{\frac{1}{2}}+x^{-\frac{1}{2}})^2-2=4$이므로

$(x^{\frac{1}{2}}+x^{-\frac{1}{2}})^2=6$

그런데 $x>0$이므로 $x^{\frac{1}{2}}+x^{-\frac{1}{2}}=\sqrt{6}$

$\therefore\ x^{\frac{1}{2}}+x^{-\frac{1}{2}}+x+x^{-1}=4+\sqrt{6}$

따라서 $a=4$, $b=1$이므로 $a+b=5$

### 049 답 3

$a^{3x}-a^{-3x}=4$에서

$(a^x-a^{-x})^3+3(a^x-a^{-x})=4$

이때 $a^x-a^{-x}=t$ ($t$는 실수)로 놓으면

$t^3+3t=4$, $t^3+3t-4=0$

$(t-1)(t^2+t+4)=0$

$\therefore\ t=1$ ($\because$ $t$는 실수)

즉, $a^x-a^{-x}=1$이므로

$a^{2x}+a^{-2x}=(a^x-a^{-x})^2+2=1+2=3$

$\therefore\ \frac{a^{2x}+a^{-2x}}{a^x-a^{-x}}=\frac{3}{1}=3$

### 050 답 ④

구하는 식의 분모, 분자에 $a^x$을 곱하면

$$\frac{a^{3x}+a^{-3x}}{a^x-a^{-x}}=\frac{a^x(a^{3x}+a^{-3x})}{a^x(a^x-a^{-x})}=\frac{a^{4x}+a^{-2x}}{a^{2x}-1}$$
$$=\frac{(a^{2x})^2+(a^{2x})^{-1}}{a^{2x}-1}=\frac{2^2+2^{-1}}{2-1}=\frac{9}{2}$$

### 051 답 $\frac{3}{5}$

$4^{\frac{1}{x}}=9$에서 $4=9^x$　　$\therefore 3^{2x}=4$

구하는 식의 분모, 분자에 $3^x$을 곱하면

$$\frac{3^x-3^{-x}}{3^x+3^{-x}}=\frac{3^x(3^x-3^{-x})}{3^x(3^x+3^{-x})}=\frac{3^{2x}-1}{3^{2x}+1}=\frac{4-1}{4+1}=\frac{3}{5}$$

### 052 답 ③

$\frac{a^x+a^{-x}}{a^x-a^{-x}}=3$에서 좌변의 분모, 분자에 $a^x$을 곱하면

$\frac{a^x(a^x+a^{-x})}{a^x(a^x-a^{-x})}=3$, $\frac{a^{2x}+1}{a^{2x}-1}=3$

$a^{2x}+1=3a^{2x}-3$, $2a^{2x}=4$　　$\therefore a^{2x}=2$

$\therefore a^{2x}+a^{-2x}=a^{2x}+(a^{2x})^{-1}=2+\frac{1}{2}=\frac{5}{2}$

### 053 답 5

구하는 식의 분모, 분자에 $3^x$을 곱하면

$$\frac{9^x-3^{-x}}{3^x-1}=\frac{3^x(3^{2x}-3^{-x})}{3^x(3^x-1)}=\frac{3^{3x}-1}{3^x(3^x-1)}$$
$$=\frac{(3^x-1)(3^{2x}+3^x+1)}{3^x(3^x-1)}=\frac{3^{2x}+3^x+1}{3^x}$$
$$=3^x+1+3^{-x}$$

이때 $9^x+9^{-x}=3^{2x}+3^{-2x}=(3^x+3^{-x})^2-2=14$이므로

$(3^x+3^{-x})^2=16$

그런데 $3^x>0$이므로 $3^x+3^{-x}=4$

$\therefore 3^x+1+3^{-x}=4+1=5$

### 054 답 1

$3^x=15$에서 $3=15^{\frac{1}{x}}$　　…… ㉠

$5^y=15$에서 $5=15^{\frac{1}{y}}$　　…… ㉡

㉠×㉡을 하면

$15=15^{\frac{1}{x}}\times 15^{\frac{1}{y}}$, $15^{\frac{1}{x}+\frac{1}{y}}=15$

$\therefore \frac{1}{x}+\frac{1}{y}=1$

### 055 답 ④

$45^x=27$에서 $45=27^{\frac{1}{x}}=(3^3)^{\frac{1}{x}}=3^{\frac{3}{x}}$　　…… ㉠

$5^y=3$에서 $5=3^{\frac{1}{y}}$　　…… ㉡

㉠÷㉡을 하면

$9=3^{\frac{3}{x}}\div 3^{\frac{1}{y}}$, $3^{\frac{3}{x}-\frac{1}{y}}=3^2$

$\therefore \frac{3}{x}-\frac{1}{y}=2$

### 056 답 ②

$2.16^a=10$에서 $2.16=10^{\frac{1}{a}}$　　…… ㉠

$216^b=10$에서 $216=10^{\frac{1}{b}}$　　…… ㉡

㉡÷㉠을 하면

$100=10^{\frac{1}{b}}\div 10^{\frac{1}{a}}$, $10^{\frac{1}{b}-\frac{1}{a}}=100=10^2$

$\therefore \frac{1}{b}-\frac{1}{a}=2$

### 057 답 6

$3^x=k$에서 $3=k^{\frac{1}{x}}$　　…… ㉠

$8^y=k$에서 $8=k^{\frac{1}{y}}$　　…… ㉡

$9^z=k$에서 $9=k^{\frac{1}{z}}$　　…… ㉢

㉠×㉡×㉢을 하면

$3\times 8\times 9=k^{\frac{1}{x}}\times k^{\frac{1}{y}}\times k^{\frac{1}{z}}$, $k^{\frac{1}{x}+\frac{1}{y}+\frac{1}{z}}=6^3$

이때 $\frac{1}{x}+\frac{1}{y}+\frac{1}{z}=3$이므로

$k^3=6^3$　　$\therefore k=6$

### 058 답 ①

$2^x=3^y=6^z=k\,(k>0)$로 놓으면 $xyz\neq 0$에서 $k\neq 1$

$2^x=k$에서 $2=k^{\frac{1}{x}}$　　…… ㉠

$3^y=k$에서 $3=k^{\frac{1}{y}}$　　…… ㉡

$6^z=k$에서 $6=k^{\frac{1}{z}}$　　…… ㉢

㉠×㉡÷㉢을 하면

$2\times 3\div 6=k^{\frac{1}{x}}\times k^{\frac{1}{y}}\div k^{\frac{1}{z}}$, $k^{\frac{1}{x}+\frac{1}{y}-\frac{1}{z}}=1$

그런데 $k\neq 1$이므로

$\frac{1}{x}+\frac{1}{y}-\frac{1}{z}=0$

### 059 답 49

$a^x=b^y=7^z=k\,(k>0)$로 놓으면 $xyz\neq 0$에서 $k\neq 1$

$a^x=k$에서 $a=k^{\frac{1}{x}}$

$b^y=k$에서 $b=k^{\frac{1}{y}}$

$7^z=k$에서 $7=k^{\frac{1}{z}}$

이때 $\frac{1}{x}+\frac{1}{y}-\frac{2}{z}=0$, 즉 $\frac{1}{x}+\frac{1}{y}=\frac{2}{z}$이므로

$ab=k^{\frac{1}{x}}\times k^{\frac{1}{y}}=k^{\frac{1}{x}+\frac{1}{y}}=k^{\frac{2}{z}}=(k^{\frac{1}{z}})^2=7^2=49$

### 060 답 ⑤

$3^a=7^c$에서 $(3^a)^b=(7^c)^b$　　$\therefore 3^{ab}=7^{bc}$

$4^b=7^c$에서 $(4^b)^a=(7^c)^a$　　$\therefore 4^{ab}=7^{ac}$

이때 $ab=2$이므로

$3^2=7^{bc}$, $4^2=7^{ac}$

$\therefore 7^{ac-bc}=7^{ac}\div 7^{bc}=4^2\div 3^2=\frac{16}{9}$

다른 풀이 $7^{ac-bc}=(7^c)^a\div(7^c)^b=(4^b)^a\div(3^a)^b$
$$=\left(\frac{4}{3}\right)^{ab}=\left(\frac{4}{3}\right)^2=\frac{16}{9}$$

## 061 답 ④

$\sqrt[3]{\sqrt{27}}=\sqrt[6]{27}=27^{\frac{1}{6}}=(3^3)^{\frac{1}{6}}=3^{\frac{1}{2}}$, $\sqrt[3]{5}=5^{\frac{1}{3}}$, $\sqrt{\sqrt[3]{20}}=\sqrt[6]{20}=20^{\frac{1}{6}}$

2, 3, 6의 최소공배수가 6이므로

$3^{\frac{1}{2}}=3^{\frac{3}{6}}=(3^3)^{\frac{1}{6}}=27^{\frac{1}{6}}$, $5^{\frac{1}{3}}=5^{\frac{2}{6}}=(5^2)^{\frac{1}{6}}=25^{\frac{1}{6}}$

이때 $20^{\frac{1}{6}}<25^{\frac{1}{6}}<27^{\frac{1}{6}}$이므로 $\sqrt{\sqrt[3]{20}}<\sqrt[3]{5}<\sqrt[3]{\sqrt{27}}$

## 062 답 ⑤

$\sqrt[3]{\sqrt{16}}=\sqrt[6]{16}=16^{\frac{1}{6}}=(2^4)^{\frac{1}{6}}=2^{\frac{2}{3}}$

$\sqrt{3\sqrt[3]{2}}=\sqrt{3}\times\sqrt{\sqrt[3]{2}}=3^{\frac{1}{2}}\times 2^{\frac{1}{6}}$

$\sqrt{2\sqrt[3]{6}}=\sqrt{2}\times\sqrt{\sqrt[3]{6}}=2^{\frac{1}{2}}\times 6^{\frac{1}{6}}=2^{\frac{1}{2}}\times 2^{\frac{1}{6}}\times 3^{\frac{1}{6}}=2^{\frac{2}{3}}\times 3^{\frac{1}{6}}$

2, 3, 6의 최소공배수가 6이므로

$2^{\frac{2}{3}}=2^{\frac{4}{6}}=(2^4)^{\frac{1}{6}}=16^{\frac{1}{6}}$

$3^{\frac{1}{2}}\times 2^{\frac{1}{6}}=3^{\frac{3}{6}}\times 2^{\frac{1}{6}}=(3^3)^{\frac{1}{6}}\times 2^{\frac{1}{6}}=(3^3\times 2)^{\frac{1}{6}}=54^{\frac{1}{6}}$

$2^{\frac{2}{3}}\times 3^{\frac{1}{6}}=2^{\frac{4}{6}}\times 3^{\frac{1}{6}}=(2^4)^{\frac{1}{6}}\times 3^{\frac{1}{6}}=(2^4\times 3)^{\frac{1}{6}}=48^{\frac{1}{6}}$

이때 $16^{\frac{1}{6}}<48^{\frac{1}{6}}<54^{\frac{1}{6}}$이므로 $\sqrt[3]{\sqrt{16}}<\sqrt{2\sqrt[3]{6}}<\sqrt{3\sqrt[3]{2}}$

따라서 $a=\sqrt[3]{\sqrt{16}}$, $b=\sqrt{3\sqrt[3]{2}}$이므로

$ab^2=\sqrt[3]{\sqrt{16}}\times(\sqrt{3\sqrt[3]{2}})^2=2^{\frac{2}{3}}\times(3\times 2^{\frac{1}{3}})$

$=2\times 3=6$

## 063 답 ①

(i) $A-B=(2\sqrt{2}+\sqrt[3]{3})-(\sqrt{2}+2\sqrt[3]{3})=\sqrt{2}-\sqrt[3]{3}$

$=2^{\frac{1}{2}}-3^{\frac{1}{3}}=8^{\frac{1}{6}}-9^{\frac{1}{6}}<0$

$\therefore A<B$

(ii) $B-C=(\sqrt{2}+2\sqrt[3]{3})-(2\sqrt[4]{5}+\sqrt{2})=2(\sqrt[3]{3}-\sqrt[4]{5})$

$=2(3^{\frac{1}{3}}-5^{\frac{1}{4}})=2(81^{\frac{1}{12}}-125^{\frac{1}{12}})<0$

$\therefore B<C$

(i), (ii)에서 $A<B<C$

## 064 답 $\frac{6}{5}$

$P=A\times\left(\frac{3}{2}\right)^{\frac{t}{4}}$에서

$A=80$, $t=7$일 때, $P_1=80\times\left(\frac{3}{2}\right)^{\frac{7}{4}}$

$A=100$, $t=3$일 때, $P_2=100\times\left(\frac{3}{2}\right)^{\frac{3}{4}}$

$$\therefore \frac{P_1}{P_2}=\frac{80\times\left(\frac{3}{2}\right)^{\frac{7}{4}}}{100\times\left(\frac{3}{2}\right)^{\frac{3}{4}}}=\frac{4}{5}\times\frac{3}{2}=\frac{6}{5}$$

## 065 답 640 hPa

해수면에서의 기압이 1000 hPa이므로

$1000=k\times a^0 \quad \therefore k=1000$

$\therefore P=1000a^x$

해수면으로부터의 높이가 1500 m인 산 중턱에서의 기압이 800 hPa이므로

$800=1000\times a^{1500} \quad \therefore a^{1500}=\frac{4}{5}$

따라서 해수면으로부터의 높이가 3000 m인 산꼭대기에서의 기압은

$1000a^{3000}=1000\times(a^{1500})^2=1000\times\left(\frac{4}{5}\right)^2=640(\text{hPa})$

## 066 답 ①

증식하기 전 박테리아 A, B의 개체 수를 $a$마리라 하면 박테리아 A는 3분마다 4배로 증가하므로 30분 후 A의 개체 수는

$a\times 4^{10}=a\times 2^{20}$(마리)

박테리아 B는 2분마다 2배로 증가하므로 30분 후 B의 개체 수는

$a\times 2^{15}$(마리)

따라서 30분 후 A의 개체 수는 B의 개체 수의 $\frac{a\times 2^{20}}{a\times 2^{15}}=2^5$(배)가 된다.

## 067 답 4

6의 세제곱근 중 실수인 것은 $\sqrt[3]{6}$의 1개이므로

$a=1$

$-7$의 네제곱근 중 실수인 것은 없으므로

$b=0$

$-27$의 세제곱근은 방정식 $x^3=-27$의 근이므로 3개이다.

$\therefore c=3$

$\therefore a+b+c=1+0+3=4$

## 068 답 ②

$$\sqrt[4]{\frac{\sqrt[3]{81}}{81}}\times\sqrt{\frac{\sqrt{81}}{\sqrt[3]{81}}}=\frac{\sqrt[12]{3^4}}{\sqrt[4]{3^4}}\times\frac{\sqrt[4]{3^4}}{\sqrt[6]{3^4}}=\frac{\sqrt[3]{3}}{3}\times\frac{3}{\sqrt[3]{3^2}}$$

$$=\frac{\sqrt[3]{3}}{\sqrt[3]{3^2}}=\sqrt[3]{\frac{3}{3^2}}=\frac{1}{\sqrt[3]{3}}$$

## 069 답 ①

$\sqrt{a\sqrt[3]{a\sqrt[4]{a^3}}}=\sqrt{a}\times\sqrt[6]{a}\times\sqrt[24]{a^3}$

$=\sqrt[24]{a^{12}\times a^4\times a^3}=\sqrt[24]{a^{19}}$

따라서 $p=24$, $q=19$이므로 $p+q=43$

## 070 답 ②

$(a^{-3}b^4)^{-2}\times(ab^{-2})^3=a^6b^{-8}\times a^3b^{-6}$

$=a^9b^{-14}$

따라서 $m=9$, $n=-14$이므로 $m+n=-5$

## 071 답 ④

① $a^2\div a^{-4}\times a^3=a^{2-(-4)+3}=a^9$

② $81^{0.75}=81^{\frac{3}{4}}=(3^4)^{\frac{3}{4}}=3^3=27$

③ $\frac{\sqrt{8}}{9}\times 3^{\frac{5}{2}}\times 2^{-1}=\frac{2^{\frac{3}{2}}}{3^2}\times 3^{\frac{5}{2}}\times 2^{-1}=2^{\frac{3}{2}-1}\times 3^{-2+\frac{5}{2}}$

$=2^{\frac{1}{2}}\times 3^{\frac{1}{2}}=(2\times 3)^{\frac{1}{2}}=6^{\frac{1}{2}}=\sqrt{6}$

④ $\sqrt[3]{\frac{\sqrt[4]{a^3}}{\sqrt{a^4}}}=\frac{\sqrt[3]{\sqrt[4]{a^3}}}{\sqrt[3]{\sqrt{a^4}}}=\frac{\sqrt[12]{a^3}}{\sqrt[6]{a^4}}=\frac{\sqrt[4]{a}}{\sqrt[3]{a^2}}=\frac{a^{\frac{1}{4}}}{a^{\frac{2}{3}}}=a^{\frac{1}{4}-\frac{2}{3}}=a^{-\frac{5}{12}}$

⑤ $(a^{\sqrt{2}}b^{\frac{\sqrt{2}}{2}})^{-\sqrt{2}}=a^{-2}b^{-1}=(a^2b)^{-1}=\frac{1}{a^2b}$

## 072 답 ④

$\sqrt[3]{\sqrt[3]{xy^2}\div\sqrt{xy}}\times\sqrt[4]{x^3y}=\sqrt[3]{\sqrt[3]{xy^2}}\div\sqrt{\sqrt{xy}}\times\sqrt[4]{x^3y}$

$=\sqrt[6]{xy^2}\div\sqrt[4]{xy}\times\sqrt[4]{x^3y}$

$=x^{\frac{1}{6}}y^{\frac{1}{3}}\div x^{\frac{1}{4}}y^{\frac{1}{4}}\times x^{\frac{3}{4}}y^{\frac{1}{4}}$

$=x^{\frac{1}{6}-\frac{1}{4}+\frac{3}{4}}y^{\frac{1}{3}-\frac{1}{4}+\frac{1}{4}}$

$=x^{\frac{2}{3}}y^{\frac{1}{3}}$

## 073 답 3

$\sqrt[3]{a^2\times\sqrt{a}}\times\sqrt[3]{a^2}\div\sqrt{\sqrt{a^3}}=\sqrt[3]{a^2}\times\sqrt[3]{\sqrt{a}}\times\sqrt[3]{a^2}\div\sqrt{\sqrt{a^3}}$

$=\sqrt[3]{a^2}\times\sqrt[6]{a}\times\sqrt[3]{a^2}\div\sqrt[4]{a^3}$

$=a^{\frac{2}{3}}\times a^{\frac{1}{6}}\times a^{\frac{2}{3}}\div a^{\frac{3}{4}}$

$=a^{\frac{2}{3}+\frac{1}{6}+\frac{2}{3}-\frac{3}{4}}=a^{\frac{3}{4}}$

$\sqrt[6]{a^3\sqrt{a^k}}=\sqrt[6]{a^3}\times\sqrt[6]{\sqrt{a^k}}=\sqrt{a}\times\sqrt[12]{a^k}=a^{\frac{1}{2}}\times a^{\frac{k}{12}}=a^{\frac{6+k}{12}}$

따라서 $a^{\frac{3}{4}}=a^{\frac{6+k}{12}}$이므로

$\frac{3}{4}=\frac{6+k}{12}$ $\quad\therefore k=3$

## 074 답 ④

$\left(\frac{1}{3}\right)^{m-2n}=3^{-m+2n}=3^{-m}\times3^{2n}=(3^m)^{-1}\times(3^n)^2$

$=a^{-1}\times b^2=\frac{b^2}{a}$

## 075 답 2

$a^6=3$, $b^{12}=27=3^3$에서 $a=3^{\frac{1}{6}}$, $b=3^{\frac{1}{4}}$

$\therefore (\sqrt[4]{a^3b^6})^k=(a^3b^6)^{\frac{k}{4}}=\{(3^{\frac{1}{6}})^3\times(3^{\frac{1}{4}})^6\}^{\frac{k}{4}}$

$=(3^{\frac{1}{2}}\times3^{\frac{3}{2}})^{\frac{k}{4}}=(3^{\frac{1}{2}+\frac{3}{2}})^{\frac{k}{4}}=(3^2)^{\frac{k}{4}}=3^{\frac{k}{2}}$

따라서 $(\sqrt[4]{a^3b^6})^k$, 즉 $3^{\frac{k}{2}}$이 자연수가 되도록 하는 자연수 $k$의 값은 2의 배수이므로 자연수 $k$의 최솟값은 2이다.

## 076 답 ⑤

$a^{-\frac{1}{3}}=A$, $a^{\frac{2}{3}}=B$라 하면

$(a^{-\frac{1}{3}}+a^{\frac{2}{3}})^3+(a^{-\frac{1}{3}}-a^{\frac{2}{3}})^3$

$=(A+B)^3+(A-B)^3$

$=(A^3+3A^2B+3AB^2+B^3)+(A^3-3A^2B+3AB^2-B^3)$

$=2(A^3+3AB^2)$

$=2\{(a^{-\frac{1}{3}})^3+3\times a^{-\frac{1}{3}}\times(a^{\frac{2}{3}})^2\}$

$=2(a^{-1}+3\times a^{-\frac{1}{3}+\frac{4}{3}})$

$=2(a^{-1}+3a)=2\left(\frac{1}{2}+6\right)=13$

## 077 답 ②

$a+a^{-1}=(a^{\frac{1}{2}}+a^{-\frac{1}{2}})^2-2=3^2-2=7$

$a^{\frac{3}{2}}+a^{-\frac{3}{2}}=(a^{\frac{1}{2}}+a^{-\frac{1}{2}})^3-3(a^{\frac{1}{2}}+a^{-\frac{1}{2}})=3^3-3\times3=18$

$\therefore \frac{a^{\frac{3}{2}}+a^{-\frac{3}{2}}}{a+a^{-1}+2}=\frac{18}{7+2}=2$

## 078 답 ②

$\frac{a^x+a^{-x}}{a^x-a^{-x}}=5$에서 좌변의 분모, 분자에 $a^x$을 곱하면

$\frac{a^x(a^x+a^{-x})}{a^x(a^x-a^{-x})}=5$, $\frac{a^{2x}+1}{a^{2x}-1}=5$

$a^{2x}+1=5a^{2x}-5$, $4a^{2x}=6$ $\quad\therefore a^{2x}=\frac{3}{2}$

$\therefore a^{4x}-a^{-2x}=(a^{2x})^2-(a^{2x})^{-1}=\left(\frac{3}{2}\right)^2-\left(\frac{3}{2}\right)^{-1}$

$=\frac{9}{4}-\frac{2}{3}=\frac{19}{12}$

## 079 답 $\frac{2}{3}$

$a^x=216=6^3$에서 $a=6^{\frac{3}{x}}$ …… ㉠

$b^y=216=6^3$에서 $b=6^{\frac{3}{y}}$ …… ㉡

$c^z=216=6^3$에서 $c=6^{\frac{3}{z}}$ …… ㉢

㉠×㉡×㉢을 하면 $abc=6^{\frac{3}{x}+\frac{3}{y}+\frac{3}{z}}$

이때 $abc=36$이므로 $6^{\frac{3}{x}+\frac{3}{y}+\frac{3}{z}}=36=6^2$

$3\left(\frac{1}{x}+\frac{1}{y}+\frac{1}{z}\right)=2$ $\quad\therefore \frac{1}{x}+\frac{1}{y}+\frac{1}{z}=\frac{2}{3}$

## 080 답 $\frac{3}{4}$

$9^x=16^y=a^z=k\,(k>0)$로 놓으면 $xyz\neq0$에서 $k\neq1$

$9^x=k$에서 $9=k^{\frac{1}{x}}$

$16^y=k$에서 $16=k^{\frac{1}{y}}$

$a^z=k$에서 $a=k^{\frac{1}{z}}$

이때 $\frac{1}{x}-\frac{1}{y}=\frac{2}{z}$이므로

$\frac{9}{16}=k^{\frac{1}{x}}\div k^{\frac{1}{y}}=k^{\frac{1}{x}-\frac{1}{y}}=k^{\frac{2}{z}}=(k^{\frac{1}{z}})^2=a^2$

$\therefore a=\frac{3}{4}$ ($\because a>0$)

## 081 답 ⑤

$A=\sqrt[4]{5}=5^{\frac{1}{4}}$, $B=\sqrt[3]{\sqrt{10}}=\sqrt[6]{10}=10^{\frac{1}{6}}$, $C=\sqrt[4]{\sqrt[3]{98}}=\sqrt[12]{98}=98^{\frac{1}{12}}$

4, 6, 12의 최소공배수가 12이므로

$5^{\frac{1}{4}}=5^{\frac{3}{12}}=(5^3)^{\frac{1}{12}}=125^{\frac{1}{12}}$, $10^{\frac{1}{6}}=10^{\frac{2}{12}}=(10^2)^{\frac{1}{12}}=100^{\frac{1}{12}}$

이때 $98^{\frac{1}{12}}<100^{\frac{1}{12}}<125^{\frac{1}{12}}$이므로 $\sqrt[4]{\sqrt[3]{98}}<\sqrt[3]{\sqrt{10}}<\sqrt[4]{5}$

$\therefore C<B<A$

## 082 답 2

$m_t=m_0\times\left(\frac{1}{2}\right)^{\frac{t}{15}}$에서

$t=30$일 때, $m_{30}=m_0\times\left(\frac{1}{2}\right)^{\frac{30}{15}}=m_0\times\left(\frac{1}{2}\right)^2$

$t=45$일 때, $m_{45}=m_0\times\left(\frac{1}{2}\right)^{\frac{45}{15}}=m_0\times\left(\frac{1}{2}\right)^3$

$\therefore \frac{m_{30}}{m_{45}}=\frac{m_0\times\left(\frac{1}{2}\right)^2}{m_0\times\left(\frac{1}{2}\right)^3}=2$

# 02 로그



### 001 답 192

$\log_a 16=\frac{2}{3}$에서 $a^{\frac{2}{3}}=16=4^2$

$\therefore a=(4^2)^{\frac{3}{2}}=4^3=64$

$\log_{\sqrt{3}} b=-2$에서 $b=(\sqrt{3})^{-2}=\frac{1}{3}$

$\therefore \frac{a}{b}=\frac{64}{\frac{1}{3}}=192$

### 002 답 2

밑의 조건에서 $x-1>0$, $x-1\neq 1$이므로

$x>1$, $x\neq 2$

$\therefore 1<x<2$ 또는 $x>2$ …… ㉠

진수의 조건에서 $-x^2+5x>0$이므로

$x^2-5x<0$, $x(x-5)<0$

$\therefore 0<x<5$ …… ㉡

㉠, ㉡의 공통 범위를 구하면

$1<x<2$ 또는 $2<x<5$

따라서 구하는 정수 $x$는 3, 4의 2개이다.

### 003 답 ④

$\log_3 12+\log_3 3\sqrt{2}-\frac{5}{2}\log_3 2$

$=\log_3 12+\log_3 3\sqrt{2}-\log_3 2^{\frac{5}{2}}$

$=\log_3 12+\log_3 3\sqrt{2}-\log_3 4\sqrt{2}$

$=\log_3 \frac{12\times 3\sqrt{2}}{4\sqrt{2}}=\log_3 9$

$=\log_3 3^2=2$

### 004 답 18

$\log_2 125\times\log_3 8\times\log_5 9$

$=\log_2 125\times\frac{\log_2 8}{\log_2 3}\times\frac{\log_2 9}{\log_2 5}$

$=\log_2 5^3\times\frac{\log_2 2^3}{\log_2 3}\times\frac{\log_2 3^2}{\log_2 5}$

$=3\log_2 5\times\frac{3}{\log_2 3}\times\frac{2\log_2 3}{\log_2 5}$

$=18$

### 005 답 ④

$(\log_3 4+\log_9 8)(\log_2 27-\log_4 9)$

$=(\log_3 2^2+\log_{3^2} 2^3)(\log_2 3^3-\log_{2^2} 3^2)$

$=\left(2\log_3 2+\frac{3}{2}\log_3 2\right)(3\log_2 3-\log_2 3)$

$=\frac{7}{2}\log_3 2\times 2\log_2 3$

$=7\log_3 2\times\frac{1}{\log_3 2}=7$

### 006 답 ③

$\log_3 2=a$, $\log_3 5=b$이므로

$\log_{10} 40=\frac{\log_3 40}{\log_3 10}=\frac{\log_3 (2^3\times 5)}{\log_3 (2\times 5)}$

$=\frac{\log_3 2^3+\log_3 5}{\log_3 2+\log_3 5}=\frac{3\log_3 2+\log_3 5}{\log_3 2+\log_3 5}$

$=\frac{3a+b}{a+b}$

### 007 답 $\frac{3}{2}$

$a^4b^3=1$의 양변에 $b$를 밑으로 하는 로그를 취하면

$\log_b a^4b^3=\log_b 1$, $\log_b a^4+\log_b b^3=0$

$4\log_b a+3=0$ $\therefore \log_b a=-\frac{3}{4}$

$\therefore \log_b a^2b^3=\log_b a^2+\log_b b^3=2\log_b a+3$

$=2\times\left(-\frac{3}{4}\right)+3=\frac{3}{2}$

다른 풀이 $a^4b^3=1$에서 $a^4=\frac{1}{b^3}=b^{-3}$ $\therefore a=b^{-\frac{3}{4}}$

$\therefore \log_b a^2b^3=\log_b \{(b^{-\frac{3}{4}})^2\times b^3\}=\log_b (b^{-\frac{3}{2}}\times b^3)$

$=\log_b b^{\frac{3}{2}}=\frac{3}{2}$

### 008 답 ①

$\log_2 4<\log_2 7<\log_2 8$, 즉 $2<\log_2 7<3$이므로

$a=2$, $b=\log_2 7-2=\log_2 7-\log_2 4=\log_2 \frac{7}{4}$

$\therefore 4(a+2^b)=4(2+2^{\log_2 \frac{7}{4}})=4\left(2+\frac{7}{4}\right)=15$

### 009 답 6

이차방정식의 근과 계수의 관계에 의하여

$\log_2 a+\log_2 b=4$, $\log_2 a\times\log_2 b=2$

$\therefore \log_a b+\log_b a=\frac{\log_2 b}{\log_2 a}+\frac{\log_2 a}{\log_2 b}=\frac{(\log_2 b)^2+(\log_2 a)^2}{\log_2 a\times\log_2 b}$

$=\frac{(\log_2 a+\log_2 b)^2-2\log_2 a\times\log_2 b}{\log_2 a\times\log_2 b}$

$=\frac{4^2-2\times 2}{2}=6$

### 010 답 $\sqrt{3}$

$\log_a 2=4$에서 $a^4=2$ …… ㉠

$\log_2 9=b$에서 $2^b=9$ …… ㉡

㉠을 ㉡에 대입하면 $(a^4)^b=9$

$(a^b)^4=9$

$\therefore a^b=\sqrt[4]{9}=\sqrt[4]{3^2}=\sqrt{3}$ ($\because a>0$)

### 011 답 ④

④ $3^{-1}=\frac{1}{3} \Longleftrightarrow \log_3 \frac{1}{3}=-1$

## 012 답 25

$\log_2(\log_3 a)=1$에서 $\log_3 a=2^1=2$

$\therefore a=3^2=9$

$\log_3\{\log_2(\log_4 b)\}=0$에서 $\log_2(\log_4 b)=3^0=1$

$\log_4 b=2^1=2 \qquad \therefore b=4^2=16$

$\therefore a+b=9+16=25$

## 013 답 ④

$x=\log_5(1+\sqrt{2})$에서 $5^x=1+\sqrt{2}$

$\therefore 5^x+5^{-x}=5^x+\frac{1}{5^x}=(1+\sqrt{2})+\frac{1}{1+\sqrt{2}}$

$=(1+\sqrt{2})+(-1+\sqrt{2})=2\sqrt{2}$

## 014 답 ①

밑의 조건에서 $x-3>0$, $x-3\neq1$이므로 $x>3$, $x\neq4$

$\therefore 3<x<4$ 또는 $x>4$ …… ㉠

진수의 조건에서 $-x^2+7x+8>0$이므로

$x^2-7x-8<0$, $(x+1)(x-8)<0$

$\therefore -1<x<8$ …… ㉡

㉠, ㉡의 공통 범위를 구하면

$3<x<4$ 또는 $4<x<8$

따라서 구하는 정수 $x$는 5, 6, 7의 3개이다.

## 015 답 3

$\log_x(x-2)^2$의 밑의 조건에서 $x>0$, $x\neq1$이므로

$0<x<1$ 또는 $x>1$ …… ㉠

$\log_x(x-2)^2$의 진수의 조건에서 $(x-2)^2>0$이므로

$x\neq2$ …… ㉡

$\log_{5-x}|x-5|$의 밑의 조건에서 $5-x>0$, $5-x\neq1$이므로

$x<5$, $x\neq4$

$\therefore x<4$ 또는 $4<x<5$ …… ㉢

$\log_{5-x}|x-5|$의 진수의 조건에서 $|x-5|>0$이므로

$x\neq5$ …… ㉣

㉠, ㉡, ㉢, ㉣의 공통 범위를 구하면

$0<x<1$ 또는 $1<x<2$ 또는 $2<x<4$ 또는 $4<x<5$

따라서 구하는 정수 $x$의 값은 3이다.

## 016 답 ①

밑의 조건에서 $a>0$, $a\neq1$이므로

$0<a<1$ 또는 $a>1$ …… ㉠

진수의 조건에서 모든 실수 $x$에 대하여 $x^2-ax+2a>0$이어야 하므로 이차방정식 $x^2-ax+2a=0$의 판별식을 $D$라 하면

$D=a^2-4\times2a<0$, $a(a-8)<0$

$\therefore 0<a<8$ …… ㉡

㉠, ㉡의 공통 범위를 구하면

$0<a<1$ 또는 $1<a<8$

따라서 정수 $a$는 2, 3, 4, 5, 6, 7이므로 구하는 합은

$2+3+4+5+6+7=27$

## 017 답 1

$2\log_2\sqrt{6}+\frac{1}{2}\log_2 5-\log_2 3\sqrt{5}$

$=\log_2(\sqrt{6})^2+\log_2 5^{\frac{1}{2}}-\log_2 3\sqrt{5}$

$=\log_2 6+\log_2\sqrt{5}-\log_2 3\sqrt{5}$

$=\log_2\frac{6\times\sqrt{5}}{3\sqrt{5}}=\log_2 2=1$

## 018 답 ②

$\log_4 x+\log_4 2y+\log_4 4z=1$에서

$\log_4(x\times2y\times4z)=1$, $\log_4 8xyz=1$

$8xyz=4 \qquad \therefore xyz=\frac{1}{2}$

## 019 답 2

$\log_5\left(1+\frac{1}{2}\right)+\log_5\left(1+\frac{1}{3}\right)+\log_5\left(1+\frac{1}{4}\right)+\cdots+\log_5\left(1+\frac{1}{49}\right)$

$=\log_5\frac{3}{2}+\log_5\frac{4}{3}+\log_5\frac{5}{4}+\cdots+\log_5\frac{50}{49}$

$=\log_5\left(\frac{3}{2}\times\frac{4}{3}\times\frac{5}{4}\times\cdots\times\frac{50}{49}\right)$

$=\log_5 25=\log_5 5^2=2$

## 020 답 9

$36=6^2$이므로 36의 양의 약수를 작은 것부터 차례대로 $a_1$, $a_2$, $a_3$, $\cdots$, $a_9$라 하면

$a_1a_9=a_2a_8=a_3a_7=a_4a_6=6^2$, $a_5=6$

$\therefore \log_6 a_1+\log_6 a_2+\log_6 a_3+\cdots+\log_6 a_9$

$=\log_6(a_1a_9\times a_2a_8\times a_3a_7\times a_4a_6\times a_5)$

$=\log_6\{(6^2)^4\times6\}=\log_6 6^9=9$

## 021 답 ④

$\log_3 25\times\log_5\sqrt{7}\times\log_7 27$

$=\log_3 25\times\frac{\log_3\sqrt{7}}{\log_3 5}\times\frac{\log_3 27}{\log_3 7}$

$=\log_3 5^2\times\frac{\log_3 7^{\frac{1}{2}}}{\log_3 5}\times\frac{\log_3 3^3}{\log_3 7}$

$=2\log_3 5\times\frac{\frac{1}{2}\log_3 7}{\log_3 5}\times\frac{3}{\log_3 7}$

$=3$

## 022 답 10

$\frac{1}{\log_2 x}+\frac{1}{\log_5 x}+\frac{1}{\log_{10} x}$

$=\log_x 2+\log_x 5+\log_x 10$

$=\log_x(2\times5\times10)$

$=\log_x 10^2$

$=2\log_x 10$

즉, $2\log_x 10=2$이므로 $\log_x 10=1$

$\therefore x=10$

**023** 답 ③

$(\log_{10} 5)^2+\dfrac{\log_{10} 50}{1+\log_2 5}$

$=(\log_{10} 5)^2+\dfrac{\log_{10} 25+\log_{10} 2}{\log_2 2+\log_2 5}$

$=(\log_{10} 5)^2+\dfrac{2\log_{10} 5+\log_{10} 2}{\log_2 10}$

$=(\log_{10} 5)^2+(\log_{10} 2)\times(2\log_{10} 5+\log_{10} 2)$

$=(\log_{10} 5)^2+2\log_{10} 5\times\log_{10} 2+(\log_{10} 2)^2$

$=(\log_{10} 5+\log_{10} 2)^2$

$=(\log_{10} 10)^2=1$

**024** 답 2

$\log_3(\log_2 3)+\log_3(\log_3 4)+\log_3(\log_4 5)+\cdots+\log_3(\log_{511} 512)$

$=\log_3(\log_2 3\times\log_3 4\times\log_4 5\times\cdots\times\log_{511} 512)$

$=\log_3\left(\log_2 3\times\dfrac{\log_2 4}{\log_2 3}\times\dfrac{\log_2 5}{\log_2 4}\times\cdots\times\dfrac{\log_2 512}{\log_2 511}\right)$

$=\log_3(\log_2 512)=\log_3(\log_2 2^9)$

$=\log_3 9=\log_3 3^2=2$

**025** 답 8

$\log_a b=\log_b a$에서 $\log_a b=\dfrac{1}{\log_a b}$

$(\log_a b)^2=1$ $\quad\therefore \log_a b=1$ 또는 $\log_a b=-1$

이때 $a\neq b$이므로 $\log_a b=-1$ $\quad\therefore b=\dfrac{1}{a}$

$a>0$, $b>0$이므로 산술평균과 기하평균의 관계에 의하여

$2a+8b=2a+\dfrac{8}{a}$

$\geq 2\sqrt{2a\times\dfrac{8}{a}}=8$ (단, 등호는 $a=2$일 때 성립)

따라서 $2a+8b$의 최솟값은 8이다.

**026** 답 $\dfrac{25}{4}$

$(\log_3 2+\log_9\sqrt{2})(\log_2 3+\log_{\sqrt{2}} 9)$

$=(\log_3 2+\log_{3^2} 2^{\frac{1}{2}})(\log_2 3+\log_{2^{\frac{1}{2}}} 3^2)$

$=\left(\log_3 2+\dfrac{1}{4}\log_3 2\right)(\log_2 3+4\log_2 3)$

$=\dfrac{5}{4}\log_3 2\times 5\log_2 3$

$=\dfrac{25}{4}\log_3 2\times\dfrac{1}{\log_3 2}$

$=\dfrac{25}{4}$

**027** 답 25

주어진 식의 지수에서

$3\log_2 5+\log_2 3-\log_2 15$

$=\log_2 5^3+\log_2 3-\log_2 15$

$=\log_2\dfrac{5^3\times 3}{15}=\log_2 5^2$

$=\log_2 25$

$\therefore 2^{3\log_2 5+\log_2 3-\log_2 15}=2^{\log_2 25}=25$

**028** 답 ①

$x=\dfrac{2}{\log_3 16}+\log_{16} 27-\dfrac{\log_{\sqrt{5}} 3}{\log_{\sqrt{5}} 2}$

$=2\log_{16} 3+\log_{16} 27-\log_2 3$

$=\log_{16} 3^2+\log_{16} 3^3-\log_{16} 3^4$

$=\log_{16}\dfrac{3^2\times 3^3}{3^4}=\log_{16} 3$

$\therefore 16^x=16^{\log_{16} 3}=3$

**029** 답 ①

$A=4^{\log_2 8-\log_2 12}=4^{\log_2\frac{8}{12}}=4^{\log_2\frac{2}{3}}=4^{\log_4\left(\frac{2}{3}\right)^2}=\left(\dfrac{2}{3}\right)^2=\dfrac{4}{9}$

$B=\log_9\sqrt{3}-\log_{16}\dfrac{1}{2}=\log_{3^2} 3^{\frac{1}{2}}-\log_{2^4} 2^{-1}$

$=\dfrac{1}{4}+\dfrac{1}{4}=\dfrac{1}{2}$

$C=\log_{\frac{1}{2}}\{\log_9(\log_4 64)\}=\log_{\frac{1}{2}}\{\log_9(\log_4 4^3)\}$

$=\log_{\frac{1}{2}}(\log_9 3)=\log_{\frac{1}{2}}(\log_{3^2} 3)$

$=\log_{\frac{1}{2}}\dfrac{1}{2}=1$

$\therefore A<B<C$

**030** 답 ④

$\log_{20}\sqrt{50}=\log_{20} 50^{\frac{1}{2}}=\dfrac{1}{2}\log_{20} 50$

$=\dfrac{1}{2}\times\dfrac{\log_6 50}{\log_6 20}$

$=\dfrac{1}{2}\times\dfrac{\log_6(2\times 5^2)}{\log_6(2^2\times 5)}$

$=\dfrac{\log_6 2+2\log_6 5}{2(2\log_6 2+\log_6 5)}$

$=\dfrac{a+2b}{2(2a+b)}=\dfrac{a+2b}{4a+2b}$

**031** 답 $\dfrac{2a+3}{ab+1}$

$\log_3 2=\dfrac{1}{a}$, $\log_3 15=b$이므로

$\log_{30} 72=\dfrac{\log_3 72}{\log_3 30}=\dfrac{\log_3(2^3\times 3^2)}{\log_3(2\times 15)}$

$=\dfrac{3\log_3 2+2}{\log_3 2+\log_3 15}$

$=\dfrac{\dfrac{3}{a}+2}{\dfrac{1}{a}+b}=\dfrac{2a+3}{ab+1}$

**032** 답 ②

$5^a=x$, $5^b=y$에서 $\log_5 x=a$, $\log_5 y=b$이므로

$\log_{xy^2}\sqrt{xy}=\log_{xy^2}(xy)^{\frac{1}{2}}=\dfrac{1}{2}\log_{xy^2} xy$

$=\dfrac{1}{2}\times\dfrac{\log_5 xy}{\log_5 xy^2}$

$=\dfrac{\log_5 x+\log_5 y}{2(\log_5 x+2\log_5 y)}$

$=\dfrac{a+b}{2(a+2b)}=\dfrac{a+b}{2a+4b}$

### 033 답 ⑤

$a^m=b^n=2$에서 $\log_a 2=m$, $\log_b 2=n$이므로

$\log_2 a=\frac{1}{m}$, $\log_2 b=\frac{1}{n}$

$\therefore \log_{a^2} ab=\frac{\log_2 ab}{\log_2 a^2}=\frac{\log_2 a+\log_2 b}{2\log_2 a}$

$=\frac{\frac{1}{m}+\frac{1}{n}}{2\times\frac{1}{m}}=\frac{m+n}{2n}$

### 034 답 ③

$\log_2 5=x$, $\log_5 3=y$, $\log_3 11=z$에서

$y=\log_5 3=\frac{\log_2 3}{\log_2 5}=\frac{\log_2 3}{x}$ $\quad\therefore \log_2 3=xy$

$z=\log_3 11=\frac{\log_2 11}{\log_2 3}=\frac{\log_2 11}{xy}$ $\quad\therefore \log_2 11=xyz$

$\therefore \log_3 66=\frac{\log_2 66}{\log_2 3}=\frac{\log_2(2\times3\times11)}{\log_2 3}$

$=\frac{\log_2 2+\log_2 3+\log_2 11}{\log_2 3}$

$=\frac{1+xy+xyz}{xy}$

### 035 답 $-\frac{1}{2}$

$a^3b^2=1$의 양변에 $a$를 밑으로 하는 로그를 취하면

$\log_a a^3b^2=\log_a 1$, $\log_a a^3+\log_a b^2=0$

$3+2\log_a b=0$ $\quad\therefore \log_a b=-\frac{3}{2}$

$\therefore \log_a a^4b^3=\log_a a^4+\log_a b^3=4+3\log_a b$

$=4+3\times\left(-\frac{3}{2}\right)=-\frac{1}{2}$

다른 풀이 $a^3b^2=1$에서 $b^2=\frac{1}{a^3}=a^{-3}$ $\quad\therefore b=a^{-\frac{3}{2}}$

$\therefore \log_a a^4b^3=\log_a\{a^4\times(a^{-\frac{3}{2}})^3\}=\log_a(a^4\times a^{-\frac{9}{2}})$

$=\log_a a^{-\frac{1}{2}}=-\frac{1}{2}$

### 036 답 ②

$5^x=27$에서 $x=\log_5 27=\log_5 3^3=3\log_5 3$이므로

$\frac{3}{x}=\frac{1}{\log_5 3}=\log_3 5$

$45^y=243$에서 $y=\log_{45} 243=\log_{45} 3^5=5\log_{45} 3$이므로

$\frac{5}{y}=\frac{1}{\log_{45} 3}=\log_3 45$

$\therefore \frac{3}{x}-\frac{5}{y}=\log_3 5-\log_3 45=\log_3\frac{5}{45}$

$=\log_3\frac{1}{9}=\log_3 3^{-2}=-2$

다른 풀이 $5^x=27$에서 $5=27^{\frac{1}{x}}=3^{\frac{3}{x}}$ $\quad\cdots\cdots$ ㉠

$45^y=243$에서 $45=243^{\frac{1}{y}}=3^{\frac{5}{y}}$ $\quad\cdots\cdots$ ㉡

㉠÷㉡을 하면 $\frac{5}{45}=3^{\frac{3}{x}}\div3^{\frac{5}{y}}$

$3^{-2}=3^{\frac{3}{x}-\frac{5}{y}}$ $\quad\therefore \frac{3}{x}-\frac{5}{y}=-2$

### 037 답 ①

$a^2=b^5$에서 $b=a^{\frac{2}{5}}$ $\quad\therefore A=\log_a b=\log_a a^{\frac{2}{5}}=\frac{2}{5}$

$b^5=c^7$에서 $c=b^{\frac{5}{7}}$ $\quad\therefore B=\log_b c=\log_b b^{\frac{5}{7}}=\frac{5}{7}$

$a^2=c^7$에서 $a=c^{\frac{7}{2}}$ $\quad\therefore C=\log_c a=\log_c c^{\frac{7}{2}}=\frac{7}{2}$

$\therefore A<B<C$

### 038 답 $\frac{7}{10}$

$\log_a x=2$, $\log_b x=7$, $\log_c x=14$에서

$\log_x a=\frac{1}{2}$, $\log_x b=\frac{1}{7}$, $\log_x c=\frac{1}{14}$이므로

$\log_x abc=\log_x a+\log_x b+\log_x c$

$=\frac{1}{2}+\frac{1}{7}+\frac{1}{14}=\frac{5}{7}$

$\therefore \log_{abc} x=\frac{7}{5}$

$\therefore \log_{abc}\sqrt{x}=\log_{abc} x^{\frac{1}{2}}=\frac{1}{2}\log_{abc} x=\frac{1}{2}\times\frac{7}{5}=\frac{7}{10}$

다른 풀이 $\log_a x=2$, $\log_b x=7$, $\log_c x=14$에서

$a^2=x$, $b^7=x$, $c^{14}=x$이므로

$a=x^{\frac{1}{2}}$, $b=x^{\frac{1}{7}}$, $c=x^{\frac{1}{14}}$

$\therefore abc=x^{\frac{1}{2}+\frac{1}{7}+\frac{1}{14}}=x^{\frac{5}{7}}$

$\therefore \log_{abc}\sqrt{x}=\log_{x^{\frac{5}{7}}} x^{\frac{1}{2}}=\frac{\frac{1}{2}}{\frac{5}{7}}=\frac{7}{10}$

### 039 답 9

(가)에서 $\sqrt[4]{a}=\sqrt[3]{b}=\sqrt{c}=k\,(k>0,\ k\neq1)$로 놓으면

$a=k^4$, $b=k^3$, $c=k^2$

(나)에서

$\log_{16} a+\log_8 b+\log_4 c=\log_{2^4} a+\log_{2^3} b+\log_{2^2} c$

$=\log_{2^4} k^4+\log_{2^3} k^3+\log_{2^2} k^2$

$=\log_2 k+\log_2 k+\log_2 k$

$=3\log_2 k$

즉, $3\log_2 k=3$에서 $\log_2 k=1$ $\quad\therefore k=2$

$\therefore \log_2 abc=\log_2(k^4\times k^3\times k^2)$

$=\log_2 k^9=\log_2 2^9=9$

### 040 답 ①

$\log_3 9<\log_3 24<\log_3 27$, 즉 $2<\log_3 24<3$이므로

$a=2$, $b=\log_3 24-2=\log_3 24-\log_3 9=\log_3\frac{8}{3}$

$\therefore 3^a+3^b=3^2+3^{\log_3\frac{8}{3}}=9+\frac{8}{3}=\frac{35}{3}$

### 041 답 ⑤

$\log_2 8<\log_2 12<\log_2 16$, 즉 $3<\log_2 12<4$이므로

$a=\log_2 12-3=\log_2 12-\log_2 8=\log_2\frac{3}{2}$

$\therefore 2^a=2^{\log_2\frac{3}{2}}=\frac{3}{2}$

## 042 답 4

$\frac{\log_5 9}{\log_5 4}=\frac{2\log_5 3}{2\log_5 2}=\log_2 3$이고

$\log_2 2<\log_2 3<\log_2 4$, 즉 $1<\log_2 3<2$이므로

$a=1,\ b=\log_2 3-1=\log_2 3-\log_2 2=\log_2 \frac{3}{2}$

$\therefore\ \frac{b-a}{a+b}=\frac{\log_2 \frac{3}{2}-1}{1+\log_2 \frac{3}{2}}=\frac{\log_2 \frac{3}{2}-\log_2 2}{\log_2 2+\log_2 \frac{3}{2}}=\frac{\log_2 \frac{3}{4}}{\log_2 3}$

$=\log_3 \frac{3}{4}=\log_3 3-\log_3 4=1-\log_3 4$

$\therefore\ k=4$

## 043 답 17

이차방정식의 근과 계수의 관계에 의하여

$\log_{10} a+\log_{10} b=6,\ \log_{10} a\times\log_{10} b=1$

$\therefore\ \log_a \sqrt{b}+\log_b \sqrt{a}$

$=\log_a b^{\frac{1}{2}}+\log_b a^{\frac{1}{2}}$

$=\frac{1}{2}(\log_a b+\log_b a)$

$=\frac{1}{2}\left(\frac{\log_{10} b}{\log_{10} a}+\frac{\log_{10} a}{\log_{10} b}\right)$

$=\frac{1}{2}\times\frac{(\log_{10} b)^2+(\log_{10} a)^2}{\log_{10} a\times\log_{10} b}$

$=\frac{1}{2}\times\frac{(\log_{10} a+\log_{10} b)^2-2\log_{10} a\times\log_{10} b}{\log_{10} a\times\log_{10} b}$

$=\frac{1}{2}\times\frac{6^2-2\times1}{1}=17$

## 044 답 −1

이차방정식의 근과 계수의 관계에 의하여

$\alpha+\beta=10,\ \alpha\beta=4$

$\therefore\ \log_{\alpha\beta}\left(\frac{1}{\alpha}+\frac{1}{\beta}\right)+\log_{\frac{1}{\alpha\beta}}(\alpha+\beta)$

$=\log_{\alpha\beta}\frac{\alpha+\beta}{\alpha\beta}+\log_{\frac{1}{\alpha\beta}}(\alpha+\beta)$

$=\log_4 \frac{10}{4}+\log_{\frac{1}{4}} 10$

$=\log_4 10-\log_4 4+\log_{4^{-1}} 10$

$=\log_4 10-1-\log_4 10$

$=-1$

## 045 답 ⑤

이차방정식의 근과 계수의 관계에 의하여

$2+\log_3 5=a,\ 2\times\log_3 5=b$이므로

$a=2+\log_3 5=\log_3 3^2+\log_3 5=\log_3 45$,

$b=\log_3 5^2=\log_3 25$

$\therefore\ \frac{a}{b}=\frac{\log_3 45}{\log_3 25}=\log_{25} 45=\log_{5^2} 45$

$=\frac{1}{2}\log_5 45$

## 046 답 ②

이차방정식의 근과 계수의 관계에 의하여

$\alpha+\beta=3\log_6 2,\ \alpha\beta=-2\log_6 3+\log_6 2$

$\therefore\ (\alpha-1)(\beta-1)=\alpha\beta-(\alpha+\beta)+1$

$=-2\log_6 3+\log_6 2-3\log_6 2+1$

$=-2\log_6 3-2\log_6 2+1$

$=-2(\log_6 3+\log_6 2)+1$

$=-2\log_6 6+1$

$=-2+1=-1$

## 047 답 3.3343

$\log 12+\log 180=\log(2^2\times3)+\log(2\times3^2\times10)$

$=2\log 2+\log 3+\log 2+2\log 3+\log 10$

$=3(\log 2+\log 3)+1$

$=3(0.3010+0.4771)+1$

$=3.3343$

## 048 답 ②

$\log x^2-\log\sqrt{x}=2\log x-\frac{1}{2}\log x=\frac{3}{2}\log x$

$=\frac{3}{2}\times(-3.6)=-5.4=-6+0.6$

따라서 $\log x^2-\log\sqrt{x}$의 정수 부분은 $-6$이고, 소수 부분은 0.6이다.

## 049 답 ③

$a=\log 374=\log(10^2\times3.74)=\log 10^2+\log 3.74$

$=2+0.5729=2.5729$

한편 $\log b=-0.4271$에서

$\log b=-1+0.5729$

$=\log 10^{-1}+\log 3.74$

$=\log(10^{-1}\times3.74)=\log 0.374$

$\therefore\ b=0.374$

$\therefore\ a+b=2.5729+0.374=2.9469$

## 050 답 ③

$\log 12^{20}=20\log(2^2\times3)=20(2\log 2+\log 3)$

$=20(2\times0.3010+0.4771)=21.582$

따라서 $\log 12^{20}$의 정수 부분이 21이므로 $12^{20}$은 22자리의 정수이다.

## 051 답 ②

$\log 6^{30}=30\log(2\times3)=30(\log 2+\log 3)$

$=30(0.3010+0.4771)=23.343$

이때 $\log 2=0.3010,\ \log 3=0.4771$이므로

$\log 2<0.343<\log 3$

$23+\log 2<23+0.343<23+\log 3$

$\log(10^{23}\times2)<\log 6^{30}<\log(10^{23}\times3)$

$\therefore\ 2\times10^{23}<6^{30}<3\times10^{23}$

따라서 $6^{30}$의 최고 자리의 숫자는 2이다.

052 답 ③

$\log x^2$의 소수 부분과 $\log x^4$의 소수 부분이 같으므로

$\log x^4-\log x^2=4\log x-2\log x=2\log x$ ➡ 정수

$10\le x<100$이므로

$1\le \log x<2$

$\therefore 2\le 2\log x<4$

이때 $2\log x$가 정수이므로

$2\log x=2$ 또는 $2\log x=3$

$\log x=1$ 또는 $\log x=\frac{3}{2}$

$\therefore x=10$ 또는 $x=10^{\frac{3}{2}}$

따라서 모든 실수 $x$의 값의 곱은

$10\times 10^{\frac{3}{2}}=10^{\frac{5}{2}}$

053 답 $-6$

$\log N=n+\alpha$ ($n$은 정수, $0\le\alpha<1$)라 하면 이차방정식

$3x^2+7x+k=0$의 두 근이 $n$, $\alpha$이므로 근과 계수의 관계에 의하여

$n+\alpha=-\frac{7}{3}=-3+\frac{2}{3}$ ...... ㉠

$n\alpha=\frac{k}{3}$ ...... ㉡

이때 $n$은 정수이고, $0\le\alpha<1$이므로 ㉠에서

$n=-3$, $\alpha=\frac{2}{3}$

이를 ㉡에 대입하면

$-3\times\frac{2}{3}=\frac{k}{3}$

$\therefore k=-6$

054 답 12

벽면의 음향 투과 손실을 $L_1$, 벽의 단위 면적당 질량을 $m$, 음향의 주파수를 $f$라 하면

$L_1=20\log mf-48$ ...... ㉠

벽의 단위 면적당 질량이 4배가 되었을 때의 벽면의 음향 투과 손실을 $L_2$, 벽의 단위 면적당 질량을 $4m$이라 하면

$L_2=20\log 4mf-48=20(\log 4+\log mf)-48$

$\therefore L_2=40\log 2+20\log mf-48$ ...... ㉡

㉡$-$㉠을 하면

$L_2-L_1=40\log 2=40\times 0.3=12$

$\therefore L_2=L_1+12$

따라서 벽면의 음향 투과 손실은 12 dB만큼 증가하므로

$k=12$

055 답 ①

$$\begin{aligned}\log 2+\log 75&=\log\frac{10}{5}+\log(3\times 5^2)\\&=1-\log 5+\log 3+2\log 5\\&=1+\log 3+\log 5\\&=1+0.4771+0.6990\\&=2.1761\end{aligned}$$

056 답 11.9

$\log\sqrt[3]{x}=1.32$에서 $\frac{1}{3}\log x=1.32$

$\therefore \log x=3.96$

$$\begin{aligned}\therefore \log 100x^2+\log\sqrt{x}&=2+2\log x+\frac{1}{2}\log x=2+\frac{5}{2}\log x\\&=2+\frac{5}{2}\times 3.96=11.9\end{aligned}$$

057 답 ①

$$\begin{aligned}\log\frac{1}{x^2}+\log\sqrt[4]{x}&=-2\log x+\frac{1}{4}\log x=-\frac{7}{4}\log x\\&=-\frac{7}{4}\times 2.8=-4.9=-5+0.1\end{aligned}$$

따라서 $\log\frac{1}{x^2}+\log\sqrt[4]{x}$의 정수 부분은 $-5$, 소수 부분은 0.1이다.

058 답 ⑤

$\log N$과 $\log\frac{1000}{N}$의 소수 부분을 각각 $\alpha$, $\beta$ $(0\le\alpha<1,\ 0\le\beta<1)$라 하면

$\log N=m+\alpha$, $\log\frac{1000}{N}=n+\beta$

한편 $\log N+\log\frac{1000}{N}=\log\left(N\times\frac{1000}{N}\right)=\log 1000=3$이므로

$m+\alpha+n+\beta=3$ ...... ㉠

$0\le\alpha<1$, $0\le\beta<1$에서

$0\le\alpha+\beta<2$ ...... ㉡

㉠에 의하여 $m$, $n$은 정수이므로 $\alpha+\beta$도 정수이다.

또 ㉡에 의하여

$\alpha+\beta=0$ 또는 $\alpha+\beta=1$

이를 ㉠에 대입하면

$m+n=3$ 또는 $m+n=2$

059 답 ⑤

$\log 1$, $\log 3$, $\cdots$, $\log 9$의 정수 부분은 모두 0이므로

$f(1)=f(3)=f(5)=f(7)=f(9)=0$

$\log 11$, $\log 13$, $\cdots$, $\log 99$의 정수 부분은 모두 1이므로

$f(11)=f(13)=f(15)=\cdots=f(99)=1$

$\log 101$, $\log 103$, $\cdots$, $\log 149$의 정수 부분은 모두 2이므로

$f(101)=f(103)=f(105)=\cdots=f(149)=2$

$$\begin{aligned}\therefore\ &f(1)+f(3)+f(5)+\cdots+f(149)\\&=0\times 5+1\times 45+2\times 25=95\end{aligned}$$

060 답 2.0949

$$\begin{aligned}a&=\log 121=\log(10^2\times 1.21)=\log 10^2+\log 1.21\\&=2+0.0828=2.0828\end{aligned}$$

한편 $\log b=-1.9172$에서

$$\begin{aligned}\log b&=-2+0.0828=\log 10^{-2}+\log 1.21\\&=\log(10^{-2}\times 1.21)=\log 0.0121\end{aligned}$$

$\therefore b=0.0121$

$\therefore a+b=2.0828+0.0121=2.0949$

## 061 답 ④

① $\log 63.3=\log(10\times 6.33)=\log 10+\log 6.33$
$=1+0.8014=1.8014$

② $\log 6330=\log(10^3\times 6.33)=\log 10^3+\log 6.33$
$=3+0.8014=3.8014$

③ $\log 0.633=\log(10^{-1}\times 6.33)=\log 10^{-1}+\log 6.33$
$=-1+0.8014=-0.1986$

④ $\log 0.0633=\log(10^{-2}\times 6.33)=\log 10^{-2}+\log 6.33$
$=-2+0.8014=-1.1986$

⑤ $\log\sqrt{6.33}=\frac{1}{2}\log 6.33=\frac{1}{2}\times 0.8014=0.4007$

## 062 답 ①

$\log 582=\log(10^2\times 5.82)=\log 10^2+\log 5.82$
$=2+\log 5.82$

즉, $2+\log 5.82=2.7649$이므로 $\log 5.82=0.7649$

한편 $\log N=-2.2351$에서

$\log N=-3+0.7649=\log 10^{-3}+\log 5.82$
$=\log(10^{-3}\times 5.82)$
$=\log 0.00582$

$\therefore N=0.00582$

## 063 답 20.1

상용로그표에서 $\log 4.04=0.6064$이므로

$\log\sqrt{404}=\frac{1}{2}\log 404=\frac{1}{2}\log(10^2\times 4.04)$
$=\frac{1}{2}(\log 10^2+\log 4.04)=\frac{1}{2}(2+0.6064)$
$=1+0.3032$

이때 $\log 2.01=0.3032$이므로

$\log\sqrt{404}=1+0.3032=\log 10+\log 2.01$
$=\log(10\times 2.01)=\log 20.1$

$\therefore \sqrt{404}=20.1$

## 064 답 ③

$\log 15^{10}=10\log(3\times 5)=10(\log 3+\log 5)$
$=10\left(\log 3+\log\frac{10}{2}\right)=10(\log 3+1-\log 2)$
$=10(0.4771+1-0.3010)=11.761$

따라서 $\log 15^{10}$의 정수 부분이 11이므로 $15^{10}$은 12자리의 정수이다.

## 065 답 2

$\log\left(\frac{3}{4}\right)^{10}=10\log\frac{3}{4}=10(\log 3-2\log 2)$
$=10(0.4771-2\times 0.3010)$
$=-1.249=-2+0.751$

따라서 $\log\left(\frac{3}{4}\right)^{10}$의 정수 부분이 $-2$이므로 $\left(\frac{3}{4}\right)^{10}$은 소수점 아래 2째 자리에서 처음으로 0이 아닌 숫자가 나타난다.

$\therefore n=2$

## 066 답 ④

$2^{100}$이 31자리의 정수이므로 $\log 2^{100}$의 정수 부분은 30이다.

즉, $30\le\log 2^{100}<31$에서 $30\le 100\log 2<31$

$\therefore 0.3\le\log 2<0.31$ …… ㉠

한편 $\log\left(\frac{1}{5}\right)^{15}=\log\left(\frac{2}{10}\right)^{15}=15(\log 2-1)$이고 ㉠에서

$-0.7<\log 2-1<-0.69$

$\therefore -10.5\le 15(\log 2-1)<-10.35$

따라서 $\log\left(\frac{1}{5}\right)^{15}$의 정수 부분은 $-11$이므로 $\left(\frac{1}{5}\right)^{15}$은 소수점 아래 11째 자리에서 처음으로 0이 아닌 숫자가 나타난다.

## 067 답 3

$\log 12^{20}=20\log(2^2\times 3)=20(2\log 2+\log 3)$
$=20(2\times 0.3010+0.4771)=21.582$

이때 $\log 3=0.4771$, $\log 4=2\log 2=2\times 0.3010=0.6020$이므로

$\log 3<0.582<\log 4$

$21+\log 3<21+0.582<21+\log 4$

$\log(10^{21}\times 3)<\log 12^{20}<\log(10^{21}\times 4)$

$\therefore 3\times 10^{21}<12^{20}<4\times 10^{21}$

따라서 $12^{20}$의 최고 자리의 숫자는 3이다.

## 068 답 5

$\log x=-\frac{3}{4}$이므로

$\log x^2=2\log x=2\times\left(-\frac{3}{4}\right)=-\frac{3}{2}$
$=-1.5=-2+0.5$

따라서 $\log x^2$의 정수 부분이 $-2$이므로 $x^2$은 소수점 아래 2째 자리에서 처음으로 0이 아닌 숫자가 나타난다.

$\therefore a=2$

또 $\log 3=0.4771$, $\log 4=2\log 2=2\times 0.3010=0.6020$이므로

$\log 3<0.5<\log 4$

$-2+\log 3<-2+0.5<-2+\log 4$

$\log(10^{-2}\times 3)<\log x^2<\log(10^{-2}\times 4)$

$\therefore 3\times 10^{-2}<x^2<4\times 10^{-2}$

따라서 $x^2$의 소수점 아래 2째 자리의 숫자는 3이므로 $b=3$

$\therefore a+b=2+3=5$

## 069 답 10000

$\log\sqrt{x}$의 소수 부분과 $\log\frac{1}{x}$의 소수 부분이 같으므로

$\log\sqrt{x}-\log\frac{1}{x}=\frac{1}{2}\log x+\log x=\frac{3}{2}\log x$ ➡ 정수

$10<x<100$이므로 $1<\log x<2$

$\therefore \frac{3}{2}<\frac{3}{2}\log x<3$

이때 $\frac{3}{2}\log x$가 정수이므로 $\frac{3}{2}\log x=2$

$\log x=\frac{4}{3}$ $\qquad\therefore x=10^{\frac{4}{3}}$

$\therefore x^3=(10^{\frac{4}{3}})^3=10^4=10000$

## 070 답 ⑤

$\log x^2$의 소수 부분과 $\log\sqrt{x}$의 소수 부분의 합이 1이므로

$\log x^2+\log\sqrt{x}=2\log x+\frac{1}{2}\log x=\frac{5}{2}\log x$ ➡ 정수

$\log x$의 정수 부분이 2이므로 $2\le\log x<3$

$\therefore 5\le\frac{5}{2}\log x<\frac{15}{2}$

이때 $\frac{5}{2}\log x$가 정수이므로

$\frac{5}{2}\log x=5$ 또는 $\frac{5}{2}\log x=6$ 또는 $\frac{5}{2}\log x=7$

$\log x=2$ 또는 $\log x=\frac{12}{5}$ 또는 $\log x=\frac{14}{5}$

이때 $\log x=2$이면 $\log x^2$, $\log\sqrt{x}$의 소수 부분이 모두 0이므로

$x=10^{\frac{12}{5}}$ 또는 $x=10^{\frac{14}{5}}$

따라서 모든 실수 $x$의 값의 곱은 $10^{\frac{12}{5}}\times10^{\frac{14}{5}}=10^{\frac{26}{5}}$이므로

$p=5,\ q=26$ $\quad\therefore p+q=31$

## 071 답 360

(나), (다)에서 $\log a^2$의 소수 부분과 $\log 3b$의 소수 부분이 같고

$b=3a$이므로

$\log a^2-\log 3b=\log a^2-\log 9a=\log\frac{a}{9}$ ➡ 정수

즉, $\frac{a}{9}$는 10의 거듭제곱 꼴이다.

(가)에서 $10<a<100$이므로 $\frac{10}{9}<\frac{a}{9}<\frac{100}{9}$

따라서 $\frac{a}{9}=10$이므로 $a=90$

$\therefore b=3a=270$

$\therefore a+b=90+270=360$

## 072 답 ③

$\log N=n+\alpha$ ($n$은 정수, $0\le\alpha<1$)라 하면 이차방정식

$5x^2-12x+k=0$의 두 근이 $n$, $\alpha$이므로 근과 계수의 관계에 의하여

$n+\alpha=\frac{12}{5}=2+\frac{2}{5}$ $\quad\cdots\cdots$ ㉠

$n\alpha=\frac{k}{5}$ $\quad\cdots\cdots$ ㉡

이때 $n$은 정수이고, $0\le\alpha<1$이므로 ㉠에서

$n=2,\ \alpha=\frac{2}{5}$

이를 ㉡에 대입하면 $2\times\frac{2}{5}=\frac{k}{5}$

$\therefore k=4$

## 073 답 ②

$\log 800=\log(10^2\times8)=2+\log 8$이므로 $\log 800$의 정수 부분은 2, 소수 부분은 $\log 8$이다.

즉, 이차방정식 $x^2+ax+b=0$의 두 근이 2, $\log 8$이므로 근과 계수의 관계에 의하여

$2+\log 8=-a,\ 2\times\log 8=b$

$\therefore a+b=(-2-\log 8)+2\log 8=-2+\log 8$

$=\log 10^{-2}+\log 8=\log(10^{-2}\times8)=\log 0.08$

## 074 답 $-\frac{9}{5}$

$\log N=n+\alpha$ ($n$은 정수, $0<\alpha<1$)라 하면 이차방정식

$x^2+ax+b=0$의 두 근이 $n$, $\alpha$이므로 근과 계수의 관계에 의하여

$n+\alpha=-a$ $\quad\cdots\cdots$ ㉠

$n\alpha=b$ $\quad\cdots\cdots$ ㉡

한편 $\log\frac{1}{N}=-\log N=-(n+\alpha)=-n-1+(1-\alpha)$이고

$0<1-\alpha<1$이므로 $\log\frac{1}{N}$의 정수 부분은 $-n-1$, 소수 부분은 $1-\alpha$이다.

이차방정식 $x^2-ax+b-\frac{8}{5}=0$의 두 근이 $-n-1$, $1-\alpha$이므로 근과 계수의 관계에 의하여

$(-n-1)\times(1-\alpha)=b-\frac{8}{5}$ $\quad\cdots\cdots$ ㉢

㉡을 ㉢에 대입하면

$-n+n\alpha-1+\alpha=n\alpha-\frac{8}{5}$

$n-\alpha=\frac{3}{5}=1-\frac{2}{5}$ $\quad\therefore n=1,\ \alpha=\frac{2}{5}$ ($\because n$은 정수, $0<\alpha<1$)

이를 ㉠, ㉡에 각각 대입하면

$1+\frac{2}{5}=-a,\ 1\times\frac{2}{5}=b$

따라서 $a=-\frac{7}{5},\ b=\frac{2}{5}$이므로 $a-b=-\frac{9}{5}$

## 075 답 $\frac{1}{2}$배

어느 상품의 현재 수요량을 $D_1$, 판매 가격을 $P_1$이라 하면

$\log_a D_1=k-\frac{1}{3}\log_a P_1$ $\quad\cdots\cdots$ ㉠

판매 가격이 8배 오른 후의 수요량을 $D_2$라 하면 판매 가격은 $8P_1$이므로

$\log_a D_2=k-\frac{1}{3}\log_a 8P_1$

$\log_a D_2=k-\frac{1}{3}(\log_a P_1+\log_a 8)$

$\log_a D_2=k-\frac{1}{3}\log_a P_1-\log_a 2$ $\quad\cdots\cdots$ ㉡

㉡$-$㉠을 하면

$\log_a D_2-\log_a D_1=-\log_a 2,\ \log_a D_2=\log_a D_1-\log_a 2$

$\therefore \log_a D_2=\log_a\frac{D_1}{2}$

따라서 $D_2=\frac{D_1}{2}$이므로 수요량은 현재의 $\frac{1}{2}$배가 된다.

## 076 답 ②

pH 4.6인 용액의 수소 이온 농도를 $a$, pH 6.4인 용액의 수소 이온 농도를 $b$라 하면

$4.6=-\log a$ $\quad\cdots\cdots$ ㉠

$6.4=-\log b$ $\quad\cdots\cdots$ ㉡

㉡$-$㉠을 하면 $1.8=-\log b-(-\log a)$

$\log\frac{a}{b}=1.8$ $\quad\therefore\frac{a}{b}=10^{1.8}$

따라서 pH 4.6인 용액의 수소 이온 농도는 pH 6.4인 용액의 수소 이온 농도의 $10^{1.8}$배이므로 $k=1.8$

**077** 답 **0.98**

어느 외부 자극의 세기가 30일 때의 감각의 세기가 0.74이므로

$0.74=k\log 30=k\log(10\times3)=k(1+\log 3)$

$\quad=k(1+0.48)=1.48k$

$\therefore k=\frac{1}{2}$

이 외부 자극의 세기가 90일 때의 감각의 세기를 $S$라 하면

$S=\frac{1}{2}\log 90=\frac{1}{2}\log(10\times3^2)=\frac{1}{2}(1+2\log 3)$

$\quad=\frac{1}{2}(1+2\times0.48)=0.98$

따라서 이 외부 자극의 세기가 90일 때의 감각의 세기는 0.98이다.

**078** 답 ⑤

5년 전 매출액을 $A$원이라 하고 매출액이 매년 $r\%$씩 증가했다고 하면

$A\left(1+\frac{r}{100}\right)^5=2A \qquad \therefore \left(1+\frac{r}{100}\right)^5=2$

양변에 상용로그를 취하면

$5\log\left(1+\frac{r}{100}\right)=\log 2$

$\log\left(1+\frac{r}{100}\right)=\frac{1}{5}\log 2=\frac{1}{5}\times0.3=0.06$

이때 $\log 1.15=0.06$이므로

$1+\frac{r}{100}=1.15,\ \frac{r}{100}=0.15$

$\therefore r=15$

따라서 매출액은 매년 15 %씩 증가했다.

**079** 답 **32.7 %**

현재 가격을 $A$원이라 하면 중고 물품의 가격은 매년 20 %씩 떨어지므로 5년 후의 가격은

$A\left(1-\frac{20}{100}\right)^5=A\times0.8^5$(원)

$0.8^5$에 상용로그를 취하면

$\log 0.8^5=5\log 0.8=5\log\frac{8}{10}=5(3\log 2-1)$

$\quad=5(3\times0.301-1)$

$\quad=-0.485=-1+0.515$

이때 $\log 3.27=0.515$이므로

$\log 0.8^5=-1+0.515=\log 10^{-1}+\log 3.27$

$\quad=\log(10^{-1}\times3.27)=\log 0.327$

$\therefore 0.8^5=0.327$

따라서 5년 후의 이 중고 물품의 가격은 $0.327A$원이므로 현재 가격의 32.7 %이다.

**080** 답 **10.4 %**

현재 유입되는 생활하수의 양을 $a$라 하고 매년 $r\%$씩 줄인다고 하면 10년 후의 생활하수의 양은 $\frac{1}{3}a$이므로

$a\left(1-\frac{r}{100}\right)^{10}=\frac{1}{3}a \qquad \therefore \left(1-\frac{r}{100}\right)^{10}=\frac{1}{3}$

양변에 상용로그를 취하면

$10\log\left(1-\frac{r}{100}\right)=\log\frac{1}{3},\ 10\log\left(1-\frac{r}{100}\right)=-\log 3$

$\log\left(1-\frac{r}{100}\right)=-\frac{1}{10}\log 3=-\frac{1}{10}\times0.48$

$\quad=-0.048=-1+0.952$

이때 $\log 8.96=0.952$이므로

$\log\left(1-\frac{r}{100}\right)=-1+0.952=\log 10^{-1}+\log 8.96$

$\quad=\log(10^{-1}\times8.96)=\log 0.896$

$1-\frac{r}{100}=0.896,\ \frac{r}{100}=0.104 \qquad \therefore r=10.4$

따라서 생활하수의 양을 매년 10.4 %씩 줄여야 한다.

**081** 답 ④

$\log_a 3=2$에서 $a^2=3$

$\log_2 b=2$에서 $b=2^2=4$

$\therefore a^{2b}=(a^2)^b=3^4=81$

**082** 답 **3**

밑의 조건에서 $|a-1|>0,\ |a-1|\neq1$이므로

$a\neq0,\ a\neq1,\ a\neq2 \qquad \cdots\cdots$ ㉠

진수의 조건에서 모든 실수 $x$에 대하여 $x^2+ax+a>0$이어야 하므로 이차방정식 $x^2+ax+a=0$의 판별식을 $D$라 하면

$D=a^2-4a<0,\ a(a-4)<0$

$\therefore 0<a<4 \qquad \cdots\cdots$ ㉡

㉠, ㉡의 공통 범위를 구하면

$0<a<1$ 또는 $1<a<2$ 또는 $2<a<4$

따라서 구하는 정수 $a$의 값은 3이다.

**083** 답 $\frac{5}{2}$

$\log_2 24+\log_2\frac{2}{3}-\log_2 2\sqrt{2}$

$=\log_2\left(24\times\frac{2}{3}\right)-\log_2 2^{\frac{3}{2}}$

$=\log_2 16-\frac{3}{2}=\log_2 2^4-\frac{3}{2}$

$=4-\frac{3}{2}=\frac{5}{2}$

**084** 답 ④

$f(n)=\frac{2\log_3(n+1)-\log_3(n^2+n)}{n+1-n}$

$\quad=\log_3(n+1)^2-\log_3(n^2+n)$

$\quad=\log_3\frac{(n+1)^2}{n(n+1)}=\log_3\frac{n+1}{n}$

$\therefore f(1)+f(2)+f(3)+\cdots+f(80)$

$\quad=\log_3\frac{2}{1}+\log_3\frac{3}{2}+\log_3\frac{4}{3}+\cdots+\log_3\frac{81}{80}$

$\quad=\log_3\left(2\times\frac{3}{2}\times\frac{4}{3}\times\cdots\times\frac{81}{80}\right)$

$\quad=\log_3 81=\log_3 3^4=4$

### 085 답 ①

$$\frac{1}{a}+\frac{1}{b}=\frac{a+b}{ab}=\frac{\log_2 7}{\log_3 7}=\frac{\log_7 3}{\log_7 2}=\log_2 3$$

### 086 답 ②

ㄱ. $\log_{2\sqrt{2}} 8=\log_{2^{\frac{3}{2}}} 2^3=2$

ㄴ. $4^{\log_2 27-\log_2 3}=4^{\log_2 9}=9^{\log_2 4}=9^{\log_2 2^2}=9^2$

ㄷ. $\log_2\{\log_{16}(\log_5 25)\}=\log_2\{\log_{16}(\log_5 5^2)\}$

$=\log_2(\log_{16} 2)$

$=\log_2(\log_{2^4} 2)$

$=\log_2 \frac{1}{4}=\log_2 2^{-2}=-2$

ㄹ. $\log_2(\log_3 7)+\log_2(\log_7 10)+\log_2(\log_{10} 81)$

$=\log_2(\log_3 7\times\log_7 10\times\log_{10} 81)$

$=\log_2\left(\log_3 7\times\frac{\log_3 10}{\log_3 7}\times\frac{\log_3 81}{\log_3 10}\right)$

$=\log_2(\log_3 81)=\log_2(\log_3 3^4)=\log_2 4=2$

### 087 답 ③

$(5^{\log_5 3+\log_5 2})^2+(3^{\log_2 3+\log_{\sqrt{2}} 3\sqrt{3}})^{\log_9 2\sqrt{2}}$

$=\{5^{\log_5(3\times2)}\}^2+(3^{\log_2 3+\log_{2^{\frac{1}{2}}} 3^{\frac{3}{2}}})^{\log_{3^2} 2^{\frac{3}{2}}}$

$=(5^{\log_5 6})^2+(3^{\log_2 3+3\log_2 3})^{\frac{3}{4}\log_3 2}$

$=(6^{\log_5 5})^2+3^{4\log_2 3\times\frac{3}{4}\log_3 2}$

$=6^2+3^3=63$

### 088 답 ④

$\log_2 15=a$에서

$\log_2 3+\log_2 5=a$ ······ ㉠

$\log_2 \frac{3}{5}=b$에서

$\log_2 3-\log_2 5=b$ ······ ㉡

㉠+㉡을 하면 $2\log_2 3=a+b$

$\therefore \log_2 3=\frac{a+b}{2}$

㉠−㉡을 하면 $2\log_2 5=a-b$

$\therefore \log_2 5=\frac{a-b}{2}$

$\therefore \log_2 45=\log_2(3^2\times5)$

$=2\log_2 3+\log_2 5$

$=2\times\frac{a+b}{2}+\frac{a-b}{2}$

$=\frac{3a+b}{2}$

### 089 답 $\frac{17}{4}$

$\log_a c : \log_b c=4:1$에서

$\log_a c=4\log_b c$, $\frac{1}{\log_c a}=\frac{4}{\log_c b}$

$\log_c b=4\log_c a$ $\quad\therefore b=a^4$

$\therefore \log_a b+\log_b a=\log_a a^4+\log_{a^4} a$

$=4+\frac{1}{4}=\frac{17}{4}$

### 090 답 0

$2^x=5^y=50^z=k\,(k>0)$로 놓으면 $xyz\neq0$에서 $k\neq1$

$x=\log_2 k$, $y=\log_5 k$, $z=\log_{50} k$이므로

$\frac{1}{x}=\log_k 2$, $\frac{1}{y}=\log_k 5$, $\frac{1}{z}=\log_k 50$

$\therefore \frac{1}{x}+\frac{2}{y}-\frac{1}{z}=\log_k 2+2\log_k 5-\log_k 50$

$=\log_k 2+\log_k 5^2-\log_k 50$

$=\log_k\left(\frac{2\times5^2}{50}\right)=\log_k 1=0$

### 091 답 4

$\log_5 5<\log_5 15<\log_5 25$, 즉 $1<\log_5 15<2$이므로

$x=1$, $y=\log_5 15-1=\log_5 15-\log_5 5=\log_5 3$

$\therefore 5^x=5^1=5$, $5^y=5^{\log_5 3}=3$

$\therefore \frac{5^x+5^y}{5^x-5^y}=\frac{5+3}{5-3}=4$

### 092 답 ①

이차방정식의 근과 계수의 관계에 의하여

$\log_2 a+\log_2 b=-6$, $\log_2 a\times\log_2 b=3$

$\therefore \log_a b+\log_b a=\frac{\log_2 b}{\log_2 a}+\frac{\log_2 a}{\log_2 b}$

$=\frac{(\log_2 b)^2+(\log_2 a)^2}{\log_2 a\times\log_2 b}$

$=\frac{(\log_2 a+\log_2 b)^2-2\log_2 a\times\log_2 b}{\log_2 a\times\log_2 b}$

$=\frac{(-6)^2-2\times3}{3}=10$

### 093 답 2.0333

$\log 108=\log(2^2\times3^3)=2\log 2+3\log 3$

$=2\times0.3010+3\times0.4771$

$=2.0333$

### 094 답 ①

$\log\frac{100x}{y^2}=\log 100x-\log y^2=\log(10^2\times x)-\log y^2$

$=2+\log x-2\log y=2+\frac{3}{5}-2\times\frac{7}{4}$

$=-0.9=-1+0.1$

따라서 $\log\frac{100x}{y^2}$의 정수 부분은 $-1$이고 소수 부분은 0.1이므로

$a=-1$, $b=0.1$

$\therefore a^2+10b=(-1)^2+10\times0.1=2$

### 095 답 ④

ㄱ. $\log 5=\log\frac{10}{2}=\log 10-\log 2$

$=1-0.301=0.699$

ㄴ. $\log 200=\log(10^2\times2)=\log 10^2+\log 2$

$=2+0.301=2.301$

ㄷ. $\log 5000=\log(10^3\times5)=\log 10^3+\log 5$

$=3+0.699=3.699$

ㄹ. $\log 0.5=\log\frac{1}{2}=\log 2^{-1}=-\log 2=-0.301$

ㅁ. $\log 0.005=\log(10^{-3}\times5)=\log 10^{-3}+\log 5$

$=-3+0.699=-2.301$

ㅂ. $\log 0.02=\log(10^{-2}\times2)=\log 10^{-2}+\log 2$

$=-2+0.301=-1.699$

따라서 보기 중 옳은 것은 ㄱ, ㄴ, ㄷ, ㅁ, ㅂ의 5개이다.

## 096 답 ⑤

$a^{10}$은 16자리의 정수이므로 $\log a^{10}$의 정수 부분은 15이다.

즉, $15\le\log a^{10}<16$이므로

$1.5\le\log a<1.6$ …… ㉠

$b^{10}$은 10자리의 정수이므로 $\log b^{10}$의 정수 부분은 9이다.

즉, $9\le\log b^{10}<10$이므로

$0.9\le\log b<1$ …… ㉡

이때 $\log a^5b^2=5\log a+2\log b$이므로

㉠$\times5+$㉡$\times2$를 하면

$9.3\le5\log a+2\log b<10$

따라서 $\log a^5b^2$의 정수 부분이 9이므로 $a^5b^2$은 10자리의 정수이다.

## 097 답 8

$\log 7^{20}=20\log 7=20\times0.8451=16.902$

이때 $\log 7=0.8451$, $\log 8=3\log 2=3\times0.3010=0.9030$이므로

$\log 7<0.902<\log 8$

$16+\log 7<16+0.902<16+\log 8$

$\log(10^{16}\times7)<\log 7^{20}<\log(10^{16}\times8)$

$\therefore 7\times10^{16}<7^{20}<8\times10^{16}$

따라서 $7^{20}$의 최고 자리의 숫자는 7이므로

$a=7$

한편 $7^1=7$, $7^2=49$, $7^3=343$, $7^4=2401$, $7^5=16807$, $\cdots$이므로 $7^n$($n$은 자연수)의 일의 자리의 숫자는 7, 9, 3, 1이 이 순서대로 반복된다.

이때 $20=4\times5$이므로 $7^{20}$의 일의 자리의 숫자는 $7^4$의 일의 자리의 숫자와 같다.

$\therefore b=1$

$\therefore a+b=7+1=8$

## 098 답 3

$2\log x$와 $\log\frac{x}{2}$의 차가 정수이므로

$2\log x-\log\frac{x}{2}=\log x^2-\log\frac{x}{2}$

$=\log\left(x^2\times\frac{2}{x}\right)=\log 2x$ ➡ 정수

이때 $\log 2x$가 정수이므로 $2x$가 10의 거듭제곱 꼴이다.

$100\le x<1000$에서 $200\le 2x<2000$이므로 $2x=1000$

$\therefore \log 2x=\log 1000=\log 10^3=3$

## 099 답 ④

$\log x$의 소수 부분과 $\log x\sqrt{x}$의 소수 부분의 합이 1이므로

$\log x+\log x\sqrt{x}=\log x+\frac{3}{2}\log x$

$=\frac{5}{2}\log x$ ➡ 정수

$\log x$의 정수 부분이 3이므로

$3\le\log x<4$

$\therefore \frac{15}{2}\le\frac{5}{2}\log x<10$

이때 $\frac{5}{2}\log x$가 정수이므로

$\frac{5}{2}\log x=8$ 또는 $\frac{5}{2}\log x=9$

$\log x=\frac{16}{5}$ 또는 $\log x=\frac{18}{5}$

$\therefore x=10^{\frac{16}{5}}$ 또는 $x=10^{\frac{18}{5}}$

따라서 모든 실수 $x$의 값의 곱은

$10^{\frac{16}{5}}\times10^{\frac{18}{5}}=10^{\frac{34}{5}}$

## 100 답 $x^2-19x+90=0$

$\log 900=\log(10^2\times9)=2+\log 9$이므로 $\log 900$의 정수 부분은 2, 소수 부분은 $\log 9$이다.

$\therefore a=2,\ b=2\log 3$

즉, $3^a=3^2=9$이고

$\frac{2}{b}=\frac{2}{2\log 3}=\log_3 10$에서

$3^{\frac{2}{b}}=3^{\log_3 10}=10^{\log_3 3}=10$

따라서 이차항의 계수가 1이고 $3^a$, $3^{\frac{2}{b}}$을 두 근으로 하는 이차방정식은

$x^2-(9+10)x+9\times10=0$

$\therefore x^2-19x+90=0$

## 101 답 ③

올해 이 회사의 복지 예산이 1억 원이고 복지 예산을 매년 전년도 복지 예산의 $r$%씩 늘린다고 하면 10년 후의 복지 예산은 2억 원이므로

$1\times\left(1+\frac{r}{100}\right)^{10}=2$

양변에 상용로그를 취하면

$10\log\left(1+\frac{r}{100}\right)=\log 2$

$\log\left(1+\frac{r}{100}\right)=\frac{1}{10}\log 2$

$=\frac{1}{10}\times0.3=0.03$

이때 $\log 1.07=0.03$이므로

$1+\frac{r}{100}=1.07$

$\frac{r}{100}=0.07$

$\therefore r=7$

따라서 복지 예산을 매년 7%씩 늘려야 한다.

## 지수함수

40~57쪽

### 001 답 8

$f(k_1)=2$에서 $a^{k_1}=2$

$f(k_2)=4$에서 $a^{k_2}=4$

$\therefore f(k_1+k_2)=a^{k_1+k_2}=a^{k_1}\times a^{k_2}=2\times4=8$

### 002 답 ④

① $y=2^x$에서 밑이 1보다 크므로 $x$의 값이 증가하면 $y$의 값도 증가한다.

② $x=0$일 때, $y=2^0=1$이므로 그래프는 점 $(0, 1)$을 지난다.

④ 점근선이 $x$축이므로 그래프는 $x$축과 만나지 않는다.

### 003 답 ④

$y=3^x$의 그래프를 $x$축의 방향으로 $m$만큼, $y$축의 방향으로 $n$만큼 평행이동한 그래프의 식은

$y=3^{x-m}+n$

이 식이 $y=\frac{1}{9}\times3^x-1=3^{x-2}-1$과 일치하므로

$m=2,\ n=-1\qquad\therefore m+n=1$

### 004 답 4

$y=2^x$의 그래프가 두 점 $(a, p)$, $(b, q)$를 지나므로

$p=2^a,\ q=2^b$

이때 $pq=16$이므로 $2^a\times2^b=16,\ 2^{a+b}=2^4$

$\therefore a+b=4$

### 005 답 ④

$A=3\sqrt{3}=\sqrt{3^3}=3^{\frac{3}{2}}$

$B=\left(\frac{1}{27}\right)^{-\frac{1}{4}}=(3^{-3})^{-\frac{1}{4}}=3^{\frac{3}{4}}$

$C=\sqrt[3]{81}=\sqrt[3]{3^4}=3^{\frac{4}{3}}$

이때 $\frac{3}{4}<\frac{4}{3}<\frac{3}{2}$이고 밑이 1보다 크므로

$3^{\frac{3}{4}}<3^{\frac{4}{3}}<3^{\frac{3}{2}}$

$\therefore B<C<A$

### 006 답 $\frac{15}{4}$

$y=\left(\frac{1}{2}\right)^{x+1}+4$에서 밑이 1보다 작으므로

$x=-3$일 때 최대이고 최댓값은

$\left(\frac{1}{2}\right)^{-2}+4=4+4=8$

$x=1$일 때 최소이고 최솟값은

$\left(\frac{1}{2}\right)^2+4=\frac{1}{4}+4=\frac{17}{4}$

따라서 구하는 최댓값과 최솟값의 차는

$8-\frac{17}{4}=\frac{15}{4}$

### 007 답 ②

$f(x)=-x^2-2x$로 놓으면 $f(x)=-(x+1)^2+1$

$-2\le x\le1$에서 $f(-2)=0,\ f(-1)=1,\ f(1)=-3$이므로

$-3\le f(x)\le1$

$y=5^{-x^2-2x}=5^{f(x)}$에서 밑이 1보다 크므로

$f(x)=1$일 때 최대이고 최댓값은 $5^1=5$

$f(x)=-3$일 때 최소이고 최솟값은 $5^{-3}=\frac{1}{125}$

따라서 구하는 최댓값과 최솟값의 곱은

$5\times\frac{1}{125}=\frac{1}{25}$

### 008 답 36

$y=9^{-x}-2\times3^{-x+1}-1=\left(\frac{1}{3}\right)^{2x}-6\times\left(\frac{1}{3}\right)^x-1$

$\left(\frac{1}{3}\right)^x=t\ (t>0)$로 놓으면

$-2\le x\le-1$에서 $\left(\frac{1}{3}\right)^{-1}\le\left(\frac{1}{3}\right)^x\le\left(\frac{1}{3}\right)^{-2}$

$\therefore 3\le t\le9$

이때 주어진 함수는

$y=t^2-6t-1=(t-3)^2-10$

따라서 $t=9$일 때 최대이고 최댓값은 26, $t=3$일 때 최소이고 최솟값은 $-10$이므로

$M=26,\ m=-10$

$\therefore M-m=26-(-10)=36$

### 009 답 5

$2^x+2^{-x}=t$로 놓으면 $2^x>0,\ 2^{-x}>0$이므로 산술평균과 기하평균의 관계에 의하여

$t=2^x+2^{-x}\ge2\sqrt{2^x\times2^{-x}}=2$ (단, 등호는 $x=0$일 때 성립)

이때 $4^x+4^{-x}=(2^x+2^{-x})^2-2=t^2-2$이므로 주어진 함수는

$y=(t^2-2)-2t+7=t^2-2t+5$

$=(t-1)^2+4$

따라서 $t\ge2$이므로 주어진 함수는 $t=2$일 때 최솟값 5를 갖는다.

### 010 답 ③

$f(4)=m$에서 $a^4=m$

$f(9)=n$에서 $a^9=n$

$\therefore f(5)=a^5=a^{9-4}=a^9\div a^4=\frac{n}{m}$

### 011 답 10

$f(4)=\frac{1}{16}$에서 $a^4=\frac{1}{16}=\left(\frac{1}{2}\right)^4$

$\therefore a=\frac{1}{2}\ (\because a>0)$

$\therefore f(-1)+f(-3)=\left(\frac{1}{2}\right)^{-1}+\left(\frac{1}{2}\right)^{-3}$

$=2+8=10$

## 012 답 $\frac{28}{27}$

$f(2a)\times f(b)=3^{-2a}\times 3^{-b}=9$에서

$3^{-2a-b}=9=3^2$

$\therefore -2a-b=2$ ...... ㉠

$f(a-b)=3^{-(a-b)}=3$에서

$-(a-b)=1$

$\therefore -a+b=1$ ...... ㉡

㉠, ㉡을 연립하여 풀면

$a=-1,\ b=0$

$\therefore 3^{3a}+3^{3b}=3^{-3}+3^0=\frac{1}{27}+1=\frac{28}{27}$

## 013 답 ⑤

ㄱ. $(a,\ b)\in A$이면 $b=2^a$에서

$\frac{b}{2}=\frac{1}{2}\times 2^a=2^{a-1}$

$\therefore \left(a-1,\ \frac{b}{2}\right)\in A$

ㄴ. $(a,\ b)\in A$이면 $b=2^a$에서

$\frac{1}{b}=\frac{1}{2^a}=2^{-a}$

$\therefore \left(-a,\ \frac{1}{b}\right)\in A$

ㄷ. $(a_1,\ b_1)\in A,\ (a_2,\ b_2)\in A$이면 $b_1=2^{a_1},\ b_2=2^{a_2}$에서

$b_1b_2=2^{a_1}\times 2^{a_2}=2^{a_1+a_2}$

$\therefore (a_1+a_2,\ b_1b_2)\in A$

따라서 보기 중 옳은 것은 ㄱ, ㄴ, ㄷ이다.

## 014 답 ⑤

ㄱ. 정의역은 실수 전체의 집합이다.

ㄴ. $f(x)=a^x$은 일대일함수이므로 $x_1\neq x_2$이면 $f(x_1)\neq f(x_2)$이다.

ㄷ. $0<a<1$일 때, $f(x)=a^x$은 $x$의 값이 증가하면 $f(x)$의 값은 감소하므로 $x_1<x_2$이면 $f(x_1)>f(x_2)$이다.

ㄹ. $f(0)=1,\ f(1)=a$이므로 그래프는 두 점 $(0,\ 1),\ (1,\ a)$를 지난다.

따라서 보기 중 옳은 것은 ㄴ, ㄷ, ㄹ이다.

## 015 답 ④

임의의 실수 $a,\ b$에 대하여 $a<b$일 때, $f(a)>f(b)$를 만족시키는 함수는 $x$의 값이 증가할 때 $f(x)$의 값은 감소하는 함수이므로 $0<(\text{밑})<1$인 지수함수이다.

이때 $f(x)=\left(\frac{10}{9}\right)^{-x}=\left(\frac{9}{10}\right)^x$은 $0<\frac{9}{10}<1$이므로 주어진 조건을 만족시키는 함수는 ④이다.

## 016 답 $a<-3$ 또는 $a>2$

$y=(a^2+a-5)^x$에서 $x$의 값이 증가할 때 $y$의 값도 증가하려면

$a^2+a-5>1$이어야 하므로

$a^2+a-6>0,\ (a+3)(a-2)>0$

$\therefore a<-3$ 또는 $a>2$

## 017 답 $-4$

함수 $y=4\times\left(\frac{1}{2}\right)^x-3=\left(\frac{1}{2}\right)^{x-2}-3$의 그래프는 함수 $y=\left(\frac{1}{2}\right)^x$의 그래프를 $x$축의 방향으로 2만큼, $y$축의 방향으로 $-3$만큼 평행이동한 것이다.

$\therefore a=2,\ b=-3$

또 점근선의 방정식은 $y=-3$이므로

$c=-3$

$\therefore a+b+c=2+(-3)+(-3)=-4$

## 018 답 ④

ㄱ. $y=4^x+3$의 그래프는 $y=4^x$의 그래프를 $y$축의 방향으로 3만큼 평행이동한 것이다.

ㄴ. $y=-4\times 2^{x-2}=-2^2\times 2^{x-2}=-2^x$이므로 그래프는 $y=4^x$의 그래프를 평행이동 또는 대칭이동하여 겹쳐질 수 없다.

ㄷ. $y=-\left(\frac{1}{4}\right)^x+2=-4^{-x}+2$이므로 그래프는 $y=4^x$의 그래프를 원점에 대하여 대칭이동한 후 $y$축의 방향으로 2만큼 평행이동한 것이다.

ㄹ. $y=2^{2x-4}-2=(2^2)^{x-2}-2=4^{x-2}-2$이므로 그래프는 $y=4^x$의 그래프를 $x$축의 방향으로 2만큼, $y$축의 방향으로 $-2$만큼 평행이동한 것이다.

따라서 $y=4^x$의 그래프를 평행이동 또는 대칭이동하여 겹쳐지는 것은 ㄱ, ㄷ, ㄹ이다.

## 019 답 ②

$y=4^{x+2}-5$의 그래프는 $y=4^x$의 그래프를 $x$축의 방향으로 $-2$만큼, $y$축의 방향으로 $-5$만큼 평행이동한 것이므로 오른쪽 그림과 같다.

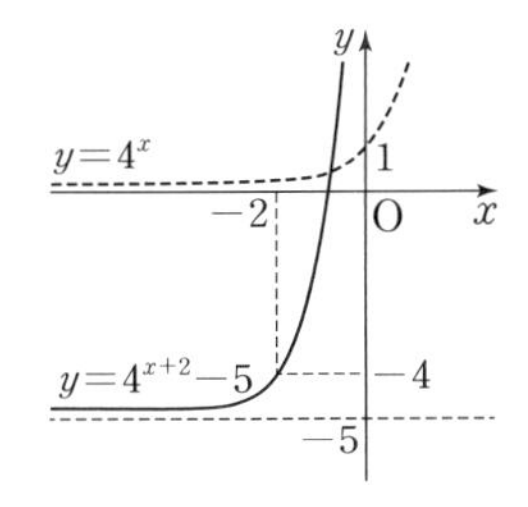


② 점근선의 방정식은 $y=-5$이다.

## 020 답 ②

$y=\left(\frac{1}{3}\right)^x$의 그래프를 $y$축에 대하여 대칭이동한 그래프의 식은

$y=\left(\frac{1}{3}\right)^{-x}=3^x$

이 그래프를 $x$축의 방향으로 $a$만큼, $y$축의 방향으로 $b$만큼 평행이동한 그래프의 식은

$y=3^{x-a}+b$

이 그래프의 점근선의 방정식이 $y=b$이므로

$b=3$

또 그래프가 점 $(0,\ 6)$을 지나므로

$6=3^{-a}+3,\ 3^{-a}=3$

$\therefore a=-1$

$\therefore ab=-1\times 3=-3$

**021** 답 ①

$y=5^{-x+1}+k=\left(\frac{1}{5}\right)^{x-1}+k$의 그래프는 $y=\left(\frac{1}{5}\right)^{x}$의 그래프를 $x$축의 방향으로 1만큼, $y$축의 방향으로 $k$만큼 평행이동한 것이다.

따라서 그래프가 제3사분면을 지나지 않으려면 오른쪽 그림과 같아야 하므로

$5+k\geq 0 \qquad \therefore k\geq -5$

따라서 $k$의 최솟값은 $-5$이다.

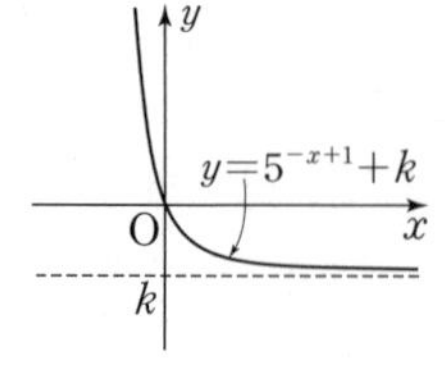


**022** 답 $k<2$

$x\geq -1$이면 $y=3^{x+1}+1$

$x<-1$이면 $y=3^{-(x+1)}+1=\left(\frac{1}{3}\right)^{x+1}+1$

따라서 $y=3^{|x+1|}+1$의 그래프는 오른쪽 그림과 같으므로 직선 $y=k$가 그래프와 만나지 않으려면

$k<2$

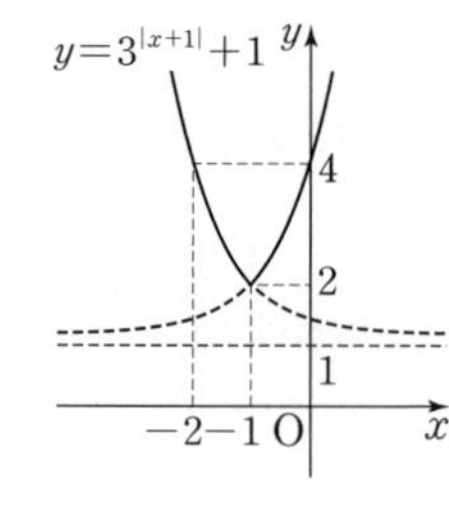


**023** 답 ①

$y=\left(\frac{1}{4}\right)^{x}$의 그래프가 두 점 $(1,\ a)$, $(b,\ 16)$을 지나므로

$a=\frac{1}{4}$, $16=\left(\frac{1}{4}\right)^{b} \qquad \therefore b=-2$

$\therefore \frac{b}{a}=\frac{-2}{\frac{1}{4}}=-8$

**024** 답 ①

오른쪽 그림에서 $b=3^{a}$, $d=3^{c}$이므로

$bd=3^{a}\times 3^{c}=3^{a+c}$

$\therefore k=a+c$

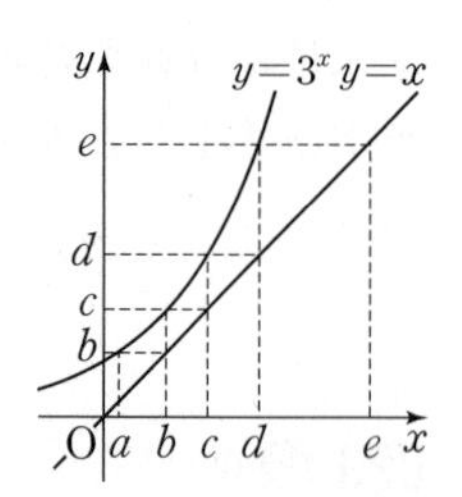


**025** 답 2

두 점 A, B의 $x$좌표를 각각 $a$, $b$라 하자.

점 $\mathrm{A}(a,\ 4)$가 $y=2^{x}$의 그래프 위의 점이므로

$2^{a}=4$, $2^{a}=2^{2} \qquad \therefore a=2$

$\therefore \mathrm{A}(2,\ 4)$

또 점 $\mathrm{B}(b,\ 4)$가 $y=4^{x}$의 그래프 위의 점이므로

$4^{b}=4 \qquad \therefore b=1$

$\therefore \mathrm{B}(1,\ 4)$

따라서 △OAB의 넓이는

$\frac{1}{2}\times 1\times 4=2$

**026** 답 ③

□ACDB가 정사각형이고 그 넓이가 9이므로 □ACDB의 한 변의 길이는 3이다.

점 C의 좌표를 $(a,\ 0)$이라 하면 $\overline{\mathrm{CD}}=3$이므로 $\mathrm{D}(a+3,\ 0)$이고 $\overline{\mathrm{AC}}=\overline{\mathrm{BD}}=3$이므로

$\mathrm{A}(a,\ 3)$, $\mathrm{B}(a+3,\ 3)$

점 $\mathrm{A}(a,\ 3)$이 $y=2^{x}$의 그래프 위의 점이므로

$3=2^{a}$ ...... ㉠

또 점 $\mathrm{B}(a+3,\ 3)$이 $y=k\times 2^{x}$의 그래프 위의 점이므로

$3=k\times 2^{a+3}$, $k\times 2^{a}\times 8=3$

이때 ㉠에 의하여

$k\times 3\times 8=3 \qquad \therefore k=\frac{1}{8}$

**027** 답 2

$\mathrm{A}(a,\ 3^{a})$, $\mathrm{B}(b,\ 3^{b})$에서 직선 AB의 기울기가 2이므로

$\frac{3^{b}-3^{a}}{b-a}=2 \qquad \therefore b-a=\frac{1}{2}(3^{b}-3^{a})$ ...... ㉠

또 $\overline{\mathrm{AB}}=\sqrt{5}$에서 $(b-a)^{2}+(3^{b}-3^{a})^{2}=(\sqrt{5})^{2}$

위의 식에 ㉠을 대입하면

$\frac{1}{4}(3^{b}-3^{a})^{2}+(3^{b}-3^{a})^{2}=5$

$\frac{5}{4}(3^{b}-3^{a})^{2}=5$, $(3^{b}-3^{a})^{2}=4$

$\therefore 3^{b}-3^{a}=2$ ($\because 3^{a}<3^{b}$)

**028** 답 ③

$A=\sqrt[4]{64}=\sqrt[4]{2^{6}}=2^{\frac{3}{2}}$

$B=16^{\frac{1}{5}}=(2^{4})^{\frac{1}{5}}=2^{\frac{4}{5}}$

$C=\left(\frac{1}{8}\right)^{-0.6}=(2^{-3})^{-0.6}=2^{1.8}=2^{\frac{9}{5}}$

이때 $\frac{4}{5}<\frac{3}{2}<\frac{9}{5}$이고 밑이 1보다 크므로 $2^{\frac{4}{5}}<2^{\frac{3}{2}}<2^{\frac{9}{5}}$

$\therefore B<A<C$

**029** 답 $\frac{15}{2}$

$\sqrt[3]{\frac{1}{16}}=\sqrt[3]{\left(\frac{1}{2}\right)^{4}}=\left(\frac{1}{2}\right)^{\frac{4}{3}}$, $\sqrt[5]{\frac{1}{128}}=\sqrt[5]{\left(\frac{1}{2}\right)^{7}}=\left(\frac{1}{2}\right)^{\frac{7}{5}}$

$\sqrt[4]{\frac{1}{32}}=\sqrt[4]{\left(\frac{1}{2}\right)^{5}}=\left(\frac{1}{2}\right)^{\frac{5}{4}}$, $\sqrt[6]{\frac{1}{8}}=\sqrt[6]{\left(\frac{1}{2}\right)^{3}}=\left(\frac{1}{2}\right)^{\frac{1}{2}}$

이때 $\frac{1}{2}<\frac{5}{4}<\frac{4}{3}<\frac{7}{5}$이고 밑이 1보다 작으므로

$\left(\frac{1}{2}\right)^{\frac{7}{5}}<\left(\frac{1}{2}\right)^{\frac{4}{3}}<\left(\frac{1}{2}\right)^{\frac{5}{4}}<\left(\frac{1}{2}\right)^{\frac{1}{2}}$

$\therefore \sqrt[5]{\frac{1}{128}}<\sqrt[3]{\frac{1}{16}}<\sqrt[4]{\frac{1}{32}}<\sqrt[6]{\frac{1}{8}}$

따라서 $a=\sqrt[5]{\frac{1}{128}}$, $b=\sqrt[6]{\frac{1}{8}}$이므로

$a^{5}b=\left(\sqrt[5]{\frac{1}{128}}\right)^{5}\times\sqrt[6]{\frac{1}{8}}=\left\{\left(\frac{1}{2}\right)^{\frac{7}{5}}\right\}^{5}\times\left(\frac{1}{2}\right)^{\frac{1}{2}}=\left(\frac{1}{2}\right)^{\frac{15}{2}}$

즉, $\left(\frac{1}{2}\right)^{\frac{15}{2}}=\left(\frac{1}{2}\right)^{k}$이므로 $k=\frac{15}{2}$

## 030 답 ⑤

$A=\sqrt[n+1]{a^n}=a^{\frac{n}{n+1}}$, $B=\sqrt[n+2]{a^{n+1}}=a^{\frac{n+1}{n+2}}$, $C=\sqrt[n+3]{a^{n+2}}=a^{\frac{n+2}{n+3}}$

$\frac{n}{n+1}=1-\frac{1}{n+1}$, $\frac{n+1}{n+2}=1-\frac{1}{n+2}$, $\frac{n+2}{n+3}=1-\frac{1}{n+3}$이고 $n$이 자연수이므로

$\frac{1}{n+3}<\frac{1}{n+2}<\frac{1}{n+1}$

따라서 $1-\frac{1}{n+1}<1-\frac{1}{n+2}<1-\frac{1}{n+3}$, 즉

$\frac{n}{n+1}<\frac{n+1}{n+2}<\frac{n+2}{n+3}$이고 $0<a<1$이므로

$a^{\frac{n+2}{n+3}}<a^{\frac{n+1}{n+2}}<a^{\frac{n}{n+1}}$

$\therefore C<B<A$

## 031 답 ②

$0<a<\frac{1}{b}<1$에서 $0<a<1$, $b>1$

$0<a<1$이고 $a<b$이므로 $a^a>a^b$

$b>1$이고 $a<b$이므로 $b^a<b^b$

이때 $a>0$, $b>0$이고 $a<b$이므로 $a^a<b^a$, $a^b<b^b$

$\therefore a^b<a^a<b^a<b^b$

## 032 답 ⑤

$y=3^{x-1}+3$에서 밑이 1보다 크므로

$x=3$일 때 최대이고 최댓값은 $3^2+3=9+3=12$

$x=0$일 때 최소이고 최솟값은 $3^{-1}+3=\frac{1}{3}+3=\frac{10}{3}$

따라서 구하는 최댓값과 최솟값의 곱은

$12\times\frac{10}{3}=40$

## 033 답 $\frac{17}{4}$

$y=\left(\frac{1}{2}\right)^{x+1}+k$에서 밑이 1보다 작으므로 $x=-2$일 때 최대이고 최댓값 $\left(\frac{1}{2}\right)^{-1}+k$를 갖는다.

즉, $\left(\frac{1}{2}\right)^{-1}+k=6$이므로

$2+k=6 \qquad \therefore k=4$

따라서 $y=\left(\frac{1}{2}\right)^{x+1}+4$는 $x=1$일 때 최소이고 최솟값은

$\left(\frac{1}{2}\right)^2+4=\frac{17}{4}$

## 034 답 ①

$y=\left(\frac{1}{3}\right)^{x+b}+1$에서 밑이 1보다 작으므로 $x=3$일 때 최소이고 $x=a$일 때 최대이다.

이때 최솟값이 $\left(\frac{1}{3}\right)^{3+b}+1$이므로

$\left(\frac{1}{3}\right)^{3+b}+1=4$, $\left(\frac{1}{3}\right)^{3+b}=3=\left(\frac{1}{3}\right)^{-1}$

$3+b=-1 \qquad \therefore b=-4$

또 최댓값이 $\left(\frac{1}{3}\right)^{a-4}+1$이므로

$\left(\frac{1}{3}\right)^{a-4}+1=28$, $\left(\frac{1}{3}\right)^{a-4}=27=\left(\frac{1}{3}\right)^{-3}$

$a-4=-3 \qquad \therefore a=1$

$\therefore a+b=1+(-4)=-3$

## 035 답 $\frac{16}{3}$

$y=3^x\times2^{-2x}+5=\left(\frac{3}{4}\right)^x+5$에서 밑이 1보다 작으므로 $x=-1$일 때 최대이고 최댓값은

$\left(\frac{3}{4}\right)^{-1}+5=\frac{4}{3}+5=\frac{19}{3}$

따라서 $a=-1$, $M=\frac{19}{3}$이므로

$a+M=\frac{16}{3}$

## 036 답 ②

(i) $a>2$일 때

$f(x)=\left(\frac{2}{a}\right)^x$은 밑이 1보다 작으므로 $x=-2$일 때 최대이고 최댓값 $\left(\frac{2}{a}\right)^{-2}$을 갖는다.

즉, $\left(\frac{2}{a}\right)^{-2}=9$이므로 $\frac{a^2}{4}=9$

$a^2=36 \qquad \therefore a=6$ ($\because a>2$)

(ii) $0<a<2$일 때

$f(x)=\left(\frac{2}{a}\right)^x$은 밑이 1보다 크므로 $x=2$일 때 최대이고 최댓값 $\left(\frac{2}{a}\right)^2$을 갖는다.

즉, $\left(\frac{2}{a}\right)^2=9$이므로 $\frac{4}{a^2}=9$

$a^2=\frac{4}{9} \qquad \therefore a=\frac{2}{3}$ ($\because 0<a<2$)

(i), (ii)에서 모든 양수 $a$의 값의 합은 $6+\frac{2}{3}=\frac{20}{3}$

## 037 답 ②

(i) $a>1$일 때

$f(x)=a^{x+3}$은 밑이 1보다 크므로 $x=-2$일 때 최소이고 최솟값 $a$, $x=1$일 때 최대이고 최댓값 $a^4$을 갖는다.

이때 최댓값이 최솟값의 27배이므로

$a^4=27a$, $a^3=27 \qquad \therefore a=3$

(ii) $0<a<1$일 때

$f(x)=a^{x+3}$은 밑이 1보다 작으므로 $x=1$일 때 최소이고 최솟값 $a^4$, $x=-2$일 때 최대이고 최댓값 $a$를 갖는다.

이때 최댓값이 최솟값의 27배이므로

$a=27a^4$, $a^3=\frac{1}{27} \qquad \therefore a=\frac{1}{3}$

(i), (ii)에서 모든 양수 $a$의 값의 곱은 $3\times\frac{1}{3}=1$

### 038 답 34

$f(x)=x^2-2x$로 놓으면

$f(x)=(x-1)^2-1$

$-1\le x\le 2$에서 $f(-1)=3$, $f(1)=-1$, $f(2)=0$이므로

$-1\le f(x)\le 3$

$y=\left(\frac{1}{2}\right)^{f(x)}$에서 밑이 1보다 작으므로

$f(x)=-1$일 때 최대이고 최댓값은 $\left(\frac{1}{2}\right)^{-1}=2$

$f(x)=3$일 때 최소이고 최솟값은 $\left(\frac{1}{2}\right)^{3}=\frac{1}{8}$

따라서 치역은 $\left\{y\,\middle|\,\frac{1}{8}\le y\le 2\right\}$이므로 $M=2$, $m=\frac{1}{8}$

$\therefore 16(M+m)=16\left(2+\frac{1}{8}\right)=34$

### 039 답 ②

$f(x)=x^2-6x+8$로 놓으면 $f(x)=(x-3)^2-1$

$2\le x\le 3$에서 $f(2)=0$, $f(3)=-1$이므로 $-1\le f(x)\le 0$

$y=3^{f(x)}$에서 밑이 1보다 크므로 $f(x)=0$, 즉 $x=2$일 때 최대이고 최댓값은 $3^0=1$

따라서 $a=2$, $M=1$이므로 $a+M=3$

### 040 답 4

$f(x)=-x^2+2x+k$로 놓으면

$f(x)=-(x-1)^2+k+1$

$0\le x\le 2$에서 $f(0)=k$, $f(1)=k+1$, $f(2)=k$이므로

$k\le f(x)\le k+1$

$y=2^{f(x)}$에서 밑이 1보다 크므로 $f(x)=k$일 때 최소이고 최솟값 $2^k$을 갖는다.

즉, $2^k=2$이므로 $k=1$

따라서 $y=2^{f(x)}$은 $f(x)=k+1=2$일 때 최대이고 최댓값은 $2^2=4$

### 041 답 2

$f(x)=x^2-4x+5=(x-2)^2+1$

$1\le x\le 4$에서 $f(1)=2$, $f(2)=1$, $f(4)=5$이므로

$1\le f(x)\le 5$

$(g\circ f)(x)=g(f(x))=a^{f(x)}$에서

(i) $a>1$일 때

$y=a^{f(x)}$은 밑이 1보다 크므로 $f(x)=5$일 때 최대이고 최댓값 $a^5$을 갖는다.

즉, $a^5=32=2^5$이므로 $a=2$

따라서 $y=2^{f(x)}$은 $f(x)=1$일 때 최소이고 최솟값은

$m=2^1=2$

(ii) $0<a<1$일 때

$y=a^{f(x)}$은 밑이 1보다 작으므로 $f(x)=1$일 때 최대이고 최댓값 $a$를 갖는다.

$\therefore a=32$

그런데 $0<a<1$이므로 조건을 만족시키지 않는다.

(i), (ii)에서 $m=2$

### 042 답 73

$y=4^x-2^{x+1}+5=2^{2x}-2\times 2^x+5$

$2^x=t\,(t>0)$로 놓으면 $-2\le x\le 0$에서

$2^{-2}\le 2^x\le 2^0 \quad \therefore \frac{1}{4}\le t\le 1$

이때 주어진 함수는

$y=t^2-2t+5=(t-1)^2+4$

따라서 $t=\frac{1}{4}$일 때 최대이고 최댓값은 $\frac{73}{16}$, $t=1$일 때 최소이고 최솟값은 4이므로

$M=\frac{73}{16}$, $m=4$

$\therefore 4Mm=4\times\frac{73}{16}\times 4=73$

### 043 답 ①

$y=36^{-x}-6^{-x+1}=\left(\frac{1}{6}\right)^{2x}-6\times\left(\frac{1}{6}\right)^{x}$

$\left(\frac{1}{6}\right)^{x}=t\,(t>0)$로 놓으면 주어진 함수는

$y=t^2-6t=(t-3)^2-9$

따라서 $t=3$일 때 최소이고 최솟값은 $-9$

### 044 답 22

$y=\frac{1-2\times 5^x+4\times 25^x}{25^x}=\left(\frac{1}{5}\right)^{2x}-2\times\left(\frac{1}{5}\right)^{x}+4$

$\left(\frac{1}{5}\right)^{x}=t\,(t>0)$로 놓으면 $-1\le x\le 0$에서

$\left(\frac{1}{5}\right)^{0}\le\left(\frac{1}{5}\right)^{x}\le\left(\frac{1}{5}\right)^{-1}$

$\therefore 1\le t\le 5$

이때 주어진 함수는

$y=t^2-2t+4=(t-1)^2+3$

따라서 $t=5$일 때 최대이고 최댓값은 19, $t=1$일 때 최소이고 최솟값은 3이므로 구하는 합은

$19+3=22$

### 045 답 ①

$y=\left(\frac{1}{9}\right)^{x}-2k\times\left(\frac{1}{3}\right)^{x-1}+4=\left(\frac{1}{3}\right)^{2x}-6k\times\left(\frac{1}{3}\right)^{x}+4$

$\left(\frac{1}{3}\right)^{x}=t\,(t>0)$로 놓으면 주어진 함수는

$y=t^2-6kt+4=(t-3k)^2-9k^2+4$

따라서 $t=3k$일 때 최소이고 최솟값 $-9k^2+4$를 갖는다.

즉, $-9k^2+4=-5$이므로 $-9k^2=-9$, $k^2=1$

$\therefore k=1\ (\because k>0)$

### 046 답 ②

$3^x+3^{-x}=t$로 놓으면 $3^x>0$, $3^{-x}>0$이므로 산술평균과 기하평균의 관계에 의하여

$t=3^x+3^{-x}\ge 2\sqrt{3^x\times 3^{-x}}=2$ (단, 등호는 $x=0$일 때 성립)

이때 $9^x+9^{-x}=(3^x+3^{-x})^2-2=t^2-2$이므로 주어진 함수는
$y=t^2-2-8t=(t-4)^2-18$
따라서 $t\geq2$이므로 주어진 함수는 $t=4$일 때 최솟값 $-18$을 갖는다.

**047 답 50**
$5^{2-x}>0$, $5^{2+x}>0$이므로 산술평균과 기하평균의 관계에 의하여
$y=5^{2-x}+5^{2+x}\geq2\sqrt{5^{2-x}\times5^{2+x}}=2\sqrt{5^4}=2\times5^2=50$
(단, 등호는 $x=0$일 때 성립)
따라서 주어진 함수의 최솟값은 50이다.

**048 답 ③**
$2^x>0$, $8^y=2^{3y}>0$이므로 산술평균과 기하평균의 관계에 의하여
$2^x+8^y\geq2\sqrt{2^x\times8^y}=2\sqrt{2^x\times2^{3y}}=2\sqrt{2^{x+3y}}$
(단, 등호는 $x=3y$일 때 성립)
그런데 $x+3y=4$이므로
$2\sqrt{2^{x+3y}}=2\sqrt{2^4}=2\times2^2=8$
따라서 $2^x+8^y$의 최솟값은 8이다.

**049 답 ①**
$2\times3^{a+x}>0$, $8\times3^{a-x}>0$이므로 산술평균과 기하평균의 관계에 의하여
$y=2\times3^{a+x}+8\times3^{a-x}\geq2\sqrt{2\times3^{a+x}\times8\times3^{a-x}}=2\sqrt{2^4\times3^{2a}}=8\times3^a$
(단, 등호는 $3^x=2$일 때 성립)
따라서 주어진 함수는 최솟값이 $8\times3^a$이므로
$8\times3^a=72$, $3^a=9$　　$\therefore a=2$

**050 답 $-\frac{5}{2}$**
$4^{x^2}=8\times\left(\frac{1}{32}\right)^x$에서
$2^{2x^2}=2^3\times2^{-5x}$, $2^{2x^2}=2^{3-5x}$
즉, $2x^2=3-5x$이므로
$2x^2+5x-3=0$, $(x+3)(2x-1)=0$
$\therefore x=-3$ 또는 $x=\frac{1}{2}$
따라서 모든 근의 합은
$-3+\frac{1}{2}=-\frac{5}{2}$

**051 답 1**
$3^x+3^{3-x}=12$의 양변에 $3^x$을 곱하면
$(3^x)^2+27=12\times3^x$
$\therefore (3^x)^2-12\times3^x+27=0$
$3^x=t\,(t>0)$로 놓으면
$t^2-12t+27=0$, $(t-3)(t-9)=0$
$\therefore t=3$ 또는 $t=9$
즉, $3^x=3$ 또는 $3^x=9$이므로 $x=1$ 또는 $x=2$
따라서 $\alpha=1$, $\beta=2$이므로 $\beta-\alpha=1$

**052 답 ④**
$4^x-2^{x+3}+10=0$에서 $(2^x)^2-8\times2^x+10=0$
$2^x=t\,(t>0)$로 놓으면
$t^2-8t+10=0$　　⋯⋯ ㉠
주어진 방정식의 두 근이 $\alpha$, $\beta$이고 방정식 ㉠의 두 근은 $2^\alpha$, $2^\beta$이므로 이차방정식의 근과 계수의 관계에 의하여
$2^\alpha+2^\beta=8$, $2^\alpha\times2^\beta=10$
$\therefore 4^\alpha+4^\beta=2^{2\alpha}+2^{2\beta}=(2^\alpha+2^\beta)^2-2\times2^\alpha\times2^\beta$
$=8^2-2\times10=44$

**053 답 3**
(i) $x-2=0$, 즉 $x=2$일 때
주어진 방정식은 $3^0=5^0=1$이므로 성립한다.
(ii) $x-2\neq0$일 때
$x+1=3x-1$이므로 $2x=2$　　$\therefore x=1$
(i), (ii)에서 모든 근의 합은 $2+1=3$

**054 답 ⑤**
$25^x-2\times5^{x+1}+a-2=0$에서
$(5^x)^2-10\times5^x+a-2=0$
$5^x=t\,(t>0)$로 놓으면 주어진 방정식은
$t^2-10t+a-2=0$　　⋯⋯ ㉠
주어진 방정식이 서로 다른 두 실근을 가지려면 이차방정식 ㉠이 서로 다른 두 양의 실근을 가져야 하므로
(i) 이차방정식 ㉠의 판별식을 $D$라 하면
$\frac{D}{4}=(-5)^2-(a-2)>0$
$27-a>0$　　$\therefore a<27$
(ii) 이차방정식 ㉠의 (두 근의 합)$=10>0$
(iii) 이차방정식 ㉠의 (두 근의 곱)$=a-2>0$
$\therefore a>2$
(i), (ii), (iii)을 동시에 만족시키는 $a$의 값의 범위는
$2<a<27$
따라서 정수 $a$의 최댓값은 26이다.

**055 답 ④**
$\left(\frac{1}{2}\right)^{2x+1}>\left(\frac{1}{8}\right)^{x-1}$에서 $\left(\frac{1}{2}\right)^{2x+1}>\left(\frac{1}{2}\right)^{3x-3}$
밑이 1보다 작으므로
$2x+1<3x-3$　　$\therefore x>4$

**056 답 2**
$2^{2x}-6\times2^{x+1}+32\leq0$에서
$(2^x)^2-12\times2^x+32\leq0$
$2^x=t\,(t>0)$로 놓으면
$t^2-12t+32\leq0$, $(t-4)(t-8)\leq0$
$\therefore 4\leq t\leq8$
즉, $2^2\leq2^x\leq2^3$이고 밑이 1보다 크므로
$2\leq x\leq3$
따라서 구하는 정수 $x$는 2, 3의 2개이다.

## 057 답 $0<x<1$ 또는 $x>5$

(i) $0<x<1$일 때

$x>2x-5$에서 $x<5$

그런데 $0<x<1$이므로 $0<x<1$

(ii) $x=1$일 때

$1<1$이므로 부등식이 성립하지 않는다.

(iii) $x>1$일 때

$x<2x-5$에서 $x>5$

(i), (ii), (iii)에서 주어진 부등식의 해는

$0<x<1$ 또는 $x>5$

## 058 답 ⑤

$\left(\frac{1}{4}\right)^x-\left(\frac{1}{2}\right)^{x-3}+k\geq 0$에서

$\left\{\left(\frac{1}{2}\right)^x\right\}^2-8\times\left(\frac{1}{2}\right)^x+k\geq 0$

$\left(\frac{1}{2}\right)^x=t\,(t>0)$로 놓으면 $t^2-8t+k\geq 0$

$\therefore\ (t-4)^2+k-16\geq 0$

이 부등식이 $t>0$인 모든 실수 $t$에 대하여 성립하려면

$k-16\geq 0\qquad\therefore\ k\geq 16$

따라서 실수 $k$의 최솟값은 16이다.

## 059 답 10장

공기청정기로 유입된 오염 물질의 양을 $P\,(P>0)$라 하면

필터 A는 오염 물질의 50 %, 즉 $\frac{1}{2}$을 걸러 낼 수 있으므로 1장의 필터를 사용한 후 남아 있는 오염 물질의 양은 $\frac{1}{2}P$

따라서 필터 A를 20장 사용한 후 남아 있는 오염 물질의 양은

$\left(\frac{1}{2}\right)^{20}P$ …… ㉠

필터 B는 오염 물질의 75 %, 즉 $\frac{3}{4}$을 걸러 낼 수 있으므로 1장의 필터를 사용한 후 남아 있는 오염 물질의 양은 $\frac{1}{4}P$

따라서 필터 B를 $n$장 사용한 후 남아 있는 오염 물질의 양은

$\left(\frac{1}{4}\right)^nP$ …… ㉡

㉠과 ㉡이 같아야 하므로

$\left(\frac{1}{2}\right)^{20}P=\left(\frac{1}{4}\right)^nP,\ \left(\frac{1}{2}\right)^{20}=\left(\frac{1}{2}\right)^{2n}$

$20=2n\qquad\therefore\ n=10$

따라서 필터 B를 10장 사용해야 한다.

## 060 답 ②

$(\sqrt{3})^{x^2-x}=\left(\frac{1}{3}\right)^{x-1}$에서 $3^{\frac{1}{2}(x^2-x)}=3^{-x+1}$

즉, $\frac{1}{2}(x^2-x)=-x+1$이므로

$x^2+x-2=0,\ (x+2)(x-1)=0$

$\therefore\ x=-2$ 또는 $x=1$

따라서 모든 근의 곱은

$-2\times 1=-2$

## 061 답 ①

$\left(\frac{2}{3}\right)^{4x}=\left(\frac{9}{4}\right)^{3-x}$에서 $\left(\frac{2}{3}\right)^{4x}=\left(\frac{2}{3}\right)^{2x-6}$

따라서 $4x=2x-6$이므로

$2x=-6\qquad\therefore\ x=-3$

## 062 답 $-2$

$5^{x^2-5x+9}-125^{x+k}=0$에서

$5^{x^2-5x+9}=5^{3x+3k}$

즉, $x^2-5x+9=3x+3k$이므로

$x^2-8x+9-3k=0$ …… ㉠

이때 주어진 방정식의 한 근이 3이므로 $x=3$을 ㉠에 대입하면

$9-24+9-3k=0,\ 3k=-6$

$\therefore\ k=-2$

## 063 답 $\frac{13}{9}$

$\frac{8^{x^2+1}}{2^{x+3}}=4$에서 $\frac{2^{3(x^2+1)}}{2^{x+3}}=2^2$이므로

$2^{3x^2+3}=2^{x+5}$

즉, $3x^2+3=x+5$이므로

$3x^2-x-2=0,\ (3x+2)(x-1)=0$

$\therefore\ x=-\frac{2}{3}$ 또는 $x=1$

따라서 주어진 방정식의 두 근은 $-\frac{2}{3}$, 1이므로

$\alpha^2+\beta^2=\left(-\frac{2}{3}\right)^2+1^2=\frac{13}{9}$

## 064 답 12

점 A의 좌표는 (0, 1)이므로 점 B의 $y$좌표는 1이다.

$y=\left(\frac{1}{3}\right)^{x-3}$에 $y=1$을 대입하면

$1=\left(\frac{1}{3}\right)^{x-3}$

즉, $x-3=0$이므로 $x=3$

$\therefore\ B(3,\ 1)$

또 점 C는 두 함수 $y=9^x$, $y=\left(\frac{1}{3}\right)^{x-3}$의 그래프의 교점이므로

$9^x=\left(\frac{1}{3}\right)^{x-3},\ 3^{2x}=3^{-x+3}$

즉, $2x=-x+3$이므로 $3x=3\qquad\therefore\ x=1$

$\therefore\ C(1,\ 9)$

따라서 △ABC의 넓이는

$\frac{1}{2}\times 3\times(9-1)=12$

## 065 답 $-3$

$2^x+8\times 2^{-x}-9=0$의 양변에 $2^x$을 곱하면

$(2^x)^2-9\times 2^x+8=0$

$2^x=t\,(t>0)$로 놓으면

$t^2-9t+8=0,\ (t-1)(t-8)=0$

$\therefore\ t=1$ 또는 $t=8$

즉, $2^x=1$ 또는 $2^x=8$이므로 $x=0$ 또는 $x=3$

따라서 $\alpha=0$, $\beta=3$이므로

$\alpha-\beta=-3$

**066** 답 ③

$4^x-5\times2^{x+2}+64=0$에서 $(2^x)^2-20\times2^x+64=0$

$2^x=t\,(t>0)$로 놓으면

$t^2-20t+64=0$, $(t-4)(t-16)=0$

$\therefore t=4$ 또는 $t=16$

즉, $2^x=4$ 또는 $2^x=16$이므로 $x=2$ 또는 $x=4$

따라서 모든 근의 곱은

$2\times4=8$

**067** 답 27

$a^{2x}+a^x=12$에서 $(a^x)^2+a^x-12=0$

$a^x=t\,(t>0)$로 놓으면

$t^2+t-12=0$, $(t+4)(t-3)=0$

$\therefore t=3$ ($\because t>0$)

즉, $a^x=3$에서 방정식의 해가 $x=\frac{1}{3}$이므로

$a^{\frac{1}{3}}=3 \qquad \therefore a=3^3=27$

**068** 답 ⑤

$\begin{cases}2^x+2^y=17\\2^{2x-y}=\frac{1}{16}\end{cases}$에서 $\begin{cases}2^x+2^y=17\\(2^x)^2\div2^y=\frac{1}{16}\end{cases}$

$2^x=X$, $2^y=Y\,(X>0,\ Y>0)$로 놓으면

$\begin{cases}X+Y=17\\X^2\div Y=\frac{1}{16}\end{cases}$, 즉 $\begin{cases}X+Y=17\\Y=16X^2\end{cases}$

이 연립방정식을 풀면 $X=1$, $Y=16$

즉, $2^x=1$, $2^y=16$이므로 $x=0$, $y=4$

따라서 $\alpha=0$, $\beta=4$이므로 $\alpha+\beta=4$

**069** 답 2

$3^x+3^{-x}=X\,(X\ge2)$로 놓으면

$9^x+9^{-x}=(3^x+3^{-x})^2-2=X^2-2$이므로

주어진 방정식은

$3(X^2-2)-7X-4=0$, $3X^2-7X-10=0$

$(X+1)(3X-10)=0 \qquad \therefore X=\frac{10}{3}$ ($\because X\ge2$)

$3^x+3^{-x}=\frac{10}{3}$에서 양변에 $3^x$을 곱하면

$(3^x)^2+1=\frac{10}{3}\times3^x \qquad \therefore 3\times(3^x)^2-10\times3^x+3=0$

$3^x=t\,(t>0)$로 놓으면 $3t^2-10t+3=0$

$(3t-1)(t-3)=0 \qquad \therefore t=\frac{1}{3}$ 또는 $t=3$

즉, $3^x=\frac{1}{3}$ 또는 $3^x=3$이므로 $x=-1$ 또는 $x=1$

따라서 $\alpha=-1$, $\beta=1$이므로 $\beta-\alpha=2$

**070** 답 84

$9^x-4\times3^{x+1}+30=0$에서 $(3^x)^2-12\times3^x+30=0$

$3^x=t\,(t>0)$로 놓으면

$t^2-12t+30=0$

이 이차방정식의 두 근은 $3^\alpha$, $3^\beta$이므로 이차방정식의 근과 계수의 관계에 의하여

$3^\alpha+3^\beta=12$, $3^\alpha\times3^\beta=30$

$\therefore 3^{2\alpha}+3^{2\beta}=(3^\alpha+3^\beta)^2-2\times3^\alpha\times3^\beta$

$=12^2-2\times30=84$

**071** 답 ①

$4^x-2^{x+3}+5=0$에서 $(2^x)^2-8\times2^x+5=0$

$2^x=t\,(t>0)$로 놓으면

$t^2-8t+5=0$

이 이차방정식의 두 근은 $2^\alpha$, $2^\beta$이므로 이차방정식의 근과 계수의 관계에 의하여

$2^\alpha\times2^\beta=5$, $2^{\alpha+\beta}=5$

$\therefore \alpha+\beta=\log_2 5$

$\therefore 5^{\frac{1}{\alpha+\beta}}=5^{\frac{1}{\log_2 5}}=5^{\log_5 2}=2$

**072** 답 ③

$a^{2x}-6a^x+3=0$에서 $(a^x)^2-6a^x+3=0$

$a^x=t\,(t>0)$로 놓으면

$t^2-6t+3=0$ ...... ㉠

주어진 방정식의 두 근을 $\alpha$, $\beta$라 하면 방정식 ㉠의 두 근은 $a^\alpha$, $a^\beta$이므로 이차방정식의 근과 계수의 관계에 의하여

$a^\alpha\times a^\beta=3$, $a^{\alpha+\beta}=3$

이때 $\alpha+\beta=4$이므로

$a^4=3 \qquad \therefore a=\sqrt[4]{3}$

**073** 답 $-24$

(i) $x-6=0$, 즉 $x=6$일 때

주어진 방정식은 $65^0=15^0=1$이므로 성립한다.

(ii) $x-6\ne0$일 때

$x^2+4x+5=x+9$이므로 $x^2+3x-4=0$

$(x+4)(x-1)=0 \qquad \therefore x=-4$ 또는 $x=1$

(i), (ii)에서 모든 근의 곱은

$6\times(-4)\times1=-24$

**074** 답 $x=1$ 또는 $x=2$

$(x^x)^x=x^x\times x^x$에서 $x^{x^2}=x^{2x}$

(i) $x=1$일 때

주어진 방정식은 $1^1=1^2$이므로 성립한다.

(ii) $x\ne1$일 때

$x^2=2x$이므로 $x(x-2)=0$

$\therefore x=2$ ($\because x>0$)

(i), (ii)에서 구하는 방정식의 해는

$x=1$ 또는 $x=2$

## 075 답 ①

(i) $x+2=0$, 즉 $x=-2$일 때

주어진 방정식은 $7^0=1$이므로 성립한다.

(ii) $x+2\neq 0$일 때

$x^2-x+1=1$이므로 $x^2-x=0$

$x(x-1)=0 \qquad \therefore x=0$ 또는 $x=1$

(i), (ii)에서 모든 근의 합은 $-2+0+1=-1$

## 076 답 3

$49^x-2(a+1)7^x+a+7=0$에서

$(7^x)^2-2(a+1)7^x+a+7=0$

$7^x=t\,(t>0)$로 놓으면

$t^2-2(a+1)t+a+7=0 \qquad \cdots\cdots$ ㉠

주어진 방정식이 서로 다른 두 실근을 가지려면 이차방정식 ㉠이 서로 다른 두 양의 실근을 가져야 하므로

(i) 이차방정식 ㉠의 판별식을 $D$라 하면

$\frac{D}{4}=(a+1)^2-(a+7)>0$

$a^2+a-6>0$, $(a+3)(a-2)>0$

$\therefore a<-3$ 또는 $a>2$

(ii) 이차방정식 ㉠의 (두 근의 합)$=2(a+1)>0$

$\therefore a>-1$

(iii) 이차방정식 ㉠의 (두 근의 곱)$=a+7>0$

$\therefore a>-7$

(i), (ii), (iii)을 동시에 만족시키는 $a$의 값의 범위는 $a>2$

따라서 정수 $a$의 최솟값은 3이다.

## 077 답 ③

$9^x+2k\times 3^x+15-2k=0$에서

$(3^x)^2+2k\times 3^x+15-2k=0$

$3^x=t\,(t>0)$로 놓으면

$t^2+2kt+15-2k=0 \qquad \cdots\cdots$ ㉠

주어진 방정식의 두 실근을 $\alpha$, $2\alpha\,(\alpha\neq 0)$라 하면 방정식 ㉠의 두 근은 $3^\alpha$, $3^{2\alpha}$이므로 이차방정식의 근과 계수의 관계에 의하여

$3^\alpha+3^{2\alpha}=-2k$, $3^\alpha\times 3^{2\alpha}=15-2k$

$3^\alpha=m\,(m>0)$으로 놓으면

$m+m^2=-2k$, $m^3=15-2k$

위의 두 식을 연립하면

$m^3=15+(m+m^2)$, $m^3-m^2-m-15=0$

$(m-3)(m^2+2m+5)=0$

$\therefore m=3\ (\because m^2+2m+5>0)$

따라서 $m+m^2=-2k$에서

$-2k=3+9=12 \qquad \therefore k=-6$

## 078 답 ④

$3^{2x}-k\times 3^x+k=0$에서

$(3^x)^2-k\times 3^x+k=0$

$3^x=t\,(t>0)$로 놓으면

$t^2-kt+k=0 \qquad \cdots\cdots$ ㉠

주어진 방정식의 서로 다른 두 실근이 0과 1 사이에 존재하려면 방정식 ㉠의 두 근은 $3^0=1$과 $3^1=3$ 사이에 존재해야 한다.

$f(t)=t^2-kt+k$라 할 때

(i) 이차방정식 ㉠의 판별식을 $D$라 하면

$D=(-k)^2-4k>0$

$k^2-4k>0$, $k(k-4)>0 \qquad \therefore k<0$ 또는 $k>4$

(ii) $y=f(t)$의 그래프의 축의 방정식이 $t=\frac{k}{2}$이므로

$1<\frac{k}{2}<3 \qquad \therefore 2<k<6$

(iii) $f(1)>0$, $f(3)>0$이므로

$f(1)=1-k+k>0$

$f(3)=9-3k+k>0 \qquad \therefore k<\frac{9}{2}$

(i), (ii), (iii)을 동시에 만족시키는 $k$의 값의 범위는

$4<k<\frac{9}{2}$

## 079 답 ③

$\left(\frac{1}{\sqrt{3}}\right)^x\leq\left(\frac{1}{9}\right)^{x-3}$에서 $\left(\frac{1}{3}\right)^{\frac{1}{2}x}\leq\left(\frac{1}{3}\right)^{2x-6}$

밑이 1보다 작으므로

$\frac{1}{2}x\geq 2x-6$, $\frac{3}{2}x\leq 6 \qquad \therefore x\leq 4$

## 080 답 $a<x<d$

$\left(\frac{1}{5}\right)^{f(x)}>\left(\frac{1}{5}\right)^{g(x)}$에서 밑이 1보다 작으므로 $f(x)<g(x)$

따라서 주어진 부등식의 해는 이차함수 $y=f(x)$의 그래프가 직선 $y=g(x)$보다 아래쪽에 있는 $x$의 값의 범위이므로 $a<x<d$

## 081 답 2

$2^{3x-1}<\left(\frac{1}{2}\right)^{x^2+1}<4^{x+1}$에서 $2^{3x-1}<2^{-x^2-1}<2^{2x+2}$

밑이 1보다 크므로 $3x-1<-x^2-1<2x+2$

(i) $3x-1<-x^2-1$에서 $x^2+3x<0$

$x(x+3)<0 \qquad \therefore -3<x<0$

(ii) $-x^2-1<2x+2$에서 $x^2+2x+3>0$

이때 $x^2+2x+3=(x+1)^2+2$이므로 이 부등식은 항상 성립한다.

(i), (ii)에서 주어진 부등식의 해는 $-3<x<0$

따라서 구하는 정수 $x$는 $-2$, $-1$의 2개이다.

## 082 답 $6<a\leq 8$

$\left(\frac{1}{4}\right)^{x^2}>\left(\frac{1}{2}\right)^{ax}$에서 $\left(\frac{1}{2}\right)^{2x^2}>\left(\frac{1}{2}\right)^{ax}$

밑이 1보다 작으므로 $2x^2<ax$

$2x^2-ax<0$, $x(2x-a)<0$

$\therefore 0<x<\frac{a}{2}\ (\because a>0)$

이때 주어진 부등식을 만족시키는 정수 $x$는 3개이므로

$3<\frac{a}{2}\leq 4 \qquad \therefore 6<a\leq 8$

## 083 답 ③

$\left(\frac{1}{3}\right)^{x+6}<\left(\frac{1}{3}\right)^{x^2}$에서 밑이 1보다 작으므로 $x+6>x^2$

$x^2-x-6<0$, $(x+2)(x-3)<0$ $\quad\therefore -2<x<3$

$\therefore A=\{x|-2<x<3\}$

$2^{|x-1|}\le 2^a$에서 밑이 1보다 크므로 $|x-1|\le a$

$-a\le x-1\le a$ $\quad\therefore -a+1\le x\le a+1$

$\therefore B=\{x|-a+1\le x\le a+1\}$

이때 $A\cap B=A$, 즉 $A\subset B$가 성립하려면

오른쪽 그림에서

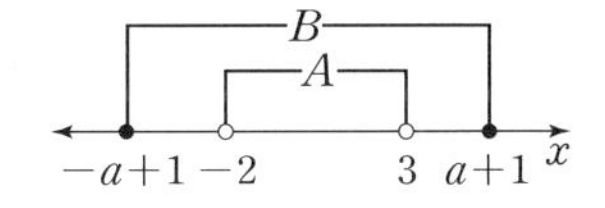


$-a+1\le -2$ $\quad\therefore a\ge 3$

따라서 양수 $a$의 최솟값은 3이다.

## 084 답 4

$\left(\frac{1}{9}\right)^{x}-28\times\left(\frac{1}{3}\right)^{x+1}+3\le 0$에서

$\left\{\left(\frac{1}{3}\right)^{x}\right\}^2-\frac{28}{3}\times\left(\frac{1}{3}\right)^{x}+3\le 0$

$\left(\frac{1}{3}\right)^{x}=t\,(t>0)$로 놓으면 $t^2-\frac{28}{3}t+3\le 0$

$3t^2-28t+9\le 0$, $(3t-1)(t-9)\le 0$ $\quad\therefore \frac{1}{3}\le t\le 9$

즉, $\frac{1}{3}\le\left(\frac{1}{3}\right)^{x}\le\left(\frac{1}{3}\right)^{-2}$이고 밑이 1보다 작으므로 $-2\le x\le 1$

따라서 구하는 정수 $x$는 $-2$, $-1$, $0$, $1$의 4개이다.

## 085 답 ④

$\left(\frac{1}{2}\right)^{x^2-6}\le 2^x$에서 $2^{-x^2+6}\le 2^x$

밑이 1보다 크므로 $-x^2+6\le x$

$x^2+x-6\ge 0$, $(x+3)(x-2)\ge 0$

$\therefore x\le -3$ 또는 $x\ge 2$

$\therefore A=\{x|x\le -3$ 또는 $x\ge 2\}$

$4^x-3\times 2^x-4>0$에서 $(2^x)^2-3\times 2^x-4>0$

$2^x=t\,(t>0)$로 놓으면 $t^2-3t-4>0$

$(t+1)(t-4)>0$ $\quad\therefore t>4\ (\because t>0)$

즉, $2^x>2^2$이고 밑이 1보다 크므로 $x>2$

$\therefore B=\{x|x>2\}$

$\therefore A\cap B=\{x|x>2\}$

따라서 $A\cap B$에 속하는 정수 $x$의 최솟값은 3이다.

## 086 답 ①

$4^{x+1}+a\times 2^x+b<0$에서 $4\times(2^x)^2+a\times 2^x+b<0$

$2^x=t\,(t>0)$로 놓으면 $4t^2+at+b<0$ $\quad\cdots\cdots$ ㉠

주어진 부등식의 해가 $-2<x<1$이므로

$2^{-2}<2^x<2^1$에서 $\frac{1}{4}<t<2$

따라서 해가 $\frac{1}{4}<t<2$이고 $t^2$의 계수가 4인 이차부등식은

$4\left(t-\frac{1}{4}\right)(t-2)<0$ $\quad\therefore 4t^2-9t+2<0$

이 부등식이 ㉠과 일치하므로 $a=-9$, $b=2$ $\quad\therefore b-a=11$

## 087 답 8

(i) $0<x<1$일 때

$2x+3<3x-4$에서 $x>7$

그런데 $0<x<1$이므로 해가 존재하지 않는다.

(ii) $x=1$일 때, $1>1$이므로 부등식이 성립하지 않는다.

(iii) $x>1$일 때

$2x+3>3x-4$에서 $x<7$

그런데 $x>1$이므로 $1<x<7$

(i), (ii), (iii)에서 주어진 부등식의 해는 $1<x<7$

따라서 $\alpha=1$, $\beta=7$이므로 $\alpha+\beta=8$

## 088 답 ⑤

(i) $0<x<1$일 때

$x^2\le 4x+5$에서 $x^2-4x-5\le 0$

$(x+1)(x-5)\le 0$ $\quad\therefore -1\le x\le 5$

그런데 $0<x<1$이므로 $0<x<1$

(ii) $x=1$일 때, $1\ge 1$이므로 부등식이 성립한다.

(iii) $x>1$일 때

$x^2\ge 4x+5$에서 $x^2-4x-5\ge 0$

$(x+1)(x-5)\ge 0$ $\quad\therefore x\le -1$ 또는 $x\ge 5$

그런데 $x>1$이므로 $x\ge 5$

(i), (ii), (iii)에서 주어진 부등식의 해는 $0<x\le 1$ 또는 $x\ge 5$

따라서 $S=\{x|0<x\le 1$ 또는 $x\ge 5\}$이므로 집합 $S$의 원소인 것은 ⑤이다.

## 089 답 −4

$16^x-4^{x+1}-k\ge 0$에서

$(4^x)^2-4\times 4^x-k\ge 0$

$4^x=t\,(t>0)$로 놓으면 $t^2-4t-k\ge 0$

$\therefore (t-2)^2-k-4\ge 0$

이 부등식이 $t>0$인 모든 실수 $t$에 대하여 성립하려면

$-k-4\ge 0$ $\quad\therefore k\le -4$

따라서 실수 $k$의 최댓값은 $-4$이다.

## 090 답 ④

$25^x-2k\times 5^x+4>0$에서

$(5^x)^2-2k\times 5^x+4>0$

$5^x=t\,(t>0)$로 놓으면 $t^2-2kt+4>0$

$\therefore (t-k)^2-k^2+4>0$ $\quad\cdots\cdots$ ㉠

이 부등식이 $t>0$인 모든 실수 $t$에 대하여 성립하려면

(i) $k>0$일 때

$-k^2+4>0$에서 $k^2-4<0$

$(k+2)(k-2)<0$ $\quad\therefore -2<k<2$

그런데 $k>0$이므로 $0<k<2$

(ii) $k\le 0$일 때

$t=0$이면 ㉠에서 $4>0$이므로 $t>0$인 모든 실수 $t$에 대하여 부등식 ㉠이 성립한다.

(i), (ii)에서 $k<2$

03

**091** 답 **3시간**

미생물 A는 매시간 8배씩 증가하므로 $n$시간 후의 수는

$16\times8^n$(마리)

미생물 B는 매시간 2배씩 증가하므로 $n$시간 후의 수는

$1024\times2^n$(마리)

미생물 A, B의 수가 같아지려면

$16\times8^n=1024\times2^n$

$2^4\times2^{3n}=2^{10}\times2^n$, $2^{3n+4}=2^{n+10}$

즉, $3n+4=n+10$이므로 $n=3$

따라서 미생물 A, B의 수가 같아지는 것은 3시간 후이다.

**092** 답 **12시간**

처음 박테리아의 수는 $t=0$일 때이므로

$15\times10^0=15$(마리)

관찰하기 시작한 지 $x$시간 후에 박테리아의 수가 처음의 10000배가 된다고 하면

$15\times10^{\frac{x}{3}}=10000\times15$, $10^{\frac{x}{3}}=10^4$

즉, $\frac{x}{3}=4$이므로 $x=12$

따라서 박테리아의 수가 처음의 10000배가 되는 것은 관찰하기 시작한 지 12시간 후이다.

**093** 답 ②

치료제의 혈중 농도는 매시간 20 %씩 줄어들므로 $x$시간 후 남아 있는 치료제의 혈중 농도는

$1.25\times\left(\frac{4}{5}\right)^x$($\mu$g/mL)

인체에 투여한 지 $x$시간 후 혈중 농도가 0.64 $\mu$g/mL 이하가 된다고 하면

$1.25\times\left(\frac{4}{5}\right)^x\le0.64$

$\left(\frac{4}{5}\right)^x\le\frac{64}{125}$, $\left(\frac{4}{5}\right)^x\le\left(\frac{4}{5}\right)^3$ $\quad\therefore x\ge3$

따라서 치료제의 혈중 농도가 처음으로 0.64 $\mu$g/mL 이하가 되는 것은 인체에 투여한 지 3시간 후이다.

**094** 답 **6**

음원 A의 다운로드 수는 1시간마다 2배가 되므로 $n$시간 후의 다운로드 수는 $100\times2^n$(회)

음원 B의 다운로드 수는 1시간마다 $\frac{1}{2}$배가 되므로 $n$시간 후의 다운로드 수는 $320000\times\left(\frac{1}{2}\right)^n$(회)

$n$시간 후에 음원 A의 다운로드 수가 음원 B의 다운로드 수보다 1400회 이상 더 많아진다고 하면

$100\times2^n\ge320000\times\left(\frac{1}{2}\right)^n+1400$

$100\times2^n-320000\times\left(\frac{1}{2}\right)^n-1400\ge0$

$2^n-\frac{3200}{2^n}-14\ge0$

$2^n=t\,(t>0)$로 놓으면

$t-\frac{3200}{t}-14\ge0$, $t^2-14t-3200\ge0$

$(t+50)(t-64)\ge0$ $\quad\therefore t\ge64$ ($\because t>0$)

즉, $2^n\ge64$이므로 $2^n\ge2^6$

$\therefore n\ge6$

따라서 음원 A의 다운로드 수가 음원 B의 다운로드 수보다 1400회 이상 더 많아질 것으로 예측되는 것은 현재로부터 최소 6시간 후이다.

$\therefore m=6$

**095** 답 ①

$f(1)=3$에서 $a^{b+c}=3$ $\quad\cdots\cdots$ ㉠

$f(2)=27$에서 $a^{2b+c}=27$ $\quad\cdots\cdots$ ㉡

㉡÷㉠을 하면 $a^b=9$

㉠에서

$a^{b+c}=a^b\times a^c=9a^c=3$이므로 $a^c=\frac{1}{3}$

$\therefore f(-1)=a^{-b+c}=a^{-b}\times a^c=(a^b)^{-1}\times a^c$

$=\frac{1}{9}\times\frac{1}{3}=\frac{1}{27}$

**096** 답 ④

④ $0<a<1$일 때, $x<y$이면 $f(x)>f(y)$이므로

$f(-2)>f(1)$

⑤ $f(x)f(y)=a^x\times a^y=a^{x+y}=f(x+y)$

**097** 답 **1**

$y=3^x$의 그래프를 $x$축의 방향으로 1만큼, $y$축의 방향으로 $-2$만큼 평행이동한 그래프의 식은

$y=3^{x-1}-2$

이 그래프가 점 $(2, a)$를 지나므로

$a=3^{2-1}-2=1$

**098** 답 ①

세 수 $A=\left(\frac{1}{5}\right)^{2x}$, $B=\left(\frac{1}{5}\right)^{x^2}$, $C=5^x=\left(\frac{1}{5}\right)^{-x}$에서

$0<x<1$이므로 $2x>0$, $x^2>0$, $-x<0$

또 $2x-x^2=x(2-x)>0$이므로 $2x>x^2$

$\therefore -x<x^2<2x$

이때 밑이 1보다 작으므로

$\left(\frac{1}{5}\right)^{2x}<\left(\frac{1}{5}\right)^{x^2}<\left(\frac{1}{5}\right)^{-x}$

$\therefore A<B<C$

**099** 답 $\mathbf{\frac{1}{32}}$

$f(x)=-x^2+4x-5$로 놓으면

$f(x)=-(x-2)^2-1$

$0\le x\le3$에서 $f(0)=-5$, $f(2)=-1$, $f(3)=-2$이므로

$-5\le f(x)\le-1$

$y=a^{f(x)}$에서 밑이 1보다 크므로 $f(x)=-1$일 때 최대이고 최댓값 $a^{-1}$을 갖는다.

즉, $a^{-1}=\frac{1}{2}$이므로 $a=2$

따라서 $y=2^{f(x)}$은 $f(x)=-5$일 때 최소이고 최솟값은

$2^{-5}=\frac{1}{32}$

## 100 답 ⑤

$y=2\times3^{x+1}-3^{2x}+a=-3^{2x}+6\times3^x+a$

$3^x=t\,(t>0)$로 놓으면 $1\le x\le2$에서

$3\le3^x\le3^2 \qquad \therefore 3\le t\le9$

이때 주어진 함수는 $y=-t^2+6t+a=-(t-3)^2+9+a$이므로

$t=9$일 때 최소이고 최솟값 $-27+a$를 갖는다.

즉, $-27+a=-25$이므로 $a=2$

따라서 $t=3$일 때 최대이고 최댓값은

$9+2=11$

## 101 답 9

$4^x>0$, $4^{-x+2}>0$이므로 산술평균과 기하평균의 관계에 의하여

$y=4^x+4^{-x+2}\ge2\sqrt{4^x\times4^{-x+2}}=2\times4=8$

이때 등호는 $4^x=4^{-x+2}$일 때 성립하므로

$x=-x+2 \qquad \therefore x=1$

따라서 $a=1$, $m=8$이므로 $a+m=9$

## 102 답 −2

$6^{x^2-x+6}=\left(\frac{1}{216}\right)^{x-3}$에서 $6^{x^2-x+6}=6^{-3x+9}$

즉, $x^2-x+6=-3x+9$이므로 $x^2+2x-3=0$

$(x+3)(x-1)=0 \qquad \therefore x=-3$ 또는 $x=1$

따라서 모든 근의 합은

$-3+1=-2$

## 103 답 4

점 A의 좌표를 $(a, 2^a)$이라 하면 두 점 A, B의 $y$좌표가 같으므로 점 B의 $y$좌표는 $2^a$이다.

점 B는 $y=\left(\frac{1}{4}\right)^x$의 그래프 위의 점이므로

$\left(\frac{1}{4}\right)^x=2^a$에서 $2^{-2x}=2^a$

$-2x=a$이므로 $x=-\frac{a}{2}$

$\therefore \mathrm{B}\left(-\frac{a}{2}, 2^a\right)$

이때 $\overline{\mathrm{AB}}=3$이므로

$a-\left(-\frac{a}{2}\right)=3$, $\frac{3}{2}a=3 \qquad \therefore a=2$

따라서 상수 $k$의 값은 점 A의 $y$좌표와 같으므로

$2^2=4$

## 104 답 ②

$y=2^{a-x}+1=2^a\times\left(\frac{1}{2}\right)^x+1$에서 밑이 1보다 작으므로

$x=-1$일 때 최대이고 최댓값은 $2^{a+1}+1$

$x=1$일 때 최소이고 최솟값은 $2^{a-1}+1$

이때 최댓값과 최솟값의 차가 6이므로

$2^{a+1}+1-(2^{a-1}+1)=6$

$2^{a+1}-2^{a-1}=6$, $2\times2^a-\frac{1}{2}\times2^a=6$

$\frac{3}{2}\times2^a=6$, $2^a=4 \qquad \therefore a=2$

## 105 답 ①

$2^x-2^{1-x}=2$의 양변에 $2^x$을 곱하면

$(2^x)^2-2=2\times2^x$

$\therefore (2^x)^2-2\times2^x-2=0$

$2^x=t\,(t>0)$로 놓으면

$t^2-2t-2=0 \qquad \therefore t=1+\sqrt{3}\ (\because t>0)$

즉, $2^\alpha=1+\sqrt{3}$이므로

$4^\alpha=(2^\alpha)^2=(1+\sqrt{3})^2=4+2\sqrt{3}$

따라서 $a=4$, $b=2$이므로 $a+b=6$

## 106 답 ②

$\begin{cases}2\times3^x-3\times2^y=-6\\3^{x-1}-2^{y+1}=-13\end{cases}$에서 $\begin{cases}2\times3^x-3\times2^y=-6\\\frac{3^x}{3}-2\times2^y=-13\end{cases}$

$3^x=X$, $2^y=Y\,(X>0, Y>0)$로 놓으면

$\begin{cases}2X-3Y=-6\\\frac{X}{3}-2Y=-13\end{cases}$, 즉 $\begin{cases}2X-3Y=-6\\X-6Y=-39\end{cases}$

이 연립방정식을 풀면 $X=9$, $Y=8$

즉, $3^x=9=3^2$, $2^y=8=2^3$이므로 $x=2$, $y=3$

따라서 $\alpha=2$, $\beta=3$이므로 $\alpha\beta=2\times3=6$

## 107 답 ⑤

$25^x-24\times5^x+k=0$에서 $(5^x)^2-24\times5^x+k=0$

$5^x=t\,(t>0)$로 놓으면

$t^2-24t+k=0 \qquad \cdots\cdots$ ㉠

주어진 방정식의 두 근을 $\alpha$, $\beta$라 하면 $\alpha+\beta=3$이고 방정식 ㉠의 두 근은 $5^\alpha$, $5^\beta$이므로 이차방정식의 근과 계수의 관계에 의하여

$k=5^\alpha\times5^\beta=5^{\alpha+\beta}=5^3=125$

## 108 답 5

$(x+1)^{x^2+1}=(x+1)^{2x+1}$에서

(i) $x+1=1$, 즉 $x=0$일 때

주어진 방정식은 $1=1$이므로 성립한다.

(ii) $x+1\neq1$, 즉 $x\neq0$일 때

$x^2+1=2x+1$에서 $x^2-2x=0$

$x(x-2)=0 \qquad \therefore x=0$ 또는 $x=2$

그런데 $x\neq0$이므로 $x=2$

(i), (ii)에서 $a=0+2=2$

$(x+2)^{x-5}=4^{x-5}$에서

(iii) $x-5=0$, 즉 $x=5$일 때

주어진 방정식은 $7^0=4^0=1$이므로 성립한다.

(iv) $x-5\neq 0$, 즉 $x\neq 5$일 때

$x+2=4$이므로 $x=2$

(iii), (iv)에서 $b=5+2=7$

$\therefore b-a=7-2=5$

## 109 답 $-3<k<-2$

$3^{2x+1}+3k\times 3^x+k^2-k-6=0$에서

$3\times(3^x)^2+3k\times 3^x+k^2-k-6=0$

$3^x=t\,(t>0)$로 놓으면

$3t^2+3kt+k^2-k-6=0$ …… ㉠

주어진 방정식의 두 근을 $\alpha$, $\beta\,(\alpha<\beta)$라 하면 방정식 ㉠의 두 근은 $3^\alpha$, $3^\beta$이므로

$0<3^\alpha<1$, $3^\beta>1$

즉, 이차방정식 ㉠은 0과 1 사이의 한 개의 근을 갖고, 1보다 큰 한 개의 근을 갖는다.

$f(t)=3t^2+3kt+k^2-k-6$이라 하면 함수 $y=f(t)$의 그래프가 오른쪽 그림과 같으므로

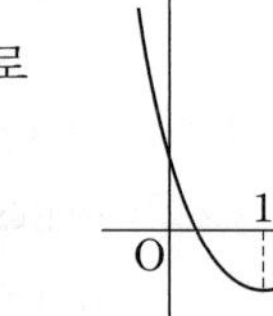


(i) $f(0)=k^2-k-6>0$

$(k+2)(k-3)>0$

$\therefore k<-2$ 또는 $k>3$

(ii) $f(1)=3+3k+k^2-k-6<0$

$k^2+2k-3<0$, $(k+3)(k-1)<0$

$\therefore -3<k<1$

(i), (ii)를 동시에 만족시키는 $k$의 값의 범위는

$-3<k<-2$

## 110 답 ①

$4^x\geq\left(\frac{1}{2}\right)^{x-1}$에서 $2^{2x}\geq 2^{-x+1}$

밑이 1보다 크므로

$2x\geq -x+1$ $\therefore x\geq\frac{1}{3}$

$\therefore A=\left\{x\,\middle|\,x\geq\frac{1}{3}\right\}$

$3^{2x+1}-82\times 3^x+27<0$에서

$3\times(3^x)^2-82\times 3^x+27<0$

$3^x=t\,(t>0)$로 놓으면

$3t^2-82t+27<0$, $(3t-1)(t-27)<0$

$\therefore \frac{1}{3}<t<27$

즉, $3^{-1}<3^x<3^3$이고 밑이 1보다 크므로

$-1<x<3$

$\therefore B=\{x\,|\,-1<x<3\}$

$\therefore A\cap B=\left\{x\,\middle|\,\frac{1}{3}\leq x<3\right\}$

따라서 $\alpha=\frac{1}{3}$, $\beta=3$이므로 $\alpha+\beta=\frac{10}{3}$

## 111 답 $-2$

$\left(\frac{1}{16}\right)^x-\left(\frac{1}{\sqrt{2}}\right)^{4x-2}-8>0$에서

$\left\{\left(\frac{1}{4}\right)^x\right\}^2-2\times\left(\frac{1}{4}\right)^x-8>0$

$\left(\frac{1}{4}\right)^x=t\,(t>0)$로 놓으면

$t^2-2t-8>0$, $(t+2)(t-4)>0$

$\therefore t>4$ ($\because t>0$)

즉, $\left(\frac{1}{4}\right)^x>\left(\frac{1}{4}\right)^{-1}$이고 밑이 1보다 작으므로

$x<-1$

따라서 정수 $x$의 최댓값은 $-2$이다.

## 112 답 ④

(i) $0<x<1$일 때

$x^2-5>4x$에서 $x^2-4x-5>0$

$(x+1)(x-5)>0$

$\therefore x<-1$ 또는 $x>5$

그런데 $0<x<1$이므로 해가 존재하지 않는다.

(ii) $x=1$일 때

$1<1$이므로 부등식이 성립하지 않는다.

(iii) $x>1$일 때

$x^2-5<4x$에서 $x^2-4x-5<0$

$(x+1)(x-5)<0$

$\therefore -1<x<5$

그런데 $x>1$이므로 $1<x<5$

(i), (ii), (iii)에서 주어진 부등식의 해는

$1<x<5$

따라서 $\alpha=1$, $\beta=5$이므로 $\alpha+\beta=6$

## 113 답 ③

$2^{x+1}-2^{\frac{x+4}{2}}+a>0$에서

$2\times 2^x-2^2\times 2^{\frac{x}{2}}+a>0$

$2^{\frac{x}{2}}=t\,(t>0)$로 놓으면

$2t^2-4t+a>0$

$\therefore 2(t-1)^2+a-2>0$

이 부등식이 $t>0$인 모든 실수 $t$에 대하여 성립하려면

$a-2>0$ $\therefore a>2$

따라서 정수 $a$의 최솟값은 3이다.

## 114 답 4회

약품 A를 1회 투입할 때 세균의 수가 70 % 감소하므로 남은 세균의 수는 30 %이다.

처음 세균의 수를 $a$라 하면 약품 A를 $n$회 투입한 후 세균의 수는 $0.3^n\times a$이므로

$0.3^n\times a=0.0081a$, $0.3^n=0.3^4$ $\therefore n=4$

따라서 세균의 수가 처음 수의 0.81 %가 되도록 하려면 약품 A를 4회 투입해야 한다.

## 001 답 2

$f(3)=6$에서 $\log_a 2+7=6$

$\log_a 2=-1 \qquad \therefore a=\frac{1}{2}$

$f(9)=b$에서

$b=\log_{\frac{1}{2}} 8+7=-\log_2 2^3+7=-3+7=4$

$\therefore ab=\frac{1}{2}\times 4=2$

## 002 답 ③

③ $y=\log_5 x$에서 밑이 1보다 크므로 $x$의 값이 증가하면 $y$의 값도 증가한다.

## 003 답 ②

$y=\log_3 x$의 그래프를 $x$축의 방향으로 $a$만큼, $y$축의 방향으로 $b$만큼 평행이동한 그래프의 식은

$y=\log_3 (x-a)+b$

이 식이 $y=\log_3\left(\frac{x}{9}-1\right)$과 일치하므로

$y=\log_3\left(\frac{x}{9}-1\right)=\log_3 \frac{x-9}{9}=\log_3 (x-9)-\log_3 9$

$=\log_3 (x-9)-2$

따라서 $a=9$, $b=-2$이므로

$a+b=7$

## 004 답 −3

오른쪽 그림에서

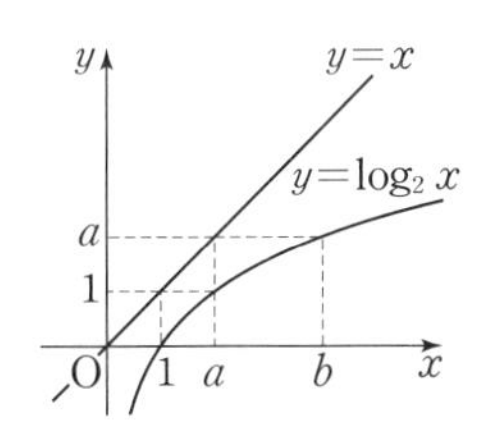


$\log_2 a=1$이므로 $a=2$

$\log_2 b=a$, 즉 $\log_2 b=2$이므로 $b=4$

$\therefore \log_{\frac{1}{4}} 8ab=\log_{\frac{1}{4}} 64=-\log_4 4^3=-3$

## 005 답 ⑤

$y=\log_7 (x-1)+6$에서 $y-6=\log_7 (x-1)$

$x-1=7^{y-6} \qquad \therefore x=7^{y-6}+1$

$x$와 $y$를 서로 바꾸면

$y=7^{x-6}+1$

따라서 $a=7$, $b=-6$, $c=1$이므로

$a+b+c=2$

## 006 답 ⑤

$A=\log_3 10$

$B=2=\log_3 3^2=\log_3 9$

$C=\log_9 80=\log_{3^2} 80=\frac{1}{2}\log_3 80=\log_3 80^{\frac{1}{2}}=\log_3 \sqrt{80}$

이때 $\sqrt{80}<9<10$이고 밑이 1보다 크므로

$\log_3 \sqrt{80}<\log_3 9<\log_3 10$

$\therefore C<B<A$

## 007 답 ③

$y=\log_2 (x-2)+1$에서 밑이 1보다 크므로

$x=18$일 때 최대이고 최댓값은 $\log_2 (18-2)+1=5$

$x=3$일 때 최소이고 최솟값은 $\log_2 (3-2)+1=1$

따라서 $M=5$, $m=1$이므로 $M+m=6$

## 008 답 ④

$f(x)=x^2-4x+6$으로 놓으면

$f(x)=(x-2)^2+2$

$3\le x\le 7$에서 $f(3)=3$, $f(7)=27$이므로

$3\le f(x)\le 27$

$y=\log_{\frac{1}{3}} f(x)$에서 밑이 1보다 작으므로

$f(x)=3$일 때 최대이고 최댓값은 $\log_{\frac{1}{3}} 3=-1$

$f(x)=27$일 때 최소이고 최솟값은 $\log_{\frac{1}{3}} 27=-3$

따라서 구하는 최댓값과 최솟값의 곱은 $-1\times(-3)=3$

## 009 답 4

$y=(\log_2 x)^2-\log_2 x^4+5=(\log_2 x)^2-4\log_2 x+5$

$\log_2 x=t$로 놓으면 $1\le x\le 16$에서

$\log_2 1\le \log_2 x\le \log_2 16 \qquad \therefore 0\le t\le 4$

이때 주어진 함수는 $y=t^2-4t+5=(t-2)^2+1$

따라서 $t=0$ 또는 $t=4$일 때 최대이고 최댓값은 5, $t=2$일 때 최소이고 최솟값은 1이므로 $M=5$, $m=1$

$\therefore M-m=4$

## 010 답 ⑤

$y=x^{\log_2 4x}$의 양변에 밑이 2인 로그를 취하면

$\log_2 y=\log_2 x^{\log_2 4x}=\log_2 4x\times\log_2 x$

$=(2+\log_2 x)\log_2 x$

$=(\log_2 x)^2+2\log_2 x$

$\log_2 x=t$로 놓으면 $2\le x\le 8$에서

$\log_2 2\le\log_2 x\le\log_2 8 \qquad \therefore 1\le t\le 3$

이때 주어진 함수는 $\log_2 y=t^2+2t=(t+1)^2-1$

따라서 $\log_2 y$는 $t=3$일 때 최댓값 15, $t=1$일 때 최솟값 3을 가지므로

$\log_2 y=15$에서 $y=2^{15}$, $\log_2 y=3$에서 $y=2^3$

즉, $M=2^{15}$, $m=2^3$이므로 $\frac{M}{m}=\frac{2^{15}}{2^3}=2^{12}$

## 011 답 $2\sqrt{2}$

$y=\log_6 x+\log_x 36=\log_6 x+\frac{1}{\log_{36} x}=\log_6 x+\frac{2}{\log_6 x}$

이때 $x>1$에서 $\log_6 x>0$이므로 산술평균과 기하평균의 관계에 의하여

$\log_6 x+\frac{2}{\log_6 x}\ge 2\sqrt{\log_6 x\times\frac{2}{\log_6 x}}=2\sqrt{2}$

(단, 등호는 $\log_6 x=\sqrt{2}$일 때 성립)

따라서 구하는 최솟값은 $2\sqrt{2}$이다.

**012** 답 ④

$f(2)=5$에서 $\log_a 7+4=5$

$\log_a 7=1 \qquad \therefore a=7$

$\therefore f(16)=\log_7 49+4=2+4=6$

**013** 답 ④

① $f(1)=\log_5 1=0$

② $f(25x)=\log_5 25x=\log_5 x+\log_5 25=f(x)+2$

③ $f\left(\dfrac{1}{x}\right)=\log_5 \dfrac{1}{x}=-\log_5 x=-f(x)$

④ $25^{f(x)}=25^{\log_5 x}=x^{\log_5 25}=x^2$

⑤ $f(x^3)=\log_5 x^3=3\log_5 x=3f(x)$

**014** 답 16

$f(2)+f(3)+f(4)+\cdots+f(n)$

$=\log_{\frac{1}{2}}\left(1-\dfrac{1}{2}\right)+\log_{\frac{1}{2}}\left(1-\dfrac{1}{3}\right)+\log_{\frac{1}{2}}\left(1-\dfrac{1}{4}\right)+\cdots+\log_{\frac{1}{2}}\left(1-\dfrac{1}{n}\right)$

$=\log_{\frac{1}{2}}\dfrac{1}{2}+\log_{\frac{1}{2}}\dfrac{2}{3}+\log_{\frac{1}{2}}\dfrac{3}{4}+\cdots+\log_{\frac{1}{2}}\dfrac{n-1}{n}$

$=\log_{\frac{1}{2}}\left(\dfrac{1}{2}\times\dfrac{2}{3}\times\dfrac{3}{4}\times\cdots\times\dfrac{n-1}{n}\right)=\log_{\frac{1}{2}}\dfrac{1}{n}=\log_2 n$

이때 $\log_2 n=4$이므로

$n=2^4=16$

**015** 답 ④

③ $f(x)=\log_{0.3} x$에서 밑이 1보다 작으므로 $x$의 값이 증가하면 $f(x)$의 값은 감소한다.
즉, $x_1<x_2$이면 $f(x_1)>f(x_2)$

④ 그래프의 점근선이 $y$축이므로 $y$축과 만나지 않는다.

⑤ $f(x)$는 일대일함수이므로 $f(x_1)=f(x_2)$이면 $x_1=x_2$

**016** 답 6

$y=\log_4(-x^2+x+12)$에서 $-x^2+x+12>0$이므로

$x^2-x-12<0,\ (x+3)(x-4)<0$

$\therefore A=\{x\mid -3<x<4\}$

따라서 집합 $A$의 원소 중 정수는 $-2,\ -1,\ 0,\ 1,\ 2,\ 3$의 6개이다.

**017** 답 ①

함수 $y=ax+b$의 그래프에서 $a>0,\ 0<b<1$

$y=\log_b ax$에서 $0<b<1$이므로 $x$의 값이 증가하면 $y$의 값은 감소한다.

또 $a>0$이므로 $ax>0$에서 $x>0$이다.

따라서 $y=\log_b ax$의 그래프의 개형은 ①이다.

**018** 답 4

$y=\log_2 x$의 그래프를 $x$축의 방향으로 $a$만큼, $y$축의 방향으로 $b$만큼 평행이동한 그래프의 식은

$y=\log_2(x-a)+b$

이 그래프를 $x$축에 대하여 대칭이동한 그래프의 식은

$-y=\log_2(x-a)+b$

$\therefore y=-\log_2(x-a)-b$

이 식이 $y=\log_{\frac{1}{2}}(4x-8)$과 일치하므로

$y=\log_{\frac{1}{2}}(4x-8)=-\log_2 4(x-2)$

$\quad=-\log_2(x-2)-\log_2 4=-\log_2(x-2)-2$

따라서 $a=2,\ b=2$이므로 $a+b=4$

**019** 답 ①

ㄱ. $y=\log_{\frac{1}{2}} x=-\log_2 x$에서 $-y=\log_2 x$이므로 $y=\log_2 x$의 그래프를 $x$축에 대하여 대칭이동한 것이다.

ㄴ. $y=-\log_{\frac{1}{2}} 2x=\log_2 2x=\log_2 x+1$이므로 $y=\log_2 x$의 그래프를 $y$축의 방향으로 1만큼 평행이동한 것이다.

ㄷ. $y=2\log_2 x=\log_{2^{\frac{1}{2}}} x=\log_{\sqrt{2}} x$이므로 $y=\log_2 x$의 그래프를 평행이동 또는 대칭이동하여 겹쳐질 수 없다.

ㄹ. $y=\dfrac{1}{2}\log_4(x+2)-1=\log_{4^2}(x+2)-1=\log_{16}(x+2)-1$이므로 $y=\log_2 x$의 그래프를 평행이동 또는 대칭이동하여 겹쳐질 수 없다.

따라서 $y=\log_2 x$의 그래프를 평행이동 또는 대칭이동하여 겹쳐지는 것은 ㄱ, ㄴ이다.

**020** 답 ④

그래프의 점근선의 방정식이 $x=-3$이므로 $a=3$

또 이 그래프가 점 $(0,\ 3)$을 지나므로

$3=\log_3(0+3)+b \qquad \therefore b=2$

$\therefore ab=3\times2=6$

**021** 답 ①

$y=\log_2 8x=\log_2 x+\log_2 8$

$\quad=\log_2 x+3$

의 그래프는 $y=\log_2 x$의 그래프를 $y$축의 방향으로 3만큼 평행이동한 것이다.

즉, 오른쪽 그림에서 빗금친 두 부분의 넓이는 서로 같으므로 구하는 넓이는

$(3-1)\times3=6$

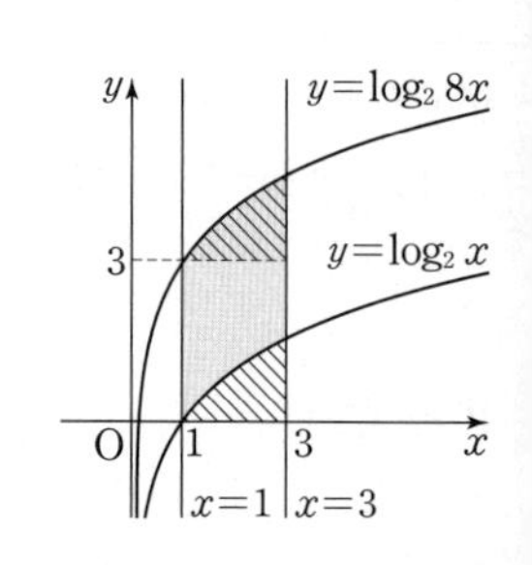


**022** 답 ③

$y=\log_{\frac{1}{3}}(x+3\sqrt{3})+k$의 그래프는 $y=\log_{\frac{1}{3}} x$의 그래프를 $x$축의 방향으로 $-3\sqrt{3}$만큼, $y$축의 방향으로 $k$만큼 평행이동한 것이다.

따라서 그래프가 제3사분면을 지나지 않으려면 오른쪽 그림과 같아야 하므로 $x=0$일 때 $y\geq0$이어야 한다.

즉, $\log_{\frac{1}{3}} 3\sqrt{3}+k\geq0$이므로

$-\dfrac{3}{2}+k\geq0 \qquad \therefore k\geq\dfrac{3}{2}$

따라서 $k$의 최솟값은 $\dfrac{3}{2}$이다.

## 023 답 $\frac{1}{3}$

오른쪽 그림에서

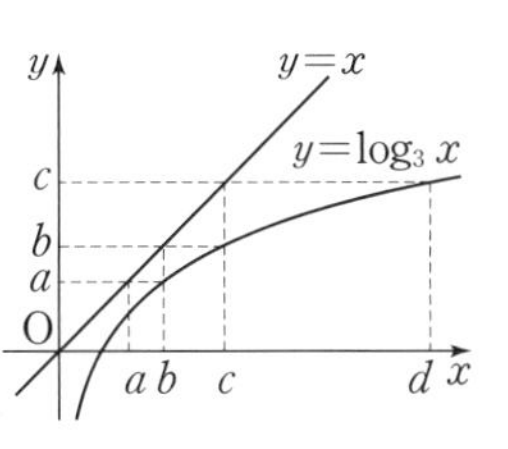


$\log_3 b=a$, $\log_3 d=c$이므로

$a-c=\log_3 b-\log_3 d=\log_3 \frac{b}{d}$

이때 $d=3b$이므로

$a-c=\log_3 \frac{1}{3}=-1$

$\therefore\ 3^{a-c}=3^{-1}=\frac{1}{3}$

## 024 답 ④

네 점 $\mathrm{A}(a,\ \log_4 a)$, $\mathrm{B}(a,\ \log_{16} a)$, $\mathrm{C}(b,\ \log_4 b)$, $\mathrm{D}(b,\ \log_{16} b)$에 대하여

$\overline{\mathrm{AB}}=\log_4 a-\log_{16} a=\log_4 a-\frac{1}{2}\log_4 a=\frac{1}{2}\log_4 a$

$\overline{\mathrm{CD}}=\log_4 b-\log_{16} b=\log_4 b-\frac{1}{2}\log_4 b=\frac{1}{2}\log_4 b$

이때 $\overline{\mathrm{AB}}:\overline{\mathrm{CD}}=1:2$에서 $\overline{\mathrm{CD}}=2\overline{\mathrm{AB}}$이므로

$\frac{1}{2}\log_4 b=2\times\frac{1}{2}\log_4 a$, $\log_4 b=\log_4 a^2$

$\therefore\ b=a^2$

## 025 답 $\frac{20}{3}$

$y=\log_{\frac{1}{9}} x$에서

$x=\frac{1}{3}$일 때, $y=\log_{\frac{1}{9}}\frac{1}{3}=\frac{1}{2}$

$x=3$일 때, $y=\log_{\frac{1}{9}} 3=-\frac{1}{2}$

$\therefore\ \mathrm{A}\left(\frac{1}{3},\ \frac{1}{2}\right)$, $\mathrm{C}\left(3,\ -\frac{1}{2}\right)$

$y=\log_{\sqrt{3}} x$에서

$x=\frac{1}{3}$일 때, $y=\log_{\sqrt{3}}\frac{1}{3}=-2$

$x=3$일 때, $y=\log_{\sqrt{3}} 3=2$

$\therefore\ \mathrm{B}\left(\frac{1}{3},\ -2\right)$, $\mathrm{D}(3,\ 2)$

따라서 □ABCD의 넓이는

$\left\{\frac{1}{2}-(-2)\right\}\times\left(3-\frac{1}{3}\right)=\frac{20}{3}$

## 026 답 9

$y=3^x-k$의 그래프가 $x$축과 만나는 점의 좌표를 구하면

$3^x-k=0$에서 $3^x=k$ $\qquad\therefore\ x=\log_3 k$

$\therefore\ \mathrm{A}(\log_3 k,\ 0)$

$y=\log_3(x-2k)$의 그래프가 $x$축과 만나는 점의 좌표를 구하면

$0=\log_3(x-2k)$에서 $x-2k=1$ $\qquad\therefore\ x=2k+1$

$\therefore\ \mathrm{B}(2k+1,\ 0)$

이때 $\overline{\mathrm{AB}}=2k$이므로

$2k+1-\log_3 k=2k$

$\log_3 k=1$ $\qquad\therefore\ k=3$

$y=3^x-k$의 점근선의 방정식은 $y=-k$이고, $y=\log_3(x-2k)$의 점근선의 방정식은 $x=2k$이므로

$a=2k=6$, $b=-k=-3$

$\therefore\ a-b=6-(-3)=9$

## 027 답 ⑤

$y=\log(x+3)+a$에서 $y-a=\log(x+3)$

$x+3=10^{y-a}$ $\qquad\therefore\ x=10^{y-a}-3$

$x$와 $y$를 서로 바꾸면 $y=10^{x-a}-3$

따라서 $a=3$, $b=10$, $c=-3$이므로 $a+b+c=10$

## 028 답 ②

$f(8)=\log_2 8-1=2$이므로 $g(2)=8$

$g(g(a))=8$에서 $g(a)=2$

$f(2)=2-3=-1$이므로 $g(-1)=2$

$g(a)=2$에서 $a=-1$

## 029 답 29

$g(x)$는 $y=\log_3 x$의 역함수이므로 $g(x)=3^x$

점 A는 $y=g(x)$의 그래프와 $y$축의 교점이므로 $\mathrm{A}(0,\ 1)$

점 B의 $y$좌표가 1이므로 $1=\log_3 x$에서 $x=3$ $\qquad\therefore\ \mathrm{B}(3,\ 1)$

$\therefore\ \overline{\mathrm{AB}}=3$

점 C의 $x$좌표가 3이므로 $\mathrm{C}(3,\ 3^3)$, 즉 $\mathrm{C}(3,\ 27)$

$\therefore\ \overline{\mathrm{BC}}=26$

$\therefore\ \overline{\mathrm{AB}}+\overline{\mathrm{BC}}=3+26=29$

## 030 답 ②

$g(x)$는 $f(x)=2^x$의 역함수이므로 $g(x)=\log_2 x$

점 A의 $y$좌표가 4이므로

$2^x=4$ $\qquad\therefore\ x=2$

$\therefore\ \mathrm{A}(2,\ 4)$

점 B의 $y$좌표가 4이므로

$\log_2 x=4$ $\qquad\therefore\ x=2^4=16$

$\therefore\ \mathrm{B}(16,\ 4)$

따라서 △OAB의 넓이는

$\frac{1}{2}\times(16-2)\times4=28$

## 031 답 ③

$y=\log_a x+b$의 그래프와 그 역함수의 그래프의 교점은 $y=\log_a x+b$의 그래프와 직선 $y=x$의 교점과 같다.

이때 두 교점의 $x$좌표가 각각 1, 2이므로 $y=\log_a x+b$의 그래프는 두 점 $(1,\ 1)$, $(2,\ 2)$를 지난다.

$1=\log_a 1+b$에서 $b=1$

$2=\log_a 2+1$에서

$\log_a 2=1$ $\qquad\therefore\ a=2$

$\therefore\ a^2+b^2=2^2+1^2=5$

**032** 답 6

$y=\log_a x$는 $y=a^x$의 역함수이므로 두 함수 $y=a^x$, $y=\log_a x$의 그래프는 직선 $y=x$에 대하여 대칭이다.

점 A의 좌표를 $(k,\ 8-k)$라 하면 점 B의 좌표는 $(8-k,\ k)$이므로

$\overline{AB}^2=(8-2k)^2+(2k-8)^2=(4\sqrt{2})^2$

$2(2k-8)^2=32$, $8(k-4)^2=32$

$(k-4)^2=4$, $k-4=\pm2$　　$\therefore k=2$ 또는 $k=6$

이때 점 A의 $x$좌표는 점 B의 $x$좌표보다 작으므로

$k=2$

따라서 $A(2,\ 6)$, $B(6,\ 2)$이고, 점 A가 $y=a^x$의 그래프 위의 점이므로

$a^2=6$

**033** 답 ④

$A=2\log_{0.1}4\sqrt{2}=\log_{0.1}(4\sqrt{2})^2=\log_{0.1}32$

$B=\log_{0.1}2-1=\log_{0.1}2-\log_{0.1}0.1=\log_{0.1}\dfrac{2}{0.1}=\log_{0.1}20$

$C=\log\dfrac{1}{50}=-\log 50=\log_{0.1}50$

이때 $20<32<50$이고 밑이 1보다 작으므로

$\log_{0.1}50<\log_{0.1}32<\log_{0.1}20$

$\therefore C<A<B$

**034** 답 $A<C<B$

$\dfrac{1}{9}<x<\dfrac{1}{3}$의 각 변에 밑이 $\dfrac{1}{3}$인 로그를 취하면

$\log_{\frac{1}{3}}\dfrac{1}{3}<\log_{\frac{1}{3}}x<\log_{\frac{1}{3}}\dfrac{1}{9}$　　$\therefore 1<\log_{\frac{1}{3}}x<2$

$A=\log_3 x=-\log_{\frac{1}{3}}x$이므로

$1<\log_{\frac{1}{3}}x<2$에서 $-2<-\log_{\frac{1}{3}}x<-1$

$\therefore -2<A<-1$

$1<\log_{\frac{1}{3}}x<2$에서 $1<(\log_{\frac{1}{3}}x)^2<4$이므로

$1<B<4$

$1<\log_{\frac{1}{3}}x<2$의 각 변에 밑이 $\dfrac{1}{2}$인 로그를 취하면

$\log_{\frac{1}{2}}2<\log_{\frac{1}{2}}(\log_{\frac{1}{3}}x)<\log_{\frac{1}{2}}1$에서 $-1<\log_{\frac{1}{2}}(\log_{\frac{1}{3}}x)<0$

$\therefore -1<C<0$　　$\therefore A<C<B$

**035** 답 ①

$0<a<1$이므로 $a<1<b$의 각 변에 밑이 $a$인 로그를 취하면

$\log_a b<\log_a 1<\log_a a$　　$\therefore \log_a b<0<1$

또 $b>1$이므로 $a<1<b$의 각 변에 밑이 $b$인 로그를 취하면

$\log_b a<\log_b 1<\log_b b$

$\log_b a<0<1$　　$\therefore -\log_b a>0$

$\log_b\dfrac{b}{a}=\log_b b-\log_b a=1-\log_b a$이므로

$1-\log_b a>-\log_b a$

$\therefore \log_a b<-\log_b a<\log_b\dfrac{b}{a}$

$\therefore A<B<C$

**036** 답 15

$y=\log_{\frac{1}{3}}(x+4)-3$에서 밑이 1보다 작으므로

$x=-3$일 때 최대이고 최댓값은

$\log_{\frac{1}{3}}(-3+4)-3=-3$

$x=5$일 때 최소이고 최솟값은

$\log_{\frac{1}{3}}(5+4)-3=-2-3=-5$

따라서 구하는 최댓값과 최솟값의 곱은 $-3\times(-5)=15$

**037** 답 ①

$y=\log_4(x-5)+b$에서 밑이 1보다 크므로 $x=69$일 때 최댓값, $x=a$일 때 최솟값을 갖는다.

즉, $\log_4(69-5)+b=1$이므로

$3+b=1$　　$\therefore b=-2$

또 $\log_4(a-5)-2=-2$이므로 $\log_4(a-5)=0$

$a-5=1$　　$\therefore a=6$

$\therefore ab=6\times(-2)=-12$

**038** 답 ⑤

$f(x)=-x^2+2x+9$로 놓으면

$f(x)=-(x-1)^2+10$

$1\le x\le4$에서 $f(1)=10$, $f(4)=1$이므로

$1\le f(x)\le10$

$y=\log_2 f(x)$에서 밑이 1보다 크므로

$f(x)=10$일 때 최대이고 최댓값은 $\log_2 10$

$f(x)=1$일 때 최소이고 최솟값은 $\log_2 1=0$

따라서 $M=\log_2 10$, $m=0$이므로 $M+m=\log_2 10$

**039** 답 ①

진수의 조건에서 $x+2>0$, $4-x>0$

$\therefore -2<x<4$

$y=\log_{\frac{1}{3}}(x+2)+\log_{\frac{1}{3}}(4-x)=\log_{\frac{1}{3}}(-x^2+2x+8)$이므로

$f(x)=-x^2+2x+8$로 놓으면 $f(x)=-(x-1)^2+9$

$-2<x<4$에서 $f(-2)=f(4)=0$, $f(1)=9$이므로 $0<f(x)\le9$

$y=\log_{\frac{1}{3}}f(x)$에서 밑이 1보다 작으므로 $f(x)=9$일 때 최소이고 최솟값은

$\log_{\frac{1}{3}}9=-2$

**040** 답 $\dfrac{1}{2}$

$f(x)=-x^2+4x$로 놓으면

$f(x)=-(x-2)^2+4$

$1\le x\le3$에서 $f(1)=f(3)=3$, $f(2)=4$이므로

$3\le f(x)\le4$

$y=\log_a f(x)$에서 $0<a<1$이므로 $f(x)=4$일 때 최소이고 최솟값 $\log_a 4$를 갖는다.

즉, $\log_a 4=-2$이므로 $a^{-2}=4$

$a^2=\dfrac{1}{4}$　　$\therefore a=\dfrac{1}{2}$ ($\because 0<a<1$)

## 041 답 ④

$x+2y=20$에서 $2y=20-x\ (0<x<20)$

$\therefore\ \log x+\log 2y=\log(x\times 2y)=\log x(20-x)$

$=\log(-x^2+20x)$

$f(x)=-x^2+20x$로 놓으면 $f(x)=-(x-10)^2+100$

$0<x<20$에서 $f(0)=f(20)=0$, $f(10)=100$이므로

$0<f(x)\le 100$

$\log f(x)$에서 밑이 1보다 크므로 $f(x)=100$일 때 최대이고 최댓값은

$\log 100=2$

**다른 풀이** $\log x+\log 2y=\log 2xy$이고 밑이 1보다 크므로

$\log 2xy$는 $xy$가 최대일 때 최댓값을 갖는다.

이때 $x>0$, $y>0$이므로 산술평균과 기하평균의 관계에 의하여

$x+2y\ge 2\sqrt{2xy}$ (단, 등호는 $x=2y$일 때 성립)

또 $x+2y=20$이므로 $20\ge 2\sqrt{2xy}$, $10\ge\sqrt{2xy}$

$100\ge 2xy\qquad \therefore\ xy\le 50$

따라서 $xy$의 최댓값은 50이므로 $\log 2xy$의 최댓값은 $\log 100=2$

## 042 답 2

$f(x)=|x^2-2x-8|$로 놓으면

$f(x)=|(x-1)^2-9|$

$-1\le x\le 2$에서 $y=f(x)$의 그래프는 오른쪽 그림과 같으므로 $5\le f(x)\le 9$

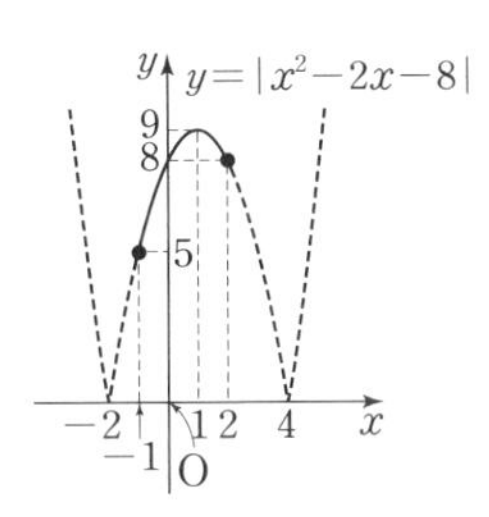


$y=\log_3 f(x)$에서 밑이 1보다 크므로

$f(x)=9$일 때 최대이고 최댓값은

$\log_3 9=2$

## 043 답 8

$\log_{\frac{1}{2}} x=t$로 놓으면 $\frac{1}{2}\le x\le 2$에서 $\log_{\frac{1}{2}} 2\le\log_{\frac{1}{2}} x\le\log_{\frac{1}{2}}\frac{1}{2}$

$\therefore\ -1\le t\le 1$

이때 주어진 함수는 $y=2t^2+4t=2(t+1)^2-2$

따라서 $t=1$일 때 최대이고 최댓값은 6, $t=-1$일 때 최소이고 최솟값은 $-2$이므로 $M=6$, $m=-2$

$\therefore\ M-m=8$

## 044 답 ④

$y=\log_3 3x\times\log_{\frac{1}{3}}\frac{9}{x^2}=\log_3 3x\times\log_3\frac{x^2}{9}$

$=(\log_3 3+\log_3 x)(\log_3 x^2-\log_3 9)$

$=(1+\log_3 x)(2\log_3 x-2)$

$=2(\log_3 x)^2-2$

$\log_3 x=t$로 놓으면 $1\le x\le 27$에서 $\log_3 1\le\log_3 x\le\log_3 27$

$\therefore\ 0\le t\le 3$

이때 주어진 함수는 $y=2t^2-2$

따라서 $t=3$일 때 최대이고 최댓값은 16, $t=0$일 때 최소이고 최솟값은 $-2$이므로 구하는 합은

$16+(-2)=14$

## 045 답 9

$y=\log_4 x\times\log_4\frac{16}{x}+k$

$=(\log_4 x)\times(\log_4 16-\log_4 x)+k$

$=(\log_4 x)\times(2-\log_4 x)+k$

$=-(\log_4 x)^2+2\log_4 x+k$

$\log_4 x=t$로 놓으면 주어진 함수는

$y=-t^2+2t+k=-(t-1)^2+k+1$

따라서 $t=1$일 때 최대이고 최댓값은 $k+1$이므로

$k+1=10\qquad \therefore\ k=9$

## 046 답 160

$x^{\log 3}=3^{\log x}$이므로

$y=3^{\log x}\times x^{\log 3}-3(3^{\log x}+x^{\log 3})+25$

$=3^{\log x}\times 3^{\log x}-3(3^{\log x}+3^{\log x})+25$

$=(3^{\log x})^2-6\times 3^{\log x}+25$

$3^{\log x}=t$로 놓으면 주어진 함수는

$y=t^2-6t+25=(t-3)^2+16$

따라서 $t=3$일 때 최소이고 최솟값 16을 가지므로

$m=16$

$3^{\log x}=3$에서 $\log x=1\qquad \therefore\ x=10\qquad \therefore\ a=10$

$\therefore\ am=160$

## 047 답 $\frac{1}{81}$

$y=x^{-4+\log_3 x}$의 양변에 밑이 3인 로그를 취하면

$\log_3 y=\log_3 x^{-4+\log_3 x}=(-4+\log_3 x)\log_3 x$

$=(\log_3 x)^2-4\log_3 x$

$\log_3 x=t$로 놓으면 $1\le x\le 27$에서

$\log_3 1\le\log_3 x\le\log_3 27\qquad \therefore\ 0\le t\le 3$

이때 주어진 함수는 $\log_3 y=t^2-4t=(t-2)^2-4$

따라서 $\log_3 y$는 $t=0$일 때 최댓값 0, $t=2$일 때 최솟값 $-4$를 가지므로

$\log_3 y=0$에서 $y=1$

$\log_3 y=-4$에서 $y=3^{-4}=\frac{1}{81}$

즉, $M=1$, $m=\frac{1}{81}$이므로 $Mm=\frac{1}{81}$

## 048 답 1000

$y=\frac{10x^4}{x^{\log x}}$에서 $y=10x^{4-\log x}$의 양변에 상용로그를 취하면

$\log y=\log 10x^{4-\log x}=\log 10+\log x^{4-\log x}$

$=1+(4-\log x)\log x$

$=-(\log x)^2+4\log x+1$

$\log x=t$로 놓으면 $\log y=-t^2+4t+1=-(t-2)^2+5$

따라서 $\log y$는 $t=2$일 때 최댓값 5를 가지므로

$\log x=2$에서 $x=10^2\qquad \therefore\ a=10^2$

$\log y=5$에서 $y=10^5\qquad \therefore\ M=10^5$

$\therefore\ \frac{M}{a}=\frac{10^5}{10^2}=10^3=1000$

## 049 답 ③

$y=\log x-\log_x \frac{1}{10000}=\log x-\log_x 10^{-4}$

$=\log x+4\log_x 10=\log x+\frac{4}{\log x}$

이때 $x>1$에서 $\log x>0$이므로 산술평균과 기하평균의 관계에 의하여

$\log x+\frac{4}{\log x}\ge 2\sqrt{\log x\times\frac{4}{\log x}}=2\times 2=4$

(단, 등호는 $\log x=2$일 때 성립)

따라서 구하는 최솟값은 4이다.

## 050 답 $\frac{5}{3}$

$\frac{1}{9}<x<4$에서 $9x>1$, $\frac{4}{x}>1$이므로 $\log_6 9x>0$, $\log_6 \frac{4}{x}>0$

산술평균과 기하평균의 관계에 의하여

$\log_6 9x+\log_6 \frac{4}{x}\ge 2\sqrt{\log_6 9x\times\log_6 \frac{4}{x}}$

이때 $\log_6 9x+\log_6 \frac{4}{x}=\log_6\left(9x\times\frac{4}{x}\right)=\log_6 36=2$이므로

$2\ge 2\sqrt{\log_6 9x\times\log_6 \frac{4}{x}}$, $\sqrt{\log_6 9x\times\log_6 \frac{4}{x}}\le 1$

$\therefore\ 0<\log_6 9x\times\log_6 \frac{4}{x}\le 1$

즉, $\log_6 9x\times\log_6 \frac{4}{x}$의 최댓값은 1이므로 $M=1$

한편 등호는 $\log_6 9x=\log_6 \frac{4}{x}$, 즉 $9x=\frac{4}{x}$일 때 성립하므로

$x^2=\frac{4}{9}\qquad \therefore\ x=\frac{2}{3}\left(\because\ \frac{1}{9}<x<4\right)\qquad \therefore\ a=\frac{2}{3}$

$\therefore\ a+M=\frac{2}{3}+1=\frac{5}{3}$

## 051 답 $x=9$

진수의 조건에서 $x^2>0$, $x-6>0$

$\therefore\ x>6$ …… ㉠

$\log_9 x^2+\log_3 (x-6)=3$에서 $\log_3 x+\log_3 (x-6)=3$

$\therefore\ \log_3 (x^2-6x)=\log_3 27$

즉, $x^2-6x=27$이므로 $x^2-6x-27=0$

$(x+3)(x-9)=0\qquad \therefore\ x=-3$ 또는 $x=9$

이때 ㉠에 의하여 $x=9$

## 052 답 ⑤

$(\log_6 x)^2+\log_6 x^2=\log_6 36x^3$에서

$(\log_6 x)^2+2\log_6 x=\log_6 36+\log_6 x^3$

$\therefore\ (\log_6 x)^2-\log_6 x-2=0$

$\log_6 x=t$로 놓으면 $t^2-t-2=0$

$(t+1)(t-2)=0\qquad \therefore\ t=-1$ 또는 $t=2$

즉, $\log_6 x=-1$ 또는 $\log_6 x=2$이므로

$x=6^{-1}=\frac{1}{6}$ 또는 $x=6^2=36$

따라서 $\alpha=\frac{1}{6}$, $\beta=36$이므로

$\beta-6\alpha=36-6\times\frac{1}{6}=35$

## 053 답 $\frac{1}{4}$

$(\log_{\frac{1}{2}} x)^2+\log_2 \frac{x^2}{4}=0$에서

$(-\log_2 x)^2+\log_2 x^2-\log_2 4=0$

$\therefore\ (\log_2 x)^2+2\log_2 x-2=0$

$\log_2 x=t$로 놓으면 $t^2+2t-2=0$

이 이차방정식의 두 근은 $\log_2 \alpha$, $\log_2 \beta$이므로 이차방정식의 근과 계수의 관계에 의하여

$\log_2 \alpha+\log_2 \beta=-2$, $\log_2 \alpha\beta=-2$

$\therefore\ \alpha\beta=2^{-2}=\frac{1}{4}$

## 054 답 $\frac{1}{100}$

$x^{\log x}=\frac{1000}{x^2}$의 양변에 상용로그를 취하면

$\log x^{\log x}=\log \frac{1000}{x^2}$

$(\log x)^2=\log 1000-\log x^2$

$\therefore\ (\log x)^2+2\log x-3=0$

$\log x=t$로 놓으면 $t^2+2t-3=0$

$(t+3)(t-1)=0\qquad \therefore\ t=-3$ 또는 $t=1$

즉, $\log x=-3$ 또는 $\log x=1$이므로

$x=10^{-3}=\frac{1}{1000}$ 또는 $x=10$

따라서 모든 근의 곱은 $\frac{1}{1000}\times 10=\frac{1}{100}$

## 055 답 ④

진수의 조건에서 $x+8>0$, $x-4>0$

$\therefore\ x>4$ …… ㉠

$\log_{25} (x+8)<\log_5 (x-4)$에서

$\log_{25} (x+8)<\log_{25} (x-4)^2$

$\therefore\ \log_{25} (x+8)<\log_{25} (x^2-8x+16)$

밑이 1보다 크므로 $x+8<x^2-8x+16$

$x^2-9x+8>0$, $(x-1)(x-8)>0$

$\therefore\ x<1$ 또는 $x>8$ …… ㉡

㉠, ㉡의 공통 범위를 구하면 $x>8$

따라서 자연수 $x$의 최솟값은 9이다.

## 056 답 ②

진수의 조건에서 $x>0$, $\log_{\frac{1}{2}} x>0$

$\log_{\frac{1}{2}} x>\log_{\frac{1}{2}} 1$에서 $x<1$

$\therefore\ 0<x<1$ …… ㉠

$\log_2 (\log_{\frac{1}{2}} x)\le 2$에서 $\log_2 (\log_{\frac{1}{2}} x)\le \log_2 4$

밑이 1보다 크므로 $\log_{\frac{1}{2}} x\le 4$

$\log_{\frac{1}{2}} x\le \log_{\frac{1}{2}} \frac{1}{16}$

밑이 1보다 작으므로 $x\ge \frac{1}{16}$ …… ㉡

㉠, ㉡의 공통 범위를 구하면 $\frac{1}{16}\le x<1$

## 057 답 20

진수의 조건에서 $x>0$ ⋯⋯ ㉠

$(\log_{\frac{1}{4}} x)^2+\log_{\frac{1}{4}} \frac{x^3}{16}\le 0$에서

$(\log_{\frac{1}{4}} x)^2+\log_{\frac{1}{4}} x^3-\log_{\frac{1}{4}} 16\le 0$

$\therefore (\log_{\frac{1}{4}} x)^2+3\log_{\frac{1}{4}} x+2\le 0$

$\log_{\frac{1}{4}} x=t$로 놓으면 $t^2+3t+2\le 0$

$(t+2)(t+1)\le 0$ $\therefore -2\le t\le -1$

즉, $-2\le \log_{\frac{1}{4}} x\le -1$이므로

$\log_{\frac{1}{4}}\left(\frac{1}{4}\right)^{-2}\le \log_{\frac{1}{4}} x\le \log_{\frac{1}{4}}\left(\frac{1}{4}\right)^{-1}$

밑이 1보다 작으므로 $4\le x\le 16$ ⋯⋯ ㉡

㉠, ㉡의 공통 범위를 구하면 $4\le x\le 16$

따라서 $\alpha=4$, $\beta=16$이므로 $\alpha+\beta=20$

## 058 답 9

진수의 조건에서 $x>0$ ⋯⋯ ㉠

$x^{\log_3 x}<27x^2$의 양변에 밑이 3인 로그를 취하면

$\log_3 x^{\log_3 x}<\log_3 27x^2$

$(\log_3 x)^2<\log_3 27+\log_3 x^2$

$\therefore (\log_3 x)^2-2\log_3 x-3<0$

$\log_3 x=t$로 놓으면 $t^2-2t-3<0$

$(t+1)(t-3)<0$ $\therefore -1<t<3$

즉, $-1<\log_3 x<3$이므로 $\log_3 3^{-1}<\log_3 x<\log_3 3^3$

밑이 1보다 크므로 $\frac{1}{3}<x<27$ ⋯⋯ ㉡

㉠, ㉡의 공통 범위를 구하면 $\frac{1}{3}<x<27$

따라서 $\alpha=\frac{1}{3}$, $\beta=27$이므로 $\alpha\beta=9$

## 059 답 ①

$(\log x)^2-\log ax^2>0$에서 $(\log x)^2-(\log a+\log x^2)>0$

$\therefore (\log x)^2-2\log x-\log a>0$

$\log x=t$로 놓으면 $t^2-2t-\log a>0$

이 부등식이 모든 실수 $t$에 대하여 성립해야 하므로 이차방정식 $t^2-2t-\log a=0$의 판별식을 $D$라 하면

$\frac{D}{4}=1+\log a<0$, $\log a<-1$

$\log a<\log 10^{-1}$

밑이 1보다 크므로 $a<\frac{1}{10}$

이때 $a>0$이므로 $0<a<\frac{1}{10}$

## 060 답 10 m

동굴 입구의 빛의 밝기를 $a$라 하고, 빛의 밝기가 동굴 입구의 10 %, 즉 $\frac{1}{10}$이 되는 곳을 동굴 입구로부터 $x$ m라 하면

$a\times\left(\frac{4}{5}\right)^x=a\times\frac{1}{10}$, $\left(\frac{4}{5}\right)^x=\frac{1}{10}$

양변에 상용로그를 취하면

$x\log\frac{4}{5}=\log\frac{1}{10}$, $x(3\log 2-1)=-1$

$x(3\times 0.3-1)=-1$, $-0.1x=-1$

$\therefore x=10$

따라서 빛의 밝기가 동굴 입구의 10 %가 되는 곳은 동굴 입구로부터 10 m 들어간 곳이다.

## 061 답 $x=\frac{5}{3}$

진수의 조건에서 $x+1>0$, $3x-2>0$

$\therefore x>\frac{2}{3}$ ⋯⋯ ㉠

$\log_8(x+1)=1-\frac{1}{3}\log_2(3x-2)$에서

$\frac{1}{3}\log_2(x+1)+\frac{1}{3}\log_2(3x-2)=1$

$\log_2(x+1)(3x-2)=3$

$\therefore \log_2(3x^2+x-2)=\log_2 8$

즉, $3x^2+x-2=8$이므로 $3x^2+x-10=0$

$(x+2)(3x-5)=0$

$\therefore x=-2$ 또는 $x=\frac{5}{3}$

이때 ㉠에 의하여 $x=\frac{5}{3}$

## 062 답 ②

진수의 조건에서 $x-1>0$, $4-x>0$

$\therefore 1<x<4$ ⋯⋯ ㉠

$\log_2(x-1)-1=\log_4(4-x)$에서

$\log_4(x-1)^2=\log_4(4-x)+\log_4 4$

$\therefore \log_4(x-1)^2=\log_4 4(4-x)$

즉, $(x-1)^2=4(4-x)$이므로 $x^2+2x-15=0$

$(x+5)(x-3)=0$

$\therefore x=-5$ 또는 $x=3$

이때 ㉠에 의하여 $x=3$

따라서 $\alpha=3$이므로 $\alpha^2=9$

## 063 답 ②

밑과 진수의 조건에서

$x^2-2x+1>0$, $x^2-2x+1\ne 1$, $2-3x>0$

$\therefore x<0$ 또는 $0<x<\frac{2}{3}$ ⋯⋯ ㉠

(i) $x^2-2x+1=4$일 때

$x^2-2x-3=0$, $(x+1)(x-3)=0$

$\therefore x=-1$ 또는 $x=3$

이때 ㉠에 의하여 $x=-1$

(ii) $2-3x=1$일 때

$3x=1$ $\therefore x=\frac{1}{3}$

(i), (ii)에서 $x=-1$ 또는 $x=\frac{1}{3}$

따라서 모든 근의 합은 $-1+\frac{1}{3}=-\frac{2}{3}$

### 064 답 4

진수의 조건에서 $x>0$, $y>0$ …… ㉠

$\log_2\{\log(x^2+y^2)\}=0$에서 $\log(x^2+y^2)=1$

$\therefore x^2+y^2=10$

$\log_3\sqrt{x}+\log_9 y=\frac{1}{2}$에서 $\frac{1}{2}\log_3 x+\frac{1}{2}\log_3 y=\frac{1}{2}$

$\log_3 x+\log_3 y=1$

$\log_3 xy=1$ $\quad\therefore xy=3$

즉, 주어진 연립방정식은 $\begin{cases}x^2+y^2=10\\xy=3\end{cases}$이므로

$(x+y)^2=x^2+y^2+2xy$

$=10+2\times3=16$

㉠에 의하여 $x+y=4$

$\therefore \alpha+\beta=4$

### 065 답 ④

$\log_2 x^2+\log_2 y^2=\log_2(x+y+3)^2$에서

$\log_2 x^2y^2=\log_2(x+y+3)^2$

$(xy)^2=(x+y+3)^2$

이때 $x$, $y$는 양의 정수이므로

$xy=x+y+3$ $\quad\therefore (x-1)(y-1)=4$

(i) $x-1=1$, $y-1=4$일 때, $x=2$, $y=5$

(ii) $x-1=2$, $y-1=2$일 때, $x=3$, $y=3$

(iii) $x-1=4$, $y-1=1$일 때, $x=5$, $y=2$

(i), (ii), (iii)에서 $x+2y$의 최댓값은 12이다.

### 066 답 ④

$(\log_2 x)^2-\log_4 x^6+2=0$에서

$(\log_2 x)^2-3\log_2 x+2=0$

$\log_2 x=t$로 놓으면

$t^2-3t+2=0$, $(t-1)(t-2)=0$

$\therefore t=1$ 또는 $t=2$

즉, $\log_2 x=1$ 또는 $\log_2 x=2$이므로

$x=2$ 또는 $x=2^2=4$

따라서 $\alpha=2$, $\beta=4$이므로 $\log_\alpha \beta=\log_2 4=2$

### 067 답 $\frac{1}{64}$

$\log_4 4x\times\log_4 16x=6$에서

$(\log_4 4+\log_4 x)(\log_4 16+\log_4 x)=6$

$\therefore (\log_4 x)^2+3\log_4 x-4=0$

$\log_4 x=t$로 놓으면

$t^2+3t-4=0$, $(t+4)(t-1)=0$

$\therefore t=-4$ 또는 $t=1$

즉, $\log_4 x=-4$ 또는 $\log_4 x=1$이므로

$x=4^{-4}=\frac{1}{256}$ 또는 $x=4$

따라서 두 근의 곱은 $\frac{1}{256}\times4=\frac{1}{64}$

### 068 답 $x=\frac{1}{27}$ 또는 $x=\frac{1}{3}$

밑과 진수의 조건에서

$x>0$, $x\neq1$

$\log_9 x^2+3\log_x 3+4=0$에서

$\log_3 x+\frac{3}{\log_3 x}+4=0$

$\log_3 x=t\,(t\neq0)$로 놓으면

$t+\frac{3}{t}+4=0$, $t^2+4t+3=0$

$(t+3)(t+1)=0$

$\therefore t=-3$ 또는 $t=-1$

즉, $\log_3 x=-3$ 또는 $\log_3 x=-1$이므로

$x=3^{-3}=\frac{1}{27}$ 또는 $x=3^{-1}=\frac{1}{3}$

### 069 답 ⑤

$x^{\log_5 3}=3^{\log_5 x}$이므로

$3^{\log_5 x}\times x^{\log_5 3}-2\times3^{\log_5 x}-3=0$에서

$(3^{\log_5 x})^2-2\times3^{\log_5 x}-3=0$

$3^{\log_5 x}=t\,(t>0)$로 놓으면

$t^2-2t-3=0$, $(t+1)(t-3)=0$

$\therefore t=3\ (\because t>0)$

즉, $3^{\log_5 x}=3$이므로 $\log_5 x=1$

$\therefore x=5$

### 070 답 ④

$\log_3 x=X$, $\log_2 y=Y$로 놓으면

$\begin{cases}X+Y=4\\XY=3\end{cases}$

이 연립방정식을 풀면

$X=1$, $Y=3$ 또는 $X=3$, $Y=1$

즉, $\log_3 x=1$, $\log_2 y=3$ 또는 $\log_3 x=3$, $\log_2 y=1$이므로

$x=3$, $y=2^3=8$ 또는 $x=3^3=27$, $y=2$

이때 $\alpha<\beta$이므로 $\alpha=3$, $\beta=8$

$\therefore \beta-\alpha=5$

### 071 답 8

$2\log_x y-2\log_y x=3$에서

$2\log_x y-\frac{2}{\log_x y}=3$

$\log_x y=t$로 놓으면 $x>1$, $y>1$에서 $t>0$이고

$2t-\frac{2}{t}=3$, $2t^2-3t-2=0$

$(2t+1)(t-2)=0$

$\therefore t=2\ (\because t>0)$

즉, $\log_x y=2$이므로 $y=x^2$

이때 $1<x<100$, $1<y<100$이므로 조건을 만족시키는 $x$, $y$의 순서쌍 $(x, y)$는 $(2, 2^2)$, $(3, 3^2)$, $(4, 4^2)$, $\cdots$, $(9, 9^2)$의 8개이다.

## 072 답 9

$(\log_3 x)^2 - 2\log_3 9x = 0$에서
$(\log_3 x)^2 - 2(\log_3 9 + \log_3 x) = 0$
$\therefore (\log_3 x)^2 - 2\log_3 x - 4 = 0$
$\log_3 x = t$로 놓으면 $t^2 - 2t - 4 = 0$ …… ㉠
주어진 방정식의 두 근을 $\alpha$, $\beta$라 하면 방정식 ㉠의 두 근은
$\log_3 \alpha$, $\log_3 \beta$이므로 이차방정식의 근과 계수의 관계에 의하여
$\log_3 \alpha + \log_3 \beta = 2$, $\log_3 \alpha\beta = 2$
$\therefore \alpha\beta = 3^2 = 9$

## 073 답 ④

$(\log_2 x)^2 - 8\log_2 x - 5 = 0$에서 $\log_2 x = t$로 놓으면
$t^2 - 8t - 5 = 0$
이 이차방정식의 두 근은 $\log_2 \alpha$, $\log_2 \beta$이므로 이차방정식의 근과 계수의 관계에 의하여
$\log_2 \alpha + \log_2 \beta = 8$, $\log_2 \alpha \times \log_2 \beta = -5$
$\therefore (\log_2 \alpha)^2 + (\log_2 \beta)^2$
$= (\log_2 \alpha + \log_2 \beta)^2 - 2(\log_2 \alpha \times \log_2 \beta)$
$= 8^2 - 2 \times (-5) = 74$

## 074 답 ⑤

밑과 진수의 조건에서 $x > 0$, $x \neq 1$
$\log_5 x + a\log_x 5 = a + 1$에서
$\log_5 x + \dfrac{a}{\log_5 x} - (a+1) = 0$
$\log_5 x = t\ (t \neq 0)$로 놓으면
$t + \dfrac{a}{t} - (a+1) = 0$
$\therefore t^2 - (a+1)t + a = 0$ …… ㉠
주어진 방정식의 두 근을 $\alpha$, $\beta$라 하면 방정식 ㉠의 두 근은
$\log_5 \alpha$, $\log_5 \beta$이므로 이차방정식의 근과 계수의 관계에 의하여
$\log_5 \alpha + \log_5 \beta = a + 1$, $\log_5 \alpha\beta = a + 1$
이때 $\alpha\beta = 125$이므로
$\log_5 125 = a + 1$, $3 = a + 1$
$\therefore a = 2$

## 075 답 ④

$x^{\log_2 x} = 4x$의 양변에 밑이 2인 로그를 취하면
$\log_2 x^{\log_2 x} = \log_2 4x$, $(\log_2 x)^2 = \log_2 4 + \log_2 x$
$\therefore (\log_2 x)^2 - \log_2 x - 2 = 0$
$\log_2 x = t$로 놓으면
$t^2 - t - 2 = 0$, $(t+1)(t-2) = 0$
$\therefore t = -1$ 또는 $t = 2$
즉, $\log_2 x = -1$ 또는 $\log_2 x = 2$이므로
$x = 2^{-1} = \dfrac{1}{2}$ 또는 $x = 2^2 = 4$
$\therefore \log_\alpha \beta + \log_\beta \alpha = \log_{\frac{1}{2}} 4 + \log_4 \dfrac{1}{2}$
$= -2 - \dfrac{1}{2} = -\dfrac{5}{2}$

## 076 답 ④

$5^x = 2^{3-x}$의 양변에 상용로그를 취하면
$\log 5^x = \log 2^{3-x}$, $x\log 5 = (3-x)\log 2$
$\therefore x(\log 5 + \log 2) = 3\log 2$
그런데 $\log 5 + \log 2 = \log 10 = 1$이므로
$x = 3\log 2$
따라서 $\alpha = 3\log 2 = \log 2^3 = \log 8$이므로
$10^\alpha = 10^{\log 8} = 8$

## 077 답 $x = \frac{1}{15}$

$3^{\log 3x} = 5^{\log 5x}$의 양변에 상용로그를 취하면
$\log 3^{\log 3x} = \log 5^{\log 5x}$
$\log 3x \times \log 3 = \log 5x \times \log 5$
$(\log 3 + \log x)\log 3 = (\log 5 + \log x)\log 5$
$(\log 5 - \log 3)\log x = (\log 3)^2 - (\log 5)^2$
$\therefore \log x = -\dfrac{(\log 5 - \log 3)(\log 5 + \log 3)}{\log 5 - \log 3}$
$= -(\log 5 + \log 3)$
$= -\log 15 = \log \dfrac{1}{15}$
$\therefore x = \dfrac{1}{15}$

## 078 답 ①

진수의 조건에서 $-x + 3 > 0$, $x + 9 > 0$
$\therefore -9 < x < 3$ …… ㉠
$\log_{\frac{1}{4}}(-x+3) \leq \log_{\frac{1}{2}}(x+9)$에서
$\log_{\frac{1}{4}}(-x+3) \leq \log_{\frac{1}{4}}(x+9)^2$
$\therefore \log_{\frac{1}{4}}(-x+3) \leq \log_{\frac{1}{4}}(x^2 + 18x + 81)$
밑이 1보다 작으므로 $-x + 3 \geq x^2 + 18x + 81$
$x^2 + 19x + 78 \leq 0$, $(x+13)(x+6) \leq 0$
$\therefore -13 \leq x \leq -6$ …… ㉡
㉠, ㉡의 공통 범위를 구하면
$-9 < x \leq -6$
따라서 $\alpha = -9$, $\beta = -6$이므로 $\alpha + \beta = -15$

## 079 답 2

진수의 조건에서 $x^2 - x - 6 > 0$, $(x+2)(x-3) > 0$
$\therefore x < -2$ 또는 $x > 3$ …… ㉠
$\log_2(x^2 - x - 6) \leq 1 + \dfrac{2}{\log_3 4}$에서
$\log_2(x^2 - x - 6) \leq \log_2 2 + \log_2 3$
$\therefore \log_2(x^2 - x - 6) \leq \log_2 6$
밑이 1보다 크므로 $x^2 - x - 6 \leq 6$
$x^2 - x - 12 \leq 0$, $(x+3)(x-4) \leq 0$
$\therefore -3 \leq x \leq 4$ …… ㉡
㉠, ㉡의 공통 범위를 구하면
$-3 \leq x < -2$ 또는 $3 < x \leq 4$
따라서 부등식을 만족시키는 정수 $x$는 $-3$, 4의 2개이다.

## 080 답 $1<x<2$

$4^{-x^2}>\left(\frac{1}{2}\right)^{4x}$에서 $2^{-2x^2}>2^{-4x}$

밑이 1보다 크므로 $-2x^2>-4x$

$2x^2-4x<0$, $2x(x-2)<0$

$\therefore 0<x<2$ ...... ㉠

$\log_2(x^2-2x+3)<\log_2 2x$의 진수의 조건에서

$x^2-2x+3>0$, $2x>0$

$x^2-2x+3=(x-1)^2+2>0$이므로

$x>0$ ...... ㉡

$\log_2(x^2-2x+3)<\log_2 2x$에서 밑이 1보다 크므로

$x^2-2x+3<2x$

$x^2-4x+3<0$, $(x-1)(x-3)<0$

$\therefore 1<x<3$ ...... ㉢

㉠, ㉡, ㉢의 공통 범위를 구하면

$1<x<2$

## 081 답 ①

진수의 조건에서 $\frac{2}{3}x+k>0$, $x-2>0$

$\therefore x>2$

$\log_{\frac{1}{7}}\left(\frac{2}{3}x+k\right)\le\log_{\frac{1}{7}}(x-2)$에서 밑이 1보다 작으므로

$\frac{2}{3}x+k\ge x-2$

$\frac{1}{3}x\le k+2$ $\quad\therefore x\le 3k+6$

이때 주어진 부등식을 만족시키는 정수 $x$는 7개이므로

$9\le 3k+6<10$

$3\le 3k<4$ $\quad\therefore 1\le k<\frac{4}{3}$

따라서 자연수 $k$의 값은 1이다.

## 082 답 ⑤

진수의 조건에서 $6x+1>0$, $x^2+9>0$

$\therefore x>-\frac{1}{6}$ ...... ㉠

(i) $0<a<1$일 때

$6x+1>x^2+9$, $x^2-6x+8<0$

$(x-2)(x-4)<0$

$\therefore 2<x<4$ ...... ㉡

㉠, ㉡의 공통 범위를 구하면 $2<x<4$

(ii) $a>1$일 때

$6x+1<x^2+9$, $x^2-6x+8>0$

$(x-2)(x-4)>0$

$\therefore x<2$ 또는 $x>4$ ...... ㉢

㉠, ㉢의 공통 범위를 구하면 $-\frac{1}{6}<x<2$ 또는 $x>4$

이때 주어진 부등식의 해가 $2<x<4$이므로

$0<a<1$

따라서 $a$의 값이 될 수 없는 것은 ⑤이다.

## 083 답 ③

진수의 조건에서 $x>0$, $\log_3 2x>0$

$\log_3 2x>\log_3 1$에서 $2x>1$ $\quad\therefore x>\frac{1}{2}$ ...... ㉠

$\log_{\frac{1}{2}}(\log_3 2x)>-1$에서 $\log_{\frac{1}{2}}(\log_3 2x)>\log_{\frac{1}{2}}2$

밑이 1보다 작으므로 $\log_3 2x<2$

$\log_3 2x<\log_3 9$

밑이 1보다 크므로 $2x<9$ $\quad\therefore x<\frac{9}{2}$ ...... ㉡

㉠, ㉡의 공통 범위를 구하면 $\frac{1}{2}<x<\frac{9}{2}$

## 084 답 31

진수의 조건에서 $x>0$, $\log_5 x>0$, $\log_8(\log_5 x)>0$

$\log_8(\log_5 x)>\log_8 1$에서 $\log_5 x>1$

$\log_5 x>\log_5 5$ $\quad\therefore x>5$ ...... ㉠

$\log_3\{\log_8(\log_5 x)\}\le -1$에서

$\log_3\{\log_8(\log_5 x)\}\le\log_3\frac{1}{3}$

밑이 1보다 크므로 $\log_8(\log_5 x)\le\frac{1}{3}$

$\log_8(\log_5 x)\le\log_8 2$

밑이 1보다 크므로 $\log_5 x\le 2$

$\log_5 x\le\log_5 25$

밑이 1보다 크므로 $x\le 25$ ...... ㉡

㉠, ㉡의 공통 범위를 구하면 $5<x\le 25$

따라서 정수 $x$의 최댓값은 25, 최솟값은 6이므로 구하는 합은

$25+6=31$

## 085 답 ④

진수의 조건에서 $x>0$ ...... ㉠

$\log_{\frac{1}{3}}\frac{x}{9}\times\log_3\frac{x}{27}\ge 0$에서

$(\log_{\frac{1}{3}}x-\log_{\frac{1}{3}}9)(\log_3 x-\log_3 27)\ge 0$

$(-\log_3 x+2)(\log_3 x-3)\ge 0$

$\therefore (\log_3 x)^2-5\log_3 x+6\le 0$

$\log_3 x=t$로 놓으면 $t^2-5t+6\le 0$

$(t-2)(t-3)\le 0$ $\quad\therefore 2\le t\le 3$

즉, $2\le\log_3 x\le 3$이므로 $\log_3 3^2\le\log_3 x\le\log_3 3^3$

밑이 1보다 크므로 $9\le x\le 27$ ...... ㉡

㉠, ㉡의 공통 범위를 구하면 $9\le x\le 27$

따라서 $\alpha=9$, $\beta=27$이므로 $\frac{\beta}{\alpha}=3$

## 086 답 $1<x<10$

$x^{\log 2}=2^{\log x}$이므로

$2^{\log x}\times x^{\log 2}-\frac{3}{2}(2^{\log x}+x^{\log 2})+2<0$에서

$(2^{\log x})^2-3\times 2^{\log x}+2<0$

$2^{\log x}=t\,(t>0)$로 놓으면 $t^2-3t+2<0$

$(t-1)(t-2)<0$ $\quad\therefore 1<t<2$

즉, $1<2^{\log x}<2$이므로 $2^0<2^{\log x}<2^1$

밑이 1보다 크므로 $0<\log x<1$

$\log 1<\log x<\log 10$

밑이 1보다 크므로 $1<x<10$

## 087 답 ⑤

$(\log_{\frac{1}{5}} x)^2+a\log_{\frac{1}{5}} x+b<0$에서 $\log_{\frac{1}{5}} x=t$로 놓으면

$t^2+at+b<0$ ...... ㉠

주어진 부등식의 해가 $5<x<25$이므로

$\log_{\frac{1}{5}} 25<\log_{\frac{1}{5}} x<\log_{\frac{1}{5}} 5$에서 $-2<\log_{\frac{1}{5}} x<-1$

$\therefore -2<t<-1$

해가 $-2<t<-1$이고 $t^2$의 계수가 1인 이차부등식은

$(t+2)(t+1)<0$ $\therefore t^2+3t+2<0$

이 부등식이 ㉠과 일치하므로 $a=3$, $b=2$

$\therefore a+b=5$

## 088 답 15

$(\log_3 x)^2<\log_3 \dfrac{x^4}{27}$의 진수의 조건에서

$x>0$ ...... ㉠

$(\log_3 x)^2<\log_3 \dfrac{x^4}{27}$에서 $(\log_3 x)^2<\log_3 x^4-\log_3 27$

$\therefore (\log_3 x)^2-4\log_3 x+3<0$

$\log_3 x=t$로 놓으면 $t^2-4t+3<0$

$(t-1)(t-3)<0$ $\therefore 1<t<3$

즉, $1<\log_3 x<3$이므로 $\log_3 3<\log_3 x<\log_3 3^3$

밑이 1보다 크므로 $3<x<27$ ...... ㉡

$\log_2|x-3|<2$의 진수의 조건에서

$x-3\neq 0$ $\therefore x\neq 3$ ...... ㉢

$\log_2|x-3|<2$에서 $\log_2|x-3|<\log_2 4$

밑이 1보다 크므로 $|x-3|<4$, $-4<x-3<4$

$\therefore -1<x<7$ ...... ㉣

㉠, ㉡, ㉢, ㉣의 공통 범위를 구하면 $3<x<7$

따라서 부등식을 만족시키는 정수 $x$는 4, 5, 6이므로 구하는 합은

$4+5+6=15$

## 089 답 ③

진수의 조건에서 $x>0$ ...... ㉠

$x^{\log_5 25x}\leq 25x$의 양변에 밑이 5인 로그를 취하면

$\log_5 x^{\log_5 25x}\leq \log_5 25x$

$\log_5 x(\log_5 25+\log_5 x)\leq \log_5 25+\log_5 x$

$\therefore (\log_5 x)^2+\log_5 x-2\leq 0$

$\log_5 x=t$로 놓으면 $t^2+t-2\leq 0$

$(t+2)(t-1)\leq 0$ $\therefore -2\leq t\leq 1$

즉, $-2\leq \log_5 x\leq 1$이므로 $\log_5 5^{-2}\leq \log_5 x\leq \log_5 5$

밑이 1보다 크므로 $\dfrac{1}{25}\leq x\leq 5$ ...... ㉡

㉠, ㉡의 공통 범위를 구하면 $\dfrac{1}{25}\leq x\leq 5$

따라서 부등식을 만족시키는 정수 $x$는 1, 2, 3, 4, 5의 5개이다.

## 090 답 $\alpha<x<\beta$

$\dfrac{x^4}{2}>2^x$의 양변에 밑이 2인 로그를 취하면

$\log_2 \dfrac{x^4}{2}>\log_2 2^x$

$4\log_2 x-\log_2 2>x$, $4\log_2 x>x+1$

$\therefore \log_2 x>\dfrac{1}{4}x+\dfrac{1}{4}$

따라서 주어진 부등식의 해는 $y=\log_2 x$의 그래프가 직선

$y=\dfrac{1}{4}x+\dfrac{1}{4}$보다 위쪽에 있는 $x$의 값의 범위이므로

$\alpha<x<\beta$

## 091 답 $0<x<\frac{1}{10}$ 또는 $x>\frac{\sqrt{10}}{10}$

진수의 조건에서 $x>0$ ...... ㉠

$x^{\log_{0.1} x}<\sqrt{10x^3}$의 양변에 밑이 0.1인 로그를 취하면

$\log_{0.1} x^{\log_{0.1} x}>\log_{0.1}\sqrt{10x^3}$

$(\log_{0.1} x)^2>\dfrac{1}{2}(\log_{0.1} 10+3\log_{0.1} x)$

$(\log_{0.1} x)^2>\dfrac{3}{2}\log_{0.1} x-\dfrac{1}{2}$

$\therefore (\log_{0.1} x)^2-\dfrac{3}{2}\log_{0.1} x+\dfrac{1}{2}>0$

$\log_{0.1} x=t$로 놓으면 $t^2-\dfrac{3}{2}t+\dfrac{1}{2}>0$

$2t^2-3t+1>0$, $(2t-1)(t-1)>0$

$\therefore t<\dfrac{1}{2}$ 또는 $t>1$

즉, $\log_{0.1} x<\dfrac{1}{2}$ 또는 $\log_{0.1} x>1$이므로

$\log_{0.1} x<\log_{0.1} 0.1^{\frac{1}{2}}$ 또는 $\log_{0.1} x>\log_{0.1} 0.1$

밑이 1보다 작으므로

$x>\dfrac{\sqrt{10}}{10}$ 또는 $x<\dfrac{1}{10}$ ...... ㉡

㉠, ㉡의 공통 범위를 구하면

$0<x<\dfrac{1}{10}$ 또는 $x>\dfrac{\sqrt{10}}{10}$

## 092 답 ④

$6^{x-1}\geq 5^{x+2}$의 양변에 상용로그를 취하면

$\log 6^{x-1}\geq \log 5^{x+2}$

$(x-1)\log 6\geq (x+2)\log 5$

$(\log 6-\log 5)x\geq \log 6+2\log 5$

$$\therefore x\geq \frac{\log 6+2\log 5}{\log 6-\log 5}$$

$$=\frac{\log 2+\log 3+2(1-\log 2)}{\log 2+\log 3-(1-\log 2)}$$

$$=\frac{-\log 2+\log 3+2}{2\log 2+\log 3-1}$$

$$=\frac{-0.3+0.48+2}{2\times 0.3+0.48-1}$$

$=27.25$

따라서 자연수 $x$의 최솟값은 28이다.

## 093 답 ④

$(\log_4 x)^2+\log_4 16x^2-\log_2 k\geq 0$에서

$(\log_4 x)^2+2\log_4 x+2-\log_2 k\geq 0$

$\log_4 x=t$로 놓으면 $t^2+2t+2-\log_2 k\geq 0$

이 부등식이 모든 실수 $t$에 대하여 성립해야 하므로 이차방정식

$t^2+2t+2-\log_2 k=0$의 판별식을 $D$라 하면

$\frac{D}{4}=1-(2-\log_2 k)\leq 0$, $\log_2 k\leq 1$ $\quad\therefore k\leq 2$

이때 $k>0$이므로 $0<k\leq 2$

따라서 정수 $k$는 1, 2이므로 구하는 합은 $1+2=3$

## 094 답 16

주어진 이차방정식의 판별식을 $D$라 하면

$D=(\log_2 a)^2-4(3+\log_2 a)=0$

$\therefore (\log_2 a)^2-4\log_2 a-12=0$

$\log_2 a=t$로 놓으면 $t^2-4t-12=0$

$(t+2)(t-6)=0$ $\quad\therefore t=-2$ 또는 $t=6$

즉, $\log_2 a=-2$ 또는 $\log_2 a=6$이므로

$a=2^{-2}=\frac{1}{4}$ 또는 $a=2^6=64$

따라서 모든 양수 $a$의 값의 곱은 $\frac{1}{4}\times 64=16$

## 095 답 ④

모든 실수 $x$에 대하여 부등식이 성립해야 하므로 이차방정식

$x^2-2x\log_2 a+4\log_2 a-3=0$의 판별식을 $D$라 하면

$\frac{D}{4}=(\log_2 a)^2-(4\log_2 a-3)<0$

$\therefore (\log_2 a)^2-4\log_2 a+3<0$

$\log_2 a=t$로 놓으면 $t^2-4t+3<0$

$(t-1)(t-3)<0$ $\quad\therefore 1<t<3$

즉, $1<\log_2 a<3$이므로 $\log_2 2<\log_2 a<\log_2 2^3$

$\therefore 2<a<8$

## 096 답 $a\geq 10$

주어진 이차방정식의 판별식을 $D$라 하면

$\frac{D}{4}=(\log a+1)^2-(\log a+3)\geq 0$

$\therefore (\log a)^2+\log a-2\geq 0$

$\log a=t$로 놓으면 $t^2+t-2\geq 0$

$(t+2)(t-1)\geq 0$ $\quad\therefore t\leq -2$ 또는 $t\geq 1$

즉, $\log a\leq -2$ 또는 $\log a\geq 1$이므로

$\log a\leq \log 10^{-2}$ 또는 $\log a\geq \log 10$

$\therefore a\leq \frac{1}{100}$ 또는 $a\geq 10$

이때 $a>1$이므로 $a\geq 10$

## 097 답 ①

$x^{\log_3 x}\geq (9x^2)^k$의 양변에 밑이 3인 로그를 취하면

$\log_3 x^{\log_3 x}\geq \log_3 (9x^2)^k$, $(\log_3 x)^2\geq k(2+2\log_3 x)$

$\therefore (\log_3 x)^2-2k\log_3 x-2k\geq 0$

$\log_3 x=t$로 놓으면 $t^2-2kt-2k\geq 0$

이 부등식이 모든 실수 $t$에 대하여 성립해야 하므로 이차방정식

$t^2-2kt-2k=0$의 판별식을 $D$라 하면

$\frac{D}{4}=(-k)^2+2k\leq 0$

$k^2+2k\leq 0$, $k(k+2)\leq 0$

$\therefore -2\leq k\leq 0$

따라서 $\alpha=-2$, $\beta=0$이므로 $\alpha+\beta=-2$

## 098 답 15개월

영업을 시작한 달의 매출을 $a$원이라 하면 $n$개월 후의 매출은

$(1+0.05)^n a$(원)

$n$개월이 지난 후의 매출이 영업을 시작한 달의 매출의 2배가 된다고 하면

$(1+0.05)^n a=2a$, $1.05^n=2$

양변에 상용로그를 취하면

$\log 1.05^n=\log 2$, $n\log 1.05=\log 2$

$n\times 0.02=0.3$ $\quad\therefore n=15$

따라서 영업을 시작한 달의 매출의 2배가 되는 것은 영업을 시작한 지 15개월 후이다.

## 099 답 $\frac{1}{10000}$기압 이상 $\frac{1}{100}$기압 이하

평균 해수면에서 높이가 9960 m인 곳의 기압이 $\frac{1}{1000}$기압이므로

$9.96=k\log\frac{1}{1000}$, $9.96=-3k$

$\therefore k=-3.32$

평균 해수면에서 높이가 6640 m 이상 13280 m 이하일 때의 기압을 $x$기압이라 하면

$6.64\leq -3.32\log x\leq 13.28$

$-4\leq \log x\leq -2$, $10^{-4}\leq x\leq 10^{-2}$

$\therefore \frac{1}{10000}\leq x\leq \frac{1}{100}$

따라서 평균 해수면에서 높이가 6640 m 이상 13280 m 이하일 때의 기압의 범위는 $\frac{1}{10000}$기압 이상 $\frac{1}{100}$기압 이하이다.

## 100 답 9 g

20 g의 활성탄 A를 염료 B의 농도가 8 %인 용액에 충분히 오래 담가 놓을 때 활성탄 A에 흡착되는 염료 B의 질량은 4 g이므로

$\log\frac{4}{20}=-1+k\log 8$, $\log\frac{1}{5}=\log(8^k\times 10^{-1})$

즉, $\frac{8^k}{10}=\frac{1}{5}$이므로 $8^k=2$ $\quad\therefore k=\frac{1}{3}$

30 g의 활성탄 A를 염료 B의 농도가 27 %인 용액에 충분히 오래 담가 놓을 때 활성탄 A에 흡착되는 염료 B의 질량을 $x$ g이라 하면

$\log\frac{x}{30}=-1+\frac{1}{3}\log 27$, $\log\frac{x}{30}=\log(10^{-1}\times 3)$

즉, $\frac{x}{30}=\frac{3}{10}$이므로 $x=9$

따라서 구하는 염료 B의 질량은 9 g이다.

**101** 답 7

처음 미세먼지 농도를 $a\,\mu$m라 하면 공기 정화 식물을 1개씩 추가하여 $n$개 두었을 때의 미세먼지 농도는

$(1-0.1)^n a(\mu\text{m})$

처음 미세먼지 농도의 $\frac{1}{2}$배 이하로 낮추기 위해서는

$(1-0.1)^n a \le \frac{1}{2}a$, $0.9^n \le \frac{1}{2}$

양변에 상용로그를 취하면

$\log 0.9^n \le \log \frac{1}{2}$, $n\log 0.9 \le -\log 2$

$n(2\log 3-1) \le -\log 2$

$n(2\times 0.4771-1) \le -0.3010$

$-0.0458n \le -0.3010 \qquad \therefore n \ge 6.5\cdots$

따라서 자연수 $n$의 최솟값은 7이다.

**102** 답 ④

$f(-6)=2^{-6}=\frac{1}{64}$이므로

$(g\circ f)(-6)=g(f(-6))=g\left(\frac{1}{64}\right)$

$=\log_{\frac{1}{4}}\frac{1}{64}=\log_{\frac{1}{4}}\left(\frac{1}{4}\right)^3=3$

**103** 답 ③

$y=\log_3(6-x)+2=\log_3\{-(x-6)\}+2$이므로 $y=\log_3(-x)$의 그래프를 $x$축의 방향으로 6만큼, $y$축의 방향으로 2만큼 평행이동한 것이다.

이때 $y=\log_3(-x)$의 그래프는 $y=\log_3 x$의 그래프를 $y$축에 대하여 대칭이동한 것이므로 $y=\log_3(6-x)+2$의 그래프는 오른쪽 그림과 같다.

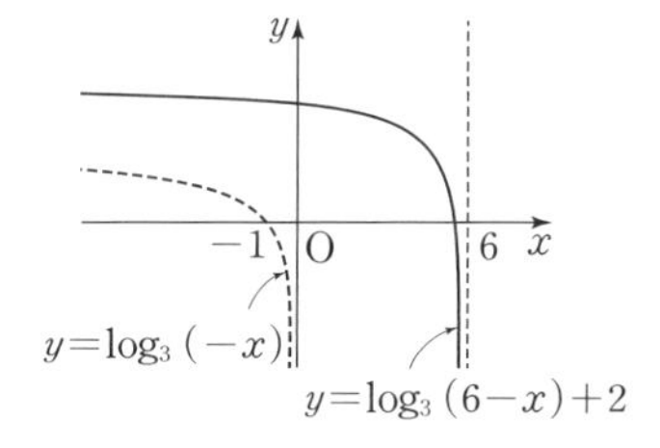


③ $x$의 값이 증가하면 $y$의 값은 감소한다.

**104** 답 ㄱ, ㄷ, ㄹ, ㅂ

ㄱ. $y=\log_2 x$의 그래프를 $x$축의 방향으로 $-1$만큼 평행이동한 것이다.

ㄴ. $y=\log_2 x^2=2\log_2|x|$이므로 $y=\log_2 x$의 그래프를 평행이동 또는 대칭이동하여 겹쳐질 수 없다.

ㄷ. $y=\log_2 4x=\log_2 x+2$이므로 $y=\log_2 x$의 그래프를 $y$축의 방향으로 2만큼 평행이동한 것이다.

ㄹ. $y=\log_2\frac{1}{x}=-\log_2 x$이므로 $y=\log_2 x$의 그래프를 $x$축에 대하여 대칭이동한 것이다.

ㅁ. $y=2^{2x}-1$의 그래프는 $y=\log_2 x$의 그래프를 평행이동 또는 대칭이동하여 겹쳐질 수 없다.

ㅂ. $y=\left(\frac{1}{2}\right)^x$의 그래프는 $y=\log_2 x$의 그래프를 직선 $y=x$에 대하여 대칭이동한 후 $y$축에 대하여 대칭이동한 것이다.

따라서 $y=\log_2 x$의 그래프를 평행이동 또는 대칭이동하여 겹쳐지는 것은 ㄱ, ㄷ, ㄹ, ㅂ이다.

**105** 답 ②

$(f\circ g)(x)=x$이므로 $g(x)$는 $f(x)$의 역함수이다.

$g\left(-\frac{1}{2}\right)=a$라 하면 $f(a)=-\frac{1}{2}$이므로

$\left(\frac{1}{2}\right)^a-1=-\frac{1}{2}$, $\left(\frac{1}{2}\right)^a=\frac{1}{2} \qquad \therefore a=1$

또 $g(1)=b$라 하면 $f(b)=1$이므로

$\left(\frac{1}{2}\right)^b-1=1$, $\left(\frac{1}{2}\right)^b=2 \qquad \therefore b=-1$

**106** 답 2

$y=f(x)$의 그래프가 $y=\log_2 x$의 그래프와 직선 $y=x$에 대하여 대칭이므로 $y=f(x)$는 $y=\log_2 x$의 역함수이다.

점 $(1, b)$가 $y=f(x)$의 그래프 위의 점이므로 점 $(b, 1)$은 $y=\log_2 x$의 그래프 위의 점이다.

즉, $1=\log_2 b$이므로 $b=2$

또 점 $(a, 2)$가 $y=\log_2 x$의 그래프 위의 점이므로

$2=\log_2 a \qquad \therefore a=2^2=4$

$\therefore a-b=4-2=2$

**107** 답 $\log_a b<-1<\log_b a<0$

$\frac{1}{a}<1$에서 $a>1$이므로 $b<\frac{1}{a}<1$의 각 변에 밑이 $a$인 로그를 취하면

$\log_a b<\log_a\frac{1}{a}<\log_a 1 \qquad \therefore \log_a b<-1$

또 $0<b<1$이므로 $b<\frac{1}{a}<1$의 각 변에 밑이 $b$인 로그를 취하면

$\log_b 1<\log_b\frac{1}{a}<\log_b b$에서 $0<-\log_b a<1$

$\therefore -1<\log_b a<0$

$\therefore \log_a b<-1<\log_b a<0$

**108** 답 1

$y=\log_{\frac{1}{2}}(2x-1)+k$에서 밑이 1보다 작으므로

$x=\frac{5}{2}$일 때 최대이고 최댓값은

$\log_{\frac{1}{2}}4+k=-2+k$

$x=\frac{9}{2}$일 때 최소이고 최솟값은

$\log_{\frac{1}{2}}8+k=-3+k$

따라서 최댓값과 최솟값의 차는

$(-2+k)-(-3+k)=1$

**109** 답 ②

$f(x)=x^2-2x+10$으로 놓으면 $f(x)=(x-1)^2+9$

$f(1)=9$이므로 $f(x)$의 최솟값은 9이고 최댓값은 없다.

그런데 주어진 함수가 최댓값을 가지므로 $0<a<1$

따라서 $y=\log_a f(x)$는 $x=1$일 때 최대이고 최댓값 $\log_a 9$를 갖는다.

즉, $\log_a 9=-2$이므로 $a^{-2}=9$

$a^2=\frac{1}{9} \qquad \therefore a=\frac{1}{3}\ (\because 0<a<1)$

### 110 답 ③

$y=2(\log_{\frac{1}{5}} x)^2+a\log_5 \frac{1}{x}+b=2(\log_{\frac{1}{5}} x)^2+a\log_{\frac{1}{5}} x+b$

$\log_{\frac{1}{5}} x=t$로 놓으면 주어진 함수는

$y=2t^2+at+b=2\left(t+\frac{a}{4}\right)^2-\frac{a^2}{8}+b$

따라서 $t=-\frac{a}{4}$일 때 최소이고 최솟값 $-\frac{a^2}{8}+b$를 갖는다.

이때 주어진 함수는 $x=25$일 때 최솟값 $-6$을 가지므로

$-\frac{a}{4}=\log_{\frac{1}{5}} 25,\ -\frac{a}{4}=-2 \qquad \therefore a=8$

$-\frac{a^2}{8}+b=-6$에서 $-8+b=-6 \qquad \therefore b=2$

$\therefore a-b=8-2=6$

### 111 답 20

$y=x^{4-\log_2 x}$의 양변에 밑이 2인 로그를 취하면

$\log_2 y=\log_2 x^{4-\log_2 x}=(4-\log_2 x)\log_2 x$

$=-(\log_2 x)^2+4\log_2 x$

$\log_2 x=t$로 놓으면 $\log_2 y=-t^2+4t=-(t-2)^2+4$

따라서 $\log_2 y$는 $t=2$일 때 최대이고 최댓값 4를 가지므로

$\log_2 x=2$에서 $x=4 \qquad \therefore a=4$

$\log_2 y=4$에서 $y=16 \qquad \therefore M=16$

$\therefore a+M=4+16=20$

### 112 답 ③

$y=\log_{\frac{1}{4}} x-\log_x 256=\log_{\frac{1}{4}} x-\log_x 4^4$

$=\log_{\frac{1}{4}} x-4\log_x 4=\log_{\frac{1}{4}} x+\frac{4}{\log_{\frac{1}{4}} x}$

$0<x<1$이면 $\log_{\frac{1}{4}} x>0$이므로 산술평균과 기하평균의 관계에 의하여

$\log_{\frac{1}{4}} x+\frac{4}{\log_{\frac{1}{4}} x}\ge 2\sqrt{\log_{\frac{1}{4}} x\times\frac{4}{\log_{\frac{1}{4}} x}}=2\times 2=4$

$\left(\text{단, 등호는 } x=\frac{1}{16}\text{일 때 성립}\right)$

따라서 구하는 최솟값은 4이다.

### 113 답 4

진수의 조건에서 $x>0,\ x-\frac{3}{2}>0 \qquad \therefore x>\frac{3}{2}$

$\log_{\sqrt{2}} x-\log_2\left(x-\frac{3}{2}\right)=3$에서

$\log_2 x^2=\log_2 8+\log_2\left(x-\frac{3}{2}\right)$

$\therefore \log_2 x^2=\log_2 8\left(x-\frac{3}{2}\right)$

즉, $x^2=8\left(x-\frac{3}{2}\right)$이므로 $x^2-8x+12=0$

$(x-2)(x-6)=0 \qquad \therefore x=2$ 또는 $x=6$

따라서 $\alpha=2,\ \beta=6$이므로 $\beta-\alpha=4$

### 114 답 21

점 P의 좌표를 $(a,\ 3\log_2 a)$라 하면 $\overline{PQ}=6$이므로

$Q(a+6,\ 3\log_2 a)$

즉, 점 R의 $x$좌표가 $a+6$이므로

$R(a+6,\ 3\log_2(a+6))$

이때 $\overline{QR}=6$이므로 $3\log_2(a+6)-3\log_2 a=6$

$\log_2(a+6)-\log_2 a=2,\ \log_2\frac{a+6}{a}=2$

$\frac{a+6}{a}=2^2=4,\ 3a=6 \qquad \therefore a=2$

$\therefore R(8,\ 3\log_2 8)$, 즉 $R(8,\ 9)$

즉, 점 S의 $y$좌표가 9이므로

$3^{x-7}=9=3^2,\ x-7=2 \qquad \therefore x=9$

$\therefore S(9,\ 9)$

$\therefore \square PQSR=\triangle PQR+\triangle RQS$

$=\frac{1}{2}\times 6\times 6+\frac{1}{2}\times(9-8)\times 6=21$

### 115 답 ①

밑과 진수의 조건에서 $x>0,\ x\ne 1$

$\log_3 x-\log_x 27=2$에서 $\log_3 x-3\log_x 3=2$

$\therefore \log_3 x-\frac{3}{\log_3 x}=2$

$\log_3 x=t\,(t\ne 0)$로 놓으면 $t-\frac{3}{t}=2$

$t^2-2t-3=0,\ (t+1)(t-3)=0 \qquad \therefore t=-1$ 또는 $t=3$

즉, $\log_3 x=-1$ 또는 $\log_3 x=3$이므로

$x=3^{-1}=\frac{1}{3}$ 또는 $x=3^3=27$

따라서 $\alpha=\frac{1}{3},\ \beta=27$이므로 $\log_\alpha \beta=\log_{\frac{1}{3}} 27=-3$

### 116 답 2

밑의 조건에서 $x>0,\ x\ne 1,\ y>0,\ y\ne 1$

$\begin{cases}\log_x 4-\log_y 2=2\\ \log_x 16-\log_y \frac{1}{8}=-1\end{cases}$ 에서 $\begin{cases}2\log_x 2-\log_y 2=2\\ 4\log_x 2+3\log_y 2=-1\end{cases}$

$\log_x 2=X,\ \log_y 2=Y$로 놓으면 $\begin{cases}2X-Y=2\\ 4X+3Y=-1\end{cases}$

이 연립방정식을 풀면 $X=\frac{1}{2},\ Y=-1$

즉, $\log_x 2=\frac{1}{2},\ \log_y 2=-1$이므로

$x=4,\ y=\frac{1}{2} \qquad \therefore xy=2$

### 117 답 ④

$x^{\log_2 x}=16x^{k-1}$의 양변에 밑이 2인 로그를 취하면

$\log_2 x^{\log_2 x}=\log_2 16x^{k-1}$

$(\log_2 x)^2=\log_2 16+(k-1)\log_2 x$

$\therefore (\log_2 x)^2-(k-1)\log_2 x-4=0$

$\log_2 x=t$로 놓으면 $t^2-(k-1)t-4=0 \qquad \cdots\cdots$ ㉠

주어진 방정식의 두 근을 $\alpha,\ \beta$라 하면 방정식 ㉠의 두 근은 $\log_2 \alpha,\ \log_2 \beta$이므로 이차방정식의 근과 계수의 관계에 의하여

$\log_2 \alpha+\log_2 \beta=k-1,\ \log_2 \alpha\beta=k-1$

이때 $\alpha\beta=4$이므로 $\log_2 4=k-1,\ 2=k-1 \qquad \therefore k=3$

## 118 답 22

$\log_6|x-2|<1$의 진수의 조건에서 $x\neq 2$

(i) $x>2$일 때

$\log_6(x-2)<1$에서 $x-2<6$ $\therefore x<8$

그런데 $x>2$이므로 $2<x<8$ ⋯⋯ ㉠

(ii) $x<2$일 때

$\log_6(-x+2)<1$에서 $-x+2<6$ $\therefore x>-4$

그런데 $x<2$이므로 $-4<x<2$ ⋯⋯ ㉡

㉠, ㉡에서 $-4<x<2$ 또는 $2<x<8$

$\therefore A=\{x|-4<x<2$ 또는 $2<x<8\}$

$\log_2 2x-\log_{\frac{1}{2}}(x-2)\geq 4$의 진수의 조건에서

$x>0$, $x-2>0$ $\therefore x>2$ ⋯⋯ ㉢

$\log_2 2x-\log_{\frac{1}{2}}(x-2)\geq 4$에서

$(1+\log_2 x)+\log_2(x-2)\geq 4$

$\log_2 x+\log_2(x-2)\geq 3$, $\log_2 x(x-2)\geq \log_2 8$

밑이 1보다 크므로 $x(x-2)\geq 8$

$x^2-2x-8\geq 0$, $(x+2)(x-4)\geq 0$

$\therefore x\leq -2$ 또는 $x\geq 4$ ⋯⋯ ㉣

㉢, ㉣의 공통 범위를 구하면 $x\geq 4$ $\therefore B=\{x|x\geq 4\}$

$\therefore A\cap B=\{x|4\leq x<8\}$

따라서 정수 $x$는 4, 5, 6, 7이므로 구하는 합은

$4+5+6+7=22$

## 119 답 59

진수의 조건에서 $x>0$, $\log_4 x>0$, $\log_3(\log_4 x)>0$

$\log_3(\log_4 x)>\log_3 1$에서 밑이 1보다 크므로

$\log_4 x>1$ $\therefore x>4$ ⋯⋯ ㉠

$\log_{\frac{1}{3}}\{\log_3(\log_4 x)\}>0$에서 $\log_{\frac{1}{3}}\{\log_3(\log_4 x)\}>\log_{\frac{1}{3}} 1$

밑이 1보다 작으므로 $\log_3(\log_4 x)<1$

$\log_3(\log_4 x)<\log_3 3$

밑이 1보다 크므로 $\log_4 x<3$ $\therefore x<64$ ⋯⋯ ㉡

㉠, ㉡의 공통 범위를 구하면 $4<x<64$

따라서 부등식을 만족시키는 정수 $x$는

$64-4-1=59$(개)

## 120 답 1

진수의 조건에서 $x>0$ ⋯⋯ ㉠

$\left(\log_2\frac{4}{x}\right)\left(\log_2\frac{x}{8}\right)<-2$에서

$(\log_2 4-\log_2 x)(\log_2 x-\log_2 8)<-2$

$\therefore (\log_2 x)^2-5\log_2 x+4>0$

$\log_2 x=t$로 놓으면 $t^2-5t+4>0$

$(t-1)(t-4)>0$ $\therefore t<1$ 또는 $t>4$

즉, $\log_2 x<1$ 또는 $\log_2 x>4$이므로

$\log_2 x<\log_2 2$ 또는 $\log_2 x>\log_2 2^4$

밑이 1보다 크므로 $x<2$ 또는 $x>16$ ⋯⋯ ㉡

㉠, ㉡의 공통 범위를 구하면 $0<x<2$ 또는 $x>16$

따라서 정수 $x$의 최솟값은 1이다.

## 121 답 ②

진수의 조건에서 $x>0$ ⋯⋯ ㉠

$x^{\log_2 x}\leq\frac{16}{x^3}$의 양변에 밑이 2인 로그를 취하면

$\log_2 x^{\log_2 x}\leq\log_2\frac{16}{x^3}$

$(\log_2 x)^2\leq\log_2 16-\log_2 x^3$

$\therefore (\log_2 x)^2+3\log_2 x-4\leq 0$

$\log_2 x=t$로 놓으면 $t^2+3t-4\leq 0$

$(t+4)(t-1)\leq 0$ $\therefore -4\leq t\leq 1$

즉, $-4\leq\log_2 x\leq 1$이므로 $\log_2 2^{-4}\leq\log_2 x\leq\log_2 2$

밑이 1보다 크므로 $\frac{1}{16}\leq x\leq 2$ ⋯⋯ ㉡

㉠, ㉡의 공통 범위를 구하면 $\frac{1}{16}\leq x\leq 2$

따라서 $\alpha=\frac{1}{16}$, $\beta=2$이므로

$\log_4\alpha+\log_4\beta=\log_4\alpha\beta=\log_4\frac{1}{8}=\log_{2^2}2^{-3}=-\frac{3}{2}$

## 122 답 ④

주어진 이차방정식의 판별식을 $D$라 하면

$\frac{D}{4}=(2+\log_2 a)^2-6(2+\log_2 a)<0$

$\therefore (\log_2 a)^2-2\log_2 a-8<0$

$\log_2 a=t$로 놓으면 $t^2-2t-8<0$

$(t+2)(t-4)<0$ $\therefore -2<t<4$

즉, $-2<\log_2 a<4$이므로 $\log_2 2^{-2}<\log_2 a<\log_2 2^4$

밑이 1보다 크므로 $\frac{1}{4}<a<16$

따라서 자연수 $a$의 최댓값은 15, 최솟값은 1이므로 구하는 합은

$15+1=16$

## 123 답 4

처음 아이스크림 1개당 무게와 가격을 각각 $A$ g, $B$원이라 하면 1번 시행할 때마다 아이스크림의 무게가 10 %씩 줄어들므로 $n$번 시행 후 아이스크림의 무게는

$A(1-0.1)^n=0.9^nA$(g)

한편 처음 아이스크림 1 g의 가격은 $\frac{(\text{가격})}{(\text{무게})}=\frac{B}{A}$(원)이고, 아이스크림의 가격은 변함이 없으므로 $n$번 시행 후 아이스크림 1 g의 가격은 $\frac{B}{0.9^nA}$(원)

$n$번 시행 후 아이스크림 1 g의 가격이 처음의 1.5배 이상이 되어야 하므로

$\frac{B}{0.9^nA}\geq 1.5\times\frac{B}{A}$, $0.9^n\leq\frac{2}{3}$

양변에 상용로그를 취하면

$\log 0.9^n\leq\log\frac{2}{3}$, $n(2\log 3-1)\leq\log 2-\log 3$

$n(2\times 0.4771-1)\leq 0.3010-0.4771$

$-0.0458n\leq -0.1761$ $\therefore n\geq 3.8\cdots$

따라서 자연수 $n$의 최솟값은 4이다.

### 001 답 ②

① $-1420^\circ=360^\circ\times(-4)+20^\circ$

② $-710^\circ=360^\circ\times(-2)+10^\circ$

③ $-340^\circ=360^\circ\times(-1)+20^\circ$

④ $380^\circ=360^\circ\times1+20^\circ$

⑤ $1100^\circ=360^\circ\times3+20^\circ$

따라서 동경 OP가 나타낼 수 없는 각은 ②이다.

### 002 답 ④

$\theta$가 제2사분면의 각이므로

$360^\circ\times n+90^\circ<\theta<360^\circ\times n+180^\circ$ ($n$은 정수)

$\therefore 180^\circ\times n+45^\circ<\frac{\theta}{2}<180^\circ\times n+90^\circ$

(i) $n=2k$ ($k$는 정수)일 때

$360^\circ\times k+45^\circ<\frac{\theta}{2}<360^\circ\times k+90^\circ$

따라서 $\frac{\theta}{2}$는 제1사분면의 각이다.

(ii) $n=2k+1$ ($k$는 정수)일 때

$360^\circ\times k+225^\circ<\frac{\theta}{2}<360^\circ\times k+270^\circ$

따라서 $\frac{\theta}{2}$는 제3사분면의 각이다.

(i), (ii)에서 $\frac{\theta}{2}$는 제1사분면 또는 제3사분면의 각이다.

### 003 답 ④

① $40^\circ=40\times\frac{\pi}{180}=\frac{2}{9}\pi$

② $135^\circ=135\times\frac{\pi}{180}=\frac{3}{4}\pi$

③ $\frac{5}{6}\pi=\frac{5}{6}\pi\times\frac{180^\circ}{\pi}=150^\circ$

④ $\frac{5}{3}\pi=\frac{5}{3}\pi\times\frac{180^\circ}{\pi}=300^\circ$

⑤ $\frac{7}{5}\pi=\frac{7}{5}\pi\times\frac{180^\circ}{\pi}=252^\circ$

### 004 답 $\frac{2}{3}\pi$

각 $\theta$를 나타내는 동경과 각 $4\theta$를 나타내는 동경이 일치하므로

$4\theta-\theta=2n\pi$ ($n$은 정수)

$3\theta=2n\pi \quad \therefore \theta=\frac{2n}{3}\pi$ …… ㉠

$\frac{\pi}{2}<\theta<\pi$에서

$\frac{\pi}{2}<\frac{2n}{3}\pi<\pi \quad \therefore \frac{3}{4}<n<\frac{3}{2}$

이때 $n$은 정수이므로 $n=1$

이를 ㉠에 대입하면

$\theta=\frac{2}{3}\pi$

### 005 답 $\frac{2}{7}\pi$

각 $\theta$를 나타내는 동경과 각 $6\theta$를 나타내는 동경이 $x$축에 대하여 대칭이므로

$\theta+6\theta=2n\pi$ ($n$은 정수)

$7\theta=2n\pi \quad \therefore \theta=\frac{2n}{7}\pi$ …… ㉠

$0<\theta<\frac{\pi}{2}$에서

$0<\frac{2n}{7}\pi<\frac{\pi}{2} \quad \therefore 0<n<\frac{7}{4}$

이때 $n$은 정수이므로 $n=1$

이를 ㉠에 대입하면 $\theta=\frac{2}{7}\pi$

### 006 답 ④

부채꼴의 반지름의 길이를 $r$라 하면 중심각의 크기가 $\frac{\pi}{3}$, 호의 길이가 $2\pi$이므로

$2\pi=r\times\frac{\pi}{3} \quad \therefore r=6$

따라서 부채꼴의 넓이는

$\frac{1}{2}\times6^2\times\frac{\pi}{3}=6\pi$

### 007 답 4

부채꼴의 반지름의 길이를 $r$라 하면 둘레의 길이가 16이므로 호의 길이는 $16-2r$이다.

부채꼴의 넓이를 $S$라 하면

$S=\frac{1}{2}r(16-2r)=-r^2+8r$

$=-(r-4)^2+16 \ (0<r<8)$

따라서 $r=4$일 때 $S$는 최대이므로 넓이가 최대인 부채꼴의 반지름의 길이는 4이다.

### 008 답 ②

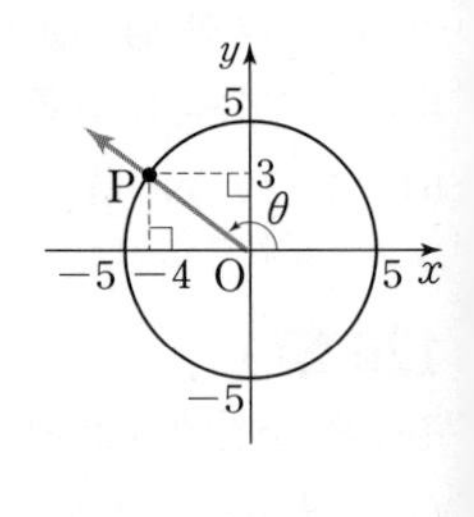


오른쪽 그림에서 $\overline{OP}=\sqrt{(-4)^2+3^2}=5$이므로 삼각함수의 정의에 의하여

$\sin\theta=\frac{3}{5}$, $\cos\theta=-\frac{4}{5}$, $\tan\theta=-\frac{3}{4}$

$\therefore 5\sin\theta+10\cos\theta+4\tan\theta$

$=5\times\frac{3}{5}+10\times\left(-\frac{4}{5}\right)+4\times\left(-\frac{3}{4}\right)$

$=-8$

### 009 답 ②

(i) $\sin\theta\cos\theta<0$일 때

$\sin\theta$와 $\cos\theta$의 값의 부호가 서로 다르므로 $\theta$는 제2사분면 또는 제4사분면의 각이다.

(ii) $\sin\theta\tan\theta<0$일 때

$\sin\theta$와 $\tan\theta$의 값의 부호가 서로 다르므로 $\theta$는 제2사분면 또는 제3사분면의 각이다.

(i), (ii)에서 $\theta$는 제2사분면의 각이다.

**010** 답 2

$$\frac{(1-\tan\theta)^2}{1+\tan^2\theta}=\frac{\left(1-\frac{\sin\theta}{\cos\theta}\right)^2}{1+\frac{\sin^2\theta}{\cos^2\theta}}=\frac{\frac{(\cos\theta-\sin\theta)^2}{\cos^2\theta}}{\frac{\cos^2\theta+\sin^2\theta}{\cos^2\theta}}$$

$$=\frac{(\cos\theta-\sin\theta)^2}{\cos^2\theta+\sin^2\theta}=(\cos\theta-\sin\theta)^2$$

$\therefore$ $(\sin\theta+\cos\theta)^2+\frac{(1-\tan\theta)^2}{1+\tan^2\theta}$

$=(\sin\theta+\cos\theta)^2+(\cos\theta-\sin\theta)^2$

$=\sin^2\theta+2\sin\theta\cos\theta+\cos^2\theta$
$+\cos^2\theta-2\sin\theta\cos\theta+\sin^2\theta$

$=2(\sin^2\theta+\cos^2\theta)=2$

**011** 답 24

$\sin^2\theta=1-\cos^2\theta=1-\left(-\frac{5}{13}\right)^2=\frac{144}{169}$

이때 $\theta$가 제2사분면의 각이므로 $\sin\theta=\frac{12}{13}$

$\therefore$ $\tan\theta=\frac{\sin\theta}{\cos\theta}=\frac{\frac{12}{13}}{-\frac{5}{13}}=-\frac{12}{5}$

$\therefore$ $13\sin\theta-5\tan\theta=13\times\frac{12}{13}-5\times\left(-\frac{12}{5}\right)=24$

**012** 답 ④

$\sin\theta+\cos\theta=\frac{2}{3}$의 양변을 제곱하면

$\sin^2\theta+2\sin\theta\cos\theta+\cos^2\theta=\frac{4}{9}$

$1+2\sin\theta\cos\theta=\frac{4}{9}$

$\therefore$ $\sin\theta\cos\theta=-\frac{5}{18}$

$\therefore$ $\sin^3\theta+\cos^3\theta$

$=(\sin\theta+\cos\theta)(\sin^2\theta-\sin\theta\cos\theta+\cos^2\theta)$

$=\frac{2}{3}\left\{1-\left(-\frac{5}{18}\right)\right\}=\frac{23}{27}$

**013** 답 $-\frac{7}{8}$

이차방정식 $4x^2+3x+k=0$에서 근과 계수의 관계에 의하여

$\sin\theta+\cos\theta=-\frac{3}{4}$ ...... ㉠

$\sin\theta\cos\theta=\frac{k}{4}$ ...... ㉡

㉠의 양변을 제곱하면

$\sin^2\theta+2\sin\theta\cos\theta+\cos^2\theta=\frac{9}{16}$

$1+2\sin\theta\cos\theta=\frac{9}{16}$

$\therefore$ $\sin\theta\cos\theta=-\frac{7}{32}$

따라서 ㉡에서 $\frac{k}{4}=-\frac{7}{32}$이므로

$k=-\frac{7}{8}$

**014** 답 ③

① $-935°=360°\times(-3)+145°$

② $-595°=360°\times(-2)+125°$

③ $-225°=360°\times(-1)+135°$

④ $875°=360°\times2+155°$

⑤ $1505°=360°\times4+65°$

따라서 동경 OP가 나타낼 수 있는 각은 ③이다.

**015** 답 ⑤

① $370°=360°\times1+10°$

② $780°=360°\times2+60°$

③ $1200°=360°\times3+120°$

④ $-30°=360°\times(-1)+330°$

⑤ $-550°=360°\times(-2)+170°$

**016** 답 ㄴ, ㅁ, ㅂ

$390°=360°\times1+30°$

ㄱ. $-1380°=360°\times(-4)+60°$

ㄴ. $-690°=360°\times(-2)+30°$

ㄷ. $-300°=360°\times(-1)+60°$

ㄹ. $420°=360°\times1+60°$

ㅁ. $750°=360°\times2+30°$

ㅂ. $1110°=360°\times3+30°$

따라서 각을 나타내는 동경이 390°를 나타내는 동경과 일치하는 것은 ㄴ, ㅁ, ㅂ이다.

**017** 답 제2사분면 또는 제4사분면

$2\theta$가 제3사분면의 각이므로

$360°\times n+180°<2\theta<360°\times n+270°$ ($n$은 정수)

$\therefore$ $180°\times n+90°<\theta<180°\times n+135°$

(i) $n=2k$ ($k$는 정수)일 때

$360°\times k+90°<\theta<360°\times k+135°$

따라서 $\theta$는 제2사분면의 각이다.

(ii) $n=2k+1$ ($k$는 정수)일 때

$360°\times k+270°<\theta<360°\times k+315°$

따라서 $\theta$는 제4사분면의 각이다.

(i), (ii)에서 $\theta$는 제2사분면 또는 제4사분면의 각이다.

**018** 답 ③

ㄱ. $120°$ ➡ 제2사분면의 각

ㄴ. $760°=360°\times2+40°$ ➡ 제1사분면의 각

ㄷ. $-30°=360°\times(-1)+330°$ ➡ 제4사분면의 각

ㄹ. $-250°=360°\times(-1)+110°$ ➡ 제2사분면의 각

ㅁ. $800°=360°\times2+80°$ ➡ 제1사분면의 각

ㅂ. $1300°=360°\times3+220°$ ➡ 제3사분면의 각

따라서 각을 나타내는 동경이 같은 사분면에 있는 것은 ㄱ－ㄹ, ㄴ－ㅁ이다.

## 019 답 ④

$\theta$가 제1사분면의 각이므로

$360^\circ \times n < \theta < 360^\circ \times n + 90^\circ$ ($n$은 정수)

$\therefore 120^\circ \times n < \frac{\theta}{3} < 120^\circ \times n + 30^\circ$

(i) $n=3k$ ($k$는 정수)일 때

$360^\circ \times k < \frac{\theta}{3} < 360^\circ \times k + 30^\circ$

따라서 $\frac{\theta}{3}$는 제1사분면의 각이다.

(ii) $n=3k+1$ ($k$는 정수)일 때

$360^\circ \times k + 120^\circ < \frac{\theta}{3} < 360^\circ \times k + 150^\circ$

따라서 $\frac{\theta}{3}$는 제2사분면의 각이다.

(iii) $n=3k+2$ ($k$는 정수)일 때

$360^\circ \times k + 240^\circ < \frac{\theta}{3} < 360^\circ \times k + 270^\circ$

따라서 $\frac{\theta}{3}$는 제3사분면의 각이다.

(i), (ii), (iii)에서 각 $\frac{\theta}{3}$를 나타내는 동경이 존재할 수 없는 사분면은 제4사분면이다.

## 020 답 ③

① $315^\circ = 315 \times \frac{\pi}{180} = \frac{7}{4}\pi$

② $162^\circ = 162 \times \frac{\pi}{180} = \frac{9}{10}\pi$

③ $-690^\circ = -690 \times \frac{\pi}{180} = -\frac{23}{6}\pi$

④ $\frac{9}{5}\pi = \frac{9}{5}\pi \times \frac{180^\circ}{\pi} = 324^\circ$

⑤ $-\frac{17}{18}\pi = -\frac{17}{18}\pi \times \frac{180^\circ}{\pi} = -170^\circ$

## 021 답 ㄱ, ㄷ, ㄹ

ㄱ. $60^\circ = 60 \times \frac{\pi}{180} = \frac{\pi}{3}$이므로 $\frac{\pi}{60^\circ} = \frac{\pi}{\frac{\pi}{3}} = 3$

ㄴ. $-\frac{11}{5}\pi = 2\pi \times (-2) + \frac{9}{5}\pi$이므로 $-\frac{11}{5}\pi$는 제4사분면의 각이다.

ㄷ. $-\frac{20}{3}\pi = 2\pi \times (-4) + \frac{4}{3}\pi$이므로 동경의 일반각은

$2n\pi + \frac{4}{3}\pi$ (단, $n$은 정수)

ㄹ. $\frac{17}{4}\pi = 2\pi \times 2 + \frac{\pi}{4}$, $-\frac{15}{4}\pi = 2\pi \times (-2) + \frac{\pi}{4}$이므로

$\frac{\pi}{4}$, $\frac{17}{4}\pi$, $-\frac{15}{4}\pi$를 나타내는 동경은 모두 일치한다.

따라서 보기 중 옳은 것은 ㄱ, ㄷ, ㄹ이다.

## 022 답 ④

① $-530^\circ = 360^\circ \times (-2) + 190^\circ$ ➡ 제3사분면의 각

② $930^\circ = 360^\circ \times 2 + 210^\circ$ ➡ 제3사분면의 각

③ $-\frac{27}{4}\pi = 2\pi \times (-4) + \frac{5}{4}\pi$ ➡ 제3사분면의 각

④ $\frac{19}{3}\pi = 2\pi \times 3 + \frac{\pi}{3}$ ➡ 제1사분면의 각

⑤ $-\frac{25}{9}\pi = 2\pi \times (-2) + \frac{11}{9}\pi$ ➡ 제3사분면의 각

따라서 나머지 넷과 다른 하나는 ④이다.

## 023 답 ③

각 $\theta$를 나타내는 동경과 각 $9\theta$를 나타내는 동경이 일치하므로

$9\theta - \theta = 2n\pi$ ($n$은 정수)

$8\theta = 2n\pi \qquad \therefore \theta = \frac{n}{4}\pi \qquad \cdots\cdots$ ㉠

$0 < \theta < \frac{\pi}{2}$에서 $0 < \frac{n}{4}\pi < \frac{\pi}{2} \qquad \therefore 0 < n < 2$

이때 $n$은 정수이므로 $n=1$

이를 ㉠에 대입하면 $\theta = \frac{\pi}{4}$

## 024 답 ⑤

각 $2\theta$를 나타내는 동경과 각 $6\theta$를 나타내는 동경이 원점에 대하여 대칭이므로

$6\theta - 2\theta = (2n+1)\pi$ ($n$은 정수)

$4\theta = (2n+1)\pi \qquad \therefore \theta = \frac{2n+1}{4}\pi \qquad \cdots\cdots$ ㉠

$0 < \theta < \pi$에서 $0 < \frac{2n+1}{4}\pi < \pi \qquad \therefore -\frac{1}{2} < n < \frac{3}{2}$

이때 $n$은 정수이므로 $n=0$ 또는 $n=1$

이를 ㉠에 대입하면 $\theta = \frac{\pi}{4}$ 또는 $\theta = \frac{3}{4}\pi$

따라서 모든 각 $\theta$의 크기의 합은 $\frac{\pi}{4} + \frac{3}{4}\pi = \pi$

## 025 답 $\frac{1}{2}$

각 $\theta$를 나타내는 동경과 각 $7\theta$를 나타내는 동경이 일직선 위에 있고 방향이 반대이므로

$7\theta - \theta = (2n+1)\pi$ ($n$은 정수)

$6\theta = (2n+1)\pi \qquad \therefore \theta = \frac{2n+1}{6}\pi \qquad \cdots\cdots$ ㉠

$\pi < \theta < \frac{3}{2}\pi$에서 $\pi < \frac{2n+1}{6}\pi < \frac{3}{2}\pi \qquad \therefore \frac{5}{2} < n < 4$

이때 $n$은 정수이므로 $n=3$

이를 ㉠에 대입하면 $\theta = \frac{7}{6}\pi$

$\therefore \sin(\theta - \pi) = \sin\left(\frac{7}{6}\pi - \pi\right) = \sin\frac{\pi}{6} = \frac{1}{2}$

## 026 답 ⑤

각 $3\theta$를 나타내는 동경과 각 $6\theta$를 나타내는 동경이 $x$축에 대하여 대칭이므로

$3\theta + 6\theta = 2n\pi$ ($n$은 정수)

$9\theta = 2n\pi \qquad \therefore \theta = \frac{2n}{9}\pi \qquad \cdots\cdots$ ㉠

$\pi < \theta < \frac{3}{2}\pi$에서 $\pi < \frac{2n}{9}\pi < \frac{3}{2}\pi$ $\quad \therefore \frac{9}{2} < n < \frac{27}{4}$

이때 $n$은 정수이므로 $n=5$ 또는 $n=6$

이를 ㉠에 대입하면 $\theta = \frac{10}{9}\pi$ 또는 $\theta = \frac{4}{3}\pi$

따라서 모든 각 $\theta$의 크기의 합은 $\frac{10}{9}\pi + \frac{4}{3}\pi = \frac{22}{9}\pi$

## 027 답 ②

각 $\theta$를 나타내는 동경과 각 $5\theta$를 나타내는 동경이 $y$축에 대하여 대칭이므로

$\theta + 5\theta = (2n+1)\pi$ ($n$은 정수)

$6\theta = (2n+1)\pi$ $\quad \therefore \theta = \frac{2n+1}{6}\pi$ $\quad \cdots\cdots$ ㉠

$0 < \theta < \frac{\pi}{2}$에서 $0 < \frac{2n+1}{6}\pi < \frac{\pi}{2}$ $\quad \therefore -\frac{1}{2} < n < 1$

이때 $n$은 정수이므로 $n=0$

이를 ㉠에 대입하면 $\theta = \frac{\pi}{6}$

$\therefore \sin\theta\cos\theta = \sin\frac{\pi}{6}\cos\frac{\pi}{6} = \frac{1}{2} \times \frac{\sqrt{3}}{2} = \frac{\sqrt{3}}{4}$

## 028 답 4

각 $\theta$를 나타내는 동경과 각 $3\theta$를 나타내는 동경이 직선 $y=x$에 대하여 대칭이므로

$\theta + 3\theta = 2n\pi + \frac{\pi}{2}$ ($n$은 정수)

$4\theta = 2n\pi + \frac{\pi}{2}$ $\quad \therefore \theta = \frac{n}{2}\pi + \frac{\pi}{8}$ $\quad \cdots\cdots$ ㉠

$0 < \theta < 2\pi$에서 $0 < \frac{n}{2}\pi + \frac{\pi}{8} < 2\pi$ $\quad \therefore -\frac{1}{4} < n < \frac{15}{4}$

이때 $n$은 정수이므로 $n=0, 1, 2, 3$

이를 ㉠에 대입하면 $\theta = \frac{\pi}{8}, \frac{5}{8}\pi, \frac{9}{8}\pi, \frac{13}{8}\pi$

따라서 조건을 만족시키는 각 $\theta$는 4개이다.

## 029 답 $4\pi$

부채꼴의 반지름의 길이를 $r$라 하면

$12\pi = \frac{1}{2} \times r^2 \times \frac{2}{3}\pi$, $r^2 = 36$

$\therefore r = 6$ ($\because r > 0$)

따라서 부채꼴의 호의 길이는

$6 \times \frac{2}{3}\pi = 4\pi$

## 030 답 ①

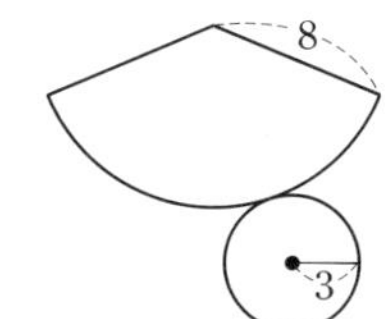


주어진 원뿔의 전개도는 오른쪽 그림과 같고, 옆면인 부채꼴의 호의 길이는 $2\pi \times 3 = 6\pi$이므로 부채꼴의 넓이는

$\frac{1}{2} \times 8 \times 6\pi = 24\pi$

또 밑면인 원의 넓이는

$\pi \times 3^2 = 9\pi$

따라서 원뿔의 겉넓이는

$24\pi + 9\pi = 33\pi$

## 031 답 $(100+56\pi)$ cm

와이퍼의 전체 길이를 $r$ cm라 하면

$\frac{1}{2} \times r^2 \times \frac{4}{5}\pi - \frac{1}{2} \times (r-50)^2 \times \frac{4}{5}\pi = 1400\pi$

$r^2 - (r-50)^2 = 3500$

$100r = 6000$ $\quad \therefore r = 60$

따라서 와이퍼의 고무판이 회전하면서 닦은 유리창의 둘레의 길이는

$60 \times \frac{4}{5}\pi + (60-50) \times \frac{4}{5}\pi + 50 \times 2 = 100 + 56\pi$(cm)

## 032 답 ⑤

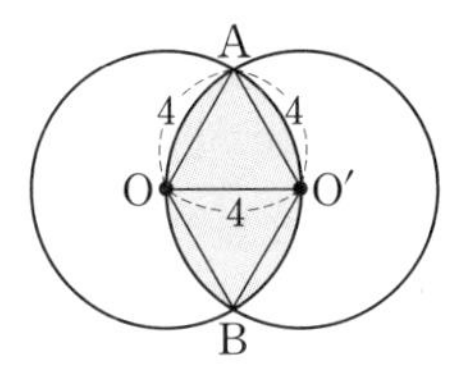


오른쪽 그림과 같이 색칠한 부분에 내접하는 두 개의 삼각형은 한 변의 길이가 4인 정삼각형이므로 부채꼴 OAB의 중심각의 크기는 $\frac{2}{3}\pi$이다.

부채꼴 OAB의 호의 길이를 $l$이라 하면

$l = 4 \times \frac{2}{3}\pi = \frac{8}{3}\pi$

따라서 색칠한 부분의 둘레의 길이는 부채꼴 OAB의 호의 길이의 2배이므로

$2 \times \frac{8}{3}\pi = \frac{16}{3}\pi$

## 033 답 $\frac{\pi}{2}$

$\angle COA = \theta$라 하면 부채꼴 COA의 넓이는 $3\pi$이므로

$3\pi = \frac{1}{2} \times 6^2 \times \theta$ $\quad \therefore \theta = \frac{\pi}{6}$

$\triangle BOA_1$에서

$\cos\frac{\pi}{3} = \frac{\overline{OA_1}}{6}$, $\frac{1}{2} = \frac{\overline{OA_1}}{6}$ $\quad \therefore \overline{OA_1} = 3$

따라서 부채꼴 $OA_1C_1$의 호의 길이는

$3 \times \frac{\pi}{6} = \frac{\pi}{2}$

## 034 답 $\frac{25}{36}$배

부채꼴의 넓이를 $S$라 하면 $S = \frac{1}{2}r^2\theta$

반지름의 길이를 20 % 늘였을 때의 반지름의 길이를 $r'$, 중심각의 크기를 $\theta'$, 넓이를 $S'$이라 하면

$r' = (1+0.2)r = 1.2r$

$S' = \frac{1}{2}(r')^2\theta' = \frac{1}{2} \times (1.2r)^2\theta'$

이때 부채꼴의 넓이가 일정하므로 $S = S'$

$\frac{1}{2}r^2\theta = \frac{1}{2} \times (1.2r)^2\theta'$

$\frac{1}{2}r^2\theta = \frac{1}{2} \times 1.44r^2 \times \theta'$, $\theta = 1.44\theta'$

$\therefore \theta' = \frac{\theta}{1.44} = \frac{25}{36}\theta$

따라서 중심각의 크기는 처음의 $\frac{25}{36}$배이다.

## 035 답 ①

부채꼴의 반지름의 길이를 $r$라 하면 둘레의 길이가 8이므로 호의 길이는 $8-2r$이다.

부채꼴의 넓이를 $S$라 하면

$$S=\frac{1}{2}r(8-2r)$$
$$=-r^2+4r$$
$$=-(r-2)^2+4\ (0<r<4)$$

따라서 $r=2$일 때 $S$의 최댓값은 4이므로 $a=2$, $M=4$

$\therefore a+M=6$

## 036 답 ④

부채꼴의 반지름의 길이를 $r$라 하면 둘레의 길이가 10이므로 호의 길이는 $10-2r$이다.

부채꼴의 넓이를 $S$라 하면

$$S=\frac{1}{2}r(10-2r)$$
$$=-r^2+5r$$
$$=-\left(r-\frac{5}{2}\right)^2+\frac{25}{4}\ (0<r<5)$$

따라서 $r=\frac{5}{2}$일 때 $S$의 최댓값은 $\frac{25}{4}$이다.

이때 부채꼴의 중심각의 크기를 $\theta$라 하면

$\frac{25}{4}=\frac{1}{2}\times\left(\frac{5}{2}\right)^2\times\theta \qquad \therefore \theta=2$

## 037 답 18

반지름의 길이가 $r$, 호의 길이가 $l$인 부채꼴의 둘레의 길이가 12이므로 $l=12-2r$

$$\therefore S+l=\frac{1}{2}rl+l=l\left(\frac{1}{2}r+1\right)$$
$$=(12-2r)\left(\frac{1}{2}r+1\right)$$
$$=-r^2+4r+12$$
$$=-(r-2)^2+16\ (0<r<6)$$

따라서 $r=2$에서 최댓값 16을 가지므로

$a=2$, $M=16$

$\therefore a+M=18$

## 038 답 16 m

부채꼴 모양의 화단의 반지름의 길이를 $r$ m, 호의 길이를 $l$ m라 하면

$16=\frac{1}{2}rl \qquad \therefore l=\frac{32}{r}$

부채꼴 모양의 화단의 둘레의 길이는

$2r+l=2r+\frac{32}{r}$(m)

이때 $2r>0$, $\frac{32}{r}>0$이므로 산술평균과 기하평균의 관계에 의하여

$$2r+\frac{32}{r}\ge 2\sqrt{2r\times\frac{32}{r}}$$
$=16$ (단, 등호는 $r=4$일 때 성립)

따라서 둘레의 길이의 최솟값은 16 m이다.

## 039 답 −1

오른쪽 그림에서

$\overline{OP}=\sqrt{15^2+(-8)^2}=17$이므로 삼각함수의 정의에 의하여

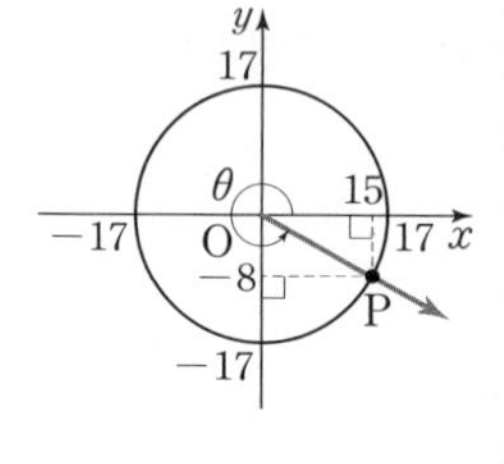


$\sin\theta=-\frac{8}{17}$, $\cos\theta=\frac{15}{17}$,

$\tan\theta=-\frac{8}{15}$

$$\therefore \frac{17\cos\theta+15\tan\theta}{17\sin\theta+1}=\frac{17\times\frac{15}{17}+15\times\left(-\frac{8}{15}\right)}{17\times\left(-\frac{8}{17}\right)+1}=-1$$

## 040 답 ③

$12x+5y=0$에서 $y=-\frac{12}{5}x \qquad \therefore \tan\theta=-\frac{12}{5}$

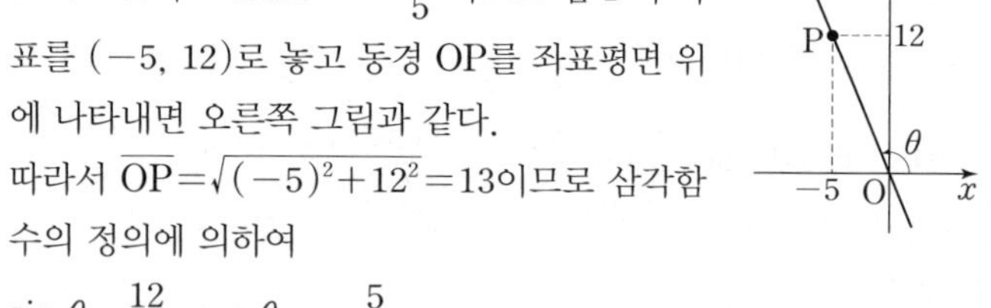


$0<\theta<\pi$이고 $\tan\theta=-\frac{12}{5}$이므로 점 P의 좌표를 $(-5, 12)$로 놓고 동경 OP를 좌표평면 위에 나타내면 오른쪽 그림과 같다.

따라서 $\overline{OP}=\sqrt{(-5)^2+12^2}=13$이므로 삼각함수의 정의에 의하여

$\sin\theta=\frac{12}{13}$, $\cos\theta=-\frac{5}{13}$

$\therefore 13(\sin\theta+\cos\theta)=13\times\left\{\frac{12}{13}+\left(-\frac{5}{13}\right)\right\}=7$

## 041 답 $-\frac{3}{10}$

오른쪽 그림과 같이 점 A, C에서 $x$축에 내린 수선의 발을 각각 H, I라 하면

$\triangle OAH\equiv\triangle COI$

따라서 점 C의 좌표는 $(-1, 3)$이고

$\overline{OC}=\sqrt{(-1)^2+3^2}=\sqrt{10}$이므로

$\sin\theta=\frac{3}{\sqrt{10}}$, $\cos\theta=-\frac{1}{\sqrt{10}}$

$\therefore \sin\theta\cos\theta=\frac{3}{\sqrt{10}}\times\left(-\frac{1}{\sqrt{10}}\right)=-\frac{3}{10}$

## 042 답 $\frac{1}{5}$

$\tan\alpha=\frac{1}{2}$이므로 두 점 A, P를 지나는 직선의 방정식은

$y=\frac{1}{2}x+1$

점 P를 원점 O에 대하여 대칭이동한 점이 Q이므로 선분 PQ는 원 $x^2+y^2=1$의 지름이다.

$\overline{AQ}$를 그으면 원주각의 성질에 의하여 직선 AP와 직선 AQ는 수직이므로 직선 AQ의 방정식은

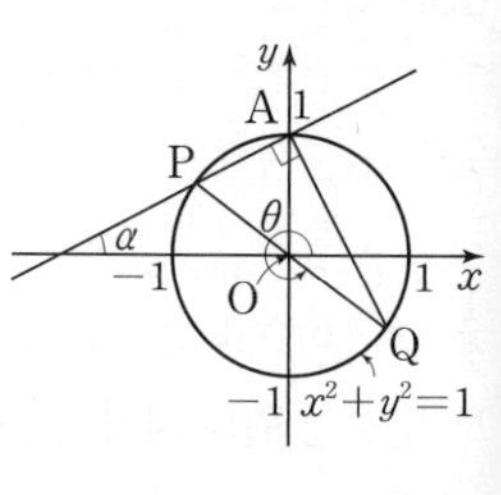


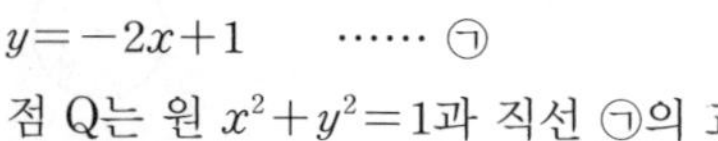

$y=-2x+1 \quad \cdots\cdots ㉠$

점 Q는 원 $x^2+y^2=1$과 직선 ㉠의 교점이므로

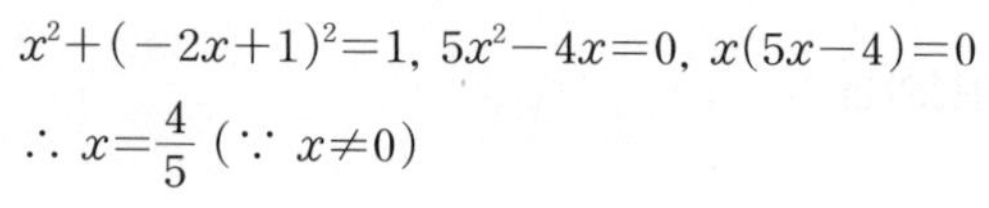

$x^2+(-2x+1)^2=1$, $5x^2-4x=0$, $x(5x-4)=0$

$\therefore x=\frac{4}{5}\ (\because x\neq0)$

이를 ㉠에 대입하면 점 Q의 $y$좌표는

$y=-2\times\frac{4}{5}+1=-\frac{3}{5}$

$\therefore\ \mathrm{Q}\left(\frac{4}{5}, -\frac{3}{5}\right)$

이때 $\overline{\mathrm{OQ}}=1$이므로

$\sin\theta=\ \frac{3}{5}, \cos\theta-\frac{4}{5}$

$\therefore\ \sin\theta+\cos\theta=-\frac{3}{5}+\frac{4}{5}=\frac{1}{5}$

### 043 답 제4사분면

(i) $\frac{\cos\theta}{\tan\theta}<0$일 때

$\cos\theta$, $\tan\theta$의 값의 부호가 서로 다르므로 $\theta$는 제3사분면 또는 제4사분면의 각이다.

(ii) $\sin\theta\tan\theta>0$일 때

$\sin\theta$, $\tan\theta$의 값의 부호가 서로 같으므로 $\theta$는 제1사분면 또는 제4사분면의 각이다.

(i), (ii)에서 $\theta$는 제4사분면의 각이다.

### 044 답 ②

$\theta$가 제3사분면의 각이므로

$\sin\theta<0$, $\cos\theta<0$, $\tan\theta>0$

ㄱ. $\sin\theta\cos\theta>0$　　ㄴ. $\cos\theta\tan\theta<0$

ㄷ. $\frac{\sin\theta}{\cos\theta\tan\theta}>0$　　ㄹ. $\tan\theta-\cos\theta>0$

따라서 보기 중 옳은 것은 ㄱ, ㄹ이다.

### 045 답 제2사분면

$\frac{\sqrt{\sin\theta}}{\sqrt{\cos\theta}}=-\sqrt{\frac{\sin\theta}{\cos\theta}}$에서 $\sin\theta\cos\theta\neq0$이므로

$\cos\theta<0$, $\sin\theta>0$

따라서 $\theta$는 제2사분면의 각이다.

### 046 답 ②

(i) $\sin\theta\cos\theta>0$일 때

$\sin\theta$, $\cos\theta$의 값의 부호가 서로 같으므로 $\theta$는 제1사분면 또는 제3사분면의 각이다.

(ii) $\cos\theta\tan\theta<0$일 때

$\cos\theta$, $\tan\theta$의 값의 부호가 서로 다르므로 $\theta$는 제3사분면 또는 제4사분면의 각이다.

(i), (ii)에서 $\theta$는 제3사분면의 각이다.

즉, $\sin\theta<0$, $\cos\theta<0$, $\tan\theta>0$이므로

$1-2\sin\theta>0$, $\sin\theta+\cos\theta<0$

$\therefore\ |1-2\sin\theta|+\sqrt{(\sin\theta+\cos\theta)^2}-|\cos\theta|$

$=(1-2\sin\theta)+|\sin\theta+\cos\theta|-(-\cos\theta)$

$=1-2\sin\theta+(-\sin\theta-\cos\theta)+\cos\theta$

$=1-3\sin\theta$

### 047 답 0

$\frac{\cos^2\theta-\sin^2\theta}{1+2\sin\theta\cos\theta}-\frac{1-\tan\theta}{1+\tan\theta}$

$=\frac{\cos^2\theta-\sin^2\theta}{\sin^2\theta+2\sin\theta\cos\theta+\cos^2\theta}-\frac{1-\frac{\sin\theta}{\cos\theta}}{1+\frac{\sin\theta}{\cos\theta}}$

$=\frac{(\cos\theta+\sin\theta)(\cos\theta-\sin\theta)}{(\sin\theta+\cos\theta)^2}\quad\frac{\cos\theta-\sin\theta}{\cos\theta+\sin\theta}$

$=\frac{\cos\theta-\sin\theta}{\sin\theta+\cos\theta}-\frac{\cos\theta-\sin\theta}{\cos\theta+\sin\theta}=0$

### 048 답 ⑤

$\frac{\tan\theta\sin\theta}{\tan\theta-\sin\theta}-\frac{1}{\sin\theta}$

$=\frac{\frac{\sin\theta}{\cos\theta}\times\sin\theta}{\frac{\sin\theta}{\cos\theta}-\sin\theta}-\frac{1}{\sin\theta}=\frac{\frac{\sin^2\theta}{\cos\theta}}{\frac{\sin\theta-\sin\theta\cos\theta}{\cos\theta}}-\frac{1}{\sin\theta}$

$=\frac{\sin^2\theta}{\sin\theta(1-\cos\theta)}-\frac{1}{\sin\theta}=\frac{\sin^2\theta-(1-\cos\theta)}{\sin\theta(1-\cos\theta)}$

$=\frac{(1-\cos^2\theta)-(1-\cos\theta)}{\sin\theta(1-\cos\theta)}=\frac{\cos\theta(1-\cos\theta)}{\sin\theta(1-\cos\theta)}$

$=\frac{\cos\theta}{\sin\theta}=\frac{1}{\tan\theta}$

### 049 답 ③

① $\frac{\cos^3\theta}{\sin\theta-\sin^3\theta}=\frac{\cos^3\theta}{\sin\theta(1-\sin^2\theta)}$

$=\frac{\cos^3\theta}{\sin\theta\cos^2\theta}$

$=\frac{\cos\theta}{\sin\theta}=\frac{1}{\tan\theta}$

② $\sin^4\theta-\cos^4\theta=(\sin^2\theta+\cos^2\theta)(\sin^2\theta-\cos^2\theta)$

$=\sin^2\theta-\cos^2\theta$

$=\sin^2\theta-(1-\sin^2\theta)$

$=2\sin^2\theta-1$

③ $\sin^2\theta-\cos^2\theta=\cos^2\theta\left(\frac{\sin^2\theta}{\cos^2\theta}-1\right)$

$=\cos^2\theta(\tan^2\theta-1)$

④ $\frac{\sin^2\theta}{1+\cos\theta}+\frac{\sin^2\theta}{1-\cos\theta}=\frac{\sin^2\theta\{(1-\cos\theta)+(1+\cos\theta)\}}{(1+\cos\theta)(1-\cos\theta)}$

$=\frac{2\sin^2\theta}{1-\cos^2\theta}$

$=\frac{2\sin^2\theta}{\sin^2\theta}=2$

⑤ $\tan\theta+\frac{\cos\theta}{1+\sin\theta}=\frac{\sin\theta}{\cos\theta}+\frac{\cos\theta}{1+\sin\theta}$

$=\frac{\sin\theta(1+\sin\theta)+\cos^2\theta}{\cos\theta(1+\sin\theta)}$

$=\frac{\sin\theta+\sin^2\theta+\cos^2\theta}{\cos\theta(1+\sin\theta)}$

$=\frac{\sin\theta+1}{\cos\theta(1+\sin\theta)}$

$=\frac{1}{\cos\theta}$

### 050 답 $-2\sin\theta$

$\sqrt{1-2\sin\theta\cos\theta}-\sqrt{1+2\sin\theta\cos\theta}$

$=\sqrt{\sin^2\theta-2\sin\theta\cos\theta+\cos^2\theta}-\sqrt{\sin^2\theta+2\sin\theta\cos\theta+\cos^2\theta}$

$=\sqrt{(\sin\theta-\cos\theta)^2}-\sqrt{(\sin\theta+\cos\theta)^2}$

$=|\sin\theta-\cos\theta|-|\sin\theta+\cos\theta|$

$=-\sin\theta+\cos\theta-(\sin\theta+\cos\theta)$ ($\because 0<\sin\theta<\cos\theta$)

$=-2\sin\theta$

### 051 답 $-8$

$\cos^2\theta=1-\sin^2\theta=1-\left(-\frac{3}{5}\right)^2=\frac{16}{25}$

이때 $\frac{3}{2}\pi<\theta<2\pi$이므로 $\cos\theta=\frac{4}{5}$

$\therefore \tan\theta=\frac{\sin\theta}{\cos\theta}=\frac{-\frac{3}{5}}{\frac{4}{5}}=-\frac{3}{4}$

$\therefore \frac{8\tan\theta-2}{5\cos\theta-3}=\frac{8\times\left(-\frac{3}{4}\right)-2}{5\times\frac{4}{5}-3}=-8$

### 052 답 $-\frac{\sqrt{3}}{2}$

$\frac{1}{1+\sin\theta}+\frac{1}{1-\sin\theta}=\frac{1-\sin\theta+1+\sin\theta}{(1+\sin\theta)(1-\sin\theta)}$

$=\frac{2}{1-\sin^2\theta}=\frac{2}{\cos^2\theta}$

즉, $\frac{2}{\cos^2\theta}=\frac{7}{2}$에서 $\cos^2\theta=\frac{4}{7}$이므로

$\sin^2\theta=1-\cos^2\theta=1-\frac{4}{7}=\frac{3}{7}$

$\therefore \tan^2\theta=\frac{\sin^2\theta}{\cos^2\theta}=\frac{\frac{3}{7}}{\frac{4}{7}}=\frac{3}{4}$

이때 $\theta$가 제2사분면의 각이므로

$\tan\theta=-\frac{\sqrt{3}}{2}$

### 053 답 ①

$\frac{1-\tan\theta}{1+\tan\theta}=2-\sqrt{3}$에서

$1-\tan\theta=(2-\sqrt{3})(1+\tan\theta)$

$(3-\sqrt{3})\tan\theta=-1+\sqrt{3}$

$\therefore \tan\theta=\frac{-1+\sqrt{3}}{3-\sqrt{3}}=\frac{\sqrt{3}}{3}$

$\tan\theta=\frac{\sqrt{3}}{3}$의 양변을 제곱하면 $\tan^2\theta=\frac{1}{3}$

$\frac{\sin^2\theta}{\cos^2\theta}=\frac{1}{3}$, $\frac{1-\cos^2\theta}{\cos^2\theta}=\frac{1}{3}$

$3-3\cos^2\theta=\cos^2\theta$ $\quad\therefore \cos^2\theta=\frac{3}{4}$

이때 $\pi<\theta<\frac{3}{2}\pi$이므로 $\cos\theta=-\frac{\sqrt{3}}{2}$

### 054 답 $-\frac{\sqrt{15}}{16}$

$\frac{1-2\sin\theta\cos\theta}{\cos\theta-\sin\theta}+\frac{1+2\sin\theta\cos\theta}{\cos\theta+\sin\theta}$

$=\frac{\cos^2\theta-2\sin\theta\cos\theta+\sin^2\theta}{\cos\theta-\sin\theta}+\frac{\cos^2\theta+2\sin\theta\cos\theta+\sin^2\theta}{\cos\theta+\sin\theta}$

$=\frac{(\cos\theta-\sin\theta)^2}{\cos\theta-\sin\theta}+\frac{(\cos\theta+\sin\theta)^2}{\cos\theta+\sin\theta}$

$=\cos\theta-\sin\theta+\cos\theta+\sin\theta$

$=2\cos\theta$

즉, $2\cos\theta=\frac{1}{2}$에서 $\cos\theta=\frac{1}{4}$이므로

$\sin^2\theta=1-\cos^2\theta=1-\left(\frac{1}{4}\right)^2=\frac{15}{16}$

이때 $\theta$가 제4사분면의 각이므로

$\sin\theta=-\frac{\sqrt{15}}{4}$

$\therefore \sin\theta\cos\theta=-\frac{\sqrt{15}}{4}\times\frac{1}{4}=-\frac{\sqrt{15}}{16}$

### 055 답 $\frac{\sqrt{31}}{4}$

$\sin\theta+\cos\theta=\frac{1}{4}$의 양변을 제곱하면

$\sin^2\theta+2\sin\theta\cos\theta+\cos^2\theta=\frac{1}{16}$

$1+2\sin\theta\cos\theta=\frac{1}{16}$

$\therefore \sin\theta\cos\theta=-\frac{15}{32}$

$\therefore (\sin\theta-\cos\theta)^2=\sin^2\theta-2\sin\theta\cos\theta+\cos^2\theta$

$=1-2\times\left(-\frac{15}{32}\right)=\frac{31}{16}$

이때 $\theta$가 제2사분면의 각이면 $\sin\theta>0$, $\cos\theta<0$이므로

$\sin\theta-\cos\theta>0$

$\therefore \sin\theta-\cos\theta=\frac{\sqrt{31}}{4}$

### 056 답 $\sqrt{15}$

$(\sin\theta-\cos\theta)^2=\sin^2\theta-2\sin\theta\cos\theta+\cos^2\theta$

$=1-2\times\left(-\frac{1}{3}\right)=\frac{5}{3}$

이때 $\frac{3}{2}\pi<\theta<2\pi$이면 $\sin\theta<0$, $\cos\theta>0$이므로

$\sin\theta-\cos\theta<0$

$\therefore \sin\theta-\cos\theta=-\frac{\sqrt{15}}{3}$

$\therefore \frac{1}{\cos\theta}-\frac{1}{\sin\theta}=\frac{\sin\theta-\cos\theta}{\sin\theta\cos\theta}=\frac{-\frac{\sqrt{15}}{3}}{-\frac{1}{3}}=\sqrt{15}$

### 057 답 $-\frac{\sqrt{2}}{2}$

$\tan\theta+\frac{1}{\tan\theta}=\frac{\sin\theta}{\cos\theta}+\frac{\cos\theta}{\sin\theta}=\frac{\sin^2\theta+\cos^2\theta}{\sin\theta\cos\theta}$

$=\frac{1}{\sin\theta\cos\theta}$

즉, $\frac{1}{\sin\theta\cos\theta}=2$이므로 $\sin\theta\cos\theta=\frac{1}{2}$

$\therefore (\sin\theta+\cos\theta)^2=\sin^2\theta+2\sin\theta\cos\theta+\cos^2\theta$

$=1+2\times\frac{1}{2}=2$

이때 $\pi<\theta<\frac{3}{2}\pi$이면 $\sin\theta<0$, $\cos\theta<0$이므로

$\sin\theta+\cos\theta<0$ $\quad\therefore \sin\theta+\cos\theta=-\sqrt{2}$

$\therefore \sin^3\theta+\cos^3\theta=(\sin\theta+\cos\theta)(\sin^2\theta-\sin\theta\cos\theta+\cos^2\theta)$

$=-\sqrt{2}\times\left(1-\frac{1}{2}\right)=-\frac{\sqrt{2}}{2}$

## 058 답 ②

$\log_2\sin\theta+\log_2\cos\theta=-1$에서

$\log_2\sin\theta\cos\theta=\log_2\frac{1}{2}$ $\quad\therefore \sin\theta\cos\theta=\frac{1}{2}$

$\therefore (\sin\theta+\cos\theta)^2=\sin^2\theta+2\sin\theta\cos\theta+\cos^2\theta$

$=1+2\times\frac{1}{2}=2$

이때 $\theta$가 제1사분면의 각이면 $\sin\theta>0$, $\cos\theta>0$이므로

$\sin\theta+\cos\theta>0$ $\quad\therefore \sin\theta+\cos\theta=\sqrt{2}$

$\log_2(\sin\theta+\cos\theta)=\log_2 x-\frac{1}{2}$에서

$\log_2(\sin\theta+\cos\theta)=\log_2 x-\log_2\sqrt{2}$

$\therefore \log_2\sqrt{2}=\log_2\frac{x}{\sqrt{2}}$

따라서 $\frac{x}{\sqrt{2}}=\sqrt{2}$이므로 $x=2$

## 059 답 ①

이차방정식 $3x^2-x+k=0$에서 근과 계수의 관계에 의하여

$\sin\theta+\cos\theta=\frac{1}{3}$ $\quad\cdots\cdots$ ㉠

$\sin\theta\cos\theta=\frac{k}{3}$ $\quad\cdots\cdots$ ㉡

㉠의 양변을 제곱하면

$\sin^2\theta+2\sin\theta\cos\theta+\cos^2\theta=\frac{1}{9}$

$1+2\sin\theta\cos\theta=\frac{1}{9}$ $\quad\therefore \sin\theta\cos\theta=-\frac{4}{9}$

따라서 ㉡에서 $\frac{k}{3}=-\frac{4}{9}$이므로

$k=-\frac{4}{3}$

## 060 답 −1

이차방정식 $2x^2-2x+k=0$에서 근과 계수의 관계에 의하여

$(\sin\theta+\cos\theta)+(\sin\theta-\cos\theta)=1$ $\quad\cdots\cdots$ ㉠

$(\sin\theta+\cos\theta)(\sin\theta-\cos\theta)=\frac{k}{2}$ $\quad\cdots\cdots$ ㉡

㉠에서 $2\sin\theta=1$ $\quad\therefore \sin\theta=\frac{1}{2}$

㉡의 좌변을 간단히 하면

$(\sin\theta+\cos\theta)(\sin\theta-\cos\theta)=\sin^2\theta-\cos^2\theta$

$=\sin^2\theta-(1-\sin^2\theta)$

$=2\sin^2\theta-1$

즉, $2\sin^2\theta-1=\frac{k}{2}$이므로 $\sin\theta=\frac{1}{2}$을 대입하면

$\frac{1}{2}-1=\frac{k}{2}$ $\quad\therefore k=-1$

## 061 답 $-\sqrt{15}$

이차방정식 $9x^2+kx+1=0$에서 근과 계수의 관계에 의하여

$\sin^2\theta\cos^2\theta=\frac{1}{9}$ $\quad\cdots\cdots$ ㉠

이때 $\pi<\theta<\frac{3}{2}\pi$이면 $\sin\theta<0$, $\cos\theta<0$이므로 ㉠에서

$\sin\theta\cos\theta=\frac{1}{3}$

$(\sin\theta+\cos\theta)^2=1+2\sin\theta\cos\theta=1+2\times\frac{1}{3}=\frac{5}{3}$이므로

$\sin\theta+\cos\theta=-\frac{\sqrt{15}}{3}$ ($\because \sin\theta<0$, $\cos\theta<0$)

$\therefore \frac{1}{\sin\theta}+\frac{1}{\cos\theta}=\frac{\sin\theta+\cos\theta}{\sin\theta\cos\theta}$

$=\frac{-\frac{\sqrt{15}}{3}}{\frac{1}{3}}=-\sqrt{15}$

## 062 답 $3x^2+8x+3=0$

이차방정식 $4x^2-2x+k=0$의 두 근이 $\sin\theta$, $\cos\theta$이므로 근과 계수의 관계에 의하여

$\sin\theta+\cos\theta=\frac{1}{2}$ $\quad\cdots\cdots$ ㉠

$\sin\theta\cos\theta=\frac{k}{4}$ $\quad\cdots\cdots$ ㉡

㉠의 양변을 제곱하면

$\sin^2\theta+2\sin\theta\cos\theta+\cos^2\theta=\frac{1}{4}$

$1+2\sin\theta\cos\theta=\frac{1}{4}$ $\quad\therefore \sin\theta\cos\theta=-\frac{3}{8}$

즉, ㉡에서 $\frac{k}{4}=-\frac{3}{8}$이므로 $k=-\frac{3}{2}$

이때 $\tan\theta$와 $\frac{1}{\tan\theta}$의 합과 곱을 구하면

$\tan\theta+\frac{1}{\tan\theta}=\frac{\sin\theta}{\cos\theta}+\frac{\cos\theta}{\sin\theta}=\frac{\sin^2\theta+\cos^2\theta}{\sin\theta\cos\theta}$

$=\frac{1}{\sin\theta\cos\theta}=-\frac{8}{3}$

$\tan\theta\times\frac{1}{\tan\theta}=1$

따라서 $\tan\theta$, $\frac{1}{\tan\theta}$을 두 근으로 하고 $x^2$의 계수가 $-2k=3$인 이차방정식은

$3\left(x^2+\frac{8}{3}x+1\right)=0$ $\quad\therefore 3x^2+8x+3=0$

## 063 답 ②

① $-1300°=360°\times(-4)+140°$

② $-590°=360°\times(-2)+130°$

③ $500°=360°\times1+140°$

④ $1220°=360°\times3+140°$

⑤ $1940°=360°\times5+140°$

따라서 $\alpha$의 값이 나머지 넷과 다른 하나는 ②이다.

## 064 답 ①

$\theta$가 제4사분면의 각이므로

$360° \times n+270° < \theta < 360° \times n+360°$ ($n$은 정수)

$\therefore 120° \times n+90° < \frac{\theta}{3} < 120° \times n+120°$

(i) $n=3k$ ($k$는 정수)일 때

$360° \times k+90° < \frac{\theta}{3} < 360° \times k+120°$

따라서 $\frac{\theta}{3}$는 제2사분면의 각이다.

(ii) $n=3k+1$ ($k$는 정수)일 때

$360° \times k+210° < \frac{\theta}{3} < 360° \times k+240°$

따라서 $\frac{\theta}{3}$는 제3사분면의 각이다.

(iii) $n=3k+2$ ($k$는 정수)일 때

$360° \times k+330° < \frac{\theta}{3} < 360° \times k+360°$

따라서 $\frac{\theta}{3}$는 제4사분면의 각이다.

(i), (ii), (iii)에서 각 $\frac{\theta}{3}$를 나타내는 동경이 존재할 수 없는 사분면은 제1사분면이다.

## 065 답 67

$600° = 600 \times \frac{\pi}{180} = \frac{10}{3}\pi$이므로

$a=3$, $b=10$

또 $\frac{3}{10}\pi = \frac{3}{10}\pi \times \frac{180°}{\pi} = 54°$이므로

$c=54$

$\therefore a+b+c=3+10+54=67$

## 066 답 $\frac{7}{9}\pi$

$\frac{\pi}{9}$와 각 $\theta$의 크기를 각각 3배하면 $\frac{\pi}{3}$, $3\theta$

$\frac{\pi}{3}$를 나타내는 동경과 각 $3\theta$를 나타내는 동경이 일치하므로

$3\theta - \frac{\pi}{3} = 2n\pi$ ($n$은 정수)

$3\theta = 2n\pi + \frac{\pi}{3}$　　$\therefore \theta = \frac{2}{3}n\pi + \frac{\pi}{9}$　　$\cdots\cdots$ ㉠

$0<\theta<\pi$에서 $0 < \frac{2}{3}n\pi + \frac{\pi}{9} < \pi$

$\therefore -\frac{1}{6} < n < \frac{4}{3}$

이때 $n$은 정수이므로 $n=0$ 또는 $n=1$

이를 ㉠에 대입하면 $\theta = \frac{\pi}{9}$ 또는 $\theta = \frac{7}{9}\pi$

그런데 $\theta \neq \frac{\pi}{9}$이므로 $\theta = \frac{7}{9}\pi$

## 067 답 $2\pi$

각 $4\theta$를 나타내는 동경과 각 $8\theta$를 나타내는 동경이 $y$축에 대하여 대칭이므로

$4\theta + 8\theta = (2n+1)\pi$ ($n$은 정수)

$12\theta = (2n+1)\pi$　　$\therefore \theta = \frac{2n+1}{12}\pi$　　$\cdots\cdots$ ㉠

$0<\theta<2\pi$에서

$0 < \frac{2n+1}{12}\pi < 2\pi$　　$\therefore -\frac{1}{2} < n < \frac{23}{2}$

이때 $n$은 정수이므로 $n=0, 1, 2, \cdots, 11$

따라서 각 $\theta$는 $n=11$일 때 최댓값, $n=0$일 때 최솟값을 가지므로

$n=11$을 ㉠에 대입하면 $\theta = \frac{23}{12}\pi$

$n=0$을 ㉠에 대입하면 $\theta = \frac{\pi}{12}$

따라서 각 $\theta$의 크기의 최댓값과 최솟값의 합은

$\frac{23}{12}\pi + \frac{\pi}{12} = 2\pi$

## 068 답 ④

호의 길이를 $l$, 넓이를 $S$라 하면

$S=\frac{1}{2}rl$에서 $12\pi = \frac{1}{2} \times r \times 4\pi$　　$\therefore r=6$

$l=r\theta$에서 $4\pi = 6\theta$　　$\therefore \theta = \frac{2}{3}\pi$

$\therefore \frac{r\pi}{\theta} = \frac{6\pi}{\frac{2}{3}\pi} = 9$

## 069 답 504 m²

$\angle AOB = \theta$, $\overline{OA} = r$ m라 하면

부채꼴 OAB에서 $40 = r\theta$　　$\cdots\cdots$ ㉠

부채꼴 OCD에서 $16 = (r-18)\theta$

$16 = r\theta - 18\theta$, $16 = 40 - 18\theta$

$18\theta = 24$　　$\therefore \theta = \frac{4}{3}$

이를 ㉠에 대입하면 $40 = \frac{4}{3}r$

$\therefore r=30$

따라서 도형 ABDC의 넓이는

$\frac{1}{2} \times 30 \times 40 - \frac{1}{2} \times (30-18) \times 16 = 504(\text{m}^2)$

## 070 답 ②

부채꼴의 반지름의 길이를 $r$ m라 하면 둘레의 길이가 200 m이므로 호의 길이는 $(200-2r)$ m이다.

부채꼴의 넓이를 $S$ m²라 하면

$S = \frac{1}{2}r(200-2r) = -r^2 + 100r$

$= -(r-50)^2 + 2500$ $(0<r<100)$

따라서 $r=50$일 때 $S$의 최댓값은 2500 m²이다.

## 071 답 ③

오른쪽 그림에서 $\overline{OP} = \sqrt{(-3)^2+4^2} = 5$이므로 삼각함수의 정의에 의하여

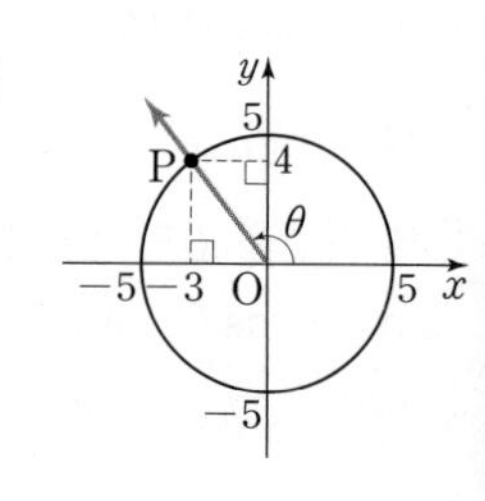


$\cos\theta = -\frac{3}{5}$, $\tan\theta = -\frac{4}{3}$

$\therefore 15(\cos\theta - \tan\theta)$

$= 15\left\{-\frac{3}{5} - \left(-\frac{4}{3}\right)\right\} = 11$

## 072 답 $\frac{2}{5}$

$\overline{AD}=8$, $\overline{AB}=4$이므로

$A(-4,\ 2)$

$\overline{OA}=2\sqrt{5}$이므로

$\sin\alpha=\frac{2}{2\sqrt{5}}=\frac{1}{\sqrt{5}}$

두 점 A, C가 원점에 대하여 대칭이므로

$C(4,\ -2)$

$\overline{OC}=2\sqrt{5}$이므로

$\cos\beta=\frac{4}{2\sqrt{5}}=\frac{2}{\sqrt{5}}$

$\therefore \sin\alpha\cos\beta=\frac{1}{\sqrt{5}}\times\frac{2}{\sqrt{5}}=\frac{2}{5}$

## 073 답 $-\cos\theta$

$\theta$는 제2사분면의 각이므로

$\sin\theta>0$, $\cos\theta<0$, $\tan\theta<0$

$$\begin{aligned}\therefore\ &|\cos\theta-\sin\theta+\tan\theta|-\sqrt{\tan^2\theta}-\sin\theta\\&=-(\cos\theta-\sin\theta+\tan\theta)-|\tan\theta|-\sin\theta\\&=-\cos\theta+\sin\theta-\tan\theta-(-\tan\theta)-\sin\theta\\&=-\cos\theta\end{aligned}$$

## 074 답 ④

$$\begin{aligned}\frac{\sin\theta}{1+\cos\theta}+\frac{1}{\tan\theta}&=\frac{\sin\theta}{1+\cos\theta}+\frac{\cos\theta}{\sin\theta}\\&=\frac{\sin^2\theta+\cos\theta(1+\cos\theta)}{\sin\theta(1+\cos\theta)}\\&=\frac{\sin^2\theta+\cos^2\theta+\cos\theta}{\sin\theta(1+\cos\theta)}\\&=\frac{1+\cos\theta}{\sin\theta(1+\cos\theta)}\\&=\frac{1}{\sin\theta}\end{aligned}$$

## 075 답 $-\sqrt{3}$

$\frac{1+\cos\theta}{1-\cos\theta}=3$에서

$1+\cos\theta=3(1-\cos\theta)$

$4\cos\theta=2$ $\quad\therefore \cos\theta=\frac{1}{2}$

$$\begin{aligned}\therefore \sin^2\theta&=1-\cos^2\theta\\&=1-\left(\frac{1}{2}\right)^2=\frac{3}{4}\end{aligned}$$

이때 $\theta$가 제4사분면의 각이므로

$\sin\theta=-\frac{\sqrt{3}}{2}$

$\therefore \tan\theta=\frac{\sin\theta}{\cos\theta}=\frac{-\frac{\sqrt{3}}{2}}{\frac{1}{2}}=-\sqrt{3}$

## 076 답 $-\frac{4}{3}$

$\sin\theta+3\cos\theta=1$의 양변을 제곱하면

$\sin^2\theta+6\sin\theta\cos\theta+9\cos^2\theta=1$

$6\sin\theta\cos\theta+8\cos^2\theta=0$

$2\cos\theta(3\sin\theta+4\cos\theta)=0$

이때 $\cos\theta\neq0$이므로 $3\sin\theta+4\cos\theta=0$

$3\sin\theta=-4\cos\theta$, $\frac{\sin\theta}{\cos\theta}=-\frac{4}{3}$

$\therefore \tan\theta=-\frac{4}{3}$

## 077 답 ⑤

$\sin\theta-\cos\theta=\frac{\sqrt{5}}{5}$의 양변을 제곱하면

$\sin^2\theta-2\sin\theta\cos\theta+\cos^2\theta=\frac{1}{5}$

$1-2\sin\theta\cos\theta=\frac{1}{5}$ $\quad\therefore \sin\theta\cos\theta=\frac{2}{5}$

$$\begin{aligned}\therefore (\sin\theta+\cos\theta)^2&=\sin^2\theta+2\sin\theta\cos\theta+\cos^2\theta\\&=1+2\sin\theta\cos\theta\\&=\frac{9}{5}\end{aligned}$$

이때 $\theta$가 제1사분면의 각이면 $\sin\theta>0$, $\cos\theta>0$이므로

$\sin\theta+\cos\theta>0$

$\therefore \sin\theta+\cos\theta=\frac{3\sqrt{5}}{5}$

$$\begin{aligned}\therefore \sin^4\theta-\cos^4\theta&=(\sin^2\theta+\cos^2\theta)(\sin\theta+\cos\theta)(\sin\theta-\cos\theta)\\&=(\sin\theta+\cos\theta)(\sin\theta-\cos\theta)\\&=\frac{3\sqrt{5}}{5}\times\frac{\sqrt{5}}{5}=\frac{3}{5}\end{aligned}$$

## 078 답 1

이차방정식 $4x^2+3x-9=0$의 두 근이 $\frac{1}{\sin\theta}$, $\frac{1}{\cos\theta}$이므로 근과 계수의 관계에 의하여

$\frac{1}{\sin\theta}+\frac{1}{\cos\theta}=-\frac{3}{4}$ …… ㉠

$\frac{1}{\sin\theta}\times\frac{1}{\cos\theta}=-\frac{9}{4}$ …… ㉡

㉠에서 $\frac{\sin\theta+\cos\theta}{\sin\theta\cos\theta}=-\frac{3}{4}$

㉡을 대입하면

$(\sin\theta+\cos\theta)\times\left(-\frac{9}{4}\right)=-\frac{3}{4}$

$\therefore \sin\theta+\cos\theta=\frac{1}{3}$

또 ㉡에서 $\sin\theta\cos\theta=-\frac{4}{9}$

한편 이차방정식 $9x^2+ax-b=0$의 두 근이 $\sin\theta$, $\cos\theta$이므로 근과 계수의 관계에 의하여

$\sin\theta+\cos\theta=-\frac{a}{9}$, $\sin\theta\cos\theta=-\frac{b}{9}$

따라서 $-\frac{a}{9}=\frac{1}{3}$, $-\frac{b}{9}=-\frac{4}{9}$이므로 $a=-3$, $b=4$

$\therefore a+b=1$

### 001 답 ⑤

함수 $f(x)$의 주기가 $p$이므로 임의의 실수 $x$에 대하여

$f(x+p)=f(x)$

$\therefore f(p)=f(0)=\sin 0+\cos \frac{0}{4}+\tan 0=1$

### 002 답 $-8$

함수 $y=\cos 2x$의 그래프를 $x$축의 방향으로 1만큼, $y$축의 방향으로 $a$만큼 평행이동한 그래프의 식은

$y=\cos 2(x-1)+a=\cos(2x-2)+a$

이 식이 $y=\cos(2x+b)+4$와 같아야 하므로

$a=4,\ b=-2 \qquad \therefore ab=-8$

### 003 답 ③

① $f(\pi)=3\sin(2\pi-\pi)+1=1$

② 정의역은 실수 전체의 집합이다.

③ 주기는 $\frac{2\pi}{2}=\pi$이다.

④ 최댓값은 $3+1=4$, 최솟값은 $-3+1=-2$이다.

⑤ $f(x)=3\sin(2x-\pi)+1=3\sin 2\left(x-\frac{\pi}{2}\right)+1$의 그래프는 $y=3\sin 2x$의 그래프를 $x$축의 방향으로 $\frac{\pi}{2}$만큼, $y$축의 방향으로 1만큼 평행이동한 것이다.

### 004 답 ㄱ, ㄴ, ㄹ

ㄱ. 최댓값은 $|-2|+3=5$, 최솟값은 $-|-2|+3=1$이다.

ㄴ. 주기는 $\frac{2\pi}{2}=\pi$이므로 임의의 실수 $x$에 대하여

$f(x+\pi)=f(x)$

ㄷ. $f\left(\frac{\pi}{6}\right)=-2\cos\left(\frac{\pi}{3}-\frac{\pi}{3}\right)+3=1$이므로 그래프는 점 $\left(\frac{\pi}{6},\ 1\right)$을 지난다.

ㄹ. $f(x)=-2\cos\left(2x-\frac{\pi}{3}\right)+3=-2\cos 2\left(x-\frac{\pi}{6}\right)+3$의 그래프는 직선 $x=\frac{\pi}{6}$에 대하여 대칭이다.

따라서 보기 중 옳은 것은 ㄱ, ㄴ, ㄹ이다.

### 005 답 ④

① 주기가 $\frac{\pi}{2}$인 주기함수이다.

② 최댓값과 최솟값은 없다.

③ 그래프는 원점을 지나지 않는다.

④ 그래프의 점근선의 방정식은

$2x-\frac{\pi}{4}=n\pi+\frac{\pi}{2} \qquad \therefore x=\frac{n}{2}\pi+\frac{3}{8}\pi$ ($n$은 정수)

⑤ $y=4\tan\left(2x-\frac{\pi}{4}\right)=4\tan 2\left(x-\frac{\pi}{8}\right)$의 그래프는 $y=4\tan 2x$의 그래프를 $x$축의 방향으로 $\frac{\pi}{8}$만큼 평행이동한 것이다.

### 006 답 ③

$\frac{\pi}{4}<1<\frac{\pi}{2}$이므로 오른쪽 그림에서

$\cos 1<\sin 1<\tan 1$

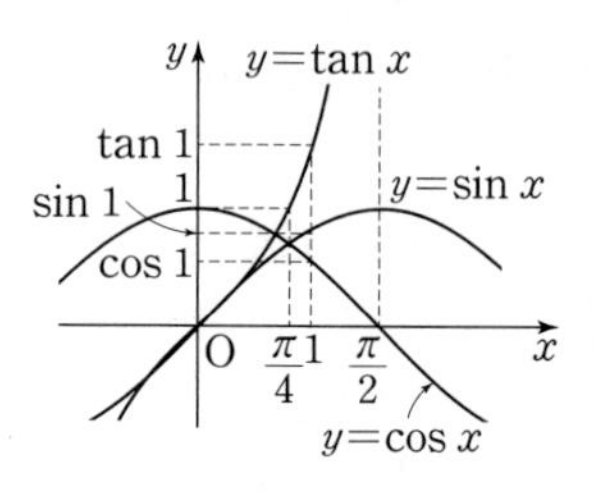


### 007 답 $6\pi$

$y=\sin x$의 그래프에서

$\frac{x_1+x_2}{2}=\frac{\pi}{2},\ \frac{x_3+x_4}{2}=\frac{5}{2}\pi$이므로

$x_1+x_2=\pi,\ x_3+x_4=5\pi$

$\therefore x_1+x_2+x_3+x_4=6\pi$

### 008 답 ①

$f(x)=a\cos\frac{\pi}{4}x+b$의 최댓값이 7이고 $a<0$이므로

$-a+b=7 \qquad \cdots\cdots$ ㉠

$f(8)=3$이므로 $a\cos 2\pi+b=3$

$\therefore a+b=3 \qquad \cdots\cdots$ ㉡

㉠, ㉡을 연립하여 풀면 $a=-2,\ b=5$

$\therefore ab=-10$

### 009 답 $-6\pi$

주어진 함수의 최댓값이 1, 최솟값이 $-3$이고 $a>0$이므로

$a+d=1,\ -a+d=-3$

두 식을 연립하여 풀면 $a=2,\ d=-1$

또 주기가 $\frac{7}{6}\pi-\frac{\pi}{2}=\frac{2}{3}\pi$이고 $b>0$이므로

$\frac{2\pi}{b}=\frac{2}{3}\pi \qquad \therefore b=3$

따라서 주어진 함수는 $y=2\sin(3x+c)-1$이고 그래프가 점 $\left(\frac{\pi}{2},\ 1\right)$을 지나므로

$1=2\sin\left(\frac{3}{2}\pi+c\right)-1 \qquad \therefore \sin\left(\frac{3}{2}\pi+c\right)=1$

이때 $0<c<2\pi$에서 $\frac{3}{2}\pi<\frac{3}{2}\pi+c<\frac{7}{2}\pi$이므로

$\frac{3}{2}\pi+c=\frac{5}{2}\pi \qquad \therefore c=\pi$

$\therefore abcd=2\times3\times\pi\times(-1)=-6\pi$

### 010 답 ①

$y=|2\cos(x-\pi)|+1$의 그래프는 오른쪽 그림과 같으므로

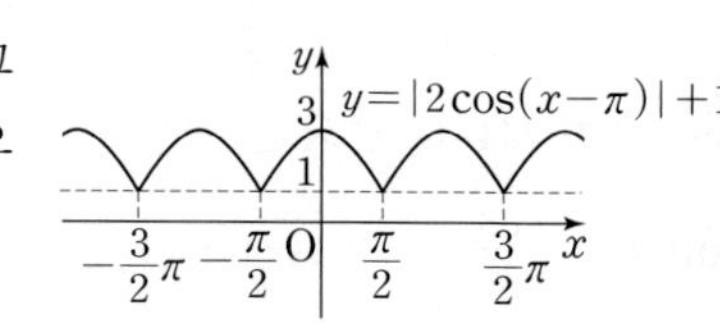


$a=\frac{\pi}{2}-\left(-\frac{\pi}{2}\right)=\pi$

$M=3,\ m=1$

$\therefore a(M+m)=\pi(3+1)=4\pi$

## 011 답 ②

함수 $f(x)$의 주기가 $p$이므로 임의의 실수 $x$에 대하여

$f(x+2p)=f(x+p)=f(x)$

$\therefore f(2p)=f(0)=\dfrac{\sin 0+\cos 0-3}{\tan 0+2}=\dfrac{-2}{2}=-1$

## 012 답 ③

모든 실수 $x$에 대하여 $f(x+2)=f(x)$이므로

$f(102)=f(100)=f(98)=\cdots=f(0)=1$

$f(101)=f(99)=f(97)=\cdots=f(1)=3$

$\therefore f(100)+f(101)+f(102)=1+3+1=5$

## 013 답 $\dfrac{\sqrt{3}}{2}$

모든 실수 $x$에 대하여 $f\left(x+\dfrac{\pi}{2}\right)=f\left(x-\dfrac{\pi}{2}\right)$를 만족시키므로 이 식의 양변에 $x$ 대신 $x+\dfrac{\pi}{2}$를 대입하면

$f(x+\pi)=f(x)$

따라서 함수 $f(x)$는 주기가 $\pi$인 주기함수이므로

$f\left(\dfrac{22}{3}\pi\right)=f\left(\dfrac{19}{3}\pi\right)=f\left(\dfrac{16}{3}\pi\right)=\cdots=f\left(\dfrac{\pi}{3}\right)$

$\therefore f\left(\dfrac{\pi}{3}\right)=\cos\left(\dfrac{1}{2}\times\dfrac{\pi}{3}\right)=\cos\dfrac{\pi}{6}=\dfrac{\sqrt{3}}{2}$

## 014 답 ④

$y=3\sin\left(\pi x-\dfrac{\pi}{2}\right)+2=3\sin\pi\left(x-\dfrac{1}{2}\right)+2$의 그래프는

$y=3\sin\pi x$의 그래프를 $x$축의 방향으로 $\dfrac{1}{2}$만큼, $y$축의 방향으로 2만큼 평행이동한 것이므로

$a=\dfrac{1}{2},\ b=2 \qquad \therefore a+b=\dfrac{5}{2}$

## 015 답 $\dfrac{4}{3}\pi$

$y=\cos 2x-3$의 그래프를 $x$축에 대하여 대칭이동한 그래프의 식은

$-y=\cos 2x-3 \qquad \therefore y=-\cos 2x+3$

이 함수의 그래프를 $x$축의 방향으로 $-\dfrac{\pi}{3}$만큼, $y$축의 방향으로 $a$만큼 평행이동한 그래프의 식은

$y=-\cos 2\left(x+\dfrac{\pi}{3}\right)+3+a=-\cos\left(2x+\dfrac{2}{3}\pi\right)+3+a$

이 식이 $y=-\cos(2x+b)+5$와 같아야 하므로

$a=2,\ b=\dfrac{2}{3}\pi \qquad \therefore ab=\dfrac{4}{3}\pi$

## 016 답 ③

① $y=\sin(2x-\pi)=\sin 2\left(x-\dfrac{\pi}{2}\right)$의 그래프는 $y=\sin 2x$의 그래프를 $x$축의 방향으로 $\dfrac{\pi}{2}$만큼 평행이동한 것이다.

② $y=\sin 2x+1$의 그래프는 $y=\sin 2x$의 그래프를 $y$축의 방향으로 1만큼 평행이동한 것이다.

③ $y=2\sin x+3$의 그래프는 $y=\sin x$의 그래프를 $y$축의 방향으로 2배 한 후 $y$축의 방향으로 3만큼 평행이동한 것이다.

④ $y=-\sin 2x$의 그래프는 $y=\sin 2x$의 그래프를 $x$축에 대하여 대칭이동한 것이다.

⑤ $y=-\sin(2x+2)-4=-\sin 2(x+1)-4$의 그래프는 $y=\sin 2x$의 그래프를 $x$축에 대하여 대칭이동한 후 $x$축의 방향으로 $-1$만큼, $y$축의 방향으로 $-4$만큼 평행이동한 것이다.

따라서 $y=\sin 2x$의 그래프를 평행이동 또는 대칭이동하여 겹쳐지지 않는 그래프의 식은 ③이다.

## 017 답 ②

ㄱ. 주기는 $\dfrac{2\pi}{2}=\pi$이므로 모든 실수 $x$에 대하여 $f(x+\pi)=f(x)$이다.

ㄴ. 최댓값은 $|-1|-1=0$, 최솟값은 $-|-1|-1=-2$이므로 $-2\le f(x)\le 0$

ㄷ. $f(x)=-\sin\left(2x-\dfrac{\pi}{2}\right)-1=-\sin 2\left(x-\dfrac{\pi}{4}\right)-1$의 그래프는 $y=\sin 2x$의 그래프를 $x$축에 대하여 대칭이동한 후 $x$축의 방향으로 $\dfrac{\pi}{4}$만큼, $y$축의 방향으로 $-1$만큼 평행이동한 것이다.

ㄹ. $f(x)=-\sin\left(2x-\dfrac{\pi}{2}\right)-1$의 그래프는 오른쪽 그림과 같으므로 $0\le x\le\dfrac{\pi}{2}$에서 $x$의 값이 증가하면 $f(x)$의 값은 감소한다.

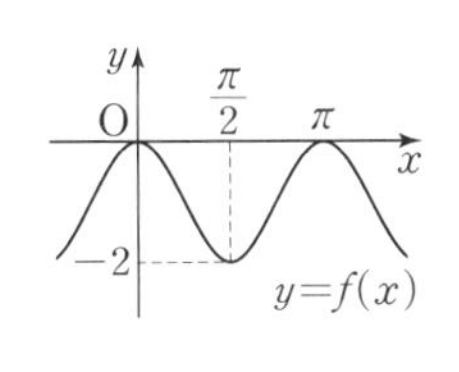


따라서 보기 중 옳은 것은 ㄱ, ㄷ이다.

## 018 답 4

$y=3\sin\left(\pi x-\dfrac{1}{2}\right)+1$에서

$p=\dfrac{2\pi}{\pi}=2,\ M=3+1=4,\ m=-3+1=-2$

$\therefore p+M+m=2+4+(-2)=4$

## 019 답 ⑤

① 최댓값은 $2+2=4$

② 최솟값은 $-2+2=0$

③ $y=2\cos(4x+\pi)+2$에 $x=0$을 대입하면 $y=2\cos\pi+2=0$이므로 그래프는 원점을 지난다.

④ 주기는 $\dfrac{2\pi}{4}=\dfrac{\pi}{2}$이므로 임의의 실수 $x$에 대하여

$f(x+\pi)=f\left(x+\dfrac{\pi}{2}\right)=f(x)$

⑤ $f(x)=2\cos(4x+\pi)+2=2\cos 4\left(x+\dfrac{\pi}{4}\right)+2$의 그래프는 $y=2\cos 4x$의 그래프를 $x$축의 방향으로 $-\dfrac{\pi}{4}$만큼, $y$축의 방향으로 2만큼 평행이동한 것이다.

## 020 답 36

$y=-4\cos\left(\dfrac{\pi}{2}x-3\right)+5$에서

$p=\dfrac{2\pi}{\dfrac{\pi}{2}}=4,\ M=|-4|+5=9,\ m=-|-4|+5=1$

$\therefore pMm=4\times 9\times 1=36$

## 021 답 ②

ㄱ. 주기는 $\frac{\pi}{3}$이다.

ㄴ. 최댓값과 최솟값은 없다.

ㄷ. 정의역은 $3x-\pi \neq n\pi+\frac{\pi}{2}$, 즉 $x \neq \frac{n}{3}\pi+\frac{\pi}{2}$ ($n$은 정수)인 실수 전체의 집합이다.

ㄹ. $y=\tan(3x-\pi)$에 $x=0$을 대입하면 $y=\tan(-\pi)=0$이므로 그래프는 원점을 지난다.

따라서 보기 중 옳은 것은 ㄴ, ㄹ이다.

## 022 답 ⑤

$y=\tan\frac{1}{3}\left(x+\frac{2}{3}\pi\right)$의 주기는 $\frac{\pi}{\frac{1}{3}}=3\pi$

① $y=2\sin\frac{x}{2}$의 주기는 $\frac{2\pi}{\frac{1}{2}}=4\pi$

② $y=\cos 2x+1$의 주기는 $\frac{2\pi}{2}=\pi$

③ $y=-2\tan\left(x-\frac{\pi}{2}\right)$의 주기는 $\frac{\pi}{1}=\pi$

④ $y=\frac{1}{2}\sin(x+3\pi)$의 주기는 $\frac{2\pi}{1}=2\pi$

⑤ $y=-3\cos\left(\frac{2}{3}x-\pi\right)$의 주기는 $\frac{2\pi}{\frac{2}{3}}=3\pi$

따라서 $y=\tan\frac{1}{3}\left(x+\frac{2}{3}\pi\right)$와 주기가 같은 함수는 ⑤이다.

## 023 답 ㄴ, ㄷ

정의역에 속하는 모든 실수 $x$에 대하여 $f(x+\pi)=f(x)$이면 주기가 $\frac{\pi}{n}$ ($n$은 자연수)인 주기함수이다.

ㄱ. $f(x)$의 주기는 $2\pi$

이때 $\frac{\pi}{n}=2\pi$를 만족시키는 자연수 $n$이 존재하지 않으므로

$f(x+\pi) \neq f(x)$

ㄴ. $f(x)$의 주기는 $\frac{2\pi}{2}=\pi$ $\quad\therefore f(x+\pi)=f(x)$

ㄷ. $f(x)$의 주기는 $\frac{\pi}{2}$ $\quad\therefore f(x+\pi)=f\left(x+\frac{\pi}{2}\right)=f(x)$

ㄹ. $f(x)$의 주기는 $\frac{2\pi}{\sqrt{2}}=\sqrt{2}\pi$

이때 $\frac{\pi}{n}=\sqrt{2}\pi$를 만족시키는 자연수 $n$이 존재하지 않으므로

$f(x+\pi) \neq f(x)$

따라서 보기 중 정의역에 속하는 모든 실수 $x$에 대하여 $f(x+\pi)=f(x)$를 만족시키는 함수는 ㄴ, ㄷ이다.

## 024 답 ④

$\frac{5}{6}\pi<3<\pi$이므로 오른쪽 그림에서

$\cos 3<\tan 3<\sin 3$

$\therefore B<C<A$

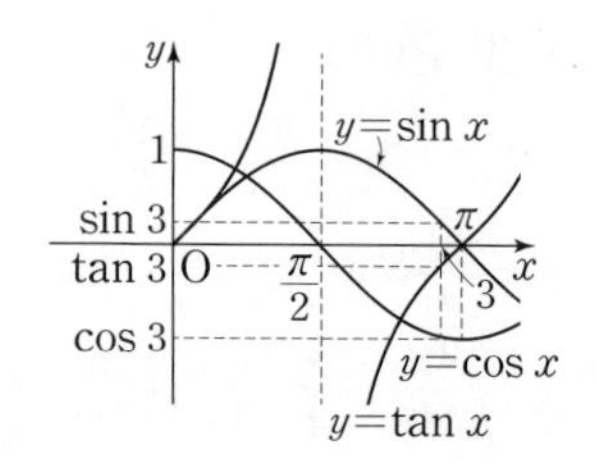


## 025 답 ⑤

$0<x<\frac{\pi}{2}$에서 $x$의 값이 증가하면 $\sin x$의 값도 증가하고,

$\frac{\pi}{2}<x<\pi$에서 $x$의 값이 증가하면 $\sin x$의 값은 감소한다.

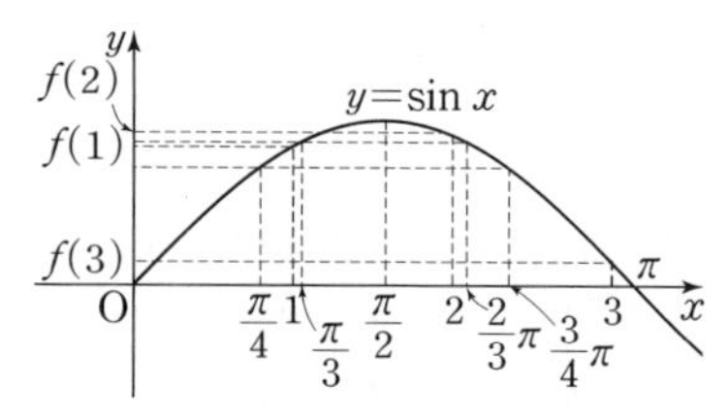


$\frac{\pi}{4}<1<\frac{\pi}{3}$이므로 $\frac{\sqrt{2}}{2}<\sin 1<\frac{\sqrt{3}}{2}$

$\frac{\pi}{2}<2<\frac{2}{3}\pi$이므로 $\frac{\sqrt{3}}{2}<\sin 2<1$

$\frac{3}{4}\pi<3<\pi$이므로 $0<\sin 3<\frac{\sqrt{2}}{2}$

$\therefore \sin 3<\sin 1<\sin 2$

$\therefore f(3)<f(1)<f(2)$

## 026 답 −1

$y=\cos x$의 그래프에서

$\frac{a+b}{2}=-\pi$, $\frac{c+d}{2}=\pi$이므로

$a+b=-2\pi$, $c+d=2\pi$

$\therefore \frac{a+b}{c+d}=\frac{-2\pi}{2\pi}=-1$

## 027 답 $-\pi$

$y=\cos x$의 그래프에서

$\frac{a+c}{2}=\pi \quad \therefore a+c=2\pi$

$y=\sin x$의 그래프에서

$\frac{b+d}{2}=\frac{3}{2}\pi \quad \therefore b+d=3\pi$

$\therefore a-b+c-d=a+c-(b+d)$

$=2\pi-3\pi=-\pi$

## 028 답 1

$y=\sin\frac{1}{2}x$의 그래프에서

$\frac{\alpha+\beta}{2}=\pi$, $\frac{\gamma+\delta}{2}=3\pi$이므로

$\alpha+\beta=2\pi$, $\gamma+\delta=6\pi$

$\therefore \cos(\alpha+\beta+\gamma+\delta)=\cos(2\pi+6\pi)$

$=\cos 8\pi=1$

## 029 답 ③

오른쪽 그림에서 빗금친 두 부분의 넓이가 서로 같으므로 $y=\tan x$의 그래프와 $x$축 및 직선 $y=4$로 둘러싸인 도형의 넓이는

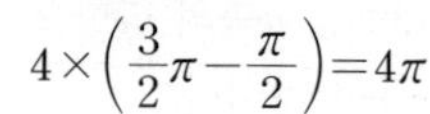

$4\times\left(\frac{3}{2}\pi-\frac{\pi}{2}\right)=4\pi$

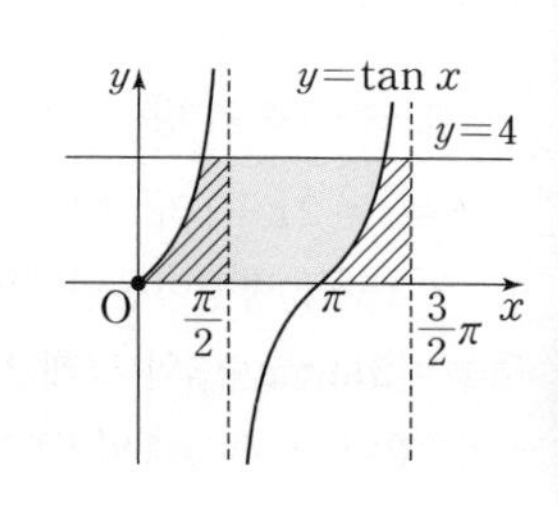

## 030 답 2

함수 $y=\sin\frac{\pi}{6}x$의 주기는 $\frac{2\pi}{\frac{\pi}{6}}=12$

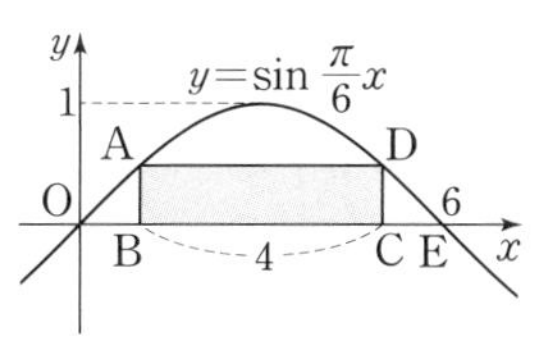


이므로 점 E의 좌표는 (6, 0)이다.

또 주어진 그래프는 직선 $x=3$에 대하여 대칭이고 $\overline{BC}=4$이므로

$\overline{OB}=\frac{1}{2}\times(6-4)=1$

$\therefore$ B(1, 0), C(5, 0)

즉, 점 A의 $x$좌표는 1이므로 점 A의 $y$좌표는

$\sin\frac{\pi}{6}=\frac{1}{2}\qquad\therefore \mathrm{A}\left(1, \frac{1}{2}\right)$

따라서 직사각형 ABCD의 넓이는 $4\times\frac{1}{2}=2$

## 031 답 ⑤

오른쪽 그림과 같이 $\overline{AB}$의 길이가 최대이고 높이가 최대가 되는 점 P에서 △ABC의 넓이는 최대가 된다.

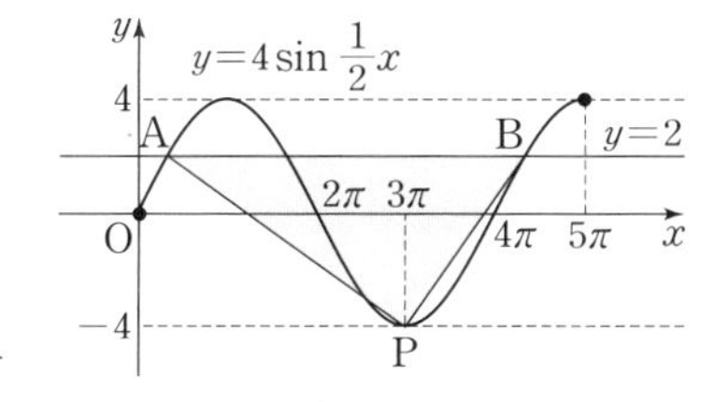


함수 $y=4\sin\frac{1}{2}x$의 주기는

$\frac{2\pi}{\frac{1}{2}}=4\pi$이므로 $\overline{AB}=4\pi$

또 최솟값은 $-4$이므로 높이가 최대가 되는 점 P의 $y$좌표는 $-4$이다.

따라서 △PAB의 넓이의 최댓값은

$\frac{1}{2}\times4\pi\times\{2-(-4)\}=12\pi$

## 032 답 $\frac{5}{2}$

$f(x)=a\sin\left(bx-\frac{\pi}{3}\right)+c$의 최솟값이 $-6$이고 $a>0$이므로

$-a+c=-6\qquad\cdots\cdots$ ㉠

또 주기가 $4\pi$이고 $b>0$이므로

$\frac{2\pi}{b}=4\pi\qquad\therefore b=\frac{1}{2}$

$f(\pi)=0$에서 $a\sin\frac{\pi}{6}+c=0$

$\frac{a}{2}+c=0\qquad\cdots\cdots$ ㉡

㉠, ㉡을 연립하여 풀면 $a=4$, $c=-2$

$\therefore a+b+c=4+\frac{1}{2}-2=\frac{5}{2}$

## 033 답 $2\pi$

$y=-\tan(ax-b)+1$의 주기가 $2\pi$이고 $a>0$이므로

$\frac{\pi}{a}=2\pi\qquad\therefore a=\frac{1}{2}$

따라서 $y=-\tan\left(\frac{x}{2}-b\right)+1$의 그래프의 점근선의 방정식은

$\frac{x}{2}-b=n\pi+\frac{\pi}{2}$, $\frac{x}{2}=n\pi+\frac{\pi}{2}+b$

$\therefore x=2n\pi+\pi+2b$ ($n$은 정수)

이 방정식이 $x=2n\pi$와 일치하므로 $\pi+2b=2k\pi$ ($k$는 정수)

이때 $0<b<\pi$이므로 $b=\frac{\pi}{2}$

$\therefore 8ab=8\times\frac{1}{2}\times\frac{\pi}{2}=2\pi$

## 034 답 ⑤

(가)에서 $f(x)=a\cos b\left(x+\frac{\pi}{2}\right)+c$의 주기가 $\pi$이고 $b>0$이므로

$\frac{2\pi}{b}=\pi\qquad\therefore b=2$

(나)에서 $a>0$이므로

$a+c=3$, $-a+c=1$

두 식을 연립하여 풀면 $a=1$, $c=2$

따라서 $f(x)=\cos2\left(x+\frac{\pi}{2}\right)+2$이므로

$f\left(\frac{\pi}{2}\right)=\cos2\pi+2=1+2=3$

## 035 답 5

(i) $k=0$일 때

$y=-6$이므로 함수의 그래프는 제1사분면을 지나지 않는다.

(ii) $k>0$일 때

$y=k\sin\left(2x+\frac{\pi}{3}\right)+k^2-6$의 최댓값은 $k^2+k-6$이고, 함수의 그래프가 제1사분면을 지나지 않으려면 최댓값이 0보다 작거나 같아야 하므로

$k^2+k-6\le0$, $(k+3)(k-2)\le0$

$\therefore -3\le k\le2$

그런데 $k>0$이므로 $0<k\le2$

(iii) $k<0$일 때

$y=k\sin\left(2x+\frac{\pi}{3}\right)+k^2-6$의 최댓값은 $k^2-k-6$이고, 함수의 그래프가 제1사분면을 지나지 않으려면 최댓값이 0보다 작거나 같아야 하므로

$k^2-k-6\le0$, $(k+2)(k-3)\le0$

$\therefore -2\le k\le3$

그런데 $k<0$이므로 $-2\le k<0$

(i), (ii), (iii)에서 $-2\le k\le2$

따라서 구하는 정수 $k$는 $-2$, $-1$, 0, 1, 2의 5개이다.

## 036 답 $2\pi$

주어진 함수의 최댓값이 2, 최솟값이 $-2$이고 $a>0$이므로

$a=2$

또 주기가 $\frac{3}{4}\pi-\left(-\frac{\pi}{4}\right)=\pi$이고 $b>0$이므로

$\frac{2\pi}{b}=\pi\qquad\therefore b=2$

따라서 주어진 함수는 $y=2\cos(2x-c)$이고 그래프가 원점을 지나므로

$0=2\cos(-c)\qquad\therefore \cos(-c)=0$

이때 $0<c<\pi$에서 $-\pi<-c<0$이므로

$-c=-\frac{\pi}{2}\qquad\therefore c=\frac{\pi}{2}$

$\therefore abc=2\times2\times\frac{\pi}{2}=2\pi$

## 037 답 $-6$

주어진 함수의 최댓값이 2, 최솟값이 $-4$이고 $a>0$이므로

$a+c=2,\ -a+c=-4$

두 식을 연립하여 풀면 $a=3,\ c=-1$

또 주기가 $\frac{17}{4}\pi-\frac{\pi}{4}=4\pi$이고 $b>0$이므로

$\frac{2\pi}{b}=4\pi \qquad \therefore b=\frac{1}{2}$

$\therefore 4abc=4\times3\times\frac{1}{2}\times(-1)=-6$

## 038 답 $2\pi$

주어진 함수의 주기가 $\frac{5}{4}\pi-\frac{\pi}{2}=\frac{3}{4}\pi$이고 $a>0$이므로

$\frac{\pi}{a}=\frac{3}{4}\pi \qquad \therefore a=\frac{4}{3}$

따라서 주어진 함수는 $y=\tan\left(\frac{4}{3}x-b\right)$이고 그래프가 점 $\left(\frac{\pi}{8},\ 0\right)$을 지나므로 $0=\tan\left(\frac{\pi}{6}-b\right)$

이때 $0<b<\frac{\pi}{2}$에서 $-\frac{\pi}{3}<\frac{\pi}{6}-b<\frac{\pi}{6}$이므로

$\frac{\pi}{6}-b=0 \qquad \therefore b=\frac{\pi}{6}$

$\therefore 9ab=9\times\frac{4}{3}\times\frac{\pi}{6}=2\pi$

## 039 답 $-\frac{4}{3}\pi$

함수 $y=\tan x$의 그래프가 점 $\left(\frac{\pi}{4},\ d\right)$를 지나므로

$d=\tan\frac{\pi}{4}=1$

함수 $y=a\sin(bx+c)$의 최댓값이 2, 최솟값이 $-2$이고 $a>0$이므로 $a=2$

또 주기가 $\frac{7}{6}\pi-\frac{\pi}{6}=\pi$이고 $b>0$이므로 $\frac{2\pi}{b}=\pi \qquad \therefore b=2$

따라서 주어진 함수는 $y=2\sin(2x+c)$이고 그래프가 점 $\left(\frac{\pi}{4},\ 1\right)$을 지나므로

$1=2\sin\left(\frac{\pi}{2}+c\right) \qquad \therefore \sin\left(\frac{\pi}{2}+c\right)=\frac{1}{2}$

이때 $-\frac{\pi}{2}<c\le0$에서 $0<\frac{\pi}{2}+c\le\frac{\pi}{2}$이므로

$\frac{\pi}{2}+c=\frac{\pi}{6} \qquad \therefore c=-\frac{\pi}{3}$

$\therefore abcd=2\times2\times\left(-\frac{\pi}{3}\right)\times1=-\frac{4}{3}\pi$

## 040 답 ④

$y=\left|\sin\left(x+\frac{\pi}{2}\right)\right|-2$의 그래프는 오른쪽 그림과 같으므로

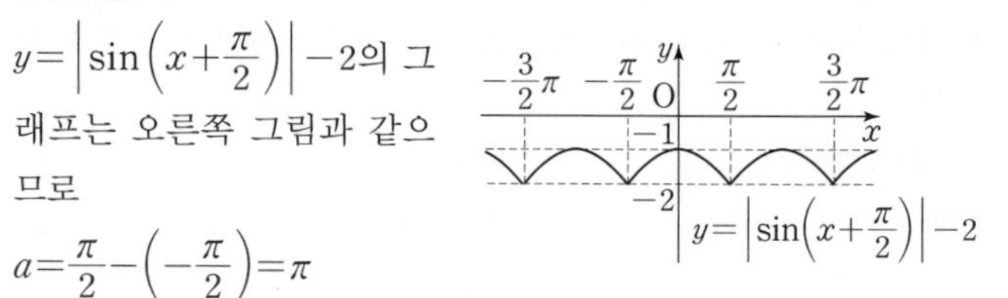


$a=\frac{\pi}{2}-\left(-\frac{\pi}{2}\right)=\pi$

$M=-1,\ m=-2$

$\therefore aMm=\pi\times(-1)\times(-2)=2\pi$

## 041 답 ⑤

$y=\tan|x|$의 그래프는 $y=\tan x$의 그래프에서 $x\ge0$인 부분만 그린 후 $x<0$인 부분은 $x\ge0$인 부분을 $y$축에 대하여 대칭이동한 것이므로 오른쪽 그림과 같다.

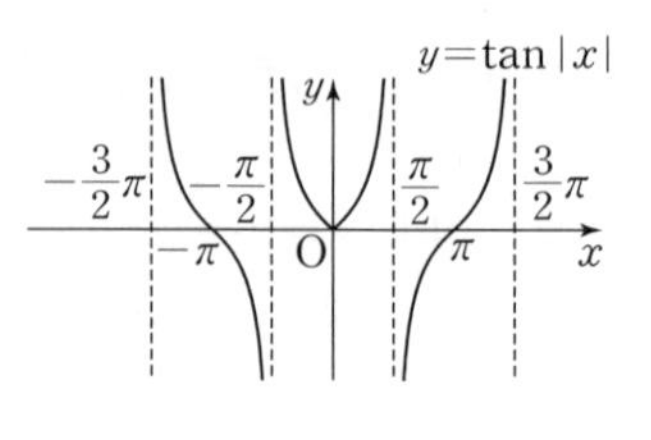


⑤ 그래프의 점근선은 직선 $x=n\pi+\frac{\pi}{2}$($n$은 정수)이다.

## 042 답 ①

ㄱ. $y=\left|\cos\left(x+\frac{\pi}{2}\right)\right|$, $y=|\sin x|$의 그래프는 각각 다음 그림과 같다.

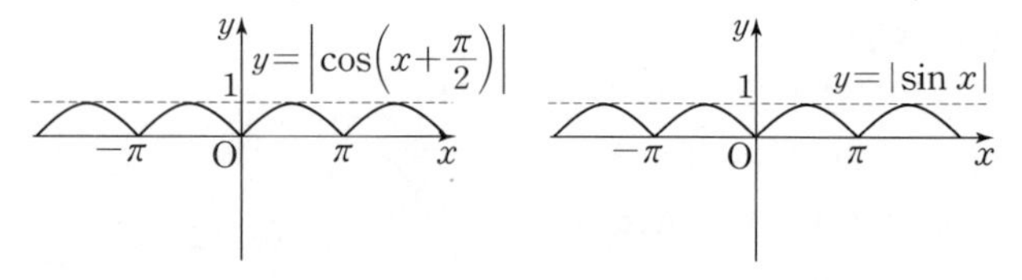


ㄴ. $y=|\tan x|$, $y=\tan|x|$의 그래프는 각각 다음 그림과 같다.

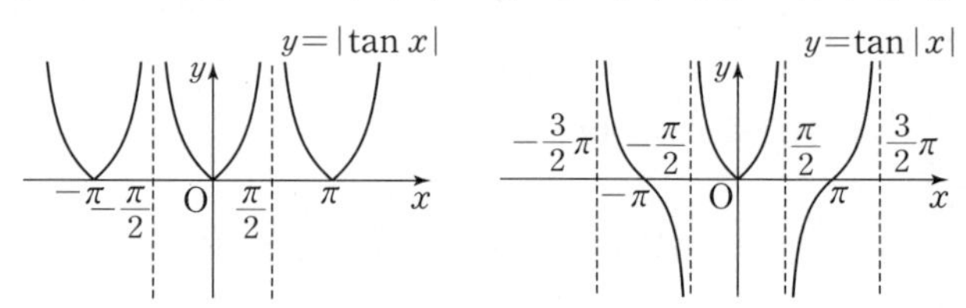


ㄷ. $y=\sin|x|$, $y=\cos|x|$의 그래프는 각각 다음 그림과 같다.

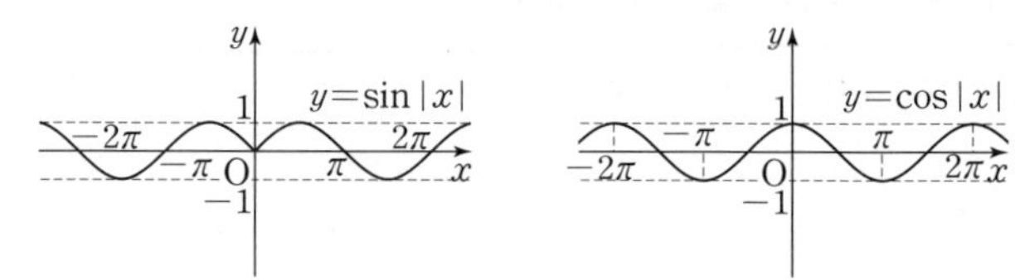


따라서 보기 중 두 함수의 그래프가 일치하는 것은 ㄱ이다.

## 043 답 ②

$\sin\frac{7}{6}\pi=\sin\left(\pi+\frac{\pi}{6}\right)=-\sin\frac{\pi}{6}=-\frac{1}{2}$

$\cos\frac{15}{4}\pi=\cos\left(2\pi+2\pi-\frac{\pi}{4}\right)=\cos\left(2\pi-\frac{\pi}{4}\right)=\cos\frac{\pi}{4}=\frac{\sqrt{2}}{2}$

$\cos\frac{5}{3}\pi=\cos\left(2\pi-\frac{\pi}{3}\right)=\cos\frac{\pi}{3}=\frac{1}{2}$

$\tan\frac{5}{4}\pi=\tan\left(\pi+\frac{\pi}{4}\right)=\tan\frac{\pi}{4}=1$

$\therefore$ (주어진 식)$=2\times\left(-\frac{1}{2}\right)+\sqrt{2}\times\frac{\sqrt{2}}{2}-4\times\frac{1}{2}+1$

$=-1+1-2+1=-1$

## 044 답 ①

$\sin5^\circ=\sin(90^\circ-85^\circ)=\cos85^\circ$

$\sin10^\circ=\sin(90^\circ-80^\circ)=\cos80^\circ$

$\sin15^\circ=\sin(90^\circ-75^\circ)=\cos75^\circ$

$\vdots$

$\sin40^\circ=\sin(90^\circ-50^\circ)=\cos50^\circ$

$\therefore$ (주어진 식)$=(\cos^2 85°+\sin^2 85°)+(\cos^2 80°+\sin^2 80°)$
$+\cdots+(\cos^2 50°+\sin^2 50°)+\sin^2 45°$

$=\underbrace{1+\cdots+1}_{8\text{개}}+\sin^2 45°$

$=8+\frac{1}{2}=\frac{17}{2}$

### 045 답 $-\frac{4}{5}$

$\overline{\text{AB}}$가 원의 지름이므로

$\angle\text{C}=\frac{\pi}{2}$ $\quad\therefore\ \alpha+\beta=\frac{\pi}{2}$

$\triangle$ABC에서 $\overline{\text{BC}}=\sqrt{10^2-6^2}=8$

$\therefore\ \cos(2\alpha+\beta)=\cos\left(\frac{\pi}{2}+\alpha\right)=-\sin\alpha$

$=-\frac{\overline{\text{BC}}}{\overline{\text{AB}}}=-\frac{8}{10}=-\frac{4}{5}$

### 046 답 $-6$

$-1\le\cos 5x\le 1$에서 $\cos 5x+4>0$

$\therefore\ y=a\cos 5x+4a+b$

$a>0$이므로 주어진 함수의 최댓값은

$a+4a+b=5a+b=7$ $\quad\cdots\cdots$ ㉠

최솟값은

$-a+4a+b=3a+b=3$ $\quad\cdots\cdots$ ㉡

㉠, ㉡을 연립하여 풀면

$a=2,\ b=-3$

$\therefore\ ab=-6$

### 047 답 $\frac{10}{3}$

$y=\frac{\cos x+3}{\cos x+2}$에서 $\cos x=t$로 놓으면 $-1\le t\le 1$이고

$y=\frac{t+3}{t+2}=\frac{(t+2)+1}{t+2}=\frac{1}{t+2}+1$

오른쪽 그림에서 $t=-1$일 때 최댓값은 2, $t=1$일 때 최솟값은 $\frac{4}{3}$이므로

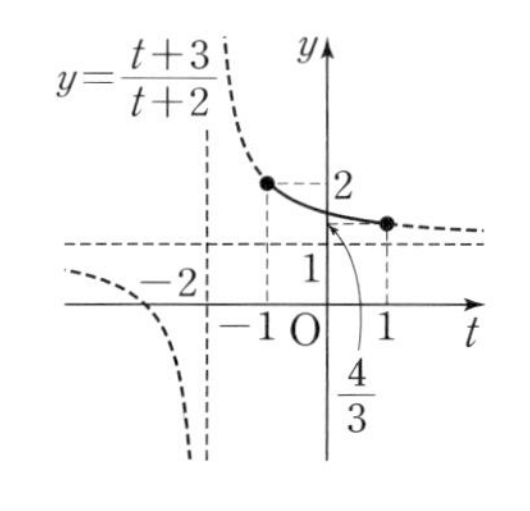


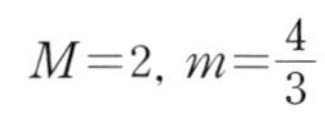

$M=2,\ m=\frac{4}{3}$

$\therefore\ M+m=\frac{10}{3}$

### 048 답 ④

$y=\sin^2 x+2\cos x=(1-\cos^2 x)+2\cos x$

$=-\cos^2 x+2\cos x+1$

$\cos x=t$로 놓으면 $-1\le t\le 1$이고

$y=-t^2+2t+1=-(t-1)^2+2$

오른쪽 그림에서 $t=1$일 때 최댓값은 2, $t=-1$일 때 최솟값은 $-2$이므로

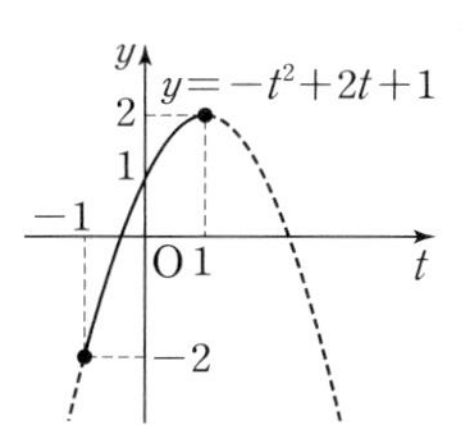


$M=2,\ m=-2$

$\therefore\ M-m=4$

### 049 답 $x=0$ 또는 $x=\frac{\pi}{6}$

$2x+\frac{\pi}{3}=t$로 놓으면 $0\le x<\pi$에서 $\frac{\pi}{3}\le t<\frac{7}{3}\pi$이고, 주어진 방정식은 $\sin t=\frac{\sqrt{3}}{2}$

$\therefore\ t=\frac{\pi}{3}$ 또는 $t=\frac{2}{3}\pi$

즉, $2x+\frac{\pi}{3}=\frac{\pi}{3}$ 또는 $2x+\frac{\pi}{3}=\frac{2}{3}\pi$이므로

$x=0$ 또는 $x=\frac{\pi}{6}$

### 050 답 ⑤

$2\sin^2 x-\cos x-1=0$에서

$2(1-\cos^2 x)-\cos x-1=0$

$2\cos^2 x+\cos x-1=0,\ (\cos x+1)(2\cos x-1)=0$

$\therefore\ \cos x=-1$ 또는 $\cos x=\frac{1}{2}$

$0\le x<2\pi$이므로

$\cos x=-1$에서 $x=\pi$

$\cos x=\frac{1}{2}$에서 $x=\frac{\pi}{3}$ 또는 $x=\frac{5}{3}\pi$

따라서 구하는 모든 근의 합은

$\frac{\pi}{3}+\pi+\frac{5}{3}\pi=3\pi$

### 051 답 7

방정식 $\sin\pi x=\frac{1}{4}x$의 실근은 함수 $y=\sin\pi x$의 그래프와 직선 $y=\frac{1}{4}x$의 교점의 $x$좌표와 같다.

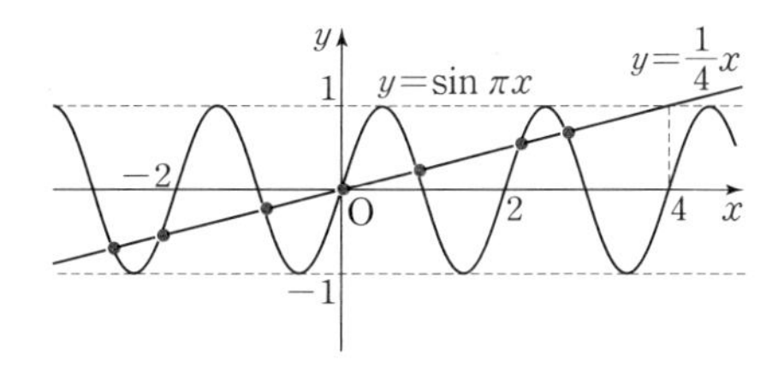


위의 그림에서 두 그래프의 교점이 7개이므로 주어진 방정식의 서로 다른 실근의 개수는 7이다.

### 052 답 $2\le k\le 6$

$\cos^2 x-2\sin x+4=k$에서 $(1-\sin^2 x)-2\sin x+4=k$

$\therefore\ -\sin^2 x-2\sin x+5=k$

주어진 방정식이 실근을 가지려면 함수 $y=-\sin^2 x-2\sin x+5$의 그래프와 직선 $y=k$가 교점을 가져야 한다.

$y=-\sin^2 x-2\sin x+5$에서 $\sin x=t$로 놓으면 $-1\le t\le 1$이고

$y=-t^2-2t+5=-(t+1)^2+6$

따라서 오른쪽 그림에서 주어진 방정식이 실근을 갖도록 하는 실수 $k$의 값의 범위는

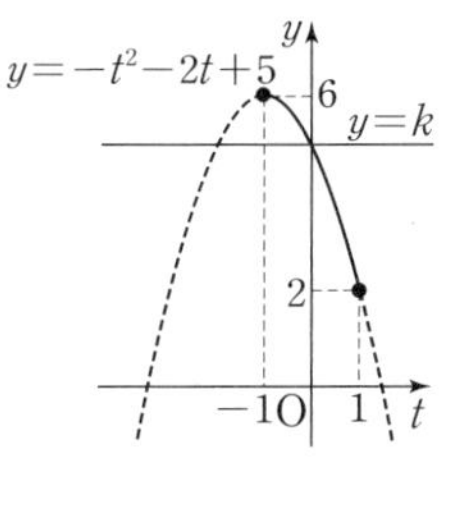


$2\le k\le 6$

## 053 답 ⑤

$x+\frac{\pi}{4}=t$로 놓으면 $0\le x<2\pi$에서 $\frac{\pi}{4}\le t<\frac{9}{4}\pi$이고, 주어진 부등식은 $\sin t<\frac{\sqrt{2}}{2}$

오른쪽 그림에서 부등식 $\sin t<\frac{\sqrt{2}}{2}$의 해는 $\frac{3}{4}\pi<t<\frac{9}{4}\pi$이므로

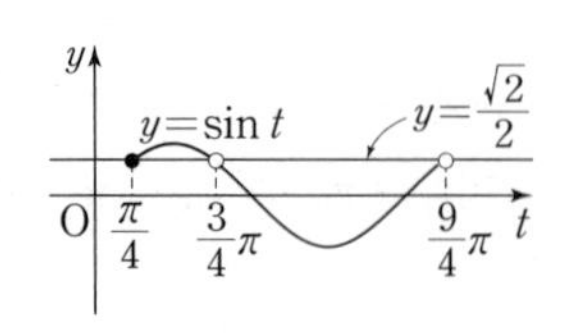


$\frac{3}{4}\pi<x+\frac{\pi}{4}<\frac{9}{4}\pi$

$\therefore\ \frac{\pi}{2}<x<2\pi$

따라서 $\alpha=\frac{\pi}{2}$, $\beta=2\pi$이므로 $\alpha+\beta=\frac{5}{2}\pi$

## 054 답 $-\frac{1}{2}$

$2\cos^2 x-3\ge 3\sin x$에서 $2(1-\sin^2 x)-3\ge 3\sin x$

$2\sin^2 x+3\sin x+1\le 0$, $(\sin x+1)(2\sin x+1)\le 0$

$\therefore\ -1\le\sin x\le -\frac{1}{2}$

$-\pi<x<\pi$이므로 오른쪽 그림에서 부등식 $-1\le\sin x\le-\frac{1}{2}$의 해는 $-\frac{5}{6}\pi\le x\le-\frac{\pi}{6}$

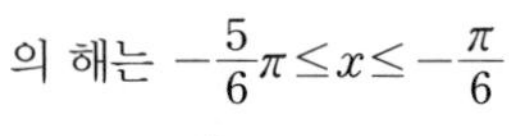

$\therefore\ \alpha=-\frac{5}{6}\pi$, $\beta=-\frac{\pi}{6}$

따라서 $\beta-\alpha=-\frac{\pi}{6}-\left(-\frac{5}{6}\pi\right)=\frac{2}{3}\pi$이므로

$\cos(\beta-\alpha)=\cos\frac{2}{3}\pi=-\frac{1}{2}$

## 055 답 ①

모든 실수 $x$에 대하여 주어진 부등식이 성립해야 하므로 이차방정식 $x^2-2x+2\cos\theta=0$의 판별식을 $D$라 하면

$\frac{D}{4}=1-2\cos\theta<0$

$\therefore\ \cos\theta>\frac{1}{2}$

$0<\theta<\pi$이므로 오른쪽 그림에서 구하는 $\theta$의 값의 범위는

$0\le\theta<\frac{\pi}{3}$

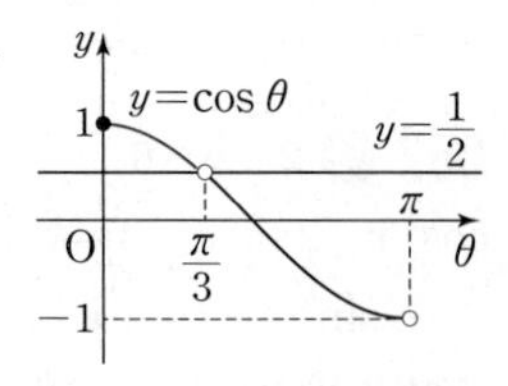


## 056 답 ③

$\sin\frac{11}{3}\pi=\sin\left(2\pi+2\pi-\frac{\pi}{3}\right)=\sin\left(2\pi-\frac{\pi}{3}\right)=-\sin\frac{\pi}{3}=-\frac{\sqrt{3}}{2}$

$\tan\frac{5}{3}\pi=\tan\left(2\pi-\frac{\pi}{3}\right)=-\tan\frac{\pi}{3}=-\sqrt{3}$

$\cos\frac{7}{6}\pi=\cos\left(\pi+\frac{\pi}{6}\right)=-\cos\frac{\pi}{6}=-\frac{\sqrt{3}}{2}$

$\therefore$ (주어진 식)$=2\times\left(-\frac{\sqrt{3}}{2}\right)-3\times(-\sqrt{3})+4\times\left(-\frac{\sqrt{3}}{2}\right)$

$=-\sqrt{3}+3\sqrt{3}-2\sqrt{3}=0$

## 057 답 0.7661

$\sin 110^\circ=\sin(90^\circ+20^\circ)=\cos 20^\circ=0.9397$

$\cos 260^\circ=\cos(90^\circ\times 3-10^\circ)=-\sin 10^\circ=-0.1736$

$\therefore\ \sin 110^\circ+\cos 260^\circ=0.9397-0.1736=0.7661$

## 058 답 ㄱ

ㄱ. $\cos 1080^\circ=\cos(360^\circ\times 3+0^\circ)=\cos 0^\circ=1$

$\sin(-330^\circ)=-\sin 330^\circ=-\sin(360^\circ-30^\circ)$

$=\sin 30^\circ=\frac{1}{2}$

$\tan 240^\circ=\tan(180^\circ+60^\circ)=\tan 60^\circ=\sqrt{3}$

$\cos 150^\circ=\cos(180^\circ-30^\circ)=-\cos 30^\circ=-\frac{\sqrt{3}}{2}$

$\therefore$ (주어진 식)$=1\times\frac{1}{2}+\sqrt{3}\times\left(-\frac{\sqrt{3}}{2}\right)=-1$

ㄴ. $\sin\frac{13}{4}\pi=\sin\left(2\pi+\pi+\frac{\pi}{4}\right)=\sin\left(\pi+\frac{\pi}{4}\right)$

$=-\sin\frac{\pi}{4}=-\frac{\sqrt{2}}{2}$

$\cos\left(-\frac{4}{3}\pi\right)=\cos\frac{4}{3}\pi=\cos\left(\pi+\frac{\pi}{3}\right)=-\cos\frac{\pi}{3}=-\frac{1}{2}$

$\tan\left(-\frac{7}{6}\pi\right)=-\tan\frac{7}{6}\pi=-\tan\left(\pi+\frac{\pi}{6}\right)$

$=-\tan\frac{\pi}{6}=-\frac{\sqrt{3}}{3}$

$\therefore$ (주어진 식)$=\sqrt{2}\times\left(-\frac{\sqrt{2}}{2}\right)+2\times\left(-\frac{1}{2}\right)+\sqrt{3}\times\left(-\frac{\sqrt{3}}{3}\right)$

$=-1-1-1=-3$

ㄷ. $\sin\frac{7}{3}\pi=\sin\left(2\pi+\frac{\pi}{3}\right)=\sin\frac{\pi}{3}=\frac{\sqrt{3}}{2}$

$\tan\frac{13}{6}\pi=\tan\left(2\pi+\frac{\pi}{6}\right)=\tan\frac{\pi}{6}=\frac{\sqrt{3}}{3}$

$\cos\frac{11}{3}\pi=\cos\left(2\pi+2\pi-\frac{\pi}{3}\right)=\cos\left(2\pi-\frac{\pi}{3}\right)$

$=\cos\frac{\pi}{3}=\frac{1}{2}$

$\therefore$ (주어진 식)$=\log_2\frac{\sqrt{3}}{2}+\log_2\frac{\sqrt{3}}{3}+\log_2\frac{1}{2}$

$=\log_2\left(\frac{\sqrt{3}}{2}\times\frac{\sqrt{3}}{3}\times\frac{1}{2}\right)$

$=\log_2\frac{1}{4}=-2$

따라서 보기 중 옳은 것은 ㄱ이다.

## 059 답 −1

$$\frac{\sin\left(\frac{\pi}{2}+\theta\right)\cos^2(2\pi-\theta)}{\sin\left(\frac{3}{2}\pi+\theta\right)}-\frac{\cos\left(\frac{3}{2}\pi-\theta\right)\sin\left(\frac{\pi}{2}+\theta\right)}{\tan\left(\frac{\pi}{2}+\theta\right)}$$

$$=\frac{\cos\theta\cos^2\theta}{-\cos\theta}-\frac{-\sin\theta\cos\theta}{-\frac{1}{\tan\theta}}$$

$$=-\cos^2\theta-\frac{\sin\theta\cos\theta}{\frac{\cos\theta}{\sin\theta}}$$

$$=-\cos^2\theta-\sin^2\theta=-1$$

**060** 답 $-4$

직선 $2x-\sqrt{2}y+1=0$의 기울기가 $\sqrt{2}$이므로 $\tan\theta=\sqrt{2}$

$$\therefore \frac{\cos\left(\theta-\frac{\pi}{2}\right)}{1-\sin(-\theta)}+\frac{\sin(\theta-\pi)}{1+\sin(\pi+\theta)}$$
$$=\frac{\sin\theta}{1+\sin\theta}+\frac{-\sin\theta}{1-\sin\theta}$$
$$=\frac{\sin\theta-\sin^2\theta-\sin\theta-\sin^2\theta}{1-\sin^2\theta}$$
$$=\frac{-2\sin^2\theta}{\cos^2\theta}=-2\tan^2\theta$$
$$=-2\times2=-4$$

**061** 답 ④

$\cos10^\circ=\cos(90^\circ-80^\circ)=\sin80^\circ$

$\cos20^\circ=\cos(90^\circ-70^\circ)=\sin70^\circ$

$\cos30^\circ=\cos(90^\circ-60^\circ)=\sin60^\circ$

$\cos40^\circ=\cos(90^\circ-50^\circ)=\sin50^\circ$

$\therefore$ (주어진 식)

$=(\sin^2 80^\circ+\cos^2 80^\circ)+(\sin^2 70^\circ+\cos^2 70^\circ)$
$\quad+(\sin^2 60^\circ+\cos^2 60^\circ)+(\sin^2 50^\circ+\cos^2 50^\circ)+\cos^2 90^\circ$

$=1+1+1+1+0=4$

**062** 답 ④

$1^\circ+\theta=A$로 놓으면 $\theta=A-1^\circ$

$89^\circ-\theta=89^\circ-(A-1^\circ)=90^\circ-A$

$\therefore$ (주어진 식)$=\tan A\times\tan(90^\circ-A)$

$$=\tan A\times\frac{1}{\tan A}=1$$

**063** 답 0

$\sin1^\circ+\sin2^\circ+\cdots+\sin180^\circ+\sin181^\circ+\sin182^\circ+\cdots+\sin360^\circ$

$=\sin1^\circ+\sin2^\circ+\cdots+\sin180^\circ+\sin(180^\circ+1^\circ)$
$\quad+\sin(180^\circ+2^\circ)+\cdots+\sin(180^\circ+180^\circ)$

$=\sin1^\circ+\sin2^\circ+\cdots+\sin180^\circ-\sin1^\circ-\sin2^\circ-\cdots-\sin180^\circ$

$=0$

**064** 답 $\frac{2\sqrt{2}}{3}$

$\overline{AB}$는 반원의 지름이므로

$\angle ADB=\frac{\pi}{2}$

$\triangle ABD$에서 $\alpha+\beta=\frac{\pi}{2}$이므로

$\beta=\frac{\pi}{2}-\alpha$

$\therefore \cos(\beta-\alpha)=\cos\left(\frac{\pi}{2}-2\alpha\right)=\sin2\alpha$

한편 $\triangle ABC$에서 $\angle ACB=\frac{\pi}{2}$이므로

$\overline{BC}=\sqrt{6^2-2^2}=4\sqrt{2}$

$\therefore \cos(\beta-\alpha)=\sin2\alpha=\frac{\overline{BC}}{\overline{AB}}=\frac{2\sqrt{2}}{3}$

**065** 답 ⑤

$A+B+C=\pi$이므로

① $\cos(B+C)=\cos(\pi-A)=-\cos A$

② $\sin(B+C)=\sin(\pi-A)=\sin A$

③ $\sin\frac{B+C}{2}=\sin\frac{\pi-A}{2}=\sin\left(\frac{\pi}{2}-\frac{A}{2}\right)=\cos\frac{A}{2}$

④ $\tan(A+C)=\tan(\pi-B)=-\tan B$이므로

$\tan B\tan(A+C)=\tan B\times(-\tan B)=-\tan^2 B$

⑤ $\tan\frac{B+C}{2}=\tan\frac{\pi-A}{2}=\tan\left(\frac{\pi}{2}-\frac{A}{2}\right)=\frac{1}{\tan\frac{A}{2}}$이므로

$$\tan\frac{A}{2}\tan\frac{B+C}{2}=\tan\frac{A}{2}\times\frac{1}{\tan\frac{A}{2}}=1$$

**066** 답 0

$5\theta=\pi$이므로

$\cos\theta+\cos2\theta+\cos3\theta+\cdots+\cos10\theta$

$=\cos\theta+\cos2\theta+\cdots+\cos5\theta$
$\quad+\cos(\pi+\theta)+\cos(\pi+2\theta)+\cdots+\cos(\pi+5\theta)$

$=\cos\theta+\cos2\theta+\cdots+\cos5\theta-\cos\theta-\cos2\theta-\cdots-\cos5\theta$

$=0$

**067** 답 ⑤

$-1\le\sin2x\le1$이므로 $2\sin2x-3<0$

$\therefore y=-2a\sin2x+3a+b$

$a>0$이므로 주어진 함수의 최댓값은

$2a+3a+b=5a+b=1$ ······ ㉠

최솟값은

$-2a+3a+b=a+b=-3$ ······ ㉡

㉠, ㉡을 연립하여 풀면

$a=1,\ b=-4$ $\quad\therefore a-b=5$

**068** 답 4

$\sin\left(\frac{3}{2}\pi+x\right)=-\cos x$이므로

$y=\sin\left(\frac{3}{2}\pi+x\right)-\cos x+2$

$\quad=-2\cos x+2$

$-1\le\cos x\le1$이므로 $-2\le-2\cos x\le2$

$\therefore 0\le-2\cos x+2\le4$

따라서 최댓값은 4, 최솟값은 0이므로 $M=4,\ m=0$

$\therefore M+m=4$

**069** 답 ⑤

$-\frac{\pi}{4}\le x\le\frac{\pi}{4}$에서 $-1\le\tan x\le1$이므로

$\tan x-2<0$

$\therefore y=\tan x-2+k$

따라서 주어진 함수의 최댓값은 $-1+k$, 최솟값은 $-3+k$이므로

$-1+k+(-3+k)=4$ $\quad\therefore k=4$

## 070 답 ①

$y=\frac{\sin x+2}{\sin x-2}$에서 $\sin x=t$로 놓으면 $-1\le t\le 1$이고

$y=\frac{t+2}{t-2}=\frac{t-2+4}{t-2}=\frac{4}{t-2}+1$

오른쪽 그림에서 $t=-1$일 때 최댓값은 $-\frac{1}{3}$, $t=1$일 때 최솟값은 $-3$이므로

$M=-\frac{1}{3}$, $m=-3$

$\therefore Mm=1$

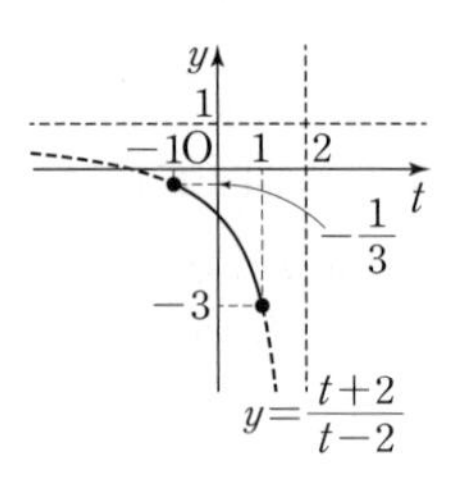

## 071 답 3

$y=\frac{3\tan x+1}{\tan x+1}$에서 $\tan x=t$로 놓으면

$0\le x\le\frac{\pi}{4}$에서 $0\le t\le 1$이고

$y=\frac{3t+1}{t+1}=\frac{3(t+1)-2}{t+1}=\frac{-2}{t+1}+3$

오른쪽 그림에서 $t=1$일 때 최댓값은 2, $t=0$일 때 최솟값은 1이다.

따라서 최댓값과 최솟값의 합은

$2+1=3$

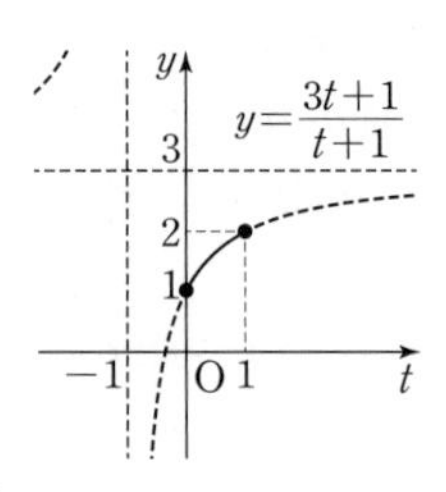

## 072 답 ③

$y=\frac{a\cos x}{\cos x-2}$에서 $\cos x=t$로 놓으면 $-1\le t\le 1$이고

$y=\frac{at}{t-2}=\frac{a(t-2)+2a}{t-2}=\frac{2a}{t-2}+a$

$a>0$이므로 그래프는 오른쪽 그림과 같다.

따라서 $t=-1$일 때 최댓값 $\frac{a}{3}$를 가지므로

$\frac{a}{3}=1\qquad\therefore a=3$

$t=1$일 때 최솟값 $-a$를 가지므로

$b=-a=-3$

$\therefore \frac{b}{a}=\frac{-3}{3}=-1$

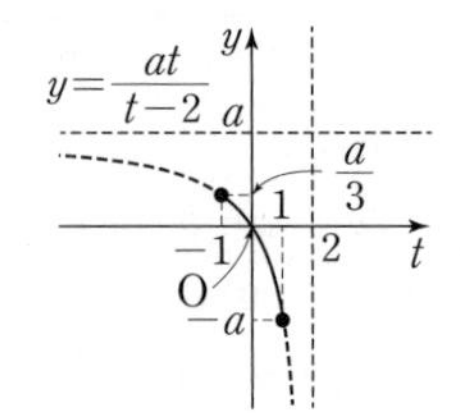

## 073 답 ⑤

$y=\frac{2|\cos x|+3}{|\cos x|+1}$에서 $|\cos x|=t$로 놓으면 $0\le t\le 1$이고

$y=\frac{2t+3}{t+1}=\frac{2(t+1)+1}{t+1}=\frac{1}{t+1}+2$

오른쪽 그림에서 $t=0$일 때 최댓값은 3, $t=1$일 때 최솟값은 $\frac{5}{2}$이다.

따라서 주어진 함수의 치역은

$\left\{y\,\middle|\,\frac{5}{2}\le y\le 3\right\}$이므로 $a=\frac{5}{2}$, $b=3$

$\therefore ab=\frac{15}{2}$

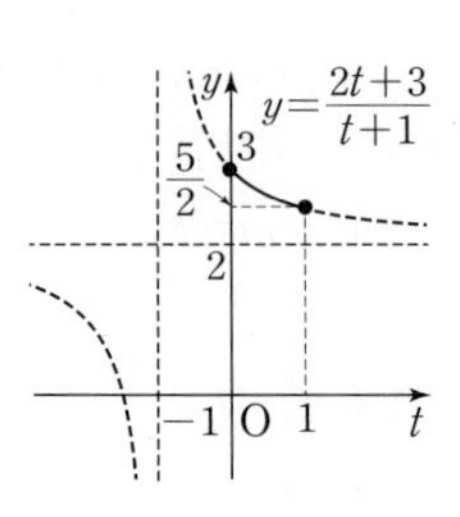

## 074 답 ②

$y=\cos^2 x-4\sin(\pi+x)+2=(1-\sin^2 x)+4\sin x+2$

$\quad=-\sin^2 x+4\sin x+3$

$\sin x=t$로 놓으면 $-1\le t\le 1$이고

$y=-t^2+4t+3=-(t-2)^2+7$

오른쪽 그림에서 $t=1$일 때 최댓값은 6, $t=-1$일 때 최솟값은 $-2$이므로

$M=6$, $m=-2$

$\therefore M+m=4$

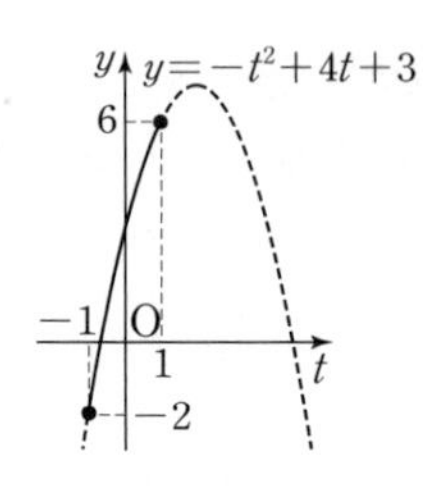

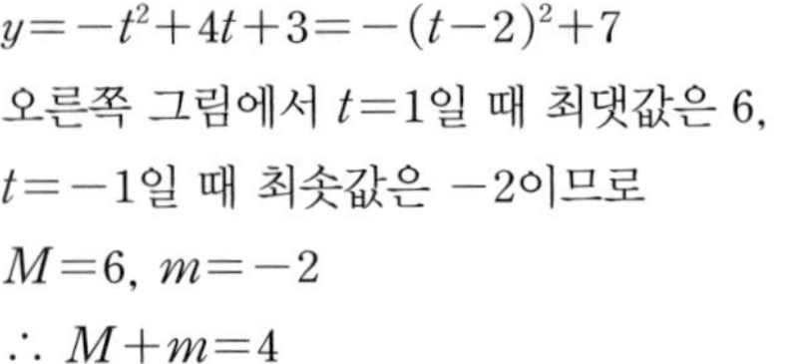

## 075 답 1

$y=-2\sin^2 x-2\cos x+k$

$\quad=-2(1-\cos^2 x)-2\cos x+k$

$\quad=2\cos^2 x-2\cos x+k-2$

$\cos x=t$로 놓으면 $-1\le t\le 1$이고

$y=2t^2-2t+k-2=2\left(t-\frac{1}{2}\right)^2+k-\frac{5}{2}$

오른쪽 그림에서 $t=-1$일 때 최댓값은 $k+2$, $t=\frac{1}{2}$일 때 최솟값은 $k-\frac{5}{2}$이므로

$(k+2)+\left(k-\frac{5}{2}\right)=\frac{3}{2}$

$2k=2\qquad\therefore k=1$

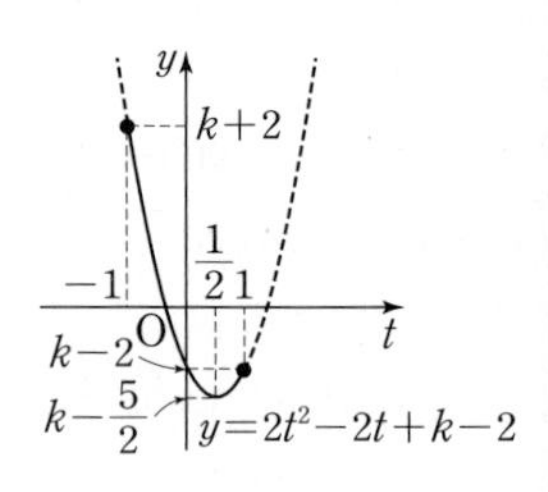

## 076 답 ④

$y=a\sin^2 x+2a\cos x+1$

$\quad=a(1-\cos^2 x)+2a\cos x+1$

$\quad=-a\cos^2 x+2a\cos x+a+1$

$\cos x=t$로 놓으면 $-1\le t\le 1$이고

$y=-at^2+2at+a+1=-a(t-1)^2+2a+1$

오른쪽 그림에서 $t=1$일 때 최댓값 $2a+1$을 가지므로

$2a+1=3\qquad\therefore a=1$

$t=-1$일 때 최솟값 $-2a+1$을 가지므로

$b=-2a+1=-1\qquad\therefore a-b=2$

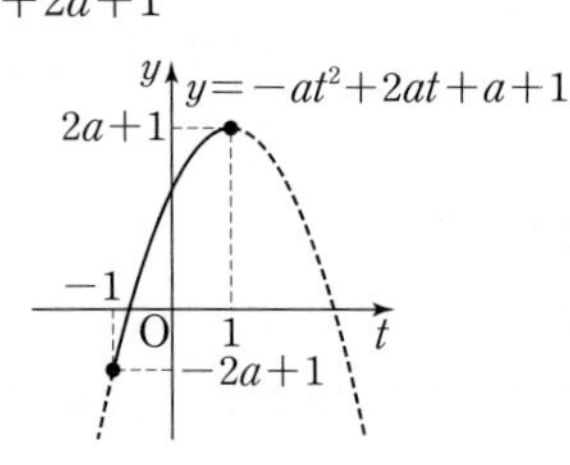

## 077 답 ⑤

$\sin\left(\frac{3}{2}\pi+x\right)=-\cos x$, $\cos(\pi+x)=-\cos x$,

$\sin\left(\frac{\pi}{2}-x\right)=\cos x$이므로

$y=\sin^2\left(\frac{3}{2}\pi+x\right)+\cos^2(\pi+x)-2\sin\left(\frac{\pi}{2}-x\right)$

$\quad=\cos^2 x+\cos^2 x-2\cos x=2\cos^2 x-2\cos x$

$\cos x=t$로 놓으면 $-1\le t\le 1$이고

$y=2t^2-2t=2\left(t-\frac{1}{2}\right)^2-\frac{1}{2}$

오른쪽 그림에서 $t=-1$일 때 최댓값은 4, $t=\frac{1}{2}$일 때 최솟값은 $-\frac{1}{2}$이므로 주어진 함수의 치역은 $\left\{y\,\middle|\,-\frac{1}{2}\le y\le 4\right\}$이다.

따라서 $a=-\frac{1}{2}$, $b=4$이므로 $ab=-2$

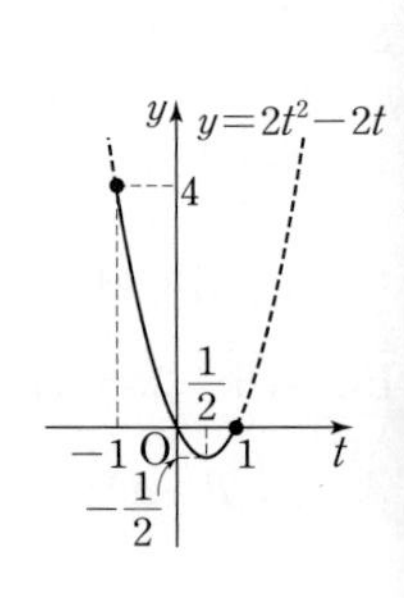

### 078 답 3

$f(x)=-\cos^2 x-2\sin x+1$

$\quad=-(1-\sin^2 x)-2\sin x+1$

$\quad=\sin^2 x-2\sin x$

$\sin x=t$로 놓으면 $-1\leq t\leq 1$이고

$y=t^2-2t=(t-1)^2-1$

$t=-1$일 때 최댓값은 3, $t=1$일 때 최솟값은 $-1$이므로

$-1\leq f(x)\leq 3$

$f(x)=s$로 놓으면 $-1\leq s\leq 3$이고

$(g\circ f)(x)=g(f(x))=g(s)$

$\quad=-s^2+4s+2=-(s-2)^2+6$

$s=2$일 때 최댓값은 6, $s=-1$일 때 최솟값은 $-3$이므로

$M=6$, $m=-3$

$\therefore M+m=3$

### 079 답 $\frac{13}{3}\pi$

$\frac{x}{2}-\frac{\pi}{4}=t$로 놓으면 $0\leq x<4\pi$에서 $-\frac{\pi}{4}\leq t<\frac{7}{4}\pi$이고, 주어진 방정식은 $\tan t=\sqrt{3}$

$\therefore t=\frac{\pi}{3}$ 또는 $t=\frac{4}{3}\pi$

즉, $\frac{x}{2}-\frac{\pi}{4}=\frac{\pi}{3}$ 또는 $\frac{x}{2}-\frac{\pi}{4}=\frac{4}{3}\pi$이므로

$x=\frac{7}{6}\pi$ 또는 $x=\frac{19}{6}\pi$

따라서 모든 근의 합은 $\frac{7}{6}\pi+\frac{19}{6}\pi=\frac{13}{3}\pi$

### 080 답 ③

$\cos\left(\frac{\pi}{2}-x\right)=\sin x$, $\sin(\pi+x)=-\sin x$이므로

$\cos\left(\frac{\pi}{2}-x\right)-\sin(\pi+x)=\sqrt{3}$에서

$\sin x-(-\sin x)=\sqrt{3}$

$2\sin x=\sqrt{3}\qquad\therefore \sin x=\frac{\sqrt{3}}{2}$

$0\leq x<4\pi$이므로

$x=\frac{\pi}{3}$ 또는 $x=\frac{2}{3}\pi$ 또는 $x=\frac{7}{3}\pi$ 또는 $x=\frac{8}{3}\pi$

따라서 주어진 방정식의 해가 아닌 것은 ③이다.

### 081 답 $\frac{5}{2}\pi$

$\sin x+\cos x=0$에서 $\sin x=\ \ \cos x$

오른쪽 그림에서 두 함수 $y=\sin x$, $y=-\cos x$의 그래프의 교점의 $x$좌표가 $\frac{3}{4}\pi$, $\frac{7}{4}\pi$이므로

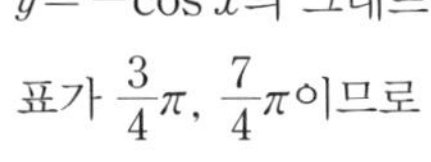

$x=\frac{3}{4}\pi$ 또는 $x=\frac{7}{4}\pi$

따라서 모든 $x$의 값의 합은

$\frac{3}{4}\pi+\frac{7}{4}\pi=\frac{5}{2}\pi$

다른 풀이 $\sin x+\cos x=0$에서 $\sin x=-\cos x$

$x=\frac{\pi}{2}$ 또는 $x=\frac{3}{2}\pi$는 등식을 만족시키지 않고

$x\neq\frac{\pi}{2}$, $x\neq\frac{3}{2}\pi$일 때 $\cos x\neq 0$이므로 양변을 $\cos x$로 나누면

$\frac{\sin x}{\cos x}=-1\qquad\therefore \tan x=-1$

$0\leq x\leq 2\pi$이므로 $x=\frac{3}{4}\pi$ 또는 $x=\frac{7}{4}\pi$

따라서 모든 $x$의 값의 합은 $\frac{3}{4}\pi+\frac{7}{4}\pi=\frac{5}{2}\pi$

### 082 답 $\frac{\pi}{2}$

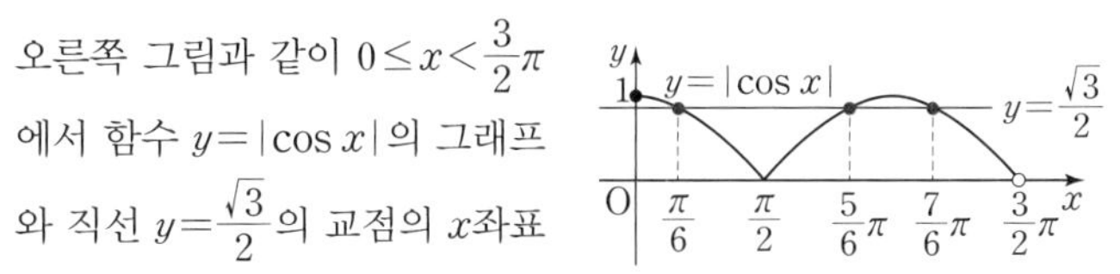

오른쪽 그림과 같이 $0\leq x<\frac{3}{2}\pi$에서 함수 $y=|\cos x|$의 그래프와 직선 $y=\frac{\sqrt{3}}{2}$의 교점의 $x$좌표가 $\frac{\pi}{6}$, $\frac{5}{6}\pi$, $\frac{7}{6}\pi$이므로

$x_1=\frac{\pi}{6}$, $x_2=\frac{5}{6}\pi$, $x_3=\frac{7}{6}\pi$

$\therefore x_1-x_2+x_3=\frac{\pi}{6}-\frac{5}{6}\pi+\frac{7}{6}\pi=\frac{\pi}{2}$

### 083 답 ④

$2x=t$로 놓으면 $-\frac{\pi}{4}<x<\frac{\pi}{4}$에서 $-\frac{\pi}{2}<t<\frac{\pi}{2}$이고, 주어진 방정식은 $\sin t=\sqrt{3}\cos t$

이때 $\cos t\neq 0$이므로 양변을 $\cos t$로 나누면

$\frac{\sin t}{\cos t}=\sqrt{3}\qquad\therefore \tan t=\sqrt{3}$

$-\frac{\pi}{2}<t<\frac{\pi}{2}$이므로 $t=\frac{\pi}{3}$

즉, $2x=\frac{\pi}{3}$이므로 $x=\frac{\pi}{6}$

따라서 $\alpha=\frac{\pi}{6}$이므로

$\sin\left(\pi+\frac{\pi}{6}\right)=-\sin\frac{\pi}{6}=-\frac{1}{2}$

### 084 답 ④

$\pi\sin x=t$로 놓으면 $0\leq x<2\pi$에서

$-1\leq\sin x\leq 1\qquad\therefore -\pi\leq t\leq\pi$

이때 주어진 방정식은 $\cos t=0$이므로

$t=-\frac{\pi}{2}$ 또는 $t=\frac{\pi}{2}$

즉, $\pi\sin x=-\frac{\pi}{2}$ 또는 $\pi\sin x=\frac{\pi}{2}$이므로

$\sin x=-\frac{1}{2}$ 또는 $\sin x=\frac{1}{2}$

$\therefore x=\frac{\pi}{6}$ 또는 $x=\frac{5}{6}\pi$ 또는 $x=\frac{7}{6}\pi$ 또는 $x=\frac{11}{6}\pi$

따라서 주어진 방정식의 해가 아닌 것은 ④이다.

## 085 답 $2\pi$

$y=x^2-4x\cos\theta-4\sin^2\theta$

$=(x-2\cos\theta)^2-4\cos^2\theta-4\sin^2\theta$

$=(x-2\cos\theta)^2-4$

이 이차함수의 그래프의 꼭짓점의 좌표는 $(2\cos\theta, -4)$이고, 이 점이 직선 $y=4x$ 위에 있으므로

$-4=4\times2\cos\theta \quad \therefore \cos\theta=-\frac{1}{2}$

$0\le\theta<2\pi$이므로 $\theta=\frac{2}{3}\pi$ 또는 $\theta=\frac{4}{3}\pi$

따라서 모든 $\theta$의 값의 합은

$\frac{2}{3}\pi+\frac{4}{3}\pi=2\pi$

## 086 답 $x=\frac{\pi}{6}$ 또는 $x=\frac{5}{6}\pi$

$2\cos^2 x-5\sin x+1=0$에서

$2(1-\sin^2 x)-5\sin x+1=0$

$2\sin^2 x+5\sin x-3=0$

$(\sin x+3)(2\sin x-1)=0$

$\therefore \sin x=\frac{1}{2}$ ($\because -1\le\sin x\le1$)

$0\le x<2\pi$이므로 $x=\frac{\pi}{6}$ 또는 $x=\frac{5}{6}\pi$

## 087 답 ⑤

$3\tan^2 x-4\sqrt{3}\tan x+3=0$에서

$(3\tan x-\sqrt{3})(\tan x-\sqrt{3})=0$

$\therefore \tan x=\frac{\sqrt{3}}{3}$ 또는 $\tan x=\sqrt{3}$

$-\frac{\pi}{2}<x<\frac{\pi}{2}$이므로

$\tan x=\frac{\sqrt{3}}{3}$에서 $x=\frac{\pi}{6}$

$\tan x=\sqrt{3}$에서 $x=\frac{\pi}{3}$

$\therefore \alpha=\frac{\pi}{6}, \beta=\frac{\pi}{3}$

$\therefore \cos(\beta-\alpha)=\cos\left(\frac{\pi}{3}-\frac{\pi}{6}\right)=\cos\frac{\pi}{6}=\frac{\sqrt{3}}{2}$

## 088 답 ②

$2\cos^2 A-\sin A\cos A+\sin^2 A-1=0$에서

$2\cos^2 A-\sin A\cos A+(1-\cos^2 A)-1=0$

$\cos^2 A-\sin A\cos A=0$

$\therefore \cos A(\cos A-\sin A)=0$

한편 $\triangle$ABC는 직각삼각형이 아니므로

$\cos A\ne0$

$\therefore \cos A=\sin A \quad \therefore A=\frac{\pi}{4}$ ($\because 0<A<\pi$)

이때 $A+B+C=\pi$이므로

$\tan(B+C)=\tan(\pi-A)=-\tan A$

$=-\tan\frac{\pi}{4}=-1$

## 089 답 $-\sqrt{2}$

$5\sin^2\theta-\sin\theta\cos\theta-2=0$에서

$5\sin^2\theta-\sin\theta\cos\theta-2(\sin^2\theta+\cos^2\theta)=0$

$3\sin^2\theta-\sin\theta\cos\theta-2\cos^2\theta=0$

$(3\sin\theta+2\cos\theta)(\sin\theta-\cos\theta)=0$

이때 $\pi<\theta<\frac{3}{2}\pi$이므로

$\sin\theta<0, \cos\theta<0$

$\therefore \sin\theta=\cos\theta$

$\therefore \theta=\frac{5}{4}\pi$

따라서 $\sin\theta=-\frac{\sqrt{2}}{2}, \cos\theta=-\frac{\sqrt{2}}{2}$이므로

$\sin\theta+\cos\theta=-\sqrt{2}$

## 090 답 ①

방정식 $\cos\pi x=\frac{2}{5}x$의 실근은 함수 $y=\cos\pi x$의 그래프와 직선 $y=\frac{2}{5}x$의 교점의 $x$좌표와 같다.

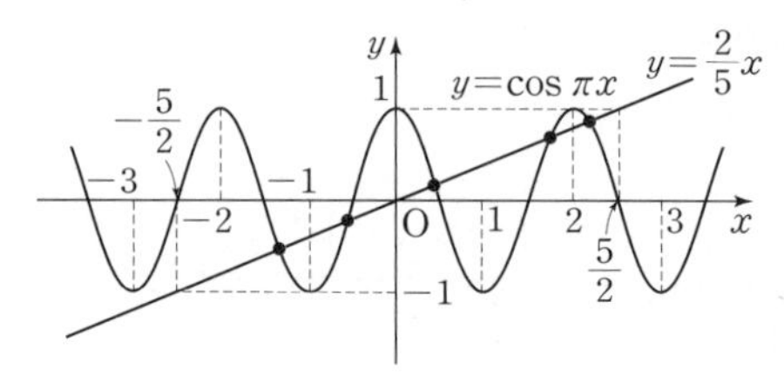


위의 그림에서 두 그래프의 교점이 5개이므로 주어진 방정식의 서로 다른 실근의 개수는 5이다.

## 091 답 6

방정식 $\sin|x|=\frac{1}{8}x$의 실근은 함수 $y=\sin|x|$의 그래프와 직선 $y=\frac{1}{8}x$의 교점의 $x$좌표와 같다.

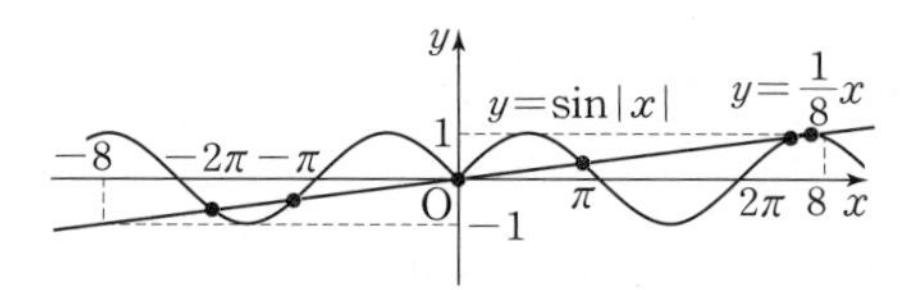


위의 그림에서 두 그래프의 교점이 6개이므로 주어진 방정식의 서로 다른 실근의 개수는 6이다.

## 092 답 ②

$0<x\le2\pi$에서 방정식 $f(x)-g(x)=0$의 실근은 두 함수 $y=f(x)$, $y=g(x)$의 그래프의 교점의 $x$좌표와 같다.

오른쪽 그림에서 두 그래프의 교점이 4개이므로 방정식 $\sin x=2\cos 2x$의 서로 다른 실근의 개수는 4이다.

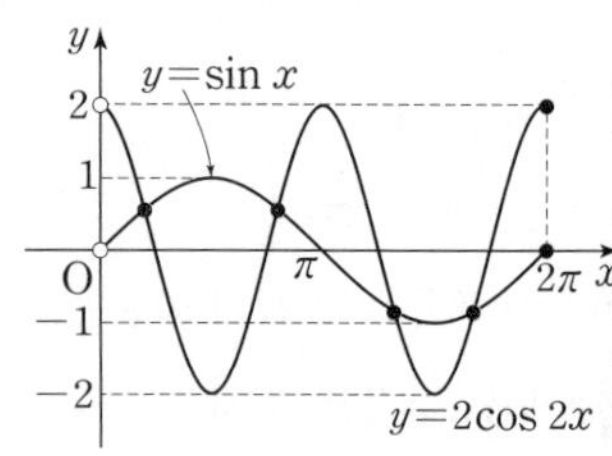

## 093 답 ④

$4\sin^2 x+4\cos x-2+k=0$에서

$4(1-\cos^2 x)+4\cos x-2+k=0$

$\therefore\ 4\cos^2 x-4\cos x-2=k$

따라서 주어진 방정식이 실근을 갖기 위해서는 함수 $y=4\cos^2 x-4\cos x-2$의 그래프와 직선 $y=k$가 교점을 가져야 한다.

$y=4\cos^2 x-4\cos x-2$에서 $\cos x=t$로 놓으면 $-1\le t\le 1$이고

$y=4t^2-4t-2=4\left(t-\frac{1}{2}\right)^2-3$

따라서 오른쪽 그림에서 주어진 방정식이 실근을 갖도록 하는 실수 $k$의 값의 범위는 $-3\le k\le 6$이므로 $k$의 최댓값은 6이다.

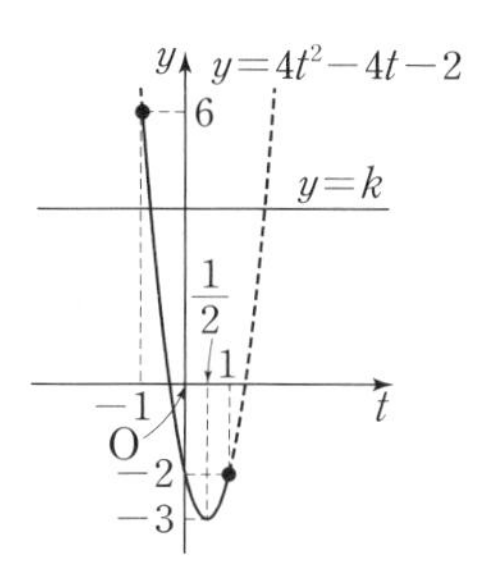


## 094 답 ①

$-\frac{\pi}{4}\le x\le\frac{\pi}{4}$에서 $-1\le\tan x\le 1$이므로 $\tan x\ne 2$

$a\tan x=2a+1$에서 $a(\tan x-2)=1$

$\therefore\ a=\frac{1}{\tan x-2}$

따라서 주어진 방정식이 실근을 갖기 위해서는 함수 $y=\frac{1}{\tan x-2}$의 그래프와 직선 $y=a$가 교점을 가져야 한다.

$\tan x=t$로 놓으면 $-1\le t\le 1$에서 함수 $y=\frac{1}{t-2}$의 그래프는 오른쪽 그림과 같으므로 주어진 방정식이 실근을 갖도록 하는 실수 $a$의 값의 범위는

$-1\le a\le -\frac{1}{3}$

따라서 $\alpha=-1$, $\beta=-\frac{1}{3}$이므로 $\alpha+\beta=-\frac{4}{3}$

## 095 답 $\frac{1}{2}$

방정식 $\left|\sin 2x+\frac{1}{2}\right|=k$가 서로 다른 3개의 실근을 가지려면 함수 $y=\left|\sin 2x+\frac{1}{2}\right|$의 그래프와 직선 $y=k$가 서로 다른 세 점에서 만나야 한다.

$0\le x<\pi$에서 함수 $y=\left|\sin 2x+\frac{1}{2}\right|$의 그래프는 오른쪽 그림과 같으므로 이 그래프와 직선 $y=k$의 교점이 3개이려면

$k=\frac{1}{2}$

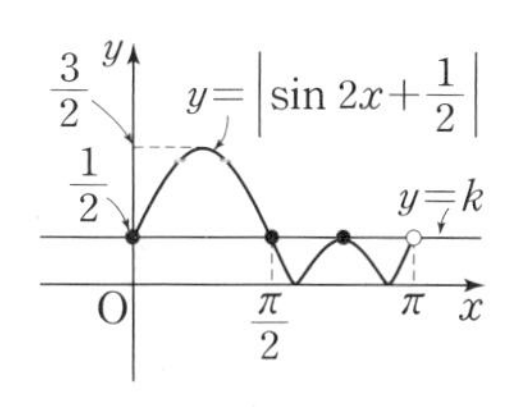


## 096 답 $\frac{1}{2\pi}<a<\frac{1}{\pi}$

$y=\sin x-|\sin x|=\begin{cases}0 & (\sin x\ge 0)\\ 2\sin x & (\sin x<0)\end{cases}$이고 직선 $y=ax-2$는 $a$의 값에 관계없이 항상 점 $(0,\ -2)$를 지난다.

다음 그림에서 $y=\sin x-|\sin x|$의 그래프와 직선 $y=ax-2\,(a>0)$가 서로 다른 세 점에서 만나려면 직선 $y=ax-2$가 (i)과 (ii) 사이에 있어야 한다.

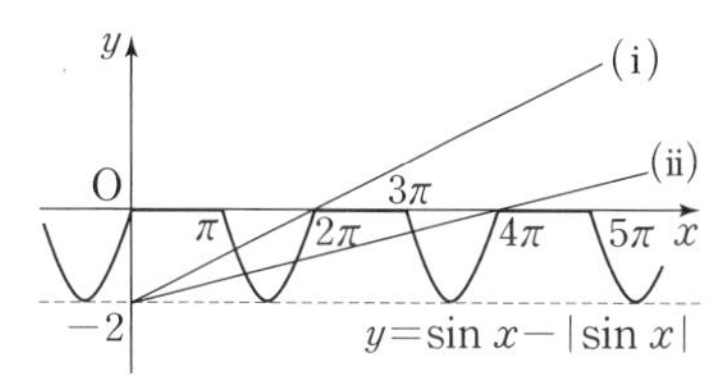


(i) 직선 $y=ax-2$가 점 $(2\pi,\ 0)$을 지날 때

$0=2\pi a-2\qquad\therefore\ a=\frac{1}{\pi}$

(ii) 직선 $y=ax-2$가 점 $(4\pi,\ 0)$을 지날 때

$0=4\pi a-2\qquad\therefore\ a=\frac{1}{2\pi}$

(i), (ii)에서 $\frac{1}{2\pi}<a<\frac{1}{\pi}$

## 097 답 ④

$x-\frac{\pi}{3}=t$로 놓으면 $0<x<2\pi$에서 $-\frac{\pi}{3}<t<\frac{5}{3}\pi$이고, 주어진 부등식은 $\cos t\le\frac{1}{2}$

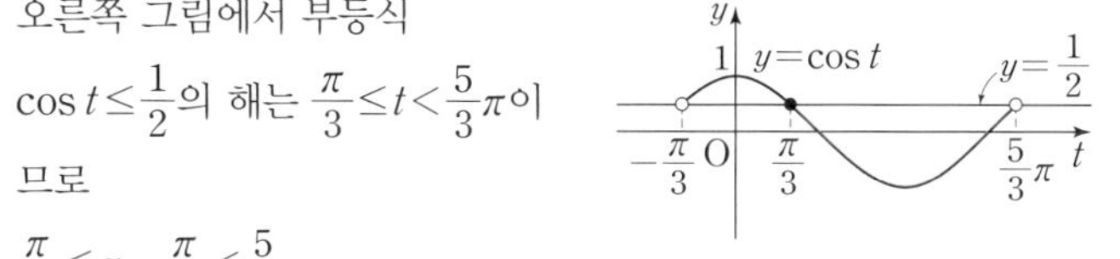


오른쪽 그림에서 부등식 $\cos t\le\frac{1}{2}$의 해는 $\frac{\pi}{3}\le t<\frac{5}{3}\pi$이므로

$\frac{\pi}{3}\le x-\frac{\pi}{3}<\frac{5}{3}\pi$

$\therefore\ \frac{2}{3}\pi\le x<2\pi$

따라서 $\alpha=\frac{2}{3}\pi$, $\beta=2\pi$이므로

$\beta-\alpha=\frac{4}{3}\pi$

## 098 답 $0\le x\le\frac{\pi}{4}$ 또는 $\frac{5}{4}\pi\le x<2\pi$

부등식 $\cos x\ge\sin x$의 해는 함수 $y=\cos x$의 그래프가 함수 $y=\sin x$의 그래프보다 위쪽에 있는 $x$의 값의 범위와 같으므로 오른쪽 그림에서

$0\le x\le\frac{\pi}{4}$ 또는 $\frac{5}{4}\pi\le x<2\pi$

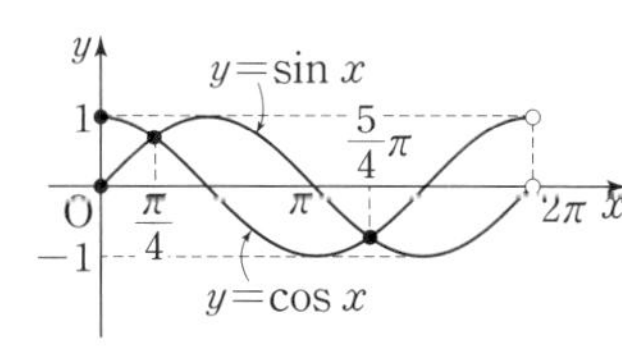


## 099 답 ④

$3\tan x-\sqrt{3}\ge 0$에서 $\tan x\ge\frac{\sqrt{3}}{3}$

$\frac{\pi}{2}<x<\frac{3}{2}\pi$이므로 오른쪽 그림에서 부등식 $\tan x\ge\frac{\sqrt{3}}{3}$의 해는

$\frac{7}{6}\pi\le x<\frac{3}{2}\pi$

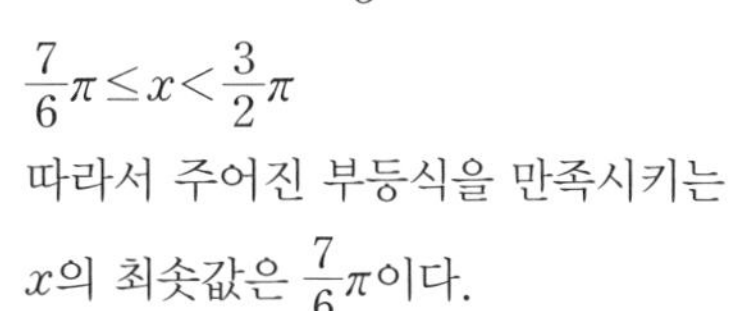

따라서 주어진 부등식을 만족시키는 $x$의 최솟값은 $\frac{7}{6}\pi$이다.

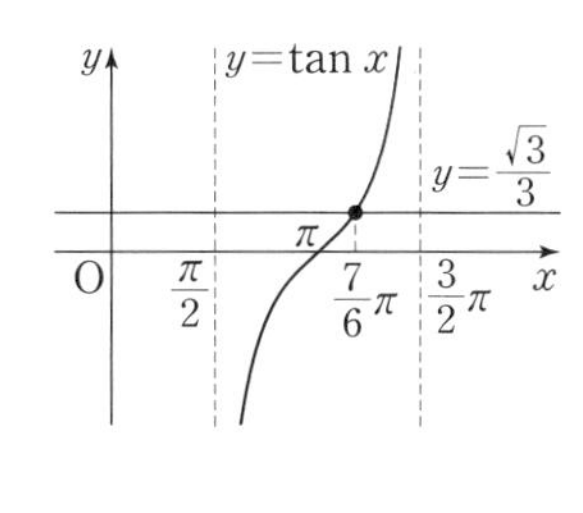

## 100 답 $\frac{\pi}{6}<\alpha\le\frac{\pi}{3}$ 또는 $\frac{2}{3}\pi\le\alpha<\frac{5}{6}\pi$

$\alpha+\beta=\frac{\pi}{2}$에서 $\beta=\frac{\pi}{2}-\alpha$

$1<\sin\alpha+\cos\beta\le\sqrt{3}$에서

$1<\sin\alpha+\cos\left(\frac{\pi}{2}-\alpha\right)\le\sqrt{3}$

$1<2\sin\alpha\le\sqrt{3}$ $\quad\therefore\ \frac{1}{2}<\sin\alpha\le\frac{\sqrt{3}}{2}$

$0\le\alpha<\pi$이므로 오른쪽 그림에서 부등식 $\frac{1}{2}<\sin\alpha\le\frac{\sqrt{3}}{2}$의 해는

$\frac{\pi}{6}<\alpha\le\frac{\pi}{3}$ 또는 $\frac{2}{3}\pi\le\alpha<\frac{5}{6}\pi$

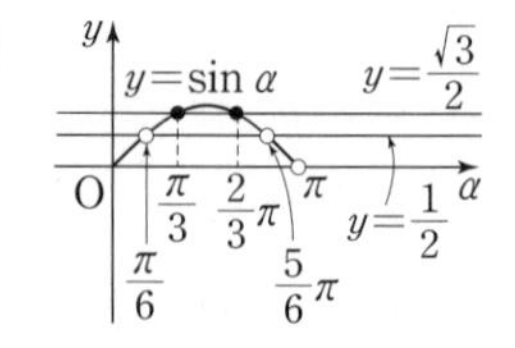


## 101 답 $\frac{\pi}{12}\le\theta\le\frac{5}{12}\pi$

테니스공의 처음 속력이 20 m/s이므로 $v=20$을

$f(\theta)=\frac{v^2\sin 2\theta}{10}$에 대입하면

$f(\theta)=\frac{20^2\times\sin 2\theta}{10}=40\sin 2\theta$

이때 테니스공이 날아간 거리가 20 m 이상이 되게 하면 $f(\theta)\ge 20$이므로

$40\sin 2\theta\ge 20$ $\quad\therefore\ \sin 2\theta\ge\frac{1}{2}$

$2\theta=t$로 놓으면 $0\le\theta\le\frac{\pi}{2}$에서 $0\le t\le\pi$이고, 주어진 부등식은

$\sin t\ge\frac{1}{2}$

오른쪽 그림에서 부등식 $\sin t\ge\frac{1}{2}$의 해는

$\frac{\pi}{6}\le t\le\frac{5}{6}\pi$이므로

$\frac{\pi}{6}\le 2\theta\le\frac{5}{6}\pi$ $\quad\therefore\ \frac{\pi}{12}\le\theta\le\frac{5}{12}\pi$

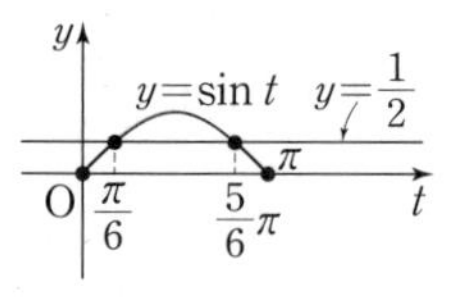


## 102 답 ③

$4\sin^2 x+8\cos x<7$에서

$4(1-\cos^2 x)+8\cos x-7<0$

$4\cos^2 x-8\cos x+3>0$

$(2\cos x-1)(2\cos x-3)>0$

$\therefore\ \cos x<\frac{1}{2}$ 또는 $\cos x>\frac{3}{2}$

그런데 $0\le x<2\pi$에서 $-1\le\cos x\le 1$이므로

$\cos x<\frac{1}{2}$

$0\le x<2\pi$이므로 오른쪽 그림에서 부등식 $\cos x<\frac{1}{2}$의 해는

$\frac{\pi}{3}<x<\frac{5}{3}\pi$

따라서 $\alpha=\frac{\pi}{3}$, $\beta=\frac{5}{3}\pi$이므로

$\beta-\alpha=\frac{4}{3}\pi$

## 103 답 $\frac{\pi}{4}<x<\frac{\pi}{3}$

$\tan^2 x-(1+\sqrt{3})\tan x<-\sqrt{3}$에서

$\tan^2 x-(1+\sqrt{3})\tan x+\sqrt{3}<0$

$(\tan x-\sqrt{3})(\tan x-1)<0$ $\quad\therefore\ 1<\tan x<\sqrt{3}$

$-\frac{\pi}{2}<x<\frac{\pi}{2}$이므로 오른쪽 그림에서 부등식 $1<\tan x<\sqrt{3}$의 해는

$\frac{\pi}{4}<x<\frac{\pi}{3}$

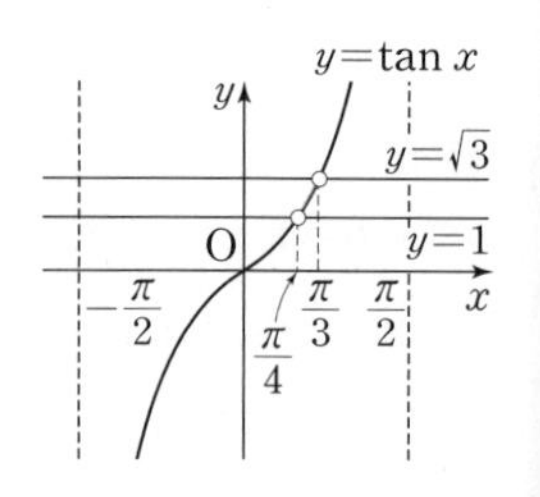


## 104 답 ⑤

$\sin^2\theta+2\cos\theta-a<0$에서 $(1-\cos^2\theta)+2\cos\theta-a<0$

$\cos^2\theta-2\cos\theta>1-a$

$\cos\theta=t$로 놓으면 $-1\le t\le 1$이고 주어진 부등식은

$t^2-2t>1-a$

$-1\le t\le 1$에서 부등식 $t^2-2t>1-a$가 항상 성립하려면 함수 $y=t^2-2t$의 그래프가 직선 $y=1-a$보다 위쪽에 있어야 한다.

따라서 오른쪽 그림에서 $1-a<-1$이어야 하므로

$a>2$

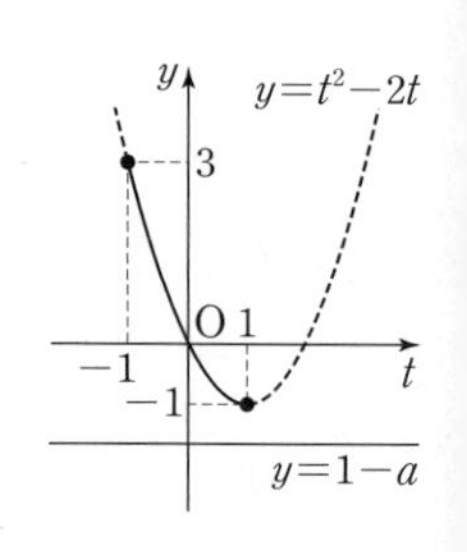


## 105 답 ④

모든 실수 $x$에 대하여 주어진 부등식이 성립하면 이차방정식 $x^2-2\sqrt{2}x\sin\theta+1=0$이 실근을 갖지 않으므로 이 이차방정식의 판별식을 $D$라 하면

$\frac{D}{4}=(-\sqrt{2}\sin\theta)^2-1<0$, $2\sin^2\theta-1<0$

$(\sqrt{2}\sin\theta+1)(\sqrt{2}\sin\theta-1)<0$ $\quad\therefore\ -\frac{\sqrt{2}}{2}<\sin\theta<\frac{\sqrt{2}}{2}$

$0\le\theta<2\pi$이므로 오른쪽 그림에서 $\theta$의 값의 범위는

$0\le\theta<\frac{\pi}{4}$ 또는

$\frac{3}{4}\pi<\theta<\frac{5}{4}\pi$ 또는 $\frac{7}{4}\pi<\theta<2\pi$

따라서 $\theta$의 값이 아닌 것은 ④이다.

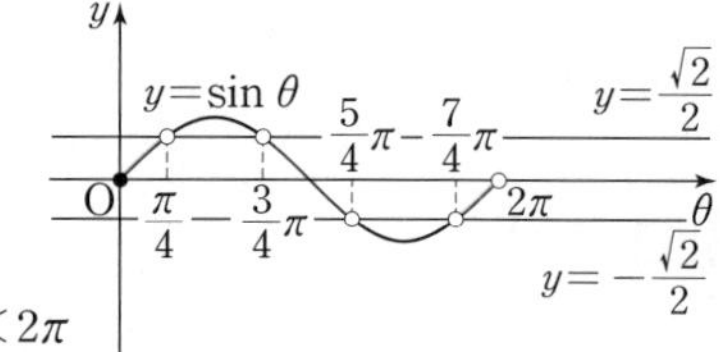


## 106 답 $2\pi$

이차방정식 $x^2-2(2\cos\theta-1)x+8\cos\theta-4=0$의 판별식을 $D$라 하면

$\frac{D}{4}=(2\cos\theta-1)^2-(8\cos\theta-4)=0$

$4\cos^2\theta-12\cos\theta+5=0$, $(2\cos\theta-5)(2\cos\theta-1)=0$

$\therefore\ \cos\theta=\frac{1}{2}$ 또는 $\cos\theta=\frac{5}{2}$

그런데 $0\le\theta<2\pi$에서 $-1\le\cos\theta\le 1$이므로 $\cos\theta=\frac{1}{2}$

$\therefore\ \theta=\frac{\pi}{3}$ 또는 $\theta=\frac{5}{3}\pi$

따라서 모든 $\theta$의 값의 합은 $\frac{\pi}{3}+\frac{5}{3}\pi=2\pi$

## 107 답 $\frac{\pi}{3}$

이차함수 $y=x^2-2\sqrt{3}x\tan\theta+1$의 그래프가 $x$축과 만나지 않으면 이차방정식 $x^2-2\sqrt{3}x\tan\theta+1=0$이 실근을 갖지 않으므로 이 이차방정식의 판별식을 $D$라 하면

$\frac{D}{4}=(-\sqrt{3}\tan\theta)^2-1<0$

$3\tan^2\theta-1<0$, $(\sqrt{3}\tan\theta+1)(\sqrt{3}\tan\theta-1)<0$

$\therefore -\frac{\sqrt{3}}{3}<\tan\theta<\frac{\sqrt{3}}{3}$

$-\frac{\pi}{2}<\theta<\frac{\pi}{2}$이므로 오른쪽 그림에서 $\theta$의 값의 범위는

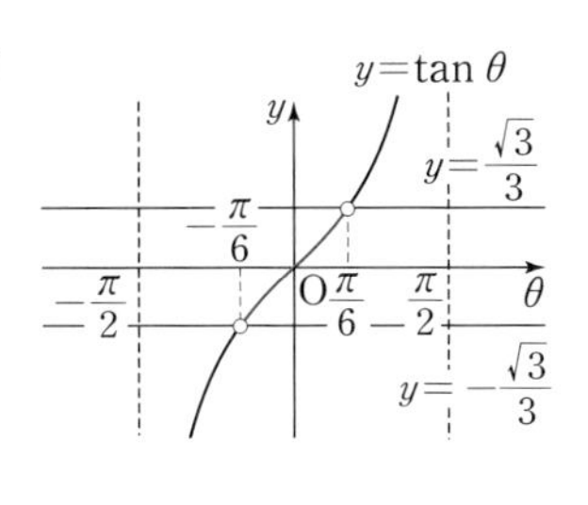


$-\frac{\pi}{6}<\theta<\frac{\pi}{6}$

따라서 $\alpha=-\frac{\pi}{6}$, $\beta=\frac{\pi}{6}$이므로

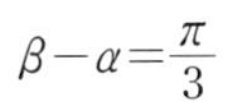

$\beta-\alpha=\frac{\pi}{3}$

## 108 답 $\frac{\pi}{3}\le\theta<\frac{\pi}{2}$

(i) 이차방정식 $x^2-4x\sin\theta+6\cos\theta=0$의 판별식을 $D$라 하면

$\frac{D}{4}=(-2\sin\theta)^2-6\cos\theta\ge0$

$2\sin^2\theta-3\cos\theta\ge0$, $2(1-\cos^2\theta)-3\cos\theta\ge0$

$2\cos^2\theta+3\cos\theta-2\le0$, $(2\cos\theta-1)(\cos\theta+2)\le0$

$\therefore \cos\theta\le\frac{1}{2}$ ($\because \cos\theta+2>0$)

$\therefore \frac{\pi}{3}\le\theta\le\frac{5}{3}\pi$ ($\because 0\le\theta<2\pi$)

(ii) (두 근의 합)>0이어야 하므로 $4\sin\theta>0$, $\sin\theta>0$

$\therefore 0<\theta<\pi$ ($\because 0\le\theta<2\pi$)

(iii) (두 근의 곱)>0이어야 하므로 $6\cos\theta>0$, $\cos\theta>0$

$\therefore 0\le\theta<\frac{\pi}{2}$ 또는 $\frac{3}{2}\pi<\theta<2\pi$ ($\because 0\le\theta<2\pi$)

(i), (ii), (iii)에서 $\frac{\pi}{3}\le\theta<\frac{\pi}{2}$

## 109 답 ⑤

모든 실수 $x$에 대하여 $f(x+1)=f(x-2)$를 만족시키므로 이 식의 양변에 $x$ 대신 $x+2$를 대입하면

$f(x+3)=f(x)$

따라서 $f(x)$는 주기가 3인 주기함수이므로

$f(20)=f(17)=f(14)=\cdots=f(2)=3$

$f(10)=f(7)=f(4)=f(1)=5$

$\therefore 2f(20)+5f(10)=2\times3+5\times5=31$

## 110 답 $\frac{9}{2}$

$y=\cos\frac{\pi}{4}x+4$의 그래프를 $x$축의 방향으로 $\frac{1}{2}$만큼 평행이동한 그래프의 식은 $y=\cos\frac{\pi}{4}\left(x-\frac{1}{2}\right)+4$

이 그래프가 점 $\left(\frac{11}{6}, a\right)$를 지나므로

$a=\cos\frac{\pi}{4}\left(\frac{11}{6}-\frac{1}{2}\right)+4=\cos\frac{\pi}{3}+4=\frac{1}{2}+4=\frac{9}{2}$

## 111 답 ⑤

② 주기가 $\frac{2\pi}{4}=\frac{\pi}{2}$인 주기함수이다.

③ 최댓값은 $3-2=1$, 최솟값은 $-3-2=-5$이다.

④ $y=3\cos4x$의 그래프를 $x$축의 방향으로 $\frac{\pi}{8}$만큼 평행이동하면

$y=3\cos4\left(x-\frac{\pi}{8}\right)=3\cos\left(-\frac{\pi}{2}+4x\right)=3\sin4x$이고, 주어진 함수의 그래프는 $y=3\sin4x$의 그래프를 $x$축의 방향으로 $\frac{\pi}{12}$만큼, $y$축의 방향으로 $-2$만큼 평행이동한 것이다.

따라서 함수 $y=3\cos4x$의 그래프를 평행이동하면 주어진 함수의 그래프와 겹쳐진다.

⑤ $x=\frac{3}{8}\pi$를 대입하면 $y=3\sin\frac{7}{6}\pi-2=3\times\left(-\frac{1}{2}\right)-2=-\frac{7}{2}$이므로 점 $\left(\frac{3}{8}\pi, -\frac{7}{2}\right)$을 지난다.

## 112 답 $8\pi$

$y=2\cos\left(3x+\frac{\pi}{2}\right)+4$에서

$a=\frac{2}{3}\pi$, $b=2+4=6$, $c=-2+4=2$

$\therefore abc=\frac{2}{3}\pi\times6\times2=8\pi$

## 113 답 ②

$y=\tan\left(\pi x-\frac{\pi}{3}\right)$에서 주기는 $\frac{\pi}{\pi}=1$

점근선의 방정식은 $\pi x-\frac{\pi}{3}=n\pi+\frac{\pi}{2}$

$\pi x=n\pi+\frac{5}{6}\pi \qquad \therefore x=n+\frac{5}{6}$

## 114 답 ④

(가)에서 주기가 $2\pi$이므로 주어진 함수의 주기를 각각 구하면

① $\frac{2\pi}{\frac{1}{2}}=4\pi$ ② $\frac{2\pi}{\frac{1}{2}}=4\pi$ ③ $\frac{\pi}{\frac{1}{2}}=2\pi$ ④ $2\pi$ ⑤ $2\pi$

그러므로 (가)를 만족시키는 함수는 ③, ④, ⑤이다.

또 (나)에서 그래프가 원점에 대하여 대칭인 함수이므로

$y=\sin x$, $y=\tan x$의 함수이다.

그러므로 (가), (나)를 만족시키는 함수는 ③, ④이다.

그런데 (다)에서 최댓값과 최솟값의 차는 10이므로 (가), (나), (다)를 모두 만족시키는 함수는 ④이다.

## 115 답 ④

함수 $y=\cos x$의 그래프에서

$\frac{\alpha+\beta}{2}=\pi$이므로 $\alpha+\beta=2\pi$

$\gamma=2\pi+\alpha$

$\therefore \cos(\alpha+\beta+\gamma)=\cos(2\pi+2\pi+\alpha)=\cos(2\pi+\alpha)$

$=\cos\alpha=a$

## 116 답 ①

주어진 함수의 최댓값이 2이고 $a>0$이므로

$a+c=2$ ⋯⋯ ㉠

또 주기가 $\frac{\pi}{2}$이고 $b>0$이므로 $\frac{2\pi}{b}=\frac{\pi}{2}$ $\therefore b=4$

$f\left(\frac{\pi}{24}\right)=0$에서 $a\sin\frac{\pi}{6}+c=0$이므로

$\frac{1}{2}a+c=0$ ⋯⋯ ㉡

㉠, ㉡을 연립하여 풀면 $a=4$, $c=-2$

$\therefore abc=4\times4\times(-2)=-32$

## 117 답 $12\pi$

주어진 함수의 최댓값이 4, 최솟값이 0이고 $a>0$이므로

$a+d=4$, $-a+d=0$

두 식을 연립하여 풀면 $a=2$, $d=2$

또 주기가 $\frac{5}{6}\pi-\frac{\pi}{6}=\frac{2}{3}\pi$이고 $b>0$이므로

$\frac{2\pi}{b}=\frac{2}{3}\pi$ $\therefore b=3$

따라서 주어진 함수는 $y=2\cos(3x-c)+2$이고 그래프가 점 $\left(\frac{2}{3}\pi, 0\right)$을 지나므로

$0=2\cos(2\pi-c)+2$ $\therefore \cos(2\pi-c)=-1$

이때 $0<c<2\pi$에서 $0<2\pi-c<2\pi$이므로

$2\pi-c=\pi$ $\therefore c=\pi$

$\therefore abcd=2\times3\times\pi\times2=12\pi$

## 118 답 ㄱ, ㄷ, ㄹ

함수 $f(x)$가 모든 실수 $x$에 대하여 $f(-x)=f(x)$를 만족시키면 그래프가 $y$축에 대하여 대칭이고, 주어진 함수의 그래프는 각각 다음 그림과 같다.

ㄱ.
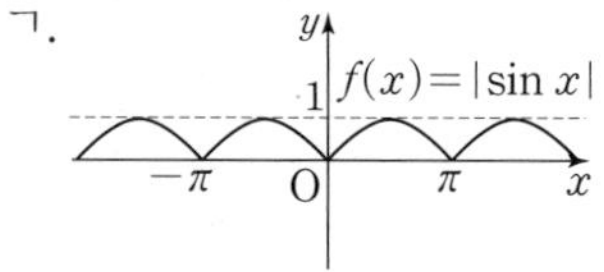


ㄴ.
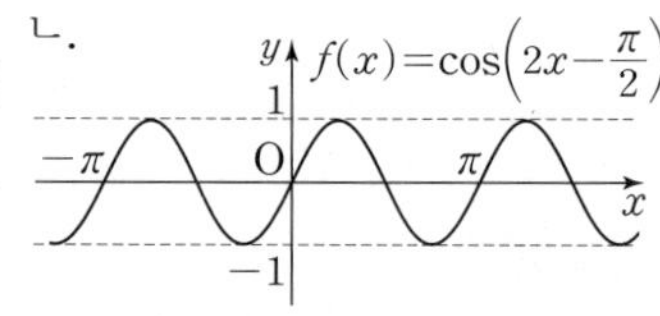


ㄷ.
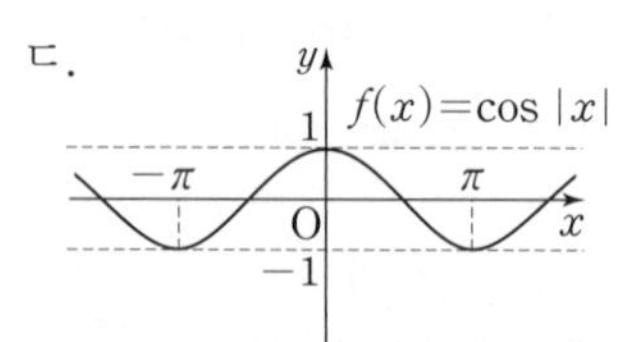


ㄹ.
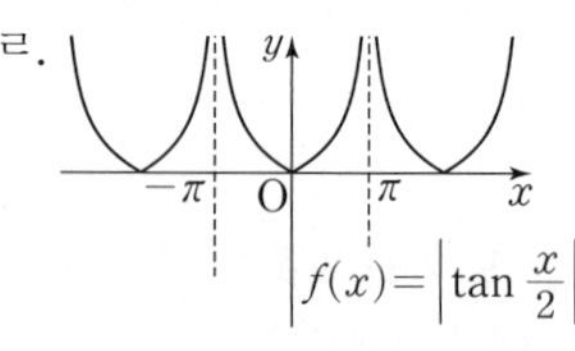


따라서 모든 실수 $x$에 대하여 $f(-x)=f(x)$인 함수는 ㄱ, ㄷ, ㄹ 이다.

## 119 답 ②

ㄱ. $\sin 330°=\sin(360°-30°)=-\sin 30°=-\frac{1}{2}$

$\tan\frac{9}{4}\pi=\tan\left(2\pi+\frac{\pi}{4}\right)=\tan\frac{\pi}{4}=1$

$\cos\left(\frac{5}{2}\pi-\frac{\pi}{6}\right)=\cos\left(2\pi+\frac{\pi}{2}-\frac{\pi}{6}\right)=\cos\left(\frac{\pi}{2}-\frac{\pi}{6}\right)$

$=\sin\frac{\pi}{6}=\frac{1}{2}$

$\therefore$ (주어진 식)$=-\frac{1}{2}+1+\frac{1}{2}=1$

ㄴ. $\sin 10°=\sin(90°-80°)=\cos 80°$

$\sin 20°=\sin(90°-70°)=\cos 70°$

$\sin 30°=\sin(90°-60°)=\cos 60°$

$\sin 40°=\sin(90°-50°)=\cos 50°$

$\therefore 2^{\sin^2 10°}\times2^{\sin^2 20°}\times2^{\sin^2 30°}\times\cdots\times2^{\sin^2 80°}$

$=2^{\sin^2 10°+\sin^2 20°+\sin^2 30°+\cdots+\sin^2 80°}$

$=2^{(\cos^2 80°+\sin^2 80°)+(\cos^2 70°+\sin^2 70°)+\cdots+(\cos^2 50°+\sin^2 50°)}=2^4=16$

ㄷ. $(\sin 20°+\cos 20°)^2+(\sin 70°-\cos 70°)^2$

$=\sin^2 20°+\cos^2 20°+2\sin 20°\cos 20°$

$+\sin^2 70°+\cos^2 70°-2\sin 70°\cos 70°$

$=2+2\sin 20°\cos 20°-2\sin(90°-20°)\cos(90°-20°)$

$=2+2\sin 20°\cos 20°-2\sin 20°\cos 20°=2$

ㄹ. $\sin^2\theta+\sin^2\left(\frac{\pi}{2}+\theta\right)+\cos^2\left(\frac{3}{2}\pi+\theta\right)+\cos^2(\pi-\theta)$

$=\sin^2\theta+\cos^2\theta+\sin^2\theta+\cos^2\theta=2$

따라서 보기 중 옳은 것은 ㄱ, ㄹ이다.

## 120 답 $\frac{5}{2}$

$\angle P_nOA=\frac{\pi}{2}\times\frac{n}{6}=\frac{n}{12}\pi$, $\overline{OP_n}=1$이므로

$\overline{P_nQ_n}=\overline{OP_n}\sin\frac{n}{12}\pi=\sin\frac{n}{12}\pi$

$\therefore \overline{P_1Q_1}^2+\overline{P_2Q_2}^2+\overline{P_3Q_3}^2+\overline{P_4Q_4}^2+\overline{P_5Q_5}^2$

$=\sin^2\frac{\pi}{12}+\sin^2\frac{2}{12}\pi+\sin^2\frac{3}{12}\pi+\sin^2\frac{4}{12}\pi+\sin^2\frac{5}{12}\pi$

$=\sin^2\frac{\pi}{12}+\sin^2\frac{2}{12}\pi+\sin^2\frac{3}{12}\pi$

$+\sin^2\left(\frac{\pi}{2}-\frac{2}{12}\pi\right)+\sin^2\left(\frac{\pi}{2}-\frac{\pi}{12}\right)$

$=\sin^2\frac{\pi}{12}+\sin^2\frac{2}{12}\pi+\sin^2\frac{3}{12}\pi+\cos^2\frac{2}{12}\pi+\cos^2\frac{\pi}{12}$

$=2+\sin^2\frac{\pi}{4}=2+\left(\frac{\sqrt{2}}{2}\right)^2=\frac{5}{2}$

## 121 답 ③

$\sin\left(\frac{\pi}{2}+x\right)=\cos x$이므로 $-1\le\cos x\le1$에서

$\cos x-3<0$ $\therefore y=\cos x-3+k$

따라서 주어진 함수의 최댓값은 $1-3+k=-2+k$, 최솟값은 $-1-3+k=-4+k$이므로

$(-2+k)+(-4+k)=4$ $\therefore k=5$

## 122 답 $-\frac{1}{2}$

$y=\frac{2\cos x}{\cos x+3}$에서 $\cos x=t$로 놓으면 $-1\le t\le1$이고

$y=\frac{2t}{t+3}=\frac{2(t+3)-6}{t+3}=\frac{-6}{t+3}+2$

오른쪽 그림에서 $t=1$일 때 최댓값은 $\frac{1}{2}$, $t=-1$일 때 최솟값은 $-1$이다.

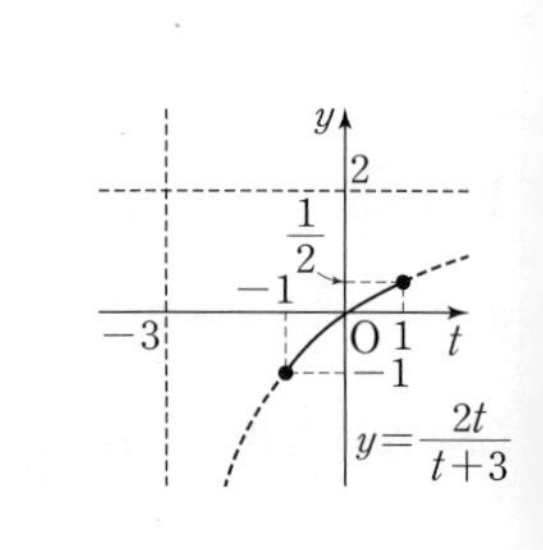


따라서 최댓값과 최솟값의 합은

$\frac{1}{2}+(-1)=-\frac{1}{2}$

**123** 답 ②

$\tan\left(\frac{3}{2}\pi+x\right)=\tan\left(\frac{\pi}{2}+x\right)=-\frac{1}{\tan x}$이므로 주어진 식은

$y=\tan^2 x+2\tan x+6$

$\tan x=t$로 놓으면 $0\le x<\frac{\pi}{2}$에서 $t\ge0$이고

$y=t^2+2t+6=(t+1)^2+5$

오른쪽 그림에서 $t=0$일 때 최솟값 6을 가지므로 $m=6$

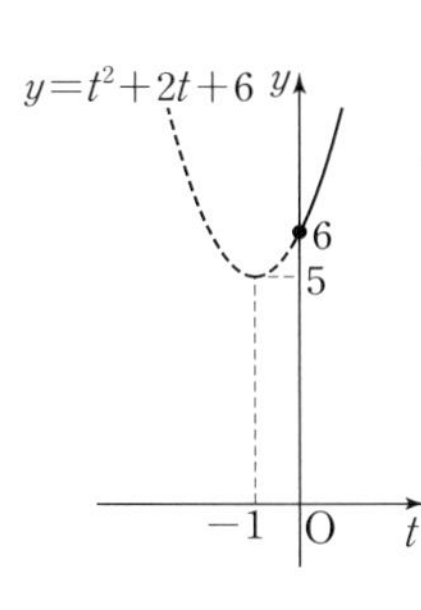


이때 $t=0$, 즉 $\tan x=0$이고

$0\le x<\frac{\pi}{2}$이므로 $x=0$

$\therefore\ a+m=0+6=6$

**124** 답 $\frac{\pi}{6}$

$\sqrt{3\sin\theta}=\sqrt{2}\cos\theta$의 양변을 제곱하면

$3\sin\theta=2\cos^2\theta$, $3\sin\theta=2(1-\sin^2\theta)$

$2\sin^2\theta+3\sin\theta-2=0$, $(\sin\theta+2)(2\sin\theta-1)=0$

$\therefore\ \sin\theta=\frac{1}{2}$ ($\because\ 0<\sin\theta<1$)

$0<\theta<\frac{\pi}{2}$이므로 $\theta=\frac{\pi}{6}$

**125** 답 ②

$4\cos^2 x+4\sin(x+4\pi)+k=0$에서

$4(1-\sin^2 x)+4\sin x+k=0$

$\therefore\ 4\sin^2 x-4\sin x-4=k$

이 방정식이 실근을 가지려면 함수 $y=4\sin^2 x-4\sin x-4$의 그래프와 직선 $y=k$가 교점을 가져야 한다.

이때 $\sin x=t$로 놓으면 $-1\le t\le1$이고

$y=4t^2-4t-4=4\left(t-\frac{1}{2}\right)^2-5$

따라서 오른쪽 그림에서 실근을 갖도록 하는 실수 $k$의 값의 범위는 $-5<k<4$이므로 $M=4$, $m=-5$

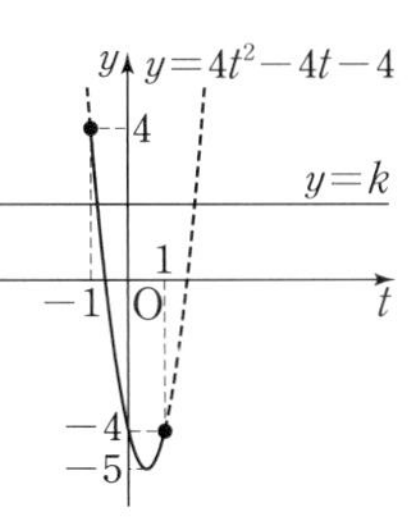


$\therefore\ M-m=4-(-5)=9$

**126** 답 $x=\frac{\pi}{4}$

$\log\cos x$, $\log\sin\left(\frac{\pi}{2}-x\right)$에서 진수의 조건에 의하여

$\cos x>0$, $\sin\left(\frac{\pi}{2}-x\right)>0$ $\quad\therefore\ 0<x<\frac{\pi}{2}$ ($\because\ 0<x<\pi$)

$\log\cos x+\log\sin\left(\frac{\pi}{2}-x\right)=\log\frac{1}{2}$에서

$\log\cos x+\log\cos x=\log\frac{1}{2}$, $\log\cos^2 x=\log\frac{1}{2}$

따라서 $\cos^2 x=\frac{1}{2}$이므로 $0<x<\frac{\pi}{2}$에서

$\cos x=\frac{\sqrt{2}}{2}$ $\quad\therefore\ x=\frac{\pi}{4}$

**127** 답 ④

$A+B+C=\pi$이므로

$\sin(B+C)=\sin(\pi-A)=\sin A$

$\sin A+\sin(B+C)\ge1$에서

$\sin A+\sin A\ge1$

$2\sin A\ge1$ $\quad\therefore\ \sin A\ge\frac{1}{2}$

$0<A<\pi$이므로 오른쪽 그림에서 부등식 $\sin A\ge\frac{1}{2}$의 해는

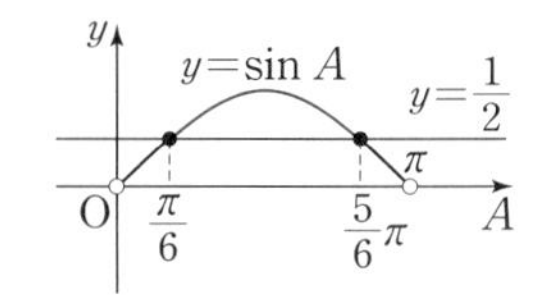


$\frac{\pi}{6}\le A\le\frac{5}{6}\pi$

$\therefore\ -\frac{\sqrt{3}}{2}\le\cos A\le\frac{\sqrt{3}}{2}$

따라서 $\cos A$의 최댓값은 $\frac{\sqrt{3}}{2}$이다.

**128** 답 9

$x-\frac{\pi}{3}=t$로 놓으면 $x+\frac{\pi}{6}=t+\frac{\pi}{2}$이고, $0\le x<2\pi$에서

$-\frac{\pi}{3}\le t<\frac{5}{3}\pi$

$2\cos^2\left(x-\frac{\pi}{3}\right)-\cos\left(x+\frac{\pi}{6}\right)-1\ge0$에서

$2\cos^2 t-\cos\left(\frac{\pi}{2}+t\right)-1\ge0$

$2(1-\sin^2 t)+\sin t-1\ge0$, $2\sin^2 t-\sin t-1\le0$

$(2\sin t+1)(\sin t-1)\le0$

$\therefore\ -\frac{1}{2}\le\sin t\le1$

오른쪽 그림에서 부등식 $-\frac{1}{2}\le\sin t\le1$의 해는

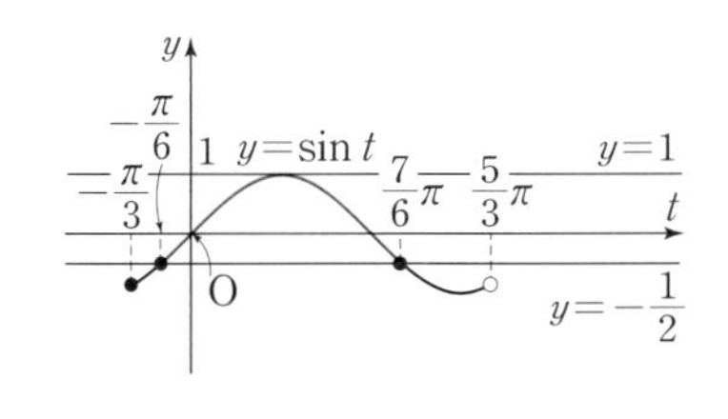


$-\frac{\pi}{6}\le t\le\frac{7}{6}\pi$이므로

$-\frac{\pi}{6}\le x-\frac{\pi}{3}\le\frac{7}{6}\pi$

$\therefore\ \frac{\pi}{6}\le x\le\frac{3}{2}\pi$

따라서 $\alpha=\frac{\pi}{6}$, $\beta=\frac{3}{2}\pi$이므로 $\frac{\beta}{\alpha}=9$

**129** 답 **제1사분면 또는 제2사분면**

$f(x)=x^2-2x\sin\theta-2\cos^2\theta+1$로 놓으면 $f(1)<0$이어야 하므로

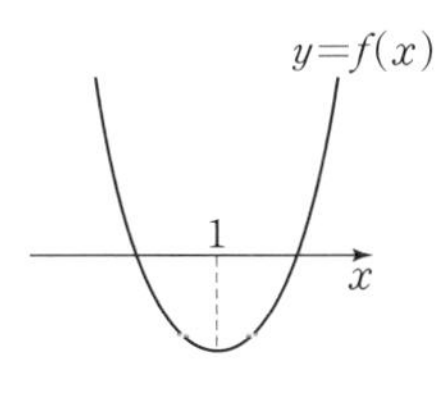


$1-2\sin\theta-2\cos^2\theta+1<0$

$\cos^2\theta+\sin\theta-1>0$

$(1-\sin^2\theta)+\sin\theta-1>0$

$\sin^2\theta-\sin\theta<0$, $\sin\theta(\sin\theta-1)<0$

$\therefore\ 0<\sin\theta<1$

$0<\theta<2\pi$이므로 오른쪽 그림에서 $\theta$의 값의 범위는

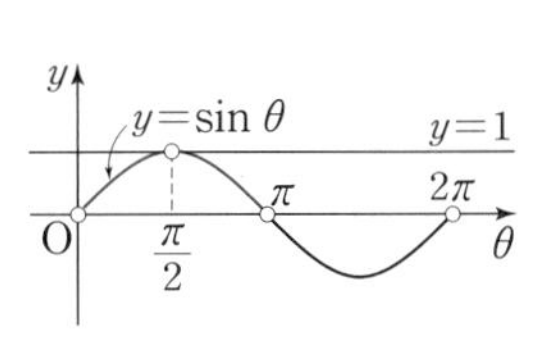


$0<\theta<\frac{\pi}{2}$ 또는 $\frac{\pi}{2}<\theta<\pi$

따라서 $\theta$는 제1사분면 또는 제2사분면의 각이다.

## 사인법칙과 코사인법칙

120~131쪽

**001** 답 ⑤

사인법칙에 의하여

$\frac{2\sqrt{3}}{\sin 120^\circ}=\frac{2}{\sin C}$, $2\sqrt{3}\sin C=2\sin 120^\circ$

$\therefore \sin C=2\times\frac{\sqrt{3}}{2}\times\frac{1}{2\sqrt{3}}=\frac{1}{2}$

그런데 $A+C<180^\circ$이므로 $C=30^\circ$

$\therefore B=180^\circ-(120^\circ+30^\circ)=30^\circ$

$\therefore \cos B=\cos 30^\circ=\frac{\sqrt{3}}{2}$

**002** 답 **4 : 2 : 5**

$\frac{a+b}{6}=\frac{b+c}{7}=\frac{c+a}{9}=k\,(k>0)$로 놓으면

$a+b=6k,\ b+c=7k,\ c+a=9k$ …… ㉠

위의 세 식을 변끼리 더하면

$2a+2b+2c=22k$

$\therefore a+b+c=11k$ …… ㉡

㉡에서 ㉠의 각 식을 빼면

$a=4k,\ b=2k,\ c=5k$

따라서 △ABC의 외접원의 반지름의 길이를 $R$라 하면 사인법칙에 의하여 $\sin A=\frac{a}{2R}$, $\sin B=\frac{b}{2R}$, $\sin C=\frac{c}{2R}$이므로

$\sin A:\sin B:\sin C=a:b:c=4k:2k:5k$

$=4:2:5$

**003** 답 ③

△ABC의 외접원의 반지름의 길이를 $R$라 하면 사인법칙에 의하여

$\sin B=\frac{b}{2R}$, $\sin C=\frac{c}{2R}$

이를 주어진 식에 대입하면

$b\times\frac{b}{2R}=c\times\frac{c}{2R}$, $b^2=c^2$

$\therefore b=c$ ($\because b>0,\ c>0$)

따라서 △ABC는 $b=c$인 이등변삼각형이다.

**004** 답 **$10\sqrt{6}$ m**

$C=180^\circ-(60^\circ+75^\circ)=45^\circ$이므로 사인법칙에 의하여

$\frac{20}{\sin 45^\circ}=\frac{\overline{BC}}{\sin 60^\circ}$, $20\sin 60^\circ=\overline{BC}\times\sin 45^\circ$

$\therefore \overline{BC}=20\times\frac{\sqrt{3}}{2}\times\frac{2}{\sqrt{2}}=10\sqrt{6}$(m)

따라서 두 지점 B, C 사이의 거리는 $10\sqrt{6}$ m이다.

**005** 답 **$\sqrt{19}$**

□ABCD가 원에 내접하므로

$A+C=180^\circ$

즉, $A=180^\circ-60^\circ=120^\circ$이므로

$\cos A=\cos 120^\circ=-\frac{1}{2}$

따라서 △ABD에서 코사인법칙에 의하여

$\overline{BD}^2=2^2+3^2-2\times2\times3\times\left(-\frac{1}{2}\right)=19$

$\therefore \overline{BD}=\sqrt{19}$ ($\because \overline{BD}>0$)

**006** 답 **$\sqrt{10}$**

△ABC에서 코사인법칙에 의하여

$\cos B=\frac{4^2+8^2-6^2}{2\times4\times8}=\frac{11}{16}$

△ABD에서 코사인법칙에 의하여

$\overline{AD}^2=4^2+4^2-2\times4\times4\times\frac{11}{16}=10$

$\therefore \overline{AD}=\sqrt{10}$ ($\because \overline{AD}>0$)

**007** 답 ③

사인법칙에 의하여

$a:b:c=\sin A:\sin B:\sin C$

$=1:\sqrt{2}:\sqrt{3}$

$a=k,\ b=\sqrt{2}k,\ c=\sqrt{3}k\,(k>0)$로 놓으면 코사인법칙에 의하여

$\cos A=\frac{(\sqrt{2}k)^2+(\sqrt{3}k)^2-k^2}{2\times\sqrt{2}k\times\sqrt{3}k}=\frac{\sqrt{6}}{3}$

**008** 답 **$a=b$인 이등변삼각형**

코사인법칙에 의하여

$\cos A=\frac{b^2+c^2-a^2}{2bc}$

$\cos B=\frac{c^2+a^2-b^2}{2ca}$

이를 주어진 식에 대입하면

$a\times\frac{c^2+a^2-b^2}{2ca}=b\times\frac{b^2+c^2-a^2}{2bc}$

$c^2+a^2-b^2=b^2+c^2-a^2$, $a^2=b^2$

$\therefore a=b$ ($\because a>0,\ b>0$)

따라서 △ABC는 $a=b$인 이등변삼각형이다.

**009** 답 **$\sqrt{37}$ km**

코사인법칙에 의하여

$\overline{AB}^2=4^2+3^2-2\times4\times3\times\cos 120^\circ=37$

$\therefore \overline{AB}=\sqrt{37}$(km) ($\because \overline{AB}>0$)

따라서 건설되는 도로의 길이는 $\sqrt{37}$ km이다.

**010** 답 **$60^\circ$**

△ABC의 넓이가 $33\sqrt{3}$이므로

$\frac{1}{2}\times12\times11\times\sin B=33\sqrt{3}$

$\therefore \sin B=\frac{\sqrt{3}}{2}$

이때 $0^\circ<B<90^\circ$이므로 $B=60^\circ$

## 011 답 ④

삼각형의 넓이를 $S$라 하면 헤론의 공식에서 $s=\frac{5+7+8}{2}=10$이므로

$S=\sqrt{10\times(10-5)\times(10-7)\times(10-8)}=10\sqrt{3}$

## 012 답 $\frac{39\sqrt{3}}{4}$

△ABD에서 코사인법칙에 의하여

$\overline{BD}^2=5^2+3^2-2\times5\times3\times\cos 120°=49$

$\therefore \overline{BD}=7\ (\because \overline{BD}>0)$

△BCD에서 헤론의 공식에 의하여 $s=\frac{7+8+3}{2}=9$이므로

$\triangle BCD=\sqrt{9\times(9-7)\times(9-8)\times(9-3)}=6\sqrt{3}$

또 $\triangle ABD=\frac{1}{2}\times5\times3\times\sin 120°=\frac{15\sqrt{3}}{4}$이므로

$\square ABCD=\triangle ABD+\triangle BCD$

$=\frac{15\sqrt{3}}{4}+6\sqrt{3}=\frac{39\sqrt{3}}{4}$

## 013 답 $10\sqrt{3}$

△ABC에서 코사인법칙에 의하여

$\cos B=\frac{4^2+5^2-(\sqrt{21})^2}{2\times4\times5}=\frac{1}{2}$

이때 $0°<B<180°$이므로 $B=60°$

따라서 평행사변형 ABCD의 넓이는

$\overline{AB}\times\overline{BC}\times\sin 60°=4\times5\times\frac{\sqrt{3}}{2}=10\sqrt{3}$

## 014 답 $\frac{37}{64}$

사인법칙에 의하여

$\frac{4}{\sin 60°}=\frac{3}{\sin C}$, $4\sin C=3\sin 60°$

$\therefore \sin C=3\times\frac{\sqrt{3}}{2}\times\frac{1}{4}=\frac{3\sqrt{3}}{8}$

$\therefore \cos^2 C=1-\sin^2 C$

$=1-\frac{27}{64}=\frac{37}{64}$

## 015 답 $12\sqrt{2}$

$B=180°-(45°+75°)=60°$이므로 사인법칙에 의하여

$\frac{a}{\sin 45°}=\frac{6}{\sin 60°}$, $a\sin 60°=6\sin 45°$

$\therefore a=6\times\frac{\sqrt{2}}{2}\times\frac{2}{\sqrt{3}}=2\sqrt{6}$

또 $\frac{6}{\sin 60°}=2R$에서

$R=\frac{1}{2}\times6\times\frac{2}{\sqrt{3}}=2\sqrt{3}$

$\therefore aR=2\sqrt{6}\times2\sqrt{3}=12\sqrt{2}$

## 016 답 ③

$\overset{\frown}{BC}$에 대한 원주각의 크기가 같으므로

$\angle BAC=\angle BDC=60°$

△ABC에서 사인법칙에 의하여

$\frac{4\sqrt{6}}{\sin 60°}=\frac{\overline{AB}}{\sin 45°}$

$4\sqrt{6}\sin 45°=\overline{AB}\sin 60°$

$\therefore \overline{AB}=4\sqrt{6}\times\frac{\sqrt{2}}{2}\times\frac{2}{\sqrt{3}}=8$

## 017 답 ④

$A+B+C=\pi$이므로

$\sin(B+C)=\sin(\pi-A)=\sin A$

$5\sin A\times\sin(B+C)=4$에서

$5\sin^2 A=4 \qquad \therefore \sin^2 A=\frac{4}{5}$

이때 $0<A<\pi$이므로

$\sin A=\frac{2}{\sqrt{5}}=\frac{2\sqrt{5}}{5}$

△ABC의 외접원의 반지름의 길이가 $2\sqrt{5}$이므로 사인법칙에 의하여

$\frac{\overline{BC}}{\sin A}=2\times2\sqrt{5}$

$\therefore \overline{BC}=4\sqrt{5}\times\frac{2\sqrt{5}}{5}=8$

## 018 답 $\frac{3}{2}$

$\overline{BD}=\overline{CD}=k$, $\angle ADB=\theta$라 하면 $\angle ADC=\pi-\theta$이므로

△ABD에서 사인법칙에 의하여

$\frac{k}{\sin\alpha}=\frac{4}{\sin\theta}$

$\therefore k=\frac{4\sin\alpha}{\sin\theta}$

△ACD에서 사인법칙에 의하여

$\frac{k}{\sin\beta}=\frac{6}{\sin(\pi-\theta)}$

$\therefore k=\frac{6\sin\beta}{\sin(\pi-\theta)}=\frac{6\sin\beta}{\sin\theta}$

즉, $\frac{4\sin\alpha}{\sin\theta}=\frac{6\sin\beta}{\sin\theta}$이므로

$\frac{\sin\alpha}{\sin\beta}=\frac{3}{2}$

## 019 답 $\frac{18}{5}$

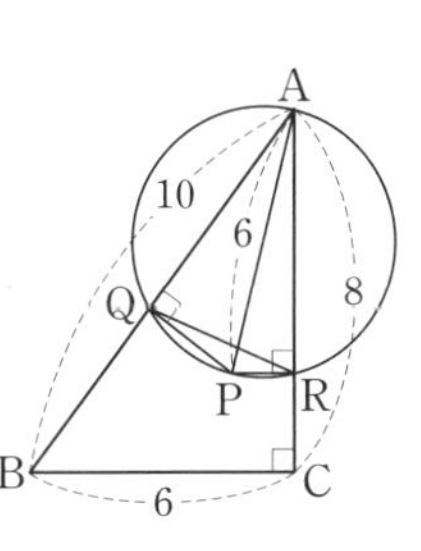


$\angle AQP=\angle ARP=90°$이므로 □AQPR는 $\overline{AP}$를 지름으로 하는 원에 내접한다.

△AQR의 외접원의 지름의 길이는 $\overline{AP}=6$이므로 사인법칙에 의하여

$\frac{\overline{QR}}{\sin A}=\overline{AP}=6$

$\therefore \overline{QR}=6\sin A \quad \cdots\cdots ㉠$

이때 △ABC는 직각삼각형이므로

$\sin A=\frac{6}{10}=\frac{3}{5}$

이를 ㉠에 대입하면

$\overline{QR}=6\times\frac{3}{5}=\frac{18}{5}$

**020** 답 $\frac{7}{2}$

$(b+c):(c+a):(a+b)=5:6:7$에서

$b+c=5k,\ c+a=6k,\ a+b=7k\,(k>0)$ ...... ㉠

로 놓고 세 식을 변끼리 더하면

$2a+2b+2c=18k \quad \therefore a+b+c=9k$ ...... ㉡

㉡에서 ㉠의 각 식을 빼면

$a=4k,\ b=3k,\ c=2k$

△ABC의 외접원의 반지름의 길이를 $R$라 하면 사인법칙에 의하여

$\sin A=\frac{a}{2R},\ \sin B=\frac{b}{2R},\ \sin C=\frac{c}{2R}$이므로

$\sin A:\sin B:\sin C=a:b:c=4k:3k:2k$
$=4:3:2$

따라서 $\sin A=4m,\ \sin B=3m,\ \sin C=2m\,(m>0)$으로 놓으면

$\frac{\sin A+\sin B}{\sin C}=\frac{4m+3m}{2m}=\frac{7}{2}$

**021** 답 ⑤

$A+B+C=180°$이고 $A:B:C=2:3:1$이므로

$A=180°\times\frac{2}{6}=60°,\ B=180°\times\frac{3}{6}=90°,\ C=180°\times\frac{1}{6}=30°$

따라서 △ABC의 외접원의 반지름의 길이를 $R$라 하면 사인법칙에 의하여 $a=2R\sin A,\ b=2R\sin B,\ c=2R\sin C$이므로

$a:b:c=\sin A:\sin B:\sin C$
$=\frac{\sqrt{3}}{2}:1:\frac{1}{2}=\sqrt{3}:2:1$

**022** 답 $\frac{7}{4}$

△ABC의 외접원의 반지름의 길이가 8이므로 사인법칙에 의하여

$\sin A+\sin B+\sin C=\frac{a}{2R}+\frac{b}{2R}+\frac{c}{2R}$
$=\frac{a+b+c}{2R}$
$=\frac{28}{2\times8}=\frac{7}{4}$

**023** 답 ①

△ABC의 외접원의 반지름의 길이를 $R$라 하면 사인법칙에 의하여

$\sin A=\frac{a}{2R},\ \sin B=\frac{b}{2R},\ \sin C=\frac{c}{2R}$

이를 주어진 식에 대입하면

$a\times\left(\frac{a}{2R}\right)^2=b\times\left(\frac{b}{2R}\right)^2=c\times\left(\frac{c}{2R}\right)^2$

$\therefore a^3=b^3=c^3$

이때 $a,\ b,\ c$는 실수이므로 $a=b=c$

따라서 △ABC는 정삼각형이다.

**024** 답 $C=90°$인 직각삼각형

$A+B+C=180°$이므로

$\sin(A+B)=\sin(180°-C)=\sin C$

△ABC의 외접원의 반지름의 길이를 $R$라 하면 사인법칙에 의하여

$\sin A=\frac{a}{2R},\ \sin B=\frac{b}{2R},\ \sin C=\frac{c}{2R}$

이를 주어진 식에 대입하면

$a\times\frac{a}{2R}+b\times\frac{b}{2R}-c\times\frac{c}{2R}=0$

$a^2+b^2-c^2=0 \quad \therefore a^2+b^2=c^2$

따라서 △ABC는 $C=90°$인 직각삼각형이다.

**025** 답 $A=90°$인 직각삼각형

주어진 이차방정식의 판별식을 $D$라 하면

$\frac{D}{4}=\sin^2 C-(\sin A+\sin B)(\sin A-\sin B)=0$

$\sin^2 C-(\sin^2 A-\sin^2 B)=0$

$\sin^2 A=\sin^2 B+\sin^2 C$ ...... ㉠

△ABC의 외접원의 반지름의 길이를 $R$라 하면 사인법칙에 의하여

$\sin A=\frac{a}{2R},\ \sin B=\frac{b}{2R},\ \sin C=\frac{c}{2R}$

이를 ㉠에 대입하면

$\left(\frac{a}{2R}\right)^2=\left(\frac{b}{2R}\right)^2+\left(\frac{c}{2R}\right)^2 \quad \therefore a^2=b^2+c^2$

따라서 △ABC는 $A=90°$인 직각삼각형이다.

**026** 답 ②

$C=180°-(105°+30°)=45°$이므로 사인법칙에 의하여

$\frac{\overline{AC}}{\sin 30°}=\frac{6}{\sin 45°},\ \overline{AC}\sin 45°=6\sin 30°$

$\therefore \overline{AC}=6\times\frac{1}{2}\times\frac{2}{\sqrt{2}}=3\sqrt{2}\,(\text{m})$

따라서 두 지점 A, C 사이의 거리는 $3\sqrt{2}$ m이다.

**027** 답 $41\sqrt{2}$ m

△ABQ에서 $\angle AQB=180°-(45°+75°)=60°$이므로 사인법칙에 의하여

$\frac{\overline{BQ}}{\sin 45°}=\frac{123}{\sin 60°},\ \overline{BQ}\sin 60°=123\sin 45°$

$\therefore \overline{BQ}=123\times\frac{\sqrt{2}}{2}\times\frac{2}{\sqrt{3}}=41\sqrt{6}\,(\text{m})$

이때 △PBQ에서 $\tan 30°=\frac{\overline{PQ}}{\overline{BQ}}$이므로

$\overline{PQ}=\overline{BQ}\times\tan 30°=41\sqrt{6}\times\frac{\sqrt{3}}{3}=41\sqrt{2}\,(\text{m})$

따라서 전망대의 높이는 $41\sqrt{2}$ m이다.

**028** 답 $200(\sqrt{3}+1)$ m

△AHC에서

$\angle ACH=180°-(30°+90°)=60°$

또 △BHC에서

$\angle BCH=\angle CBH=45°$

이때 $\overline{BH}=\overline{CH}=x$ m라 하면

△AHC에서 사인법칙에 의하여

$\frac{x}{\sin 30°}=\frac{400+x}{\sin 60°},\ x\sin 60°=(400+x)\sin 30°$

$x\times\frac{\sqrt{3}}{2}=(400+x)\times\frac{1}{2},\ (\sqrt{3}-1)x=400 \quad \therefore x=200(\sqrt{3}+1)$

따라서 빌딩의 높이는 $200(\sqrt{3}+1)$ m이다.

### 029 답 ①

□ABCD가 원에 내접하므로 $A+C=180°$

즉, $C=180°-135°=45°$이므로 $\cos C=\cos 45°=\frac{\sqrt{2}}{2}$

따라서 $\overline{CD}=x$라 하면 △BCD에서 코사인법칙에 의하여

$(\sqrt{5})^2=(2\sqrt{2})^2+x^2-2\times2\sqrt{2}\times x\times\frac{\sqrt{2}}{2}$

$x^2-4x+3=0$, $(x-1)(x-3)=0$

$\therefore x=3$ ($\because \overline{CD}>\overline{BC}$)

따라서 $\overline{CD}$의 길이는 3이다.

### 030 답 ③

코사인법칙에 의하여

$a^2=4^2+3^2-2\times4\times3\times\cos 60°=13$

$\therefore a=\sqrt{13}$ ($\because a>0$)

### 031 답 $\sqrt{3}$

코사인법칙에 의하여

$\overline{BC}^2=x^2+\frac{1}{x^2}-2\times x\times\frac{1}{x}\times\cos 120°=x^2+\frac{1}{x^2}+1$

$x^2>0$, $\frac{1}{x^2}>0$이므로 산술평균과 기하평균의 관계에 의하여

$\overline{BC}^2=x^2+\frac{1}{x^2}+1$

$\geq 2\sqrt{x^2\times\frac{1}{x^2}}+1$

$=2+1=3$ (단, 등호는 $x=1$일 때 성립)

$\therefore \overline{BC}\geq\sqrt{3}$ ($\because \overline{BC}>0$)

따라서 $\overline{BC}$의 길이의 최솟값은 $\sqrt{3}$이다.

### 032 답 $6\sqrt{7}$

주어진 원뿔의 전개도를 그리면 오른쪽 그림과 같다. 부채꼴의 호의 길이 $l$은 원뿔의 밑면의 둘레의 길이와 같으므로 $l=2\pi\times4=8\pi$

$\overline{AB}=12$이므로 부채꼴의 중심각의 크기를 $\theta$라 하면

$l=12\theta$ $\quad\therefore \theta=\frac{8\pi}{12}=\frac{2}{3}\pi$

점 M은 모선 AB의 중점이므로 $\overline{AM}=12\times\frac{1}{2}=6$

구하는 최단 거리는 $\overline{BM}$의 길이이므로 △ABM에서 코사인법칙에 의하여

$\overline{BM}^2=12^2+6^2-2\times12\times6\times\cos\frac{2}{3}\pi=252$

$\therefore \overline{BM}=6\sqrt{7}$ ($\because \overline{BM}>0$)

따라서 구하는 최단 거리는 $6\sqrt{7}$이다.

### 033 답 $\frac{8\sqrt{6}}{3}$

△ABD에서 코사인법칙에 의하여

$\cos B=\frac{8^2+6^2-6^2}{2\times8\times6}=\frac{2}{3}$

△ABC에서 코사인법칙에 의하여

$\overline{AC}^2=8^2+8^2-2\times8\times8\times\frac{2}{3}=\frac{128}{3}$

$\therefore \overline{AC}=\frac{8\sqrt{6}}{3}$ ($\because \overline{AC}>0$)

### 034 답 ①

$c^2=a^2+b^2+ab$에서 $a^2+b^2-c^2=-ab$

코사인법칙에 의하여

$\cos C=\frac{a^2+b^2-c^2}{2ab}=\frac{-ab}{2ab}=-\frac{1}{2}$

이때 $0<C<180°$이므로 $C=120°$

$\therefore \tan C=\tan 120°=-\sqrt{3}$

### 035 답 $\frac{\sqrt{21}}{7}$

△ABC에서 코사인법칙에 의하여

$\overline{AC}^2=2^2+4^2-2\times2\times4\times\cos 60°=12$

$\therefore \overline{AC}=2\sqrt{3}$ ($\because \overline{AC}>0$)

△BCD에서 코사인법칙에 의하여

$\overline{BD}^2=4^2+2^2-2\times4\times2\times\cos 120°=28$

$\therefore \overline{BD}=2\sqrt{7}$ ($\because \overline{BD}>0$)

평행사변형의 두 대각선은 서로 다른 것을 이등분하므로

$\cos\alpha=\frac{(\sqrt{3})^2+(\sqrt{7})^2-2^2}{2\times\sqrt{3}\times\sqrt{7}}=\frac{\sqrt{21}}{7}$

### 036 답 $\frac{\sqrt{2}}{2}$

정사각형 ABCD의 한 변의 길이가 12이므로 $\overline{AM}=\overline{DM}=6$

선분 CD를 1 : 2로 내분하는 점이 E이므로

$\overline{CE}=12\times\frac{1}{3}=4$, $\overline{DE}=12\times\frac{2}{3}=8$

세 직각삼각형 ABM, BCE, DEM에서

$\overline{BM}=\sqrt{12^2+6^2}=6\sqrt{5}$, $\overline{BE}=\sqrt{12^2+4^2}=4\sqrt{10}$,

$\overline{EM}=\sqrt{6^2+8^2}=10$

따라서 △BEM에서 코사인법칙에 의하여

$\cos\theta=\frac{(6\sqrt{5})^2+(4\sqrt{10})^2-10^2}{2\times6\sqrt{5}\times4\sqrt{10}}=\frac{\sqrt{2}}{2}$

### 037 답 $2\sqrt{5}$

코사인법칙에 의하여

$\cos A=\frac{6^2+c^2-4^2}{2\times6\times c}=\frac{20+c^2}{12c}=\frac{5}{3c}+\frac{c}{12}$

$0<A<\pi$이므로 $\cos A$의 값이 최소일 때, $A$의 값은 최대가 된다.

$\frac{5}{3c}>0$, $\frac{c}{12}>0$이므로 산술평균과 기하평균의 관계에 의하여

$\cos A=\frac{5}{3c}+\frac{c}{12}\geq2\sqrt{\frac{5}{3c}\times\frac{c}{12}}=\frac{\sqrt{5}}{3}$

이때 등호는 $\frac{5}{3c}=\frac{c}{12}$일 때 성립하므로

$c^2=20$ $\quad\therefore c=2\sqrt{5}$ ($\because c>0$)

따라서 $A$의 값이 최대가 되도록 하는 $c$의 값은 $2\sqrt{5}$이다.

### 038 답 ⑤

사인법칙에 의하여

$a:b:c=\sin A:\sin B:\sin C=7:8:13$

$a=7k,\ b=8k,\ c=13k\,(k>0)$로 놓으면 가장 긴 변의 대각의 크기가 가장 크므로 가장 큰 각의 크기는 $C$이다.

코사인법칙에 의하여

$\cos C=\dfrac{(7k)^2+(8k)^2-(13k)^2}{2\times7k\times8k}=-\dfrac{1}{2}$

이때 $0°<C<180°$이므로 $C=120°$

### 039 답 $\dfrac{\sqrt{21}}{3}$

코사인법칙에 의하여

$a^2=3^2+2^2-2\times3\times2\times\cos60°=7$

$\therefore a=\sqrt{7}\ (\because a>0)$

△ABC의 외접원의 반지름의 길이를 $R$라 하면 사인법칙에 의하여

$\dfrac{\sqrt{7}}{\sin60°}=2R$

$\therefore R=\sqrt{7}\times\dfrac{2}{\sqrt{3}}\times\dfrac{1}{2}=\dfrac{\sqrt{21}}{3}$

### 040 답 $3\sqrt{2}$

△ABC에서 사인법칙에 의하여

$\dfrac{\sqrt{6}}{\sin45°}=\dfrac{\sqrt{3}}{\sin A},\ \sqrt{6}\sin A=\sqrt{3}\sin45°$

$\therefore \sin A=\sqrt{3}\times\dfrac{\sqrt{2}}{2}\times\dfrac{1}{\sqrt{6}}=\dfrac{1}{2}$

그런데 $A+B<180°$이므로 $A=30°$

$\overline{AD}=x$라 하면 △ADC에서 코사인법칙에 의하여

$(\sqrt{2})^2=(\sqrt{6})^2+x^2-2\times\sqrt{6}\times x\times\cos30°$

$2=6+x^2-3\sqrt{2}x,\ x^2-3\sqrt{2}x+4=0$

$(x-\sqrt{2})(x-2\sqrt{2})=0\qquad\therefore x=\sqrt{2}$ 또는 $x=2\sqrt{2}$

따라서 모든 $\overline{AD}$의 길이의 합은

$\sqrt{2}+2\sqrt{2}=3\sqrt{2}$

### 041 답 ⑤

코사인법칙에 의하여

$\cos A=\dfrac{b^2+c^2-a^2}{2bc},\ \cos B=\dfrac{c^2+a^2-b^2}{2ca},\ \cos C=\dfrac{a^2+b^2-c^2}{2ab}$

이를 주어진 식에 대입하면

$a\times\dfrac{c^2+a^2-b^2}{2ca}+\dfrac{ab}{c}\times\dfrac{a^2+b^2-c^2}{2ab}+b\times\dfrac{b^2+c^2-a^2}{2bc}=c$

$(c^2+a^2-b^2)+(a^2+b^2-c^2)+(b^2+c^2-a^2)=2c^2$

$a^2+b^2+c^2=2c^2\qquad\therefore a^2+b^2=c^2$

따라서 △ABC는 $C=90°$인 직각삼각형이다.

### 042 답 $a=c$인 이등변삼각형

△ABC의 외접원의 반지름의 길이를 $R$라 하면 사인법칙과 코사인법칙에 의하여

$\sin A=\dfrac{a}{2R},\ \sin B=\dfrac{b}{2R},\ \cos C=\dfrac{a^2+b^2-c^2}{2ab}$

이를 주어진 식에 대입하면

$\dfrac{b}{2R}=2\times\dfrac{a}{2R}\times\dfrac{a^2+b^2-c^2}{2ab}$

$b^2=a^2+b^2-c^2,\ a^2=c^2$

$\therefore a=c\ (\because a>0,\ c>0)$

따라서 △ABC는 $a=c$인 이등변삼각형이다.

### 043 답 ④

$A+B+C=\pi$이므로

$\sin(A+B)=\sin(\pi-C)=\sin C,$

$\cos(A+B)=\cos(\pi-C)=-\cos C$

이를 주어진 식에 대입하면

$\sin A\cos A+\sin C\times(-\cos C)=0$

$\sin A\cos A=\sin C\cos C\qquad\cdots\cdots$ ㉠

△ABC의 외접원의 반지름의 길이를 $R$라 하면 사인법칙과 코사인법칙에 의하여

$\sin A=\dfrac{a}{2R},\ \sin C=\dfrac{c}{2R},\ \cos A=\dfrac{b^2+c^2-a^2}{2bc},$

$\cos C=\dfrac{a^2+b^2-c^2}{2ab}$

이를 ㉠에 대입하면

$\dfrac{a}{2R}\times\dfrac{b^2+c^2-a^2}{2bc}=\dfrac{c}{2R}\times\dfrac{a^2+b^2-c^2}{2ab}$

$a^2(b^2+c^2-a^2)=c^2(a^2+b^2-c^2)$

$a^4-c^4+b^2c^2-a^2b^2=0,\ (a^2+c^2)(a^2-c^2)-b^2(a^2-c^2)=0$

$(a^2-c^2)(a^2+c^2-b^2)=0$

이때 $a>0,\ c>0$이므로 $a=c$ 또는 $a^2+c^2=b^2$

따라서 △ABC는 $a=c$인 이등변삼각형 또는 $B=90°$인 직각삼각형이므로 △ABC가 될 수 있는 것은 ㄴ, ㄷ이다.

### 044 답 ③

코사인법칙에 의하여

$\overline{AB}^2=120^2+80^2-2\times120\times80\times\cos60°=11200$

$\therefore \overline{AB}=40\sqrt{7}(\text{m})\ (\because \overline{AB}>0)$

따라서 두 지점 A, B 사이의 거리는 $40\sqrt{7}$ m이다.

### 045 답 $\dfrac{169}{3}\pi\ \text{m}^2$

코사인법칙에 의하여

$\cos B=\dfrac{7^2+8^2-13^2}{2\times7\times8}=-\dfrac{1}{2}$

이때 $0°<B<180°$이므로 $B=120°$

△ABC의 외접원의 반지름의 길이를 $R$ m라 하면 사인법칙에 의하여

$\dfrac{13}{\sin120°}=2R$

$\therefore R=13\times\dfrac{2}{\sqrt{3}}\times\dfrac{1}{2}=\dfrac{13\sqrt{3}}{3}$

따라서 덮개의 넓이는

$\pi\times\left(\dfrac{13\sqrt{3}}{3}\right)^2=\dfrac{169}{3}\pi(\text{m}^2)$

### 046 답 $10\sqrt{21}$ m

$\overline{BC}=a$ m, $\overline{AC}=b$ m, $\overline{AB}=c$ m라 하면

△ADC에서 $b=\dfrac{30}{\sin 60°}=20\sqrt{3}$

△BEC에서 $a=\dfrac{45}{\sin 60°}=30\sqrt{3}$

$\angle ACB=180°-(60°+60°)=60°$이므로

△ACB에서 코사인법칙에 의하여

$c^2=(30\sqrt{3})^2+(20\sqrt{3})^2-2\times30\sqrt{3}\times20\sqrt{3}\times\cos 60°$

$=2100$

$\therefore c=10\sqrt{21}$ ($\because c>0$)

따라서 두 지점 A, B 사이의 거리는 $10\sqrt{21}$ m이다.

### 047 답 $2\sqrt{19}$

△ABC의 넓이가 $6\sqrt{3}$이므로

$\dfrac{1}{2}\times6\times4\times\sin A=6\sqrt{3}$

$\therefore \sin A=\dfrac{\sqrt{3}}{2}$

이때 $A>90°$이므로 $A=120°$

따라서 코사인법칙에 의하여

$a^2=6^2+4^2-2\times6\times4\times\cos 120°=76$

$\therefore a=2\sqrt{19}$ ($\because a>0$)

### 048 답 ③

$\sin(A+B)=\sin(\pi-C)=\sin C=\dfrac{1}{3}$이므로

$\triangle ABC=\dfrac{1}{2}\times6\times8\times\dfrac{1}{3}=8$

### 049 답 ③

$\overset{\frown}{AB}:\overset{\frown}{BC}:\overset{\frown}{CA}=5:3:4$이므로

$\angle AOB=360°\times\dfrac{5}{12}=150°$

$\angle BOC=360°\times\dfrac{3}{12}=90°$

$\angle COA=360°\times\dfrac{4}{12}=120°$

$\therefore \triangle ABC=\triangle AOB+\triangle BOC+\triangle COA$

$=\dfrac{1}{2}\times18\times18\times\sin 150°+\dfrac{1}{2}\times18\times18\times\sin 90°$

$+\dfrac{1}{2}\times18\times18\times\sin 120°$

$=81+162+81\sqrt{3}$

$=81(3+\sqrt{3})$

### 050 답 $2(\sqrt{3}-1)$

코사인법칙에 의하여

$c^2=(4\sqrt{3})^2+8^2-2\times4\sqrt{3}\times8\times\cos 30°=16$

$\therefore c=4$ ($\because c>0$)

△ABC의 내접원의 중심을 I, 반지름의 길이를 $r$라 하면

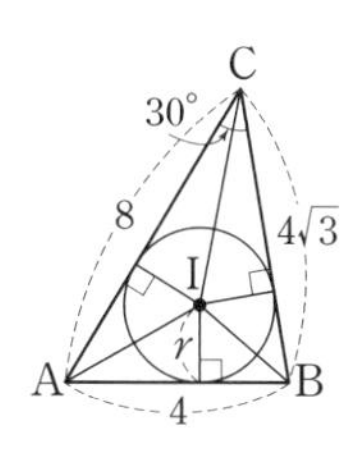


$\triangle ABC=\triangle IAB+\triangle IBC+\triangle ICA$이므로

$\dfrac{1}{2}\times8\times4\sqrt{3}\times\sin 30°=\dfrac{1}{2}r(4+4\sqrt{3}+8)$

$8\sqrt{3}=2(3+\sqrt{3})r$

$\therefore r=2(\sqrt{3}-1)$

### 051 답 $\dfrac{15}{4}$

$\angle BAD=\angle CAD=\dfrac{1}{2}\times120°=60°$

$\overline{AD}=x$라 하면 $\triangle ABC=\triangle ABD+\triangle ADC$이므로

$\dfrac{1}{2}\times10\times6\times\sin 120°=\dfrac{1}{2}\times10\times x\times\sin 60°+\dfrac{1}{2}\times x\times6\times\sin 60°$

$15\sqrt{3}=\dfrac{5\sqrt{3}}{2}x+\dfrac{3\sqrt{3}}{2}x$

$15\sqrt{3}=4\sqrt{3}x \qquad \therefore x=\dfrac{15}{4}$

따라서 $\overline{AD}$의 길이는 $\dfrac{15}{4}$이다.

### 052 답 ②

△ABC에서 코사인법칙에 의하여

$\cos(\angle ABC)=\dfrac{3^2+4^2-2^2}{2\times3\times4}=\dfrac{7}{8}$

△ABD에서 $\angle ABD=90°+\angle ABC$이므로

$\sin(\angle ABD)=\sin(90°+\angle ABC)$

$=\cos(\angle ABC)=\dfrac{7}{8}$

$\therefore \triangle ABD=\dfrac{1}{2}\times3\times4\times\sin(\angle ABD)$

$=\dfrac{1}{2}\times3\times4\times\dfrac{7}{8}=\dfrac{21}{4}$

### 053 답 ③

$\overline{AP}=x$, $\overline{AQ}=y$라 하면

$\triangle APQ=\dfrac{1}{2}\times x\times y\times\sin 60°=\dfrac{\sqrt{3}}{4}xy$

△APQ의 넓이가 △ABC의 넓이의 $\dfrac{1}{4}$이 되려면

$\dfrac{\sqrt{3}}{4}xy=\dfrac{1}{4}\times\dfrac{1}{2}\times8\times10\times\sin 60°$

$\dfrac{\sqrt{3}}{4}xy=5\sqrt{3} \qquad \therefore xy=20$

△APQ에서 코사인법칙에 의하여

$\overline{PQ}^2=x^2+y^2-2xy\cos 60°$

$=x^2+y^2-xy=x^2+y^2-20$

$x^2>0$, $y^2>0$이므로 산술평균과 기하평균의 관계에 의하여

$\overline{PQ}^2=x^2+y^2-20$

$\geq 2\sqrt{x^2y^2}-20$

$=2\times20-20=20$ (단, 등호는 $x=y$일 때 성립)

$\therefore \overline{PQ}\geq2\sqrt{5}$ ($\because \overline{PQ}>0$)

따라서 $\overline{PQ}$의 길이의 최솟값은 $2\sqrt{5}$이다.

### 054 답 $\sqrt{5}$

$\triangle$ABC의 넓이를 $S$라 하면 헤론의 공식에서 $s=\frac{7+8+9}{2}=12$이므로

$S=\sqrt{12\times(12-7)\times(12-8)\times(12-9)}$

$=12\sqrt{5}$

$\triangle$ABC의 내접원의 반지름의 길이를 $r$라 하면

$S=\frac{1}{2}r(a+b+c)$에서

$12\sqrt{5}=\frac{1}{2}\times r\times 24$, $12\sqrt{5}=12r$

$\therefore r=\sqrt{5}$

### 055 답 ④

$S=\frac{abc}{4R}$에서 $2\sqrt{3}=\frac{abc}{4\times 3}$

$\therefore abc=24\sqrt{3}$

### 056 답 ⑤

사인법칙에 의하여

$a:b:c=\sin A:\sin B:\sin C=2:3:3$

$a=2k$, $b=3k$, $c=3k\,(k>0)$로 놓으면 헤론의 공식에서

$s=\frac{2k+3k+3k}{2}=4k$이므로

$\triangle ABC=\sqrt{4k\times(4k-2k)\times(4k-3k)\times(4k-3k)}$

$=2\sqrt{2}k^2$

즉, $2\sqrt{2}k^2=32\sqrt{2}$이므로 $k^2=16$

$\therefore k=4\ (\because k>0)$

따라서 $\triangle$ABC의 둘레의 길이는

$2k+3k+3k=8k=32$

### 057 답 $4\sqrt{6}$

$S=\frac{abc}{4R}$에서 $10=\frac{5ab}{4\times 3}$

$\therefore ab=24$

$a>0$, $b>0$이므로 산술평균과 기하평균의 관계에 의하여

$a+b\geq 2\sqrt{ab}=2\sqrt{24}=4\sqrt{6}$ (단, 등호는 $a=b$일 때 성립)

따라서 $a+b$의 최솟값은 $4\sqrt{6}$이다.

### 058 답 $14\sqrt{3}+6\sqrt{35}$

$\triangle$ABC에서 코사인법칙에 의하여

$\overline{AC}^2=7^2+8^2-2\times 7\times 8\times\cos 120°=169$

$\therefore \overline{AC}=13\ (\because \overline{AC}>0)$

$\triangle$ACD에서 헤론의 공식에 의하여 $s=\frac{13+8+9}{2}=15$이므로

$\triangle ACD=\sqrt{15\times(15-13)\times(15-8)\times(15-9)}$

$=6\sqrt{35}$

또 $\triangle ABC=\frac{1}{2}\times 7\times 8\times\sin 120°=14\sqrt{3}$이므로

$\square ABCD=\triangle ABC+\triangle ACD$

$=14\sqrt{3}+6\sqrt{35}$

### 059 답 ④

$\overline{BD}=x$라 하면 $\triangle$ABD에서 코사인법칙에 의하여

$(\sqrt{6})^2=(2\sqrt{3})^2+x^2-2\times 2\sqrt{3}\times x\times\cos 45°$

$x^2-2\sqrt{6}x+6=0$, $(x-\sqrt{6})^2=0$

$\therefore x=\sqrt{6}$

$\therefore \triangle ABD=\frac{1}{2}\times\sqrt{6}\times 2\sqrt{3}\times\sin 45°=3$

$\overline{AD}\,/\!/\,\overline{BC}$이므로

$\angle DBC=\angle ADB=45°$

$\therefore \triangle DBC=\frac{1}{2}\times\sqrt{6}\times 8\times\sin 45°=4\sqrt{3}$

$\therefore \square ABCD=\triangle ABD+\triangle DBC$

$=3+4\sqrt{3}$

### 060 답 $\frac{45\sqrt{3}}{4}$

$\square$ABCD가 원에 내접하므로 $B+D=180°$

$\therefore D=180°-B$

$\triangle$ABC에서 코사인법칙에 의하여

$\overline{AC}^2=6^2+9^2-2\times 6\times 9\times\cos B$

$=117-108\cos B$

$\triangle$ACD에서 코사인법칙에 의하여

$\overline{AC}^2=3^2+3^2-2\times 3\times 3\times\cos(\pi-B)$

$=18+18\cos B$

즉, $117-108\cos B=18+18\cos B$이므로

$126\cos B=99 \qquad \therefore \cos B=\frac{11}{14}$

$\therefore \sin B=\sqrt{1-\cos^2 B}$

$=\sqrt{1-\left(\frac{11}{14}\right)^2}=\frac{5\sqrt{3}}{14}\ (\because 0°<B<180°)$

$\therefore \square ABCD=\triangle ABC+\triangle ACD$

$=\frac{1}{2}\times 6\times 9\times\sin B+\frac{1}{2}\times 3\times 3\times\sin D$

$=27\sin B+\frac{9}{2}\sin B=\frac{63}{2}\sin B$

$=\frac{63}{2}\times\frac{5\sqrt{3}}{14}=\frac{45\sqrt{3}}{4}$

### 061 답 $\frac{15\sqrt{7}}{2}$

$\overline{AD}=\overline{BC}=5$이므로 $\triangle$ABD에서 코사인법칙에 의하여

$\cos A=\frac{5^2+4^2-6^2}{2\times 5\times 4}=\frac{1}{8}$

$\therefore \sin A=\sqrt{1-\cos^2 A}$

$=\sqrt{1-\left(\frac{1}{8}\right)^2}=\frac{3\sqrt{7}}{8}\ (\because 0°<A<180°)$

$\therefore \square ABCD=4\times 5\times\frac{3\sqrt{7}}{8}=\frac{15\sqrt{7}}{2}$

### 062 답 120°

평행사변형 ABCD의 넓이가 $15\sqrt{3}$이므로

$15\sqrt{3}=5\times 6\times\sin C \qquad \therefore \sin C=\frac{\sqrt{3}}{2}$

이때 $90°<C<180°$이므로 $C=120°$

**063** 답 ②

$\sin\theta=\sqrt{1-\cos^2\theta}$

$=\sqrt{1-\left(\frac{1}{4}\right)^2}=\frac{\sqrt{15}}{4}$ ($\because$ $0^\circ<\theta<180^\circ$)

$\therefore$ $\square ABCD=\frac{1}{2}\times4\times6\times\frac{\sqrt{15}}{4}=3\sqrt{15}$

**064** 답 ⑤

두 대각선의 길이를 각각 $a$, $b$라 하면 $a>0$, $b>0$이므로 산술평균과 기하평균의 관계에 의하여

$a+b\geq2\sqrt{ab}$, $20\geq2\sqrt{ab}$

$\therefore$ $ab\leq100$ (단, 등호는 $a=b$일 때 성립)

$\square ABCD$의 두 대각선이 이루는 각의 크기를 $\theta$, 넓이를 $S$라 하면

$S=\frac{1}{2}ab\sin\theta\leq\frac{1}{2}\times100\times1=50$ ($\because$ $0<\sin\theta\leq1$)

따라서 $\square ABCD$의 넓이의 최댓값은 50이다.

**065** 답 ②

$A=180^\circ-(105^\circ+45^\circ)=30^\circ$이므로 사인법칙에 의하여

$\frac{6}{\sin30^\circ}=\frac{\overline{AB}}{\sin45^\circ}$, $6\sin45^\circ=\overline{AB}\sin30^\circ$

$\therefore$ $\overline{AB}=6\times\frac{\sqrt{2}}{2}\times2=6\sqrt{2}$

**066** 답 ③

$\triangle ACD$는 $A=90^\circ$인 직각삼각형이고 $\overline{AD}=2$이므로

$\overline{CD}=\sqrt{2^2+4^2}=2\sqrt{5}$

또 $\overline{AB}=\overline{AC}$이면 $\triangle ABC$는 직각이등변삼각형이므로

$B=C=45^\circ$

$\triangle BCD$의 외접원의 반지름의 길이를 $R$라 하면 사인법칙에 의하여

$\frac{2\sqrt{5}}{\sin45^\circ}=2R$

$\therefore$ $R=2\sqrt{5}\times\frac{2}{\sqrt{2}}\times\frac{1}{2}=\sqrt{10}$

따라서 $\triangle BCD$의 외접원의 넓이는

$\pi\times(\sqrt{10})^2=10\pi$

**067** 답 3 : 5 : 7

$a-2b+c=0$ ...... ㉠

$3a+b-2c=0$ ...... ㉡

2×㉠+㉡을 하면

$5a-3b=0$ $\therefore$ $b=\frac{5}{3}a$

㉠+2×㉡을 하면

$7a-3c=0$ $\therefore$ $c=\frac{7}{3}a$

따라서 사인법칙에 의하여

$\sin A:\sin B:\sin C=a:b:c=a:\frac{5}{3}a:\frac{7}{3}a$

$=3:5:7$

**068** 답 $B=90^\circ$인 직각삼각형

$\cos^2B=1-\sin^2B$이므로

$\sin^2A+\cos^2B+\sin^2C=1$에서

$\sin^2A+(1-\sin^2B)+\sin^2C=1$

$\sin^2A+\sin^2C=\sin^2B$ ...... ㉠

$\triangle ABC$의 외접원의 반지름의 길이를 $R$라 하면 사인법칙에 의하여

$\sin A=\frac{a}{2R}$, $\sin B=\frac{b}{2R}$, $\sin C=\frac{c}{2R}$

이를 ㉠에 대입하면

$\left(\frac{a}{2R}\right)^2+\left(\frac{c}{2R}\right)^2=\left(\frac{b}{2R}\right)^2$ $\therefore$ $a^2+c^2=b^2$

따라서 $\triangle ABC$는 $B=90^\circ$인 직각삼각형이다.

**069** 답 ③

$C=180^\circ-(45^\circ+75^\circ)=60^\circ$이므로 사인법칙에 의하여

$\frac{90}{\sin60^\circ}=\frac{\overline{BC}}{\sin45^\circ}$, $\overline{BC}\sin60^\circ=90\sin45^\circ$

$\therefore$ $\overline{BC}=90\times\frac{\sqrt{2}}{2}\times\frac{2}{\sqrt{3}}=30\sqrt{6}$(m)

따라서 두 지점 B, C 사이의 거리는 $30\sqrt{6}$ m이다.

**070** 답 ①

코사인법칙에 의하여

$7^2=b^2+3^2-2\times b\times3\times\cos120^\circ$

$49=9+b^2+3b$

$b^2+3b-40=0$, $(b+8)(b-5)=0$

$\therefore$ $b=5$ ($\because$ $b>0$)

**071** 답 $2\sqrt{7}$

$\square ABCD$가 원에 내접하므로 $A+C=180^\circ$

$\therefore$ $C=180^\circ-A$

$\triangle ABD$에서 코사인법칙에 의하여

$\overline{BD}^2=2^2+4^2-2\times2\times4\times\cos A=20-16\cos A$

$\triangle BCD$에서 코사인법칙에 의하여

$\overline{BD}^2=4^2+6^2-2\times4\times6\times\cos(180^\circ-A)=52+48\cos A$

즉, $20-16\cos A=52+48\cos A$에서

$32=-64\cos A$ $\therefore$ $\cos A=-\frac{1}{2}$

따라서 $\overline{BD}^2=20-16\times\left(-\frac{1}{2}\right)=28$이므로

$\overline{BD}=2\sqrt{7}$ ($\because$ $\overline{BD}>0$)

**072** 답 $2\sqrt{3}$

$\triangle ABC$에서 코사인법칙에 의하여

$\cos B=\frac{4^2+6^2-(2\sqrt{7})^2}{2\times4\times6}=\frac{1}{2}$

점 D가 $\overline{BC}$를 1 : 2로 내분하는 점이므로 $\overline{BD}=2$

$\triangle ABD$에서 코사인법칙에 의하여

$\overline{AD}^2=4^2+2^2-2\times4\times2\times\frac{1}{2}=12$

$\therefore$ $\overline{AD}=2\sqrt{3}$ ($\because$ $\overline{AD}>0$)

## 073 답 $\frac{8\sqrt{7}}{7}$

코사인법칙에 의하여

$\cos A=\frac{5^2+6^2-4^2}{2\times5\times6}=\frac{3}{4}$

$\therefore \sin A=\sqrt{1-\cos^2 A}$

$=\sqrt{1-\left(\frac{3}{4}\right)^2}=\frac{\sqrt{7}}{4}$ ($\because$ $0<A<180°$)

$\triangle$ABC의 외접원의 반지름의 길이를 $R$라 하면 사인법칙에 의하여

$\frac{4}{\sin A}=2R$

$\therefore R=4\times\frac{4}{\sqrt{7}}\times\frac{1}{2}=\frac{8\sqrt{7}}{7}$

## 074 답 ④

$\triangle$ABC의 외접원의 반지름의 길이를 $R$라 하면 사인법칙과 코사인법칙에 의하여

$\sin A=\frac{a}{2R}$, $\sin B=\frac{b}{2R}$, $\sin C=\frac{c}{2R}$,

$\cos A=\frac{b^2+c^2-a^2}{2bc}$, $\cos C=\frac{a^2+b^2-c^2}{2ab}$

이를 주어진 식에 대입하면

$\frac{a}{2R}+\frac{c}{2R}=\frac{b}{2R}\left(\frac{b^2+c^2-a^2}{2bc}+\frac{a^2+b^2-c^2}{2ab}\right)$

위의 식의 양변에 $4acR$를 곱하면

$2a^2c+2ac^2=ab^2+ac^2-a^3+a^2c+b^2c-c^3$

$a^2c+ac^2-ab^2-b^2c+a^3+c^3=0$

$ac(a+c)-b^2(a+c)+(a+c)(a^2-ac+c^2)=0$

$(a+c)(a^2+c^2-b^2)=0$

$\therefore a^2+c^2=b^2$ ($\because$ $a>0$, $c>0$)

따라서 $\triangle$ABC는 $B=90°$인 직각삼각형이다.

## 075 답 10 m

$\overline{\text{AP}}=x$ m라 하면 $\triangle$PAB는 직각이등변삼각형이므로

$\overline{\text{AB}}=x$ m

$\triangle$PAC에서

$\tan 30°=\frac{x}{\overline{\text{AC}}}$, $\frac{\sqrt{3}}{3}=\frac{x}{\overline{\text{AC}}}$ $\therefore \overline{\text{AC}}=\sqrt{3}x$ (m)

$\triangle$ABC에서 코사인법칙에 의하여

$(\sqrt{3}x)^2=x^2+10^2-2\times x\times10\times\cos 120°$

$3x^2=x^2+100+10x$, $x^2-5x-50=0$

$(x+5)(x-10)=0$ $\therefore x=10$ ($\because$ $x>0$)

따라서 물로켓의 최고 높이는 10 m이다.

## 076 답 $\frac{64}{3}\pi-16\sqrt{3}$

$\triangle$ABC의 외접원의 중심을 O라 하면

$\angle$AOC$=2\angle$ABC$=2\times\frac{\pi}{3}=\frac{2}{3}\pi$

따라서 색칠한 부분의 넓이는

$\frac{1}{2}\times8^2\times\frac{2}{3}\pi-\frac{1}{2}\times8^2\times\sin\frac{2}{3}\pi$

$=\frac{64}{3}\pi-16\sqrt{3}$

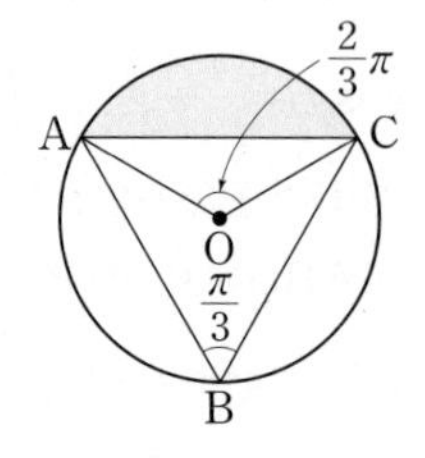


## 077 답 ②

$\triangle$ACD의 넓이가 $4\sqrt{2}$이므로

$\frac{1}{2}\times3\times4\times\sin D=4\sqrt{2}$

$\therefore \sin D=\frac{2\sqrt{2}}{3}$

$\therefore \cos D=\sqrt{1-\sin^2 D}$

$=\sqrt{1-\left(\frac{2\sqrt{2}}{3}\right)^2}=\frac{1}{3}$ ($\because$ $0°<D<90°$)

□ABCD가 원에 내접하므로 $B+D=180°$

$\therefore B=180°-D$

$\therefore \cos B=\cos(180°-D)$

$=-\cos D=-\frac{1}{3}$

$\overline{\text{AB}}=x$라 하면 $\triangle$ABC와 $\triangle$ACD에서 코사인법칙에 의하여

$x^2+2^2-2\times x\times2\times\left(-\frac{1}{3}\right)=3^2+4^2-2\times3\times4\times\frac{1}{3}$

$3x^2+4x-39=0$

$(3x+13)(x-3)=0$

$\therefore x=3$ ($\because$ $x>0$)

## 078 답 $\frac{9\sqrt{3}+3\sqrt{6}}{2}$

$\triangle$ABC에서 코사인법칙에 의하여

$\overline{\text{AC}}^2=3^2+6^2-2\times3\times6\times\cos 60°=27$

$\therefore \overline{\text{AC}}=3\sqrt{3}$ ($\because$ $\overline{\text{AC}}>0$)

$\angle$ACB$=\theta$라 하면 사인법칙에 의하여

$\frac{3}{\sin\theta}=\frac{3\sqrt{3}}{\sin 60°}$, $3\sin 60°=3\sqrt{3}\sin\theta$

$\therefore \sin\theta=3\times\frac{\sqrt{3}}{2}\times\frac{1}{3\sqrt{3}}=\frac{1}{2}$

그런데 $0°<\theta<75°$이므로 $\theta=30°$

따라서 $\angle$ACD$=75°-30°=45°$이므로

□ABCD$=\triangle$ABC$+\triangle$ACD

$=\frac{1}{2}\times3\times6\times\sin 60°+\frac{1}{2}\times3\sqrt{3}\times2\times\sin 45°$

$=\frac{9\sqrt{3}}{2}+\frac{3\sqrt{6}}{2}=\frac{9\sqrt{3}+3\sqrt{6}}{2}$

## 079 답 $\frac{\sqrt{10}}{10}$

사다리꼴 ABCD의 넓이는

$\frac{1}{2}\times(6+12)\times6=54$

$\overline{\text{AC}}=\sqrt{6^2+6^2}=6\sqrt{2}$, $\overline{\text{BD}}=\sqrt{6^2+12^2}=6\sqrt{5}$이므로

$\frac{1}{2}\times6\sqrt{2}\times6\sqrt{5}\times\sin\theta=54$

$\therefore \sin\theta=\frac{3}{\sqrt{10}}=\frac{3\sqrt{10}}{10}$

$\therefore \cos\theta=\sqrt{1-\sin^2\theta}$

$=\sqrt{1-\left(\frac{3\sqrt{10}}{10}\right)^2}=\frac{\sqrt{10}}{10}$ ($\because$ $0°<\theta<90°$)

# 등차수열과 등비수열

134~155쪽

**001** 답 ③

등차수열 $\{a_n\}$의 첫째항을 $a$, 공차를 $d$라 하면

$a_2=a+d=44$ …… ㉠

$a_7=a+6d=9$ …… ㉡

㉠, ㉡을 연립하여 풀면 $a=51$, $d=-7$

따라서 $a_n=51+(n-1)\times(-7)=-7n+58$이므로

$a_{15}=-7\times15+58=-47$

**002** 답 ③

첫째항이 $-32$이고 공차가 3이므로

$a_n=-32+(n-1)\times3=3n-35$

$3n-35>0$에서 $3n>35$

$\therefore\ n>\frac{35}{3}=11.6\cdots$

따라서 처음으로 양수가 되는 항은 제12항이다.

**003** 답 36

주어진 등차수열의 공차를 $d$라 하면 첫째항이 9, 제4항이 27이므로

$9+3d=27$, $3d=18$ $\therefore\ d=6$

따라서 $x=9+6=15$, $y=15+6=21$이므로

$x+y=15+21=36$

**004** 답 ④

세 수 $a$, $a^2$, $a^2+2$가 이 순서대로 등차수열을 이루므로

$2a^2=a+(a^2+2)$에서 $a^2-a-2=0$

$(a+1)(a-2)=0$ $\therefore\ a=2\ (\because\ a>0)$

**005** 답 120

세 수를 $a-d$, $a$, $a+d$로 놓으면

$(a-d)+a+(a+d)=18$ …… ㉠

$(a-d)^2+a^2+(a+d)^2=140$ …… ㉡

㉠에서 $3a=18$ $\therefore\ a=6$

이를 ㉡에 대입하면

$108+2d^2=140$, $2d^2=32$

$d^2=16$ $\therefore\ d=-4$ 또는 $d=4$

따라서 세 수는 2, 6, 10이므로 세 수의 곱은

$2\times6\times10=120$

**006** 답 ②

등차수열 $\{a_n\}$의 첫째항을 $a$, 공차를 $d$라 하면

$a_2=a+d=5$ …… ㉠

$a_8=a+7d=17$ …… ㉡

㉠, ㉡을 연립하여 풀면 $a=3$, $d=2$

따라서 첫째항부터 제15항까지의 합은

$\frac{15\{2\times3+(15-1)\times2\}}{2}=255$

**007** 답 23

첫째항이 2, 끝항이 74, 항수가 $(m+2)$인 등차수열의 합이 950이므로

$\frac{(m+2)(2+74)}{2}=950$, $m+2=25$

$\therefore\ m=23$

**008** 답 ③

등차수열 $\{a_n\}$의 첫째항을 $a$, 공차를 $d$라 하면

$S_{10}=\frac{10\{2a+(10-1)d\}}{2}=80$

$\therefore\ 2a+9d=16$ …… ㉠

$S_{20}=\frac{20\{2a+(20-1)d\}}{2}=360$

$\therefore\ 2a+19d=36$ …… ㉡

㉠, ㉡을 연립하여 풀면 $a=-1$, $d=2$

$\therefore\ S_{30}=\frac{30\{2\times(-1)+(30-1)\times2\}}{2}=840$

**009** 답 $-72$

주어진 등차수열의 일반항 $a_n$은

$a_n=-22+(n-1)\times4=4n-26$ …… ㉠

$4n-26>0$에서 $4n>26$

$\therefore\ n>\frac{26}{4}=6.5$

즉, 수열 $\{a_n\}$은 제7항부터 양수이므로 첫째항부터 제6항까지의 합이 최소이다.

이때 ㉠에서 $a_6=4\times6-26=-2$이므로 구하는 최솟값은

$S_6=\frac{6\{-22+(-2)\}}{2}=-72$

다른 풀이 $S_n=\frac{n\{2\times(-22)+(n-1)\times4\}}{2}$

$=2n^2-24n$

$=2(n-6)^2-72$

따라서 $S_n$은 $n=6$일 때 최솟값이 $-72$이다.

**010** 답 ④

두 자리의 자연수 중에서 6으로 나누었을 때의 나머지가 5인 수를 작은 것부터 차례대로 나열하면

11, 17, 23, …, 95

이때 $95=11+6\times14$에서 구하는 값은 첫째항이 11, 끝항이 95, 항수가 15인 등차수열의 합이므로

$\frac{15(11+95)}{2}=795$

**011** 답 7

연속하는 30개의 자연수 중에서 가장 작은 수를 $a$라 하면 30개의 자연수는 첫째항이 $a$, 공차가 1인 등차수열을 이루므로

$\frac{30\{2a+(30-1)\times1\}}{2}=645$, $2a+29=43$

$2a=14$ $\therefore\ a=7$

따라서 구하는 가장 작은 수는 7이다.

**012** 답 ②

$S_n=3n^2-n+1$에서

$a_1=S_1=3\times1^2-1+1=3$

$a_{10}=S_{10}-S_9$

$=(3\times10^2-10+1)-(3\times9^2-9+1)$

$=291-235=56$

$\therefore a_1+a_{10}=3+56=59$

다른 풀이 (i) $n\geq2$일 때

$a_n=S_n-S_{n-1}$

$=3n^2-n+1-\{3(n-1)^2-(n-1)+1\}$

$=6n-4$ …… ㉠

(ii) $n=1$일 때

$a_1=S_1=3\times1^2-1+1=3$ …… ㉡

이때 ㉡은 ㉠에 $n=1$을 대입한 값과 같지 않으므로

$a_1=3$, $a_n=6n-4$ $(n\geq2)$

$\therefore a_1+a_{10}=3+(6\times10-4)=59$

**013** 답 $-158$

등차수열 $\{a_n\}$의 첫째항을 $a$, 공차를 $d$라 하면

$a_{13}=a+12d=-58$ …… ㉠

$a_{21}=a+20d=-98$ …… ㉡

㉠, ㉡을 연립하여 풀면

$a=2$, $d=-5$

따라서 $a_n=2+(n-1)\times(-5)=-5n+7$이므로

$a_{33}=-5\times33+7=-158$

**014** 답 ④

주어진 등차수열의 일반항을 $a_n$이라 하면 첫째항이 $-2$, 공차가 $3-(-2)=5$이므로

$a_n=-2+(n-1)\times5=5n-7$

$\therefore a_{30}=5\times30-7=143$

**015** 답 ③

등차수열 $\{a_n\}$의 공차를 $d$라 하면

$4(a_2+a_3)=a_{10}$에서

$4\{(3+d)+(3+2d)\}=3+9d$

$4(6+3d)=3+9d$, $24+12d=3+9d$

$3d=-21$ $\therefore d=-7$

**016** 답 $a_n=\log(2^n\times3)$

등차수열 $\{a_n\}$의 첫째항을 $a$, 공차를 $d$라 하면

$a_2=a+d=\log12$ …… ㉠

$a_4=a+3d=\log48$ …… ㉡

㉠, ㉡을 연립하여 풀면

$a=\log6$, $d=\log2$

$\therefore a_n=\log6+(n-1)\times\log2$

$=\log6+\log2^{n-1}$

$=\log(6\times2^{n-1})=\log(2^n\times3)$

**017** 답 ㄱ, ㄷ

ㄱ. 수열 $\{a_{2n}\}$은 $a_2$, $a_4$, $a_6$, $a_8$, $\cdots$이므로

$a_4-a_2=(a_1+3d_1)-(a_1+d_1)=2d_1$

$a_6-a_4=(a_1+5d_1)-(a_1+3d_1)=2d_1$

⋮

$\therefore a_4-a_2=a_6-a_4=\cdots=2d_1$

따라서 수열 $\{a_{2n}\}$은 공차가 $2d_1$인 등차수열이다.

ㄴ. 수열 $\{b_n^2\}$은 $b_1^2$, $b_2^2$, $b_3^2$, $b_4^2$, $\cdots$이므로

$b_2^2-b_1^2=(b_1+d_2)^2-b_1^2=2b_1d_2+d_2^2$

$b_3^2-b_2^2=(b_1+2d_2)^2-(b_1+d_2)^2=2b_1d_2+3d_2^2$

$\therefore b_2^2-b_1^2\neq b_3^2-b_2^2$

따라서 수열 $\{b_n^2\}$은 등차수열이 아니다.

ㄷ. 수열 $\{a_n+b_n\}$은 $a_1+b_1$, $a_2+b_2$, $a_3+b_3$, $\cdots$이므로

$a_2+b_2-(a_1+b_1)=\{(a_1+d_1)+(b_1+d_2)\}-(a_1+b_1)$

$=d_1+d_2$

$a_3+b_3-(a_2+b_2)=\{(a_1+2d_1)+(b_1+2d_2)\}$

$-\{(a_1+d_1)+(b_1+d_2)\}$

$=d_1+d_2$

⋮

$\therefore a_2+b_2-(a_1+b_1)=a_3+b_3-(a_2+b_2)=\cdots=d_1+d_2$

따라서 수열 $\{a_n+b_n\}$은 공차가 $d_1+d_2$인 등차수열이다.

따라서 보기 중 옳은 것은 ㄱ, ㄷ이다.

**018** 답 ③

등차수열 $\{a_n\}$의 첫째항을 $a$, 공차를 $d$라 하면

$a_3+a_{12}=(a+2d)+(a+11d)$

$=2a+13d=25$ …… ㉠

$a_{10}-a_4=6d=30$

$\therefore d=5$

이를 ㉠에 대입하여 풀면 $a=-20$

$\therefore a_n=-20+(n-1)\times5=5n-25$

60을 제$k$항이라 하면

$5k-25=60$, $5k=85$

$\therefore k=17$

따라서 60은 제17항이다.

**019** 답 ②

등차수열 $\{a_n\}$의 첫째항을 $a$라 하면 제15항이 $-25$이므로

$a+14\times(-3)=-25$

$\therefore a=17$

따라서 $a_n=17+(n-1)\times(-3)=-3n+20$이므로

$b_n=a_{2n}=-3\times2n+20=-6n+20$

$\therefore b_6=-6\times6+20=-16$

**020** 답 $-6$

등차수열 $\{a_n\}$의 첫째항을 $a$, 공차를 $d$라 하면

(가)에서

$a_5+a_7=(a+4d)+(a+6d)=0$

$2a=-10d$ $\therefore a=-5d$ …… ㉠

(나)에서

$|a+2d|+|a+7d|=15$

㉠을 이 식에 대입하면

$|-3d|+|2d|=15$

이때 $d>0$이므로

$5d=15 \qquad \therefore d=3$

이를 ㉠에 대입하면 $a=-15$

따라서 $a_n=-15+(n-1)\times 3=3n-18$이므로

$a_4=3\times 4-18=-6$

## 021 답 제11항

주어진 등차수열의 일반항 $a_n$은

$a_n=7+(n-1)\times\left(-\frac{3}{4}\right)=-\frac{3}{4}n+\frac{31}{4}$

$-\frac{3}{4}n+\frac{31}{4}<0$에서 $\frac{3}{4}n>\frac{31}{4}$

$\therefore n>\frac{31}{3}=10.3\cdots$

따라서 처음으로 음수가 되는 항은 제11항이다.

## 022 답 ④

등차수열 $\{a_n\}$의 첫째항을 $a$, 공차를 $d$라 하면

$a_3+a_7=(a+2d)+(a+6d)=2a+8d=0$

$\therefore a+4d=0 \qquad \cdots\cdots$ ㉠

$a_{10}=a+9d=20 \qquad \cdots\cdots$ ㉡

㉠, ㉡을 연립하여 풀면 $a=-16$, $d=4$

$\therefore a_n=-16+(n-1)\times 4=4n-20$

$4n-20>100$에서 $4n>120$

$\therefore n>30$

따라서 자연수 $n$의 최솟값은 31이다.

## 023 답 1

등차수열 $\{a_n\}$의 공차를 $d$라 하면

$a_{11}=19+10d=-11$

$10d=-30 \qquad \therefore d=-3$

$\therefore a_n=19+(n-1)\times(-3)=-3n+22$

$-3n+22<0$에서 $3n>22$

$\therefore n>\frac{22}{3}=7.3\cdots$

이때 $a_7=-3\times 7+22=1$, $a_8=-3\times 8+22=-2$이므로

$|a_7|=1$, $|a_8|=2$

따라서 $|a_n|$의 최솟값은 1이다.

## 024 답 ③

수열 $\{a_n\}$은 첫째항이 5, 공차가 $-\frac{1}{3}$인 등차수열이므로

$a_n=5+(n-1)\times\left(-\frac{1}{3}\right)=-\frac{1}{3}n+\frac{16}{3}$

수열 $\{b_n\}$은 첫째항이 $-15$, 공차가 $\frac{1}{2}$인 등차수열이므로

$b_n=-15+(n-1)\times\frac{1}{2}=\frac{1}{2}n-\frac{31}{2}$

따라서 수열 $\{b_n-a_n\}$의 일반항은

$\frac{1}{2}n-\frac{31}{2}-\left(-\frac{1}{3}n+\frac{16}{3}\right)=\frac{5}{6}n-\frac{125}{6}$

$\frac{5}{6}n-\frac{125}{6}>0$에서 $\frac{5}{6}n>\frac{125}{6} \qquad \therefore n>25$

따라서 처음으로 양수가 되는 항은 제26항이다.

## 025 답 $\frac{15}{2}$

주어진 등차수열의 공차를 $d$라 하면 첫째항이 6, 제6항이 $-14$이므로

$6+5d=-14$, $5d=-20 \qquad \therefore d=-4$

따라서 $x=6+(-4)=2$, $y=2+(-4)=-2$,

$z=-2+(-4)=-6$, $w=-6+(-4)=-10$이므로

$\frac{zw}{x^2+y^2}=\frac{-6\times(-10)}{2^2+(-2)^2}=\frac{15}{2}$

## 026 답 35

첫째항이 $-7$이고 공차가 $\frac{2}{3}$인 등차수열의 제$(m+2)$항이 17이므로

$-7+(m+2-1)\times\frac{2}{3}=17$

$\frac{2}{3}(m+1)=24$, $m+1=36 \qquad \therefore m=35$

## 027 답 ②

주어진 등차수열의 공차를 $d$라 하면 첫째항이 13, 제$(m+2)$항이 103이므로

$13+(m+2-1)d=103$, $(m+1)d=90$

$\therefore m=\frac{90}{d}-1$

이때 $m$은 자연수이므로 $d$는 90의 약수가 되어야 한다.

따라서 주어진 수열의 공차가 될 수 없는 것은 ②이다.

## 028 답 $\frac{3}{2}$

등차수열 $\{a_n\}$의 공차를 $d_1$이라 하면

$y=x+6d_1$, $6d_1=y-x$

$\therefore d_1=\frac{y-x}{6}$

등차수열 $\{b_n\}$의 공차를 $d_2$라 하면

$y=x+4d_2$, $4d_2=y-x$

$\therefore d_2=\frac{y-x}{4}$

$\therefore \frac{b_3-b_2}{a_5-a_4}=\frac{d_2}{d_1}=\frac{\frac{y-x}{4}}{\frac{y-x}{6}}=\frac{3}{2}$

## 029 답 ③

세 수 $a-1$, $a^2+1$, $3a+1$이 이 순서대로 등차수열을 이루므로

$2(a^2+1)=(a-1)+(3a+1)$에서 $2(a^2+1)=4a$

$a^2-2a+1=0$, $(a-1)^2=0$

$\therefore a=1$

### 030 답 3

세 수 6, $a$, 10이 이 순서대로 등차수열을 이루므로

$a=\frac{6+10}{2}=8$

세 수 6, $b$, 0도 이 순서대로 등차수열을 이루므로

$b=\frac{6+0}{2}=3$

세 수 $a$, 5, $c$, 즉 8, 5, $c$도 이 순서대로 등차수열을 이루므로

$5=\frac{8+c}{2}$, $10=8+c$ $\quad\therefore c=2$

세 수 10, 7, $d$도 이 순서대로 등차수열을 이루므로

$7=\frac{10+d}{2}$, $14=10+d$ $\quad\therefore d=4$

$\therefore a-b+c-d=8-3+2-4=3$

### 031 답 ⑤

세 수 $\log_2 3$, $\log_2 a$, $\log_2 12$가 이 순서대로 등차수열을 이루므로

$2\log_2 a=\log_2 3+\log_2 12$, $\log_2 a^2=\log_2 36$

$a^2=36$ $\quad\therefore a=6\ (\because a>0)$

세 수 $\log_2 a$, $\log_2 12$, $\log_2 b$, 즉 $\log_2 6$, $\log_2 12$, $\log_2 b$가 이 순서대로 등차수열을 이루므로

$2\log_2 12=\log_2 6+\log_2 b$, $\log_2 12^2=\log_2 6b$

$6b=144$ $\quad\therefore b=24$

$\therefore b-a=24-6=18$

### 032 답 −6

다항식 $f(x)$를 $x-1$, $x+1$, $x+2$로 나누었을 때의 나머지는 나머지정리에 의하여 각각

$f(1)=1+a+b$, $f(-1)=1-a+b$, $f(-2)=4-2a+b$

세 수 $f(1)$, $f(-1)$, $f(-2)$가 이 순서대로 등차수열을 이루므로

$2f(-1)=f(1)+f(-2)$

$2(1-a+b)=(1+a+b)+(4-2a+b)$

$2-2a+2b=5-a+2b$ $\quad\therefore a=-3$

이때 $f(x)$는 $x-2$로 나누어떨어지므로

$f(2)=4+2a+b=0$ $\quad\therefore b=2$

$\therefore ab=-6$

### 033 답 24

세 수 $a$, $b$, 10이 이 순서대로 등차수열을 이루므로

$2b=a+10$ $\quad\therefore a=2b-10$ $\quad\cdots\cdots$ ㉠

또 $a<b<10$이므로 직각삼각형에서 피타고라스 정리에 의하여

$a^2+b^2=100$ $\quad\cdots\cdots$ ㉡

㉠을 ㉡에 대입하면

$(2b-10)^2+b^2=100$, $4b^2-40b+100+b^2=100$

$5b^2-40b=0$, $b^2-8b=0$, $b(b-8)=0$

$\therefore b=8\ (\because b>0)$

이를 ㉠에 대입하면 $a=6$

따라서 직각삼각형의 넓이는

$\frac{1}{2}\times6\times8=24$

### 034 답 ③

세 수를 $a-d$, $a$, $a+d$로 놓으면

$(a-d)+a+(a+d)=12$ $\quad\cdots\cdots$ ㉠

$(a-d)\times a\times(a+d)=48$ $\quad\cdots\cdots$ ㉡

㉠에서 $3a=12$ $\quad\therefore a=4$

이를 ㉡에 대입하면

$(4-d)\times4\times(4+d)=48$, $16-d^2=12$

$d^2=4$ $\quad\therefore d=-2$ 또는 $d=2$

따라서 세 수는 2, 4, 6이므로 세 수의 제곱의 합은

$2^2+4^2+6^2=56$

### 035 답 2

삼차방정식의 세 실근을 $a-d$, $a$, $a+d$로 놓으면 삼차방정식의 근과 계수의 관계에 의하여

$(a-d)+a+(a+d)=-3$, $3a=-3$ $\quad\therefore a=-1$

따라서 주어진 방정식의 한 근이 $-1$이므로 방정식에 $x=-1$을 대입하면

$(-1)^3+3\times(-1)^2+p\times(-1)+q=0$

$2-p+q=0$ $\quad\therefore p-q=2$

### 036 답 −1

네 수를 $a-3d$, $a-d$, $a+d$, $a+3d$로 놓으면

$(a-3d)+(a-d)+(a+d)+(a+3d)=8$ $\quad\cdots\cdots$ ㉠

$(a-d)(a+d)=(a-3d)(a+3d)+8$ $\quad\cdots\cdots$ ㉡

㉠에서 $4a=8$ $\quad\therefore a=2$

이를 ㉡에 대입하면

$(2-d)(2+d)=(2-3d)(2+3d)+8$

$4-d^2=4-9d^2+8$, $8d^2=8$

$d^2=1$ $\quad\therefore d=-1$ 또는 $d=1$

따라서 네 수는 $-1$, 1, 3, 5이므로 네 수 중 가장 작은 수는 $-1$이다.

### 037 답 $81\sqrt{5}$

$\overline{AD}=a-d$, $\overline{CD}=a$, $\overline{AB}=a+d$라 하면

$\triangle ABD\backsim\triangle ACB$이므로 $\overline{AB}^2=\overline{AD}\times\overline{AC}$

$(a+d)^2=(a-d)(2a-d)$

$a^2=5ad$ $\quad\therefore a=5d\ (\because a>0)$

즉, $\overline{AB}=6d$, $\overline{BC}=9\sqrt{5}$, $\overline{AC}=9d$이므로 직각삼각형 ABC에서 피타고라스 정리에 의하여

$(9d)^2=(6d)^2+(9\sqrt{5})^2$

$45d^2=405$, $d^2=9$ $\quad\therefore d=3\ (\because d>0)$

따라서 $\overline{AB}=18$이므로 직각삼각형 ABC의 넓이는

$\frac{1}{2}\times9\sqrt{5}\times18=81\sqrt{5}$

### 038 답 ③

등차수열 $\{a_n\}$의 첫째항을 $a$, 공차를 $d$라 하면

$a_4=a+3d=7$ $\quad\cdots\cdots$ ㉠

$a_{20}-a_{10}=(a+19d)-(a+9d)=10d=30$ $\quad\therefore d=3$

이를 ㉠에 대입하면

$a+9=7 \qquad \therefore a=-2$

따라서 첫째항부터 제12항까지의 합은

$$\frac{12\{2\times(-2)+(12-1)\times3\}}{2}=174$$

**039** 답 ⑤

주어진 등차수열의 일반항을 $a_n$이라 하면 첫째항이 26, 공차가 $23-26=-3$이므로

$a_n=26+(n-1)\times(-3)=-3n+29$

$-16$을 제$k$항이라 하면

$-16=-3k+29 \qquad \therefore k=15$

따라서 첫째항부터 제15항까지의 합은

$$\frac{15\{26+(-16)\}}{2}=75$$

**040** 답 $-2$

첫째항이 8이고 제$k$항이 $-30$인 등차수열의 첫째항부터 제$k$항까지의 합이 $-220$이므로

$$\frac{k\{8+(-30)\}}{2}=-220 \qquad \therefore k=20$$

즉, $a_{20}=-30$이므로 등차수열 $\{a_n\}$의 공차를 $d$라 하면

$8+19d=-30 \qquad \therefore d=-2$

**041** 답 8

등차수열 $\{a_n\}$의 첫째항을 $a$, 공차를 $d$라 하면

$a_3=a+2d=3 \qquad \cdots\cdots$ ㉠

$a+6d=3(a+4d)$, $2a+6d=0$

$\therefore a+3d=0 \qquad \cdots\cdots$ ㉡

㉠, ㉡을 연립하여 풀면 $a=9$, $d=-3$

$$\therefore S_n=\frac{n\{2\times9+(n-1)\times(-3)\}}{2}=\frac{n(21-3n)}{2}$$

$\frac{n(21-3n)}{2}<0$에서 $n(21-3n)<0$

이때 $n$은 자연수이므로 $n>7$

따라서 자연수 $n$의 최솟값은 8이다.

**042** 답 ④

두 등차수열 $\{a_n\}$, $\{b_n\}$의 공차를 각각 $d_1$, $d_2$라 하면

$$\begin{aligned}&(a_1+a_2+a_3+\cdots+a_9)+(b_1+b_2+b_3+\cdots+b_9)\\&=\frac{9(2a_1+8d_1)}{2}+\frac{9(2b_1+8d_2)}{2}\\&=\frac{9\{2(a_1+b_1)+8(d_1+d_2)\}}{2}\\&=\frac{9\{2\times10+8(d_1+d_2)\}}{2}\\&=90+36(d_1+d_2)\end{aligned}$$

즉, $90+36(d_1+d_2)=54$이므로 $d_1+d_2=-1$

$$\begin{aligned}\therefore a_9+b_9&=(a_1+8d_1)+(b_1+8d_2)\\&=(a_1+b_1)+8(d_1+d_2)\\&=10+8\times(-1)=2\end{aligned}$$

다른 풀이 수열 $\{a_n+b_n\}$은 첫째항이 10이고 첫째항부터 제9항까지의 합이 54이므로

$$\frac{9\{2\times10+(9-1)(d_1+d_2)\}}{2}=54$$

$90+36(d_1+d_2)=54 \qquad \therefore d_1+d_2=-1$

$\therefore a_9+b_9=(a_1+b_1)+8(d_1+d_2)=10+8\times(-1)=2$

**043** 답 281

등차수열 $\{a_n\}$의 공차를 $d$라 하면 첫째항이 43이므로

$a_{10}=43+9d=7 \qquad \therefore d=-4$

$\therefore a_n=43+(n-1)\times(-4)=-4n+47$

$-4n+47<0$에서 $4n>47 \qquad \therefore n>\frac{47}{4}=11.75$

따라서 수열 $\{a_n\}$은 첫째항부터 제11항까지는 양수이고, 제12항부터 음수이다.

이때 $a_{11}=3$, $a_{12}=-1$, $a_{15}=-13$이므로

$$\begin{aligned}&|a_1|+|a_2|+|a_3|+\cdots+|a_{15}|\\&=(a_1+a_2+a_3+\cdots+a_{11})-(a_{12}+a_{13}+a_{14}+a_{15})\\&=\frac{11(43+3)}{2}-\frac{4\{-1+(-13)\}}{2}=253+28=281\end{aligned}$$

**044** 답 ①

첫째항이 6, 끝항이 48, 항수가 $(m+2)$인 등차수열의 합이 594이므로

$$\frac{(m+2)(6+48)}{2}=594,\ m+2=22 \qquad \therefore m=20$$

**045** 답 $-252$

첫째항이 5, 끝항이 $-33$, 항수가 20인 등차수열의 합은

$$\frac{20\{5+(-33)\}}{2}=-280$$

따라서 $5+a_1+a_2+a_3+\cdots+a_{18}+(-33)=-280$이므로

$a_1+a_2+a_3+\cdots+a_{18}=-252$

**046** 답 ③

$-4+a_1+a_2+a_3+\cdots+a_m+50=-4+391+50=437$

즉, 첫째항이 $-4$, 끝항이 50, 항수가 $(m+2)$인 등차수열의 합이 437이므로

$$\frac{(m+2)\{(-4)+50\}}{2}=437,\ m+2=19 \qquad \therefore m=17$$

**047** 답 $-525$

등차수열 $\{a_n\}$의 첫째항을 $a$, 공차를 $d$라 하면

$$S_5=\frac{5\{2a+(5-1)d\}}{2}=-5$$

$\therefore a+2d=-1 \qquad \cdots\cdots$ ㉠

$$S_{15}=\frac{15\{2a+(15-1)d\}}{2}=-165$$

$\therefore a+7d=-11 \qquad \cdots\cdots$ ㉡

㉠, ㉡을 연립하여 풀면 $a=3$, $d=-2$

$$\therefore S_{25}=\frac{25\{2\times3+(25-1)\times(-2)\}}{2}=-525$$

**048** 답 ②

등차수열 $\{a_n\}$의 첫째항을 $a$, 공차를 $d$라 하면

$S_4=\frac{4\{2a+(4-1)d\}}{2}=34$

$\therefore 2a+3d=17$ ...... ㉠

$S_8=\frac{8\{2a+(8-1)d\}}{2}=116$

$\therefore 2a+7d=29$ ...... ㉡

㉠, ㉡을 연립하여 풀면 $a=4$, $d=3$

$\therefore a_9+a_{10}+a_{11}+\cdots+a_{20}=S_{20}-S_8$

$=\frac{20\{2\times4+(20-1)\times3\}}{2}-116$

$=650-116=534$

**049** 답 **−65**

등차수열 $\{a_n\}$의 첫째항을 $a$, 공차를 $d$, 첫째항부터 제$n$항까지의 합을 $S_n$이라 하면

(가)에서

$S_{10}=\frac{10\{2a+(10-1)d\}}{2}=-15$

$\therefore 2a+9d=-3$ ...... ㉠

(나)에서

$S_{20}-S_{10}=\frac{20\{2a+(20-1)d\}}{2}-(-15)=-115$

$\therefore 2a+19d=-13$ ...... ㉡

㉠, ㉡을 연립하여 풀면 $a=3$, $d=-1$

$\therefore a_6+a_7+a_8+\cdots+a_{15}$

$=S_{15}-S_5$

$=\frac{15\{2\times3+(15-1)\times(-1)\}}{2}-\frac{5\{2\times3+(5-1)\times(-1)\}}{2}$

$=-60-5=-65$

**050** 답 **121**

주어진 등차수열의 일반항 $a_n$은

$a_n=21+(n-1)\times(-2)=-2n+23$ ...... ㉠

$-2n+23<0$에서 $n>\frac{23}{2}=11.5$

즉, 수열 $\{a_n\}$은 제12항부터 음수이므로 첫째항부터 제11항까지의 합이 최대이다.

이때 ㉠에서 $a_{11}=-2\times11+23=1$이므로 구하는 최댓값은

$S_{11}=\frac{11(21+1)}{2}=121$

다른 풀이 $S_n=\frac{n\{2\times21+(n-1)\times(-2)\}}{2}$

$=-n^2+22n=-(n-11)^2+121$

따라서 $S_n$은 $n=11$일 때 최댓값이 121이다.

**051** 답 ①

등차수열 $\{a_n\}$의 공차를 $d$라 하면 첫째항이 −13이므로

$a_{12}=-13+11d=9$ $\therefore d=2$

$\therefore a_n=-13+(n-1)\times2=2n-15$ ...... ㉠

$2n-15>0$에서 $n>\frac{15}{2}=7.5$

즉, 수열 $\{a_n\}$은 제8항부터 양수이므로 첫째항부터 제7항까지의 합이 최소이다.

이때 ㉠에서 $a_7=2\times7-15=-1$이므로 첫째항부터 제7항까지의 합은

$\frac{7\{-13+(-1)\}}{2}=-49$

따라서 $k=7$, $m=-49$이므로 $k+m=-42$

다른 풀이 첫째항부터 제$n$항까지의 합을 $S_n$이라 하면

$S_n=\frac{n\{2\times(-13)+(n-1)\times2\}}{2}$

$=n^2-14n=(n-7)^2-49$

따라서 $S_n$은 $n=7$일 때 최솟값 −49를 가지므로

$k=7$, $m=-49$ $\therefore k+m=-42$

**052** 답 **5**

등차수열 $\{a_n\}$의 공차를 $d$라 하면

$S_3=\frac{3\{2\times(-9)+(3-1)d\}}{2}=-27+3d$

$S_7=\frac{7\{2\times(-9)+(7-1)d\}}{2}=-63+21d$

$S_3=S_7$에서 $-27+3d=-63+21d$

$18d=36$ $\therefore d=2$

$\therefore a_n=-9+(n-1)\times2=2n-11$

$2n-11>0$에서 $n>\frac{11}{2}=5.5$

즉, 수열 $\{a_n\}$은 제6항부터 양수이므로 첫째항부터 제5항까지의 합이 최소이다.

$\therefore n=5$

**053** 답 ⑤

등차수열 $\{a_n\}$의 공차를 $d$라 하면

$a_n=21+(n-1)d$

이때 $S_{11}$의 값이 최대이므로 $a_{11}>0$, $a_{12}<0$이어야 한다.

$a_{11}=21+10d>0$에서 $d>-\frac{21}{10}$

$a_{12}=21+11d<0$에서 $d<-\frac{21}{11}$

$\therefore -\frac{21}{10}<d<-\frac{21}{11}$

그런데 $d$는 정수이므로 $d=-2$

$\therefore S_{20}=\frac{20\{2\times21+(20-1)\times(-2)\}}{2}=40$

**054** 답 **676**

두 자리의 자연수 중에서 7로 나누었을 때의 나머지가 3인 수를 작은 것부터 차례대로 나열하면

10, 17, 24, 31, ⋯, 94

이때 $94=10+7\times12$에서 구하는 값은 첫째항이 10, 끝항이 94, 항수가 13인 등차수열의 합이므로

$\frac{13(10+94)}{2}=676$

## 055 답 ③

50 이상 100 이하의 자연수 중에서 2의 배수는

50, 52, 54, ⋯, 100

이때 $100=50+2\times25$이므로 첫째항이 50, 끝항이 100, 항수가 26인 등차수열의 합은

$\frac{26(50+100)}{2}=1950$

또 50 이상 100 이하의 자연수 중에서 3의 배수는

51, 54, 57, ⋯, 99

이때 $99=51+3\times16$이므로 첫째항이 51, 끝항이 99, 항수가 17인 등차수열의 합은

$\frac{17(51+99)}{2}=1275$

한편 50 이상 100 이하의 자연수 중에서 6의 배수는

54, 60, 66, ⋯, 96

이때 $96=54+6\times7$이므로 첫째항이 54, 끝항이 96, 항수가 8인 등차수열의 합은

$\frac{8(54+96)}{2}=600$

따라서 50 이상 100 이하의 자연수 중에서 2 또는 3으로 나누어떨어지는 수의 총합은

$1950+1275-600=2625$

## 056 답 508

$A=\{5, 8, 11, 14, 17, 20, 23, 26, \cdots\}$,

$B=\{6, 11, 16, 21, 26, \cdots\}$

이므로 $A\cap B=\{11, 26, 41, 56, \cdots\}$

따라서 수열 $\{a_n\}$은 첫째항이 11, 공차가 15인 등차수열이므로

$a_1+a_2+a_3+\cdots+a_8=\frac{8\{2\times11+(8-1)\times15\}}{2}=508$

## 057 답 ④

연속하는 15개의 자연수 중에서 가장 작은 수를 $a$라 하면 15개의 자연수는 첫째항이 $a$, 공차가 1인 등차수열을 이루므로

$\frac{15\{2a+(15-1)\times1\}}{2}=315$

$a+7=21$ $\quad\therefore a=14$

따라서 구하는 가장 큰 수는

$14+14=28$

## 058 답 6

$n$각형의 내각의 크기의 합은

$180°\times(n-2)=180°\times n-360°$ ⋯⋯ ㉠

첫째항이 70°, 공차가 20°인 등차수열의 첫째항부터 제$n$항까지의 합은

$\frac{n\{2\times70°+(n-1)\times20°\}}{2}=10°\times n^2+60°\times n$ ⋯⋯ ㉡

따라서 ㉠, ㉡에서

$180°\times n-360°=10°\times n^2+60°\times n$

$n^2-12n+36=0$, $(n-6)^2=0$

$\therefore n=6$

## 059 답 30

두 곡선 $y=x^2+ax+b$, $y=x^2$ 사이에 $y$축과 평행하게 그은 선분의 길이를 $f(x)$라 하면

$f(x)=x^2+ax+b-x^2=ax+b$

이때 $f(x)$는 $x$에 대한 일차식이므로 같은 간격의 $x$좌표에 대하여 각각의 선분의 길이는 등차수열을 이룬다.

따라서 10개의 선분의 길이의 합은 첫째항이 1, 제10항이 5인 등차수열의 합과 같으므로

$\frac{10(1+5)}{2}=30$

## 060 답 ①

$S_n=-2n^2+3n+1$에서

$a_1=S_1=-2\times1^2+3\times1+1=2$

$a_3=S_3-S_2$
$=(-2\times3^2+3\times3+1)-(-2\times2^2+3\times2+1)$
$=-8-(-1)=-7$

$a_5=S_5-S_4$
$=(-2\times5^2+3\times5+1)-(-2\times4^2+3\times4+1)$
$=-34-(-19)=-15$

$\therefore a_1+a_3+a_5=2+(-7)+(-15)$
$=-20$

다른 풀이 (i) $n\geq2$일 때

$a_n=S_n-S_{n-1}$
$=-2n^2+3n+1-\{-2(n-1)^2+3(n-1)+1\}$
$=-4n+5$ ⋯⋯ ㉠

(ii) $n=1$일 때

$a_1=S_1=-2\times1^2+3\times1+1=2$ ⋯⋯ ㉡

이때 ㉡은 ㉠에 $n=1$을 대입한 값과 같지 않으므로

$a_1=2$, $a_n=-4n+5$ $(n\geq2)$

$\therefore a_1+a_3+a_5=2+(-4\times3+5)+(-4\times5+5)$
$=-20$

## 061 답 ②

$S_n=-2n^2+9n$에서

(i) $n\geq2$일 때

$a_n=S_n-S_{n-1}$
$=-2n^2+9n-\{-2(n-1)^2+9(n-1)\}$
$=-4n+11$ ⋯⋯ ㉠

(ii) $n=1$일 때

$a_1=S_1=-2\times1^2+9\times1=7$ ⋯⋯ ㉡

이때 ㉡은 ㉠에 $n=1$을 대입한 값과 같으므로

$a_n=-4n+11$

$-4n+11>0$에서 $4n<11$

$\therefore n<\frac{11}{4}=2.75$

따라서 자연수 $n$은 1, 2의 2개이다.

## 062 답 11

나머지정리에 의하여

$S_n=(-n)^2+3(-n)=n^2-3n$

(i) $n\geq2$일 때

$a_n=S_n-S_{n-1}$

$=n^2-3n-\{(n-1)^2-3(n-1)\}$

$=2n-4$ …… ㉠

(ii) $n=1$일 때

$a_1=S_1=1^2-3\times1=-2$ …… ㉡

이때 ㉡은 ㉠에 $n=1$을 대입한 값과 같으므로

$a_n=2n-4$

따라서 $a_k=2k-4=18$에서 $k=11$

## 063 답 ④

두 수열 $\{a_n\}$, $\{b_n\}$의 첫째항부터 제$n$항까지의 합을 각각

$A_n=n^2+kn$, $B_n=-2n^2+23n$이라 하면

$n\geq2$일 때, $a_n=A_n-A_{n-1}$, $b_n=B_n-B_{n-1}$이므로

$a_4=A_4-A_3=4^2+4k-(3^2+3k)=7+k$

$b_4=B_4-B_3=-2\times4^2+23\times4-(-2\times3^2+23\times3)=9$

이때 $a_4=b_4$이므로

$7+k=9$ $\therefore k=2$

## 064 답 10

$S_n=-n^2+7n$에서

(i) $n\geq2$일 때

$a_n=S_n-S_{n-1}$

$=-n^2+7n-\{-(n-1)^2+7(n-1)\}$

$=-2n+8$ …… ㉠

(ii) $n=1$일 때

$a_1=S_1=-1^2+7\times1=6$ …… ㉡

이때 ㉡은 ㉠에 $n=1$을 대입한 값과 같으므로

$a_n=-2n+8$

$a_2+a_4+a_6+\cdots+a_{2k}$는 첫째항이 $a_2=4$, 끝항이 $a_{2k}=-4k+8$, 항수가 $k$인 등차수열의 합이므로

$a_2+a_4+a_6+\cdots+a_{2k}=\dfrac{k\{4+(-4k+8)\}}{2}=-2k^2+6k$

즉, $-2k^2+6k=-140$이므로 $2k^2-6k-140=0$

$k^2-3k-70=0$, $(k+7)(k-10)=0$

$\therefore k=10$ ($\because k>0$)

## 065 답 ⑤

등비수열 $\{a_n\}$의 첫째항을 $a$, 공비를 $r$라 하면

$a_3=ar^2=3$ …… ㉠

$a_5=ar^4=12$ …… ㉡

㉡÷㉠을 하면 $r^2=4$ $\therefore r=2$ ($\because r>0$)

이를 ㉠에 대입하면 $4a=3$ $\therefore a=\dfrac{3}{4}$

따라서 $a_n=\dfrac{3}{4}\times2^{n-1}$이므로 $a_8=\dfrac{3}{4}\times2^7=96$

## 066 답 ②

등비수열 $\{a_n\}$의 첫째항을 $a$, 공비를 $r$라 하면

$a_2=ar=9$ …… ㉠

$a_5=ar^4=243$ …… ㉡

㉡÷㉠을 하면 $r^3=27$ $\therefore r=3$

이를 ㉠에 대입하면 $3a=9$ $\therefore a=3$

$\therefore a_n=3\times3^{n-1}=3^n$

$3^n>3000$에서 $3^7=2187$, $3^8=6561$이므로 $n\geq8$

따라서 처음으로 3000보다 커지는 항은 제8항이다.

## 067 답 84

주어진 등비수열의 공비를 $r$라 하면 첫째항이 6, 제5항이 96이므로

$6r^4=96$, $r^4=16$ $\therefore r=2$ ($\because r>0$)

따라서 $x=6\times2=12$, $y=12\times2=24$, $z=24\times2=48$이므로

$x+y+z=12+24+48=84$

## 068 답 ④

세 수 $a$, 4, $b$가 이 순서대로 등차수열을 이루므로

$8=a+b$

세 수 $a$, 3, $b$가 이 순서대로 등비수열을 이루므로

$9=ab$

$\therefore a^2+b^2=(a+b)^2-2ab=8^2-2\times9=46$

## 069 답 ②

삼차방정식의 세 실근을 $a$, $ar$, $ar^2$ $(a\neq0)$으로 놓으면 삼차방정식의 근과 계수의 관계에 의하여

$a+ar+ar^2=19$ $\therefore a(1+r+r^2)=19$ …… ㉠

$a\times ar+ar\times ar^2+ar^2\times a=114$에서

$a^2r+a^2r^3+a^2r^2=114$ $\therefore a^2r(1+r+r^2)=114$ …… ㉡

$a\times ar\times ar^2=-k$에서 $a^3r^3=-k$ $\therefore (ar)^3=-k$ …… ㉢

㉡÷㉠을 하면 $ar=6$

이를 ㉢에 대입하면

$6^3=-k$ $\therefore k=-216$

## 070 답 ②

한 변의 길이가 1인 정삼각형의 넓이는 $\dfrac{\sqrt{3}}{4}\times1^2=\dfrac{\sqrt{3}}{4}$이고, 각 시행에서 정삼각형의 한 변의 길이는 $\dfrac{1}{2}$배가 되고, 개수는 3배가 된다.

첫 번째 시행 후 남아 있는 도형의 넓이는

$\dfrac{\sqrt{3}}{4}\times\left(\dfrac{1}{2}\right)^2\times3=\dfrac{\sqrt{3}}{4}\times\dfrac{3}{4}$

두 번째 시행 후 남아 있는 도형의 넓이는

$\dfrac{\sqrt{3}}{4}\times\dfrac{3}{4}\times\left(\dfrac{1}{2}\right)^2\times3=\dfrac{\sqrt{3}}{4}\times\left(\dfrac{3}{4}\right)^2$

⋮

$n$번째 시행 후 남아 있는 도형의 넓이는 $\dfrac{\sqrt{3}}{4}\times\left(\dfrac{3}{4}\right)^n$

따라서 10번째 시행 후 남아 있는 도형의 넓이는

$\dfrac{\sqrt{3}}{4}\times\left(\dfrac{3}{4}\right)^{10}$

**071** 답 **−129**

등비수열 $\{a_n\}$의 첫째항을 $a$, 공비를 $r$라 하면

$a_3=ar^2=-12$ …… ㉠

$a_7=ar^6=-192$ …… ㉡

㉡÷㉠을 하면 $r^4=16$ $\therefore r=-2$ ($\because r<0$)

이를 ㉠에 대입하면 $4a=-12$ $\therefore a=-3$

$\therefore S_7=\dfrac{-3\{1-(-2)^7\}}{1-(-2)}=-129$

**072** 답 ⑤

등비수열 $\{a_n\}$의 첫째항을 $a$, 공비를 $r$라 하면

$S_5=\dfrac{a(1-r^5)}{1-r}=20$ …… ㉠

$S_{10}=\dfrac{a(1-r^{10})}{1-r}=\dfrac{a(1-r^5)(1+r^5)}{1-r}=60$ …… ㉡

㉡÷㉠을 하면 $1+r^5=3$ $\therefore r^5=2$

$\therefore S_{15}=\dfrac{a(1-r^{15})}{1-r}=\dfrac{a(1-r^5)(1+r^5+r^{10})}{1-r}$

$=\dfrac{a(1-r^5)}{1-r}\times(1+r^5+r^{10})$

$=20(1+2+2^2)=140$

**073** 답 $9\pi\left\{1-\left(\dfrac{2}{3}\right)^{10}\right\}$

$l_1=\pi\times3=3\pi$

선분 $A_1B$를 1 : 2로 내분하는 점이 $A_2$이므로

$\overline{A_2B}=3\times\dfrac{2}{3}=2$

$\therefore l_2=\pi\times2=2\pi$

선분 $A_2B$를 1 : 2로 내분하는 점이 $A_3$이므로

$\overline{A_3B}=2\times\dfrac{2}{3}=\dfrac{4}{3}$

$\therefore l_3=\pi\times\dfrac{4}{3}=\dfrac{4}{3}\pi$

⋮

따라서 수열 $\{l_n\}$은 첫째항이 $3\pi$, 공비가 $\dfrac{2}{3}$인 등비수열이므로

$l_1+l_2+l_3+\cdots+l_{10}=\dfrac{3\pi\left\{1-\left(\dfrac{2}{3}\right)^{10}\right\}}{1-\dfrac{2}{3}}=9\pi\left\{1-\left(\dfrac{2}{3}\right)^{10}\right\}$

**074** 답 ④

$S_n=3^n-1$에서

(i) $n\geq2$일 때

$a_n=S_n-S_{n-1}=(3^n-1)-(3^{n-1}-1)$

$=3^{n-1}\times(3-1)=2\times3^{n-1}$ …… ㉠

(ii) $n=1$일 때

$a_1=S_1=3^1-1=2$ …… ㉡

이때 ㉡은 ㉠에 $n=1$을 대입한 값과 같으므로

$a_n=2\times3^{n-1}$

$\therefore \dfrac{a_6+a_7}{a_1+a_2}=\dfrac{2\times3^5+2\times3^6}{2+2\times3}=\dfrac{2\times3^5\times(1+3)}{2\times(1+3)}=3^5=243$

**075** 답 **336만 원**

연이율 5 %, 1년마다 복리로 매년 초에 20만 원씩 12년 동안 적립할 때의 원리합계를 $S$라 하면

$S=20(1+0.05)+20(1+0.05)^2+\cdots+20(1+0.05)^{12}$

$=\dfrac{20(1+0.05)\{(1+0.05)^{12}-1\}}{(1+0.05)-1}$

$=\dfrac{20\times1.05\times(1.8-1)}{0.05}$

$=336$(만 원)

따라서 12년 말의 적립금의 원리합계는 336만 원이다.

**076** 답 **324**

등비수열 $\{a_n\}$의 첫째항을 $a$, 공비를 $r$라 하면

$a_2=ar=4$ …… ㉠

$a_5=ar^4=108$ …… ㉡

㉡÷㉠을 하면 $r^3=27$ $\therefore r=3$

이를 ㉠에 대입하면 $3a=4$ $\therefore a=\dfrac{4}{3}$

따라서 $a_n=\dfrac{4}{3}\times3^{n-1}$이므로 $a_6=\dfrac{4}{3}\times3^5=324$

**077** 답 ④

주어진 등비수열의 일반항 $a_n$은 $a_n=\dfrac{1}{4}\times(\sqrt{2})^{n-1}$

8을 제$k$항이라 하면

$\dfrac{1}{4}\times(\sqrt{2})^{k-1}=8$, $(\sqrt{2})^{k-1}=32$

$2^{\frac{k-1}{2}}=2^5$, $\dfrac{k-1}{2}=5$

$k-1=10$ $\therefore k=11$

따라서 8은 제11항이다.

**078** 답 ③

등비수열 $\{a_n\}$에서

$a_4+a_5=ar^3+ar^4=3$ …… ㉠

$a_4 : a_5=2 : 1$에서 $2a_5=a_4$이므로

$2\times ar^4=ar^3$ $\therefore r=\dfrac{1}{2}$

이를 ㉠에 대입하면 $\dfrac{a}{8}+\dfrac{a}{16}=3$

$\dfrac{3}{16}a=3$ $\therefore a=16$

$\therefore ar=16\times\dfrac{1}{2}=8$

**079** 답 **100**

주어진 등비수열의 일반항 $a_n$은

$a_n=2\times4^{n-1}=2\times2^{2(n-1)}=2^{2n-1}$

$\therefore \log_2 a_n=\log_2 2^{2n-1}=2n-1=2(n-1)+1$

따라서 수열 $\{\log_2 a_n\}$은 첫째항이 1이고 공차가 2인 등차수열이므로 구하는 합은

$\dfrac{10\{2\times1+(10-1)\times2\}}{2}=100$

## 080 답 ④

등비수열 $\{a_n\}$의 첫째항을 $a$, 공비를 $r$라 하면

$\frac{a_6}{a_1}=\frac{ar^5}{a}=r^5$, $\frac{a_7}{a_2}=\frac{ar^6}{ar}=r^5$, $\cdots$, $\frac{a_{25}}{a_{20}}=\frac{ar^{24}}{ar^{19}}=r^5$이므로

$\frac{a_6}{a_1}+\frac{a_7}{a_2}+\frac{a_8}{a_3}+\cdots+\frac{a_{25}}{a_{20}}=20r^5=100$

$\therefore r^5=5$

$\therefore \frac{a_{25}}{a_{10}}=\frac{ar^{24}}{ar^9}=r^{15}=(r^5)^3=5^3=125$

## 081 답 제8항

등비수열 $\{a_n\}$의 첫째항을 $a$, 공비를 $r$라 하면

$a_3=ar^2=36$ ⋯⋯ ㉠

$a_6=ar^5=972$ ⋯⋯ ㉡

㉡÷㉠을 하면 $r^3=27$ $\therefore r=3$

이를 ㉠에 대입하면

$9a=36$ $\therefore a=4$

따라서 $a_n=4\times3^{n-1}$이므로

$4\times3^{n-1}>4000$에서 $3^{n-1}>1000$

이때 $3^6=729$, $3^7=2187$이므로

$n-1\geq7$ $\therefore n\geq8$

따라서 구하는 항은 제8항이다.

## 082 답 ⑤

등비수열 $\{a_n\}$의 첫째항을 $a$, 공비를 $r$라 하면

$a_5=ar^4=8$ ⋯⋯ ㉠

$a_7=ar^6=16$ ⋯⋯ ㉡

㉡÷㉠을 하면 $r^2=2$ $\therefore r=\sqrt{2}$ ($\because r>0$)

이를 ㉠에 대입하면

$4a=8$ $\therefore a=2$

따라서 $a_n=2\times(\sqrt{2})^{n-1}$이므로

$a_n{}^2=\{2\times(\sqrt{2})^{n-1}\}^2=2^2\times\{(\sqrt{2})^2\}^{n-1}=4\times2^{n-1}$

$4\times2^{n-1}>1600$에서 $2^{n-1}>400$

이때 $2^8=256$, $2^9=512$이므로

$n-1\geq9$ $\therefore n\geq10$

따라서 자연수 $n$의 최솟값은 10이다.

## 083 답 12

등비수열 $\{a_n\}$의 첫째항을 $a$, 공비를 $r$라 하면

$a_3+a_6=ar^2+ar^5=\frac{7}{16}$

$\therefore ar^2(1+r^3)=\frac{7}{16}$ ⋯⋯ ㉠

$a_4+a_7=ar^3+ar^6=-\frac{7}{32}$

$\therefore ar^3(1+r^3)=-\frac{7}{32}$ ⋯⋯ ㉡

㉡÷㉠을 하면 $r=-\frac{1}{2}$

이를 ㉠에 대입하면

$a\times\frac{1}{4}\times\frac{7}{8}=\frac{7}{16}$ $\therefore a=2$

따라서 $a_n=2\times\left(-\frac{1}{2}\right)^{n-1}$이므로

$\left|2\times\left(-\frac{1}{2}\right)^{n-1}\right|<\frac{1}{1000}$에서 $2\times\left|\left(-\frac{1}{2}\right)^{n-1}\right|<\frac{1}{1000}$

$\left|\left(-\frac{1}{2}\right)^{n-1}\right|<\frac{1}{2000}$

이때 $\left(\frac{1}{2}\right)^{10}=\frac{1}{1024}$, $\left(\frac{1}{2}\right)^{11}=\frac{1}{2048}$이므로

$n-1\geq11$ $\therefore n\geq12$

따라서 자연수 $n$의 최솟값은 12이다.

## 084 답 −9

주어진 등비수열의 공비를 $r$라 하면 첫째항이 24, 제5항이 $\frac{3}{2}$이므로

$24r^4=\frac{3}{2}$, $r^4=\frac{1}{16}$ $\therefore r=\frac{1}{2}$ ($\because r>0$)

따라서 $a_1=24\times\frac{1}{2}=12$, $a_3=24\times\left(\frac{1}{2}\right)^3=3$이므로

$a_3-a_1=3-12=-9$

## 085 답 ②

첫째항이 12이고 공비가 $\frac{1}{3}$인 등비수열의 제$(m+2)$항이 $\frac{4}{243}$이므로

$12\times\left(\frac{1}{3}\right)^{m+1}=\frac{4}{243}$, $\left(\frac{1}{3}\right)^{m+1}=\left(\frac{1}{3}\right)^6$

$m+1=6$ $\therefore m=5$

## 086 답 14

주어진 등비수열의 공비를 $r$라 하면 첫째항이 4, 제9항이 324이므로

$4r^8=324$, $r^8=81$ $\therefore r=\sqrt{3}$ ($\because r>0$)

따라서

$a_1=4\times\sqrt{3}$, $a_2=4\times(\sqrt{3})^2$, $a_3=4\times(\sqrt{3})^3$, $\cdots$, $a_7=4\times(\sqrt{3})^7$

이므로

$$a_1\times a_2\times a_3\times\cdots\times a_7=4^7\times\{\sqrt{3}\times(\sqrt{3})^2\times(\sqrt{3})^3\times\cdots\times(\sqrt{3})^7\}$$
$$=4^7\times(\sqrt{3})^{1+2+3+\cdots+7}$$
$$=2^{14}\times3^{14}=6^{14}$$

$\therefore k=14$

## 087 답 4

세 수 $a$, 6, $b$가 이 순서대로 등차수열을 이루므로

$12=a+b$ ⋯⋯ ㉠

세 수 2, $a$, $b$가 이 순서대로 등비수열을 이루므로

$a^2=2b$ ⋯⋯ ㉡

㉠, ㉡을 연립하여 풀면

$12=a+\frac{a^2}{2}$, $a^2+2a-24=0$

$(a+6)(a-4)=0$ $\therefore a=4$ ($\because a>0$)

이를 ㉠에 대입하면 $4+b=12$ $\therefore b=8$

$\therefore 5a-2b=5\times4-2\times8=4$

### 088 답 2

세 양수 $9a$, $a+4$, $a$가 이 순서대로 등비수열을 이루므로

$(a+4)^2=9a\times a$에서 $a^2+8a+16=9a^2$

$a^2-a-2=0$, $(a+1)(a-2)=0$

$\therefore a=2$ ($\because a>0$)

### 089 답 ②

세 수 $a$, 3, $b$가 이 순서대로 등비수열을 이루므로

$9=ab$

$$\therefore \frac{1}{\log_a 3}+\frac{1}{\log_b 3}=\log_3 a+\log_3 b=\log_3 ab$$
$$=\log_3 9=2$$

### 090 답 2

$A(k,\ 2\sqrt{k})$, $B(k,\ \sqrt{k})$, $C(k,\ 0)$이므로

$\overline{BC}=\sqrt{k}$, $\overline{OC}=k$, $\overline{AC}=2\sqrt{k}$

$\overline{BC}$, $\overline{OC}$, $\overline{AC}$가 이 순서대로 등비수열을 이루므로

$k^2=\sqrt{k}\times 2\sqrt{k}$, $k^2=2k$

$k^2-2k=0$, $k(k-2)=0$

$\therefore k=2$ ($\because k>0$)

### 091 답 정삼각형

세 변의 길이 $a$, $b$, $c$가 이 순서대로 등차수열을 이루므로

$b=\dfrac{a+c}{2}$ …… ㉠

또 $\sin A$, $\sin B$, $\sin C$가 이 순서대로 등비수열을 이루므로

$\sin^2 B=\sin A\times\sin C$

삼각형 ABC의 외접원의 반지름의 길이를 $R$라 하면 사인법칙에 의하여

$\left(\dfrac{b}{2R}\right)^2=\dfrac{a}{2R}\times\dfrac{c}{2R}$

$\therefore b^2=ac$ …… ㉡

㉠을 ㉡에 대입하면

$\left(\dfrac{a+c}{2}\right)^2=ac$, $a^2+2ac+c^2=4ac$

$(a-c)^2=0$ $\quad\therefore a=c$

이를 ㉠에 대입하면 $b=c$

$\therefore a=b=c$

따라서 $\triangle ABC$는 정삼각형이다.

### 092 답 ①

삼차방정식의 세 실근을 $a$, $ar$, $ar^2$ $(a\neq0)$으로 놓으면 삼차방정식의 근과 계수의 관계에 의하여

$a+ar+ar^2=-p$

$\therefore a(1+r+r^2)=-p$ …… ㉠

$a\times ar+ar\times ar^2+ar^2\times a=-6$에서

$a^2r+a^2r^3+a^2r^2=-6$

$\therefore a^2r(1+r+r^2)=-6$ …… ㉡

$a\times ar\times ar^2=-8$에서

$a^3r^3=-8$ $\quad\therefore (ar)^3=-8$ …… ㉢

㉢에서 $ar=-2$

이를 ㉡에 대입하면

$-2a(1+r+r^2)=-6$ $\quad\therefore a(1+r+r^2)=3$

이를 ㉠에 대입하면

$3=-p$ $\quad\therefore p=-3$

### 093 답 27

세 실수를 $a$, $ar$, $ar^2$ $(a\neq0)$으로 놓으면

$a+ar+ar^2=21$

$\therefore a(1+r+r^2)=21$ …… ㉠

$a\times ar\times ar^2=-729$, $a^3r^3=-729$, $(ar)^3=-729$

$\therefore ar=-9$ …… ㉡

㉠÷㉡을 하면

$\dfrac{a(1+r+r^2)}{ar}=\dfrac{21}{-9}=-\dfrac{7}{3}$

$3(1+r+r^2)=-7r$, $3r^2+3r+3=-7r$

$3r^2+10r+3=0$, $(r+3)(3r+1)=0$

$\therefore r=-3$ 또는 $r=-\dfrac{1}{3}$

이를 ㉡에 대입하면

$r=-3$일 때 $a=3$, $r=-\dfrac{1}{3}$일 때 $a=27$

따라서 세 실수는 3, $-9$, 27이므로 가장 큰 수는 27이다.

### 094 답 ②

직육면체의 가로의 길이, 세로의 길이, 높이를 각각 $a$, $ar$, $ar^2$ $(a\neq0)$으로 놓으면 모든 모서리의 길이의 합은 56이므로

$4(a+ar+ar^2)=56$

$\therefore a(1+r+r^2)=14$ …… ㉠

또 겉넓이가 112이므로

$2(a\times ar+ar\times ar^2+a\times ar^2)=112$

$\therefore a^2r(1+r+r^2)=56$ …… ㉡

㉡÷㉠을 하면 $ar=4$

따라서 직육면체의 부피는

$a\times ar\times ar^2=(ar)^3=4^3=64$

### 095 답 46

한 변의 길이가 9인 정사각형의 넓이는 $9\times9=81$이고

첫 번째 시행 후 남아 있는 도형의 넓이는

$81\times\dfrac{8}{9}$

두 번째 시행 후 남아 있는 도형의 넓이는

$81\times\left(\dfrac{8}{9}\right)^2$

⋮

$n$번째 시행 후 남아 있는 도형의 넓이는

$81\times\left(\dfrac{8}{9}\right)^n$

따라서 10번째 시행 후 남아 있는 도형의 넓이는

$81\times\left(\dfrac{8}{9}\right)^{10}=\dfrac{8^{10}}{9^8}=\dfrac{2^{30}}{3^{16}}$

따라서 $p=16$, $q=30$이므로 $p+q=46$

## 096 답 ③

첫 번째 튀어 올랐을 때의 높이는 $27\times\frac{2}{3}$(m)

두 번째 튀어 올랐을 때의 높이는 $27\times\frac{2}{3}\times\frac{2}{3}=27\times\left(\frac{2}{3}\right)^2$(m)

세 번째 튀어 올랐을 때의 높이는 $27\times\left(\frac{2}{3}\right)^2\times\frac{2}{3}=27\times\left(\frac{2}{3}\right)^3$(m)

⋮

$n$번째 튀어 올랐을 때의 높이는 $27\times\left(\frac{2}{3}\right)^n$(m)

따라서 6번째 튀어 올랐을 때의 높이는

$27\times\left(\frac{2}{3}\right)^6=\frac{2^6}{3^3}$(m)

## 097 답 $\frac{\pi}{256}$

$a_1=\pi\times2=2\pi$

$a_2=\pi\times2\times\frac{1}{2}=2\pi\times\frac{1}{2}$

$a_3=\pi\times2\times\left(\frac{1}{2}\right)^2=2\pi\times\left(\frac{1}{2}\right)^2$

⋮

$a_n=2\pi\times\left(\frac{1}{2}\right)^{n-1}$

$\therefore a_{10}=2\pi\times\left(\frac{1}{2}\right)^9=\frac{\pi}{256}$

## 098 답 ③

직선 $OA_n$의 기울기를 $a_n$이라 하면

$a_1=\frac{3}{5}$

$a_2=\frac{3}{5}\times\frac{5}{3}$

$a_3=\frac{3}{5}\times\left(\frac{5}{3}\right)^2$

⋮

$a_n=\frac{3}{5}\times\left(\frac{5}{3}\right)^{n-1}=\left(\frac{5}{3}\right)^{n-2}$

이때 $a_n=\frac{1}{\overline{OB_n}}$이므로

$\overline{OB_n}=\frac{1}{a_n}=\left(\frac{3}{5}\right)^{n-2}$

즉, $\left(\frac{3}{5}\right)^{n-2}=\left(\frac{3}{5}\right)^6$이므로 $n-2=6$ $\quad\therefore n=8$

따라서 구하는 선분은 $\overline{OB_8}$이다.

## 099 답 484

등비수열 $\{a_n\}$의 첫째항을 $a$, 공비를 $r$라 하면

$a_2=ar=12$ ⋯⋯ ㉠

$a_4=ar^3=108$ ⋯⋯ ㉡

㉡÷㉠을 하면 $r^2=9$ $\quad\therefore r=3\ (\because r>0)$

이를 ㉠에 대입하면 $3a=12$ $\quad\therefore a=4$

따라서 주어진 수열의 첫째항부터 제5항까지의 합은

$\frac{4(3^5-1)}{3-1}=484$

## 100 답 6

주어진 등비수열은 첫째항이 2, 공비가 $\frac{6}{2}=3$이므로

$S_n=\frac{2(3^n-1)}{3-1}=3^n-1$

$S_k=728$에서 $3^k-1=728$

$3^k=729=3^6$ $\quad\therefore k=6$

## 101 답 242

등비수열 $\{a_n\}$의 공비를 $r$라 하면

$\frac{S_6}{S_3}=\frac{\frac{2(1-r^6)}{1-r}}{\frac{2(1-r^3)}{1-r}}=\frac{(1+r^3)(1-r^3)}{1-r^3}=1+r^3$

즉, $1+r^3=28$이므로 $r^3=27$ $\quad\therefore r=3$

$\therefore S_5=\frac{2(3^5-1)}{3-1}=242$

## 102 답 ③

주어진 등비수열의 일반항 $a_n$은 $a_n=(-3)^{n-1}$이므로 수열

$a_1+a_2,\ a_2+a_3,\ a_3+a_4,\ \cdots$의 일반항은

$a_n+a_{n+1}=(-3)^{n-1}+(-3)^n=(-3)^{n-1}\{1+(-3)\}$

$=-2\times(-3)^{n-1}$

따라서 첫째항이 $-2$, 공비가 $-3$인 등비수열이므로 첫째항부터 제10항까지의 합은

$\frac{-2\{1-(-3)^{10}\}}{1-(-3)}=-\frac{1}{2}(1-3^{10})=\frac{1}{2}(3^{10}-1)$

## 103 답 20

등비수열 $\{a_n\}$의 공비를 $r$라 하면 첫째항이 1이므로

$r^4=16$ $\quad\therefore r=2\ (\because r>0)$

등비수열 $\{a_n\}$의 첫째항부터 제$n$항까지의 합을 $S_n$이라 하면

$S_n=\frac{2^n-1}{2-1}=2^n-1$

$S_n>10^6$에서 $2^n-1>10^6$ $\quad\therefore 2^n>10^6+1$

즉, $2^n>10^6$이므로 양변에 상용로그를 취하면

$\log 2^n>\log 10^6$, $n\log 2>6$

$\therefore n>\frac{6}{\log 2}=\frac{6}{0.301}=19.9\cdots$

따라서 첫째항부터 제20항까지의 합이 처음으로 $10^6$보다 크게 된다.

$\therefore n=20$

## 104 답 ①

주어진 수열의 첫째항부터 제10항까지의 합은

$9+99+999+\cdots+\underbrace{99\cdots9}_{10개}$

$=(10-1)+(10^2-1)+(10^3-1)+\cdots+(10^{10}-1)$

$=(10+10^2+10^3+\cdots+10^{10})-10$

$=10^2+10^3+\cdots+10^{10}$

$=\frac{10^2(10^9-1)}{10-1}=\frac{100}{9}(10^9-1)$

## 105 답 $\frac{95}{3}$

등비수열 $\{a_n\}$의 첫째항을 $a$, 공비를 $r$, 첫째항부터 제$n$항까지의 합을 $S_n$이라 하면

$S_3=\frac{a(1-r^3)}{1-r}=15$ …… ㉠

$S_6=\frac{a(1-r^6)}{1-r}=\frac{a(1-r^3)(1+r^3)}{1-r}=25$ …… ㉡

㉡÷㉠을 하면 $1+r^3=\frac{5}{3}$ $\therefore r^3=\frac{2}{3}$

$$\therefore S_9=\frac{a(1-r^9)}{1-r}=\frac{a(1-r^3)(1+r^3+r^6)}{1-r}$$
$$=\frac{a(1-r^3)}{1-r}\times(1+r^3+r^6)$$
$$=15\times\left\{1+\frac{2}{3}+\left(\frac{2}{3}\right)^2\right\}=\frac{95}{3}$$

## 106 답 $-128$

등비수열 $\{a_n\}$의 첫째항을 $a$, 공비를 $r$라 하면

$S_4=\frac{a(1-r^4)}{1-r}=-5$ …… ㉠

$S_8=\frac{a(1-r^8)}{1-r}=\frac{a(1-r^4)(1+r^4)}{1-r}=-85$ …… ㉡

㉡÷㉠을 하면

$1+r^4=17,\ r^4=16$ $\therefore r=-2\ (\because r<0)$

이를 ㉠에 대입하면

$\frac{a\{1-(-2)^4\}}{1-(-2)}=-5,\ -5a=-5$ $\therefore a=1$

따라서 $a_n=(-2)^{n-1}$이므로

$a_8=(-2)^7=-128$

## 107 답 ①

등비수열 $\{a_n\}$의 첫째항을 $a$, 공비를 $r$라 하면 수열 $a_1,\ a_3,\ a_5,\ a_7$의 공비는 $r^2$이므로

$a_1+a_3+a_5+a_7=\frac{a\{(r^2)^4-1\}}{r^2-1}=\frac{a(r^8-1)}{r^2-1}=17$ …… ㉠

$a_1+a_2+a_3+\cdots+a_8=\frac{a(r^8-1)}{r-1}=-34$ …… ㉡

㉡÷㉠을 하면 $r+1=-2$ $\therefore r=-3$

## 108 답 $-64$

등비수열 $\{a_n\}$의 공비를 $r$라 하면 첫째항이 2이므로 $r=1$이면 모든 자연수 $n$에 대하여 $a_n=2$

그런데 $r=1$이면

$S_{10}-S_8=a_9+a_{10}=4>0$

이므로 조건 ㈏를 만족시키지 않는다.

$\therefore r\neq1$

㈎에서 $\frac{2(1-r^{10})}{1-r}-\frac{2(1-r^2)}{1-r}=4\times\frac{2(1-r^8)}{1-r}$

$-r^{10}+r^2=4(1-r^8),\ r^2(1-r^8)=4(1-r^8)$

그런데 $r\neq1$이므로 $r=-1$ 또는 $r^2=4$

$\therefore r=-2$ 또는 $r=-1$ 또는 $r=2$

이때 ㈏에서

$S_{10}-S_8=a_9+a_{10}=2r^8+2r^9=2r^8(1+r)<0$

이므로

$r<-1$ $\therefore r=-2$

$\therefore a_6=2\times(-2)^5=-64$

## 109 답 ②

정삼각형 ABC의 넓이는 $\frac{\sqrt{3}}{4}\times2^2=\sqrt{3}$이므로

$S_1=\sqrt{3}\times\frac{1}{4}=\frac{\sqrt{3}}{4}$

$S_2=S_1\times\frac{1}{4}=\frac{\sqrt{3}}{4}\times\frac{1}{4}$

$S_3=S_2\times\frac{1}{4}=\frac{\sqrt{3}}{4}\times\frac{1}{4}\times\frac{1}{4}=\frac{\sqrt{3}}{4}\times\left(\frac{1}{4}\right)^2$

⋮

따라서 수열 $\{S_n\}$은 첫째항이 $\frac{\sqrt{3}}{4}$, 공비가 $\frac{1}{4}$인 등비수열이므로

$$S_1+S_2+S_3+\cdots+S_{10}=\frac{\frac{\sqrt{3}}{4}\left\{1-\left(\frac{1}{4}\right)^{10}\right\}}{1-\frac{1}{4}}$$
$$=\frac{\sqrt{3}}{3}\left\{1-\left(\frac{1}{4}\right)^{10}\right\}$$

## 110 답 ⑤

이동 거리를 전날의 10 %씩 늘려서 여행하므로 일주일 동안 이동하는 거리는

$5+5\times(1+0.1)+5\times(1+0.1)^2+\cdots+5\times(1+0.1)^6$

$=\frac{5\{(1+0.1)^7-1\}}{(1+0.1)-1}$

$=\frac{5(1.9-1)}{0.1}$

$=45(\text{km})$

## 111 답 $\frac{16}{9}$배

2004년의 신규 가입자의 수를 $a$명, 매년 증가하는 신규 가입자의 수의 비율을 $r$라 하면 $n$년 후의 신규 가입자의 수는 $ar^n$명

2004년부터 2011년까지 8년 동안의 신규 가입자의 수가 12만 명이므로

$a+ar+ar^2+\cdots+ar^7=120000$

$\therefore \frac{a(r^8-1)}{r-1}=120000$ …… ㉠

2012년부터 2019년까지 8년 동안의 신규 가입자의 수가 16만 명이므로

$ar^8+ar^9+ar^{10}+\cdots+ar^{15}=160000$

$\therefore \frac{ar^8(r^8-1)}{r-1}=160000$ …… ㉡

㉡÷㉠을 하면 $r^8=\frac{4}{3}$

따라서 2020년의 신규 가입자의 수는 $ar^{16}=a(r^8)^2=\frac{16}{9}a$(명)이므로 2004년의 신규 가입자의 수의 $\frac{16}{9}$배이다.

**112** 답 ④

$S_n=2^n-3$에서

(i) $n\ge 2$일 때

$a_n=S_n-S_{n-1}=(2^n-3)-(2^{n-1}-3)$

$=2^{n-1}\times(2-1)=2^{n-1}$ ...... ㉠

(ii) $n=1$일 때

$a_1=S_1=2^1-3=-1$ ...... ㉡

이때 ㉡은 ㉠에 $n=1$을 대입한 값과 같지 않으므로

$a_1=-1,\ a_n=2^{n-1}\ (n\ge 2)$

$\therefore\ a_1+a_3+a_5+a_7=-1+2^2+2^4+2^6=-1+4+16+64=83$

**113** 답 ①

$S_n=6\times 8^n+k$에서

(i) $n\ge 2$일 때

$a_n=S_n-S_{n-1}=(6\times 8^n+k)-(6\times 8^{n-1}+k)$

$=8^{n-1}\times(48-6)=42\times 8^{n-1}$ ...... ㉠

(ii) $n=1$일 때

$a_1=S_1=6\times 8^1+k=48+k$ ...... ㉡

이때 수열 $\{a_n\}$이 첫째항부터 등비수열을 이루려면 ㉡은 ㉠에 $n=1$을 대입한 값과 같아야 하므로

$42=48+k\qquad\therefore\ k=-6$

**114** 답 6

$S_n=3^{n+1}-3$에서

(i) $n\ge 2$일 때

$a_n=S_n-S_{n-1}=(3^{n+1}-3)-(3^n-3)$

$=3^n\times(3-1)=2\times 3^n$ ...... ㉠

(ii) $n=1$일 때

$a_1=S_1=3^2-3=6$ ...... ㉡

이때 ㉡은 ㉠에 $n=1$을 대입한 값과 같으므로 $a_n=2\times 3^n$

$2\times 3^n>1000$에서 $3^n>500$

이때 $3^5=243,\ 3^6=729$이므로 $n\ge 6$

따라서 자연수 $n$의 최솟값은 6이다.

**115** 답 30

$\log_3 a_1+\log_3 a_2+\log_3 a_3+\cdots+\log_3 a_n=S_n$이라 하면

$S_n=\dfrac{n^2-n}{2}$에서

(i) $n\ge 2$일 때

$\log_3 a_n=S_n-S_{n-1}$

$=\dfrac{n^2-n}{2}-\dfrac{(n-1)^2-(n-1)}{2}$

$=\dfrac{2n-2}{2}=n-1$ ...... ㉠

(ii) $n=1$일 때

$\log_3 a_1=S_1=\dfrac{1^2-1}{2}=0$ ...... ㉡

이때 ㉡은 ㉠에 $n=1$을 대입한 값과 같으므로

$\log_3 a_n=n-1\qquad\therefore\ a_n=3^{n-1}$

$\therefore\ a_2+a_4=3+3^3=30$

**116** 답 1620만 원

연이율 8 %, 1년마다 복리로 매년 초에 100만 원씩 10년 동안 적립할 때의 원리합계를 $S$라 하면

$S=100(1+0.08)+100(1+0.08)^2+\cdots+100(1+0.08)^{10}$

$=\dfrac{100(1+0.08)\{(1+0.08)^{10}-1\}}{(1+0.08)-1}$

$=\dfrac{100\times 1.08\times(2.2-1)}{0.08}=1620$(만 원)

따라서 10년 말의 적립금의 원리합계는 1620만 원이다.

**117** 답 ③

연이율 5 %, 1년마다 복리로 매년 말에 10만 원씩 10년 동안 적립할 때의 원리합계를 $S$라 하면

$S=10+10(1+0.05)+\cdots+10(1+0.05)^9$

$=\dfrac{10\{(1+0.05)^{10}-1\}}{(1+0.05)-1}=\dfrac{10(1.63-1)}{0.05}$

$=126$(만 원)

따라서 10년 말의 적립금의 원리합계는 126만 원이다.

**118** 답 ②

월이율 0.4 %, 1개월마다 복리로 매월 초에 20만 원씩 3년간 적립할 때의 원리합계를 $S$라 하면

$S=20(1+0.004)+20(1+0.004)^2+\cdots+20(1+0.004)^{36}$

$=\dfrac{20(1+0.004)\{(1+0.004)^{36}-1\}}{(1+0.004)-1}$

$=\dfrac{20\times 1.004\times(1.15-1)}{0.004}=753$(만 원)

따라서 3년 말의 적립금의 원리합계는 753만 원이다.

**119** 답 50

연이율 4 %, 1년마다 복리로 매년 초에 $a$만 원씩 10년 동안 적립할 때의 원리합계를 $S$라 하면

$S=a(1+0.04)+a(1+0.04)^2+\cdots+a(1+0.04)^{10}$

$=\dfrac{a(1+0.04)\{(1+0.04)^{10}-1\}}{(1+0.04)-1}$

$=\dfrac{a\times 1.04\times(1.5-1)}{0.04}=13a$(만 원)

즉, $13a=650$이므로 $a=50$

**120** 답 ③

등차수열 $\{a_n\}$의 첫째항을 $a$, 공차를 $d$라 하면

$a_1+a_2+a_3=a+(a+d)+(a+2d)$

$=3a+3d=-30$

$\therefore\ a+d=-10$ ...... ㉠

$a_4+a_5+a_6=(a+3d)+(a+4d)+(a+5d)$

$=3a+12d=15$

$\therefore\ a+4d=5$ ...... ㉡

㉠, ㉡을 연립하여 풀면 $a=-15,\ d=5$

따라서 $a_n=-15+(n-1)\times 5=5n-20$이므로

$a_{10}=5\times 10-20=30$

**121** 답 ④

등차수열 $\{a_n\}$의 첫째항을 $a$, 공차를 $d$라 하면

$a_2=a+d=-74$ ...... ㉠

$a_{13}=a+12d=-30$ ...... ㉡

㉠, ㉡을 연립하여 풀면

$a=-78$, $d=4$

$\therefore a_n=-78+(n-1)\times 4=4n-82$

$4n-82>0$에서 $n>\frac{82}{4}=20.5$

따라서 처음으로 양수가 되는 항은 제21항이다.

**122** 답 4

수열 $\{a_n\}$은 첫째항이 18, 공차가 $-2$인 등차수열이므로

$a_n=18+(n-1)\times(-2)=-2n+20$

수열 $\{b_n\}$은 첫째항이 12, 공차가 $-3$인 등차수열이므로

$b_n=12+(n-1)\times(-3)=-3n+15$

$a_n\le 4b_n$에서 $-2n+20\le 4(-3n+15)$

$-2n+20\le -12n+60$ $\therefore n\le 4$

따라서 자연수 $n$은 1, 2, 3, 4의 4개이다.

**123** 답 15

주어진 등차수열의 공차를 $d$라 하면 첫째항이 3, 제17항이 35이므로

$3+16d=35$, $16d=32$ $\therefore d=2$

이때 $a_6$은 주어진 수열의 제7항이므로

$a_6=3+6\times 2=15$

**124** 답 ③

직육면체의 가로의 길이, 세로의 길이, 높이를 각각 $a-d$, $a$, $a+d$로 놓으면 모든 모서리의 길이의 합은 36이므로

$4\times\{(a-d)+a+(a+d)\}=36$

$12a=36$ $\therefore a=3$

또 부피가 24이므로

$(a-d)\times a\times(a+d)=24$

$a(a^2-d^2)=24$

$a=3$을 대입하면

$3(9-d^2)=24$, $9-d^2=8$

$d^2=1$ $\therefore d=-1$ 또는 $d=1$

따라서 가로의 길이, 세로의 길이, 높이는 각각 2, 3, 4이므로 구하는 겉넓이는

$2(2\times 3+3\times 4+4\times 2)=52$

**125** 답 $-170$

등차수열 $\{a_n\}$의 첫째항을 $a$, 공차를 $d$라 하면

$a_3+a_5=(a+2d)+(a+4d)=2a+6d=22$

$\therefore a+3d=11$ ...... ㉠

$a_6+a_{10}=(a+5d)+(a+9d)=2a+14d=-2$

$\therefore a+7d=-1$ ...... ㉡

㉠, ㉡을 연립하여 풀면

$a=20$, $d=-3$

$\therefore S_{20}=\frac{20\{2\times 20+(20-1)\times(-3)\}}{2}=-170$

**126** 답 145

등차수열 $\{a_n\}$의 첫째항을 $a$, 공차를 $d$라 하면

$S_{10}=\frac{10\{2a+(10-1)d\}}{2}=-80$

$\therefore 2a+9d=-16$ ...... ㉠

$S_{20}=\frac{20\{2a+(20-1)d\}}{2}=40$

$\therefore 2a+19d=4$ ...... ㉡

㉠, ㉡을 연립하여 풀면

$a=-17$, $d=2$

$\therefore a_n=-17+(n-1)\times 2=2n-19$

$2n-19>0$에서 $n>\frac{19}{2}=9.5$

따라서 수열 $\{a_n\}$은 첫째항부터 제9항까지는 음수이고, 제10항부터 양수이다.

이때 $a_9=-1$, $a_{10}=1$, $a_{17}=15$이므로

$|a_1|+|a_2|+|a_3|+\cdots+|a_{17}|$

$=-(a_1+a_2+a_3+\cdots+a_9)+(a_{10}+a_{11}+a_{12}+\cdots+a_{17})$

$=-\frac{9\{-17+(-1)\}}{2}+\frac{8(1+15)}{2}$

$=81+64=145$

**127** 답 13

등차수열 $\{a_n\}$의 첫째항을 $a$, 공차를 $d$라 하면

$a_2=a+d=35$ ...... ㉠

$a_7=a_5-6$에서

$a_7-a_5=-6$, $2d=-6$ $\therefore d=-3$

이를 ㉠에 대입하여 풀면 $a=38$

$\therefore a_n=38+(n-1)\times(-3)=-3n+41$

$-3n+41<0$에서 $n>\frac{41}{3}=13.6\cdots$

즉, 수열 $\{a_n\}$은 제14항부터 음수이므로 첫째항부터 제13항까지의 합이 최대이다.

$\therefore n=13$

**128** 답 580

3으로 나누었을 때의 나머지가 1인 수를 작은 것부터 차례대로 나열하면

1, 4, 7, 10, 13, 16, 19, ⋯ ...... ㉠

또 4로 나누어떨어지는 수를 작은 것부터 차례대로 나열하면

4, 8, 12, 16, 20, ⋯ ...... ㉡

㉠, ㉡에서 공통인 수를 작은 것부터 차례대로 나열하면

4, 16, 28, ⋯

따라서 수열 $\{a_n\}$은 첫째항이 4, 공차가 12인 등차수열이므로

$S_{10}=\frac{10\{2\times 4+(10-1)\times 12\}}{2}=580$

**129** 답 155

탑의 각 층의 벽돌의 개수는 한 층씩 위로 올라갈수록 일정한 개수만큼 줄어들므로 등차수열을 이룬다.

10층의 벽돌의 개수부터 한 층씩 내려가면서 차례대로 $a_1$, $a_2$, $a_3$, $\cdots$, $a_{10}$이라 하고 전체 벽돌의 개수를 $S_{10}$, 공차를 $d$라 하면 $a_1=2$이고 $S_{10}=7a_7+15$이므로

$\frac{10\{2\times2+(10-1)d\}}{2}=7(2+6d)+15$

$20+45d=14+42d+15$, $3d=9$

$\therefore d=3$

따라서 필요한 전체 벽돌의 개수는

$\frac{10\{2\times2+(10-1)\times3\}}{2}=155$

**130** 답 ③

$S_n=2n^2+9n$에서

(i) $n\geq2$일 때

$a_n=S_n-S_{n-1}$

$=2n^2+9n-\{2(n-1)^2+9(n-1)\}$

$=4n+7$ …… ㉠

(ii) $n=1$일 때

$a_1=S_1=2\times1+9\times1=11$ …… ㉡

이때 ㉡은 ㉠에 $n=1$을 대입한 값과 같으므로

$a_n=4n+7=4(n-1)+11$

따라서 $a=11$, $d=4$이므로

$a+d=15$

**131** 답 $-3$

등비수열 $\{a_n\}$의 첫째항을 $a$, 공비를 $r$라 하면

$\frac{a_3+a_5+a_7}{a_1+a_3+a_5}=\frac{ar^2+ar^4+ar^6}{a+ar^2+ar^4}$

$=\frac{ar^2(1+r^2+r^4)}{a(1+r^2+r^4)}=r^2$

즉, $r^2=9$이므로 $r=-3$ ($\because r<0$)

**132** 답 55

등비수열 $\{a_n\}$의 첫째항이 5, 공비가 2이므로

$a_n=5\times2^{n-1}$

$5\times2^{n-1}<5000$에서 $2^{n-1}<1000$

이때 $2^9=512$, $2^{10}=1024$이므로

$n-1\leq9$ $\therefore n\leq10$

따라서 자연수 $n$은 1, 2, 3, $\cdots$, 10이므로 구하는 합은

$\frac{10(1+10)}{2}=55$

**133** 답 90

주어진 등비수열의 공비를 $r$라 하면 첫째항이 3, 제7항이 30이므로

$3r^6=30$ $\therefore r^6=10$

따라서 $a_1=3r$, $a_5=3r^5$이므로

$a_1a_5=3r\times3r^5=9r^6=9\times10=90$

**134** 답 ①

세 수 $x$, $2y$, 10이 이 순서대로 등차수열을 이루므로

$4y=x+10$ …… ㉠

세 수 4, $x$, $13-y$가 이 순서대로 등비수열을 이루므로

$x^2=4(13-y)$ $\therefore x^2=52-4y$ …… ㉡

㉠을 ㉡에 대입하면

$x^2=52-(x+10)$, $x^2+x-42=0$

$(x+7)(x-6)=0$

$\therefore x=-7$ 또는 $x=6$

이를 ㉠에 대입하면 $x=-7$일 때 $y=\frac{3}{4}$, $x=6$일 때 $y=4$

그런데 $x$, $y$는 정수이므로 $x=6$, $y=4$

따라서 등차수열 6, 8, 10의 공차는 2, 등비수열 4, 6, 9의 공비는 $\frac{3}{2}$이므로 $d=2$, $r=\frac{3}{2}$

$\therefore dr=3$

**135** 답 16

네 수 $a$, $b$, $c$, $d$를 각각 $a$, $ar$, $ar^2$, $ar^3$ $(r>0)$으로 놓으면

(가)에서 $\log_2 a-\log_2 c=2$이므로

$\log_2\frac{a}{c}=2$, $\log_2\frac{a}{ar^2}=\log_2 4$

$\frac{1}{r^2}=4$ $\therefore r=\frac{1}{2}$ ($\because r>0$)

(나)에서 $2^a\times2^b\times2^c\times2^d=2^{15}$이므로

$2^{a+b+c+d}=2^{15}$ $\therefore a+b+c+d=15$

즉, $a+ar+ar^2+ar^3=15$이므로 $a\left(1+\frac{1}{2}+\frac{1}{4}+\frac{1}{8}\right)=15$

$\frac{15}{8}a=15$ $\therefore a=8$

따라서 $b=8\times\frac{1}{2}=4$, $c=4\times\frac{1}{2}=2$, $d=2\times\frac{1}{2}=1$이므로

$ad+bc=8\times1+4\times2=16$

**136** 답 64

세 실수를 $a$, $ar$, $ar^2$ $(a\neq0)$으로 놓으면

$a+ar+ar^2=14$

$\therefore a(1+r+r^2)=14$ …… ㉠

$a^2+(ar)^2+(ar^2)^2=84$, $a^2+a^2r^2+a^2r^4=84$

$\therefore a^2(1+r^2+r^4)=84$

㉠의 양변을 제곱하면 $a^2(1+r+r^2)^2=14^2$

$a^2(1+r^2+r^4+2r+2r^2+2r^3)=196$

$a^2(1+r^2+r^4)+2ar\times a(1+r+r^2)=196$

$84+2ar\times14=196$ $\therefore ar=4$

$\therefore a\times ar\times ar^2=(ar)^3=4^3=64$

**137** 답 ②

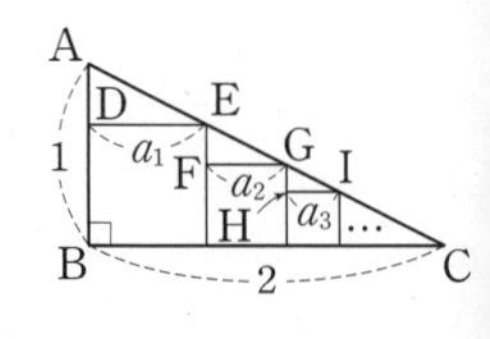


오른쪽 그림에서 △ADE와 △ABC는 닮음이므로 $\overline{AD}:\overline{DE}=\overline{AB}:\overline{BC}$

$(1-a_1):a_1=1:2$, $2-2a_1=a_1$

$\therefore a_1=\frac{2}{3}$

$\triangle$EFG와 $\triangle$ABC는 닮음이므로

$\overline{EF} : \overline{FG} = \overline{AB} : \overline{BC}$

$(a_1 - a_2) : a_2 = 1 : 2$, $2a_1 - 2a_2 = a_2$

$\therefore a_2 = \frac{2}{3}a_1 = \left(\frac{2}{3}\right)^2$

$\triangle$GHI와 $\triangle$ABC는 닮음이므로

$\overline{GH} : \overline{HI} = \overline{AB} : \overline{BC}$

$(a_2 - a_3) : a_3 = 1 : 2$, $2a_2 - 2a_3 = a_3$

$\therefore a_3 = \frac{2}{3}a_2 = \left(\frac{2}{3}\right)^3$

따라서 수열 $\{a_n\}$은 첫째항이 $\frac{2}{3}$, 공비가 $\frac{2}{3}$인 등비수열이므로

$a_n = \frac{2}{3} \times \left(\frac{2}{3}\right)^{n-1} = \left(\frac{2}{3}\right)^n \qquad \therefore a_6 = \left(\frac{2}{3}\right)^6$

## 138 답 ㄱ, ㄴ, ㄹ

ㄱ. $a_n + S_n = \left(\frac{1}{2}\right)^{n-1} + \frac{1-\left(\frac{1}{2}\right)^n}{1-\frac{1}{2}} = \left(\frac{1}{2}\right)^{n-1} + 2\left\{1-\left(\frac{1}{2}\right)^n\right\}$

$= \left(\frac{1}{2}\right)^{n-1} + 2 - \left(\frac{1}{2}\right)^{n-1} = 2$

ㄴ. $\log_3 b_n = \log_3 \left(\frac{1}{3}\right)^{n-1} = \log_3 3^{1-n} = 1-n = -(n-1)$

따라서 수열 $\{\log_3 b_n\}$은 첫째항이 0, 공차가 $-1$인 등차수열이다.

ㄷ. $a_n b_n = \left(\frac{1}{2}\right)^{n-1} \times \left(\frac{1}{3}\right)^{n-1} = \left(\frac{1}{2} \times \frac{1}{3}\right)^{n-1} = \left(\frac{1}{6}\right)^{n-1}$

따라서 수열 $\{a_n b_n\}$은 첫째항이 1, 공비가 $\frac{1}{6}$인 등비수열이다.

ㄹ. $b_{n+1} - b_n = \left(\frac{1}{3}\right)^n - \left(\frac{1}{3}\right)^{n-1} = \left(\frac{1}{3} - 1\right) \times \left(\frac{1}{3}\right)^{n-1}$

$= -\frac{2}{3} \times \left(\frac{1}{3}\right)^{n-1}$

따라서 수열 $\{b_{n+1} - b_n\}$은 첫째항이 $-\frac{2}{3}$, 공비가 $\frac{1}{3}$인 등비수열이다.

따라서 보기 중 옳은 것은 ㄱ, ㄴ, ㄹ이다.

## 139 답 896

등비수열 $\{a_n\}$의 첫째항을 $a$, 공비를 $r$, 첫째항부터 제$n$항까지의 합을 $S_n$이라 하면

$S_4 = \frac{a(1-r^4)}{1-r} = 14 \qquad \cdots\cdots$ ㉠

$S_8 = \frac{a(1-r^8)}{1-r} = \frac{a(1-r^4)(1+r^4)}{1-r}$

$= 14 + 112 = 126 \qquad \cdots\cdots$ ㉡

㉡÷㉠을 하면 $1 + r^4 = 9 \qquad \therefore r^4 = 8$

$\therefore S_{12} = \frac{a(1-r^{12})}{1-r} = \frac{a(1-r^4)(1+r^4+r^8)}{1-r}$

$= \frac{a(1-r^4)}{1-r} \times (1+r^4+r^8)$

$= 14 \times (1+8+64) = 1022$

$\therefore a_9 + a_{10} + a_{11} + a_{12} = S_{12} - S_8$

$= 1022 - 126 = 896$

## 140 답 $\frac{37+14\sqrt{3}}{16}$

$\angle XOY = 30°$이므로

$\overline{P_1P_2} = \overline{OP_1} \sin 30° = 2 \times \frac{1}{2} = 1$

$\angle OP_1P_2 = 60°$이므로

$\overline{P_2P_3} = \overline{P_1P_2} \sin 60° = 1 \times \frac{\sqrt{3}}{2} = \frac{\sqrt{3}}{2}$

$\angle P_3P_2P_4 = 60°$이므로

$\overline{P_3P_4} = \overline{P_2P_3} \sin 60° = \frac{\sqrt{3}}{2} \times \frac{\sqrt{3}}{2} = \left(\frac{\sqrt{3}}{2}\right)^2$

$\vdots$

따라서 수열 $\{\overline{P_nP_{n+1}}\}$은 첫째항이 1, 공비가 $\frac{\sqrt{3}}{2}$인 등비수열이므로

$\overline{P_1P_2} + \overline{P_2P_3} + \overline{P_3P_4} + \overline{P_4P_5} + \overline{P_5P_6} = \frac{1-\left(\frac{\sqrt{3}}{2}\right)^5}{1-\frac{\sqrt{3}}{2}} = \frac{37+14\sqrt{3}}{16}$

## 141 답 ⑤

ㄱ. $S_n = 2^n - 1$에서

(i) $n \geq 2$일 때

$a_n = S_n - S_{n-1}$

$= (2^n - 1) - (2^{n-1} - 1)$

$= 2^{n-1} \times (2-1) = 2^{n-1} \qquad \cdots\cdots$ ㉠

(ii) $n = 1$일 때

$a_1 = S_1 = 2^1 - 1 = 1 \qquad \cdots\cdots$ ㉡

이때 ㉡은 ㉠에 $n=1$을 대입한 값과 같으므로 $a_n = 2^{n-1}$

ㄴ. $a_1 + a_3 + a_5 + a_7 + a_9 = 1 + 2^2 + 2^4 + 2^6 + 2^8$

$= \frac{1 \times \{(2^2)^5 - 1\}}{2^2 - 1}$

$= \frac{1}{3}(2^{10} - 1) = 341$

ㄷ. 수열 $\{a_{2n}\}$: $a_2, a_4, a_6, \cdots$의 공비는

$\frac{a_4}{a_2} = \frac{2^3}{2} = 2^2 = 4$

따라서 보기 중 옳은 것은 ㄱ, ㄴ, ㄷ이다.

## 142 답 1.025배

예린이와 서연이가 각각 10년 후, 5년 후 연말에 받는 금액을 $S$만 원, $T$만 원이라 하면

$S = 5(1+0.01) + 5(1+0.01)^2 + \cdots + 5(1+0.01)^{10}$

$= \frac{5(1+0.01)\{(1+0.01)^{10} - 1\}}{(1+0.01) - 1} = \frac{5 \times 1.01 \times (1.01^{10} - 1)}{0.01}$

$= 505(1.01^{10} - 1)$

$T = 10(1+0.01) + 10(1+0.01)^2 + \cdots + 10(1+0.01)^5$

$= \frac{10(1+0.01)\{(1+0.01)^5 - 1\}}{(1+0.01) - 1} = \frac{10 \times 1.01 \times (1.01^5 - 1)}{0.01}$

$= 1010(1.01^5 - 1)$

$\therefore \frac{S}{T} = \frac{505(1.01^{10} - 1)}{1010(1.01^5 - 1)} = \frac{505(1.01^5 - 1)(1.01^5 + 1)}{1010(1.01^5 - 1)}$

$= \frac{1.01^5 + 1}{2} = \frac{1.05 + 1}{2} = 1.025$

따라서 예린이가 받는 금액은 서연이가 받는 금액의 1.025배이다.

## 09 수열의 합

158~169쪽

**001** 답 ①

$\sum_{k=1}^{n}(a_{2k-1}+a_{2k})=(a_1+a_2)+(a_3+a_4)+\cdots+(a_{2n-1}+a_{2n})$

$=\sum_{k=1}^{2n}a_k$

이므로 $\sum_{k=1}^{2n}a_k=n^2+3n$

$\therefore \sum_{k=1}^{10}a_k=5^2+3\times5=40$

**002** 답 **−400**

등차수열 $\{a_n\}$의 첫째항을 $a$, 공차를 $d$라 하면

$a_3=a+2d=2$ …… ㉠

$a_8=a+7d=-8$ …… ㉡

㉠, ㉡을 연립하여 풀면 $a=6$, $d=-2$

$\therefore \sum_{k=1}^{200}a_{2k}-\sum_{k=1}^{200}a_{2k-1}$

$=(a_2+a_4+a_6+\cdots+a_{400})-(a_1+a_3+a_5+\cdots+a_{399})$

$=(a_2-a_1)+(a_4-a_3)+(a_6-a_5)+\cdots+(a_{400}-a_{399})$

$=200d=200\times(-2)=-400$

**003** 답 ③

$\sum_{k=1}^{20}(3a_k-4b_k+2)=3\sum_{k=1}^{20}a_k-4\sum_{k=1}^{20}b_k+\sum_{k=1}^{20}2$

$=3\times15-4\times18+2\times20$

$=13$

**004** 답 ③

$\sum_{k=1}^{10}(3k-2)^2-\sum_{k=1}^{10}(3k)^2=\sum_{k=1}^{10}(9k^2-12k+4)-\sum_{k=1}^{10}9k^2$

$=\sum_{k=1}^{10}(-12k+4)$

$=-12\sum_{k=1}^{10}k+\sum_{k=1}^{10}4$

$=-12\times\frac{10\times11}{2}+4\times10$

$=-660+40=-620$

**005** 답 **84**

$\sum_{m=1}^{7}\left(\sum_{k=1}^{m}k\right)=\sum_{m=1}^{7}\frac{m(m+1)}{2}$

$=\frac{1}{2}\sum_{m=1}^{7}(m^2+m)$

$=\frac{1}{2}\left(\frac{7\times8\times15}{6}+\frac{7\times8}{2}\right)$

$=\frac{1}{2}\times(140+28)=84$

**006** 답 ④

수열 $1\times2$, $2\times3$, $3\times4$, $\cdots$, $15\times16$의 일반항을 $a_n$이라 하면

$a_n=n(n+1)=n^2+n$

따라서 구하는 값은 수열 $\{a_n\}$의 첫째항부터 제15항까지의 합이므로

$\sum_{k=1}^{15}a_k=\sum_{k=1}^{15}(k^2+k)$

$=\frac{15\times16\times31}{6}+\frac{15\times16}{2}$

$=1240+120=1360$

**007** 답 $\boldsymbol{\frac{n(n+1)(2n+1)}{6}}$

수열 $1\times n$, $3\times(n-1)$, $5\times(n-2)$, $\cdots$, $(2n-1)\times1$의 제$k$항을 $a_k$라 하면

$a_k=(2k-1)\{n-(k-1)\}$

따라서 주어진 식은

$\sum_{k=1}^{n}a_k$

$=\sum_{k=1}^{n}[(2k-1)\{n-(k-1)\}]$

$=\sum_{k=1}^{n}\{-2k^2+(2n+3)k-(n+1)\}$

$=-2\times\frac{n(n+1)(2n+1)}{6}+(2n+3)\times\frac{n(n+1)}{2}-(n+1)\times n$

$=\frac{n(n+1)(2n+1)}{6}$

**008** 답 ③

수열 $\{a_n\}$의 첫째항부터 제$n$항까지의 합을 $S_n$이라 하면

$S_n=\sum_{k=1}^{n}a_k=n^2-n$

(i) $n\geq2$일 때

$a_n=S_n-S_{n-1}$

$=n^2-n-\{(n-1)^2-(n-1)\}$

$=2n-2$ …… ㉠

(ii) $n=1$일 때

$a_1=S_1=1^2-1=0$ …… ㉡

이때 ㉡은 ㉠에 $n=1$을 대입한 값과 같으므로

$a_n=2n-2$

따라서 $a_{2k-1}=2(2k-1)-2=4k-4$이므로

$\sum_{k=1}^{5}a_{2k-1}=\sum_{k=1}^{5}(4k-4)=4\times\frac{5\times6}{2}-4\times5$

$=60-20=40$

**009** 답 ②

수열 $\frac{1}{1\times3}$, $\frac{1}{3\times5}$, $\frac{1}{5\times7}$, $\cdots$, $\frac{1}{19\times21}$의 일반항을 $a_n$이라 하면

$a_n=\frac{1}{(2n-1)(2n+1)}$

따라서 구하는 값은 수열 $\{a_n\}$의 첫째항부터 제10항까지의 합이므로

$\sum_{k=1}^{10}a_k=\sum_{k=1}^{10}\frac{1}{(2k-1)(2k+1)}$

$=\frac{1}{2}\sum_{k=1}^{10}\left(\frac{1}{2k-1}-\frac{1}{2k+1}\right)$

$=\frac{1}{2}\left\{\left(1-\frac{1}{3}\right)+\left(\frac{1}{3}-\frac{1}{5}\right)+\cdots+\left(\frac{1}{19}-\frac{1}{21}\right)\right\}$

$=\frac{1}{2}\left(1-\frac{1}{21}\right)=\frac{10}{21}$

## 010 답 4

$a_n=1+(n-1)\times 2=2n-1$이므로

$$\sum_{k=1}^{40}\frac{1}{\sqrt{a_k}+\sqrt{a_{k+1}}}$$
$$=\sum_{k=1}^{40}\frac{1}{\sqrt{2k-1}+\sqrt{2k+1}}$$
$$=\sum_{k=1}^{40}\frac{\sqrt{2k-1}-\sqrt{2k+1}}{(\sqrt{2k-1}+\sqrt{2k+1})(\sqrt{2k-1}-\sqrt{2k+1})}$$
$$=\sum_{k=1}^{40}\frac{\sqrt{2k-1}-\sqrt{2k+1}}{-2}$$
$$=\sum_{k=1}^{40}\frac{\sqrt{2k+1}-\sqrt{2k-1}}{2}$$
$$=\frac{1}{2}\{(\sqrt{3}-\sqrt{1})+(\sqrt{5}-\sqrt{3})+(\sqrt{7}-\sqrt{5})+\cdots+(\sqrt{81}-\sqrt{79})\}$$
$$=\frac{1}{2}(\sqrt{81}-\sqrt{1})=4$$

## 011 답 ④

$S=1+2\times 2+3\times 2^2+4\times 2^3+\cdots+10\times 2^9$으로 놓고 $S-2S$를 하면

$$\begin{array}{rl} S= & 1+2\times 2+3\times 2^2+4\times 2^3+\cdots+10\times 2^9 \\ -)\ 2S= & \quad 1\times 2+2\times 2^2+3\times 2^3+\cdots+9\times 2^9+10\times 2^{10} \\ \hline -S= & 1+2+2^2+2^3+\cdots+2^9-10\times 2^{10} \end{array}$$
$$=\frac{2^{10}-1}{2-1}-10\times 2^{10}$$
$$=-9\times 2^{10}-1$$

$\therefore S=9\times 2^{10}+1$

## 012 답 74

위에서 $n$번째 줄에는 $(2n-1)$개의 자연수가 있으므로 첫 번째 줄부터 8번째 줄까지의 자연수의 개수는

$$\sum_{k=1}^{8}(2k-1)=2\times\frac{8\times 9}{2}-8=64$$

따라서 위에서 9번째 줄의 왼쪽에서 10번째에 있는 수는

$64+10=74$

## 013 답 184

$$\sum_{k=1}^{n}(a_{2k-1}+a_{2k})=(a_1+a_2)+(a_3+a_4)+\cdots+(a_{2n-1}+a_{2n})$$
$$=\sum_{k=1}^{2n}a_k$$

이므로 $\sum_{k=1}^{2n}a_k=3n^2-n$

$\therefore \sum_{k=1}^{16}a_k=3\times 8^2-8=184$

## 014 답 ③

① $\sum_{k=1}^{n}5k=5\times 1+5\times 2+5\times 3+\cdots+5\times n$
$=5+10+15+\cdots+5n$

② $\sum_{k=2}^{10}(2k-1)=(2\times 2-1)+(2\times 3-1)+(2\times 4-1)+\cdots+(2\times 10-1)$
$=3+5+7+\cdots+19$

③ $\sum_{k=1}^{n}2^k=2^1+2^2+2^3+\cdots+2^n=2+4+8+\cdots+2^n$

④ $\sum_{k=1}^{7}(-1)^k=(-1)^1+(-1)^2+(-1)^3+(-1)^4+(-1)^5+(-1)^6+(-1)^7$
$=-1+1-1+1-1+1-1$

⑤ $\sum_{k=1}^{10}(k+1)^2=(1+1)^2+(2+1)^2+(3+1)^2+\cdots+(10+1)^2$
$=2^2+3^2+4^2+\cdots+11^2$
$=4+9+16+\cdots+121$

## 015 답 66

$$\sum_{k=1}^{14}f(k+1)-\sum_{k=3}^{16}f(k-2)$$
$$=\{f(2)+f(3)+f(4)+\cdots+f(15)\}-\{f(1)+f(2)+f(3)+\cdots+f(14)\}$$
$$=f(15)-f(1)$$
$$=70-4=66$$

## 016 답 ④

$\sum_{k=1}^{5}ka_k=a_1+2a_2+3a_3+4a_4+5a_5=60$ …… ㉠

$\sum_{k=1}^{5}ka_{k+1}=a_2+2a_3+3a_4+4a_5+5a_6=100$ …… ㉡

㉠−㉡을 하면

$a_1+a_2+a_3+a_4+a_5-5a_6=-40$

즉, $\sum_{k=1}^{5}a_k-5a_6=-40$이므로

$20-5a_6=-40$

$-5a_6=-60 \qquad \therefore a_6=12$

## 017 답 ⑤

ㄱ. $\sum_{k=1}^{n}k=1+2+3+\cdots+n$

$\sum_{k=0}^{n}k=0+1+2+3+\cdots+n$

$\therefore \sum_{k=1}^{n}k=\sum_{k=0}^{n}k$

ㄴ. $\sum_{k=1}^{n}2^k=2^1+2^2+2^3+\cdots+2^n$

$\sum_{k=0}^{n}2^k=1+2^1+2^2+2^3+\cdots+2^n$

$\therefore \sum_{k=1}^{n}2^k\neq\sum_{k=0}^{n}2^k$

ㄷ. $\sum_{k=1}^{5}a_k+\sum_{k=1}^{5}a_{k+5}$
$=(a_1+a_2+a_3+a_4+a_5)+(a_6+a_7+a_8+a_9+a_{10})$
$=\sum_{k=1}^{10}a_k$

ㄹ. $\sum_{i=1}^{20}(2i-1)^2+\sum_{j=1}^{20}(2j)^2$
$=(1^2+3^2+5^2+\cdots+39^2)+(2^2+4^2+6^2+\cdots+40^2)$
$=1^2+2^2+3^2+\cdots+40^2$
$=\sum_{k=1}^{40}k^2$

따라서 보기 중 옳은 것은 ㄱ, ㄷ, ㄹ이다.

## 018 답 40

등차수열 $\{a_n\}$의 첫째항을 $a$, 공차를 $d$라 하면

$a_{10}=a+9d=21$ …… ㉠

$a_4+a_8=(a+3d)+(a+7d)=10$

$2a+10d=10$

$\therefore a+5d=5$ …… ㉡

㉠, ㉡을 연립하여 풀면 $a=-15$, $d=4$

$\therefore \sum_{k=1}^{10}a_{2k}-\sum_{k=1}^{10}a_{2k-1}$

$=(a_2+a_4+a_6+\cdots+a_{20})-(a_1+a_3+a_5+\cdots+a_{19})$

$=(a_2-a_1)+(a_4-a_3)+\cdots+(a_{20}-a_{19})$

$=10d=10\times4=40$

## 019 답 ③

등비수열 $\{a_n\}$의 첫째항을 $a$, 공비를 $r$라 하면

$\frac{a_3+a_7}{a_1+a_5}=\frac{ar^2+ar^6}{a+ar^4}=\frac{ar^2(1+r^4)}{a(1+r^4)}=r^2$

즉, $r^2=4$이므로 $r=2$ ($\because r>0$)

$\sum_{k=1}^{3}a_{2k-1}=a_1+a_3+a_5=42$에서

$a+ar^2+ar^4=42$, $a+4a+16a=42$

$21a=42$ $\quad\therefore a=2$

$\therefore a_4=ar^3=2\times2^3=16$

## 020 답 ④

$\sum_{k=1}^{20}2^{-k}\sin\frac{k\pi}{2}$

$=\frac{1}{2}\sin\frac{\pi}{2}+\frac{1}{2^2}\sin\pi+\frac{1}{2^3}\sin\frac{3}{2}\pi+\cdots+\frac{1}{2^{20}}\sin10\pi$

$=\frac{1}{2}-\frac{1}{2^3}+\frac{1}{2^5}-\cdots-\frac{1}{2^{19}}$

$=\frac{\frac{1}{2}\left\{1-\left(-\frac{1}{4}\right)^{10}\right\}}{1-\left(-\frac{1}{4}\right)}$

$=\frac{2}{5}\left\{1-\left(\frac{1}{2}\right)^{20}\right\}$

## 021 답 35

등차수열 $\{a_n\}$의 첫째항을 $a$, 공차를 $d$라 하면

$a_{10}=20$에서 $a+9d=20$ …… ㉠

$\sum_{k=1}^{9}k(a_k-a_{k+1})$

$=(a_1-a_2)+2(a_2-a_3)+3(a_3-a_4)+\cdots+9(a_9-a_{10})$

$=a_1+a_2+a_3+\cdots+a_9-9a_{10}$

$=\sum_{k=1}^{9}a_k-9\times20=\sum_{k=1}^{9}a_k-180$

즉, $\sum_{k=1}^{9}a_k-180=-135$이므로 $\sum_{k=1}^{9}a_k=45$

$\frac{9\{2a+(9-1)d\}}{2}=45$

$\therefore a+4d=5$ …… ㉡

㉠, ㉡을 연립하여 풀면 $a=-7$, $d=3$

$\therefore a_{15}=-7+14\times3=35$

## 022 답 26

$\sum_{k=1}^{10}(2a_k-1)^2=\sum_{k=1}^{10}(4a_k^2-4a_k+1)$

$=4\sum_{k=1}^{10}a_k^2-4\sum_{k=1}^{10}a_k+\sum_{k=1}^{10}1$

$=4\times10-4\times6+10=26$

## 023 답 50

$\sum_{k=1}^{15}a_k=\alpha$, $\sum_{k=1}^{15}b_k=\beta$라 하면

$\sum_{k=1}^{15}(a_k+b_k)=8$에서

$\sum_{k=1}^{15}a_k+\sum_{k=1}^{15}b_k=8$

$\therefore \alpha+\beta=8$ …… ㉠

$\sum_{k=1}^{15}(a_k-b_k)=-2$에서

$\sum_{k=1}^{15}a_k-\sum_{k=1}^{15}b_k=-2$

$\therefore \alpha-\beta=-2$ …… ㉡

㉠, ㉡을 연립하여 풀면

$\alpha=3$, $\beta=5$

따라서 $\sum_{k=1}^{15}a_k=3$, $\sum_{k=1}^{15}b_k=5$이므로

$\sum_{k=1}^{15}(5a_k-2b_k+3)=5\sum_{k=1}^{15}a_k-2\sum_{k=1}^{15}b_k+\sum_{k=1}^{15}3$

$=5\times3-2\times5+3\times15=50$

## 024 답 −105

$\sum_{k=1}^{n}a_k=2n$, $\sum_{k=1}^{n}b_k=\frac{1}{3}n^2$이므로

$\sum_{k=11}^{15}a_k=2\times15-2\times10=10$

$\sum_{k=11}^{15}b_k=\frac{1}{3}\times15^2-\frac{1}{3}\times10^2=\frac{125}{3}$

$\therefore \sum_{k=11}^{15}(2a_k-3b_k)=2\sum_{k=11}^{15}a_k-3\sum_{k=11}^{15}b_k$

$=20-125=-105$

## 025 답 ②

$\sum_{k=1}^{n}(3a_k+b_k)^2=n^2+2n$, $\sum_{k=1}^{n}(a_k-3b_k)^2=6n+10$이므로

$\sum_{k=1}^{10}(3a_k+b_k)^2=10^2+2\times10=120$ …… ㉠

$\sum_{k=1}^{10}(a_k-3b_k)^2=6\times10+10=70$ …… ㉡

㉠+㉡을 하면

$\sum_{k=1}^{10}\{(3a_k+b_k)^2+(a_k-3b_k)^2\}$

$=\sum_{k=1}^{10}(10a_k^2+10b_k^2)$

$=10\sum_{k=1}^{10}(a_k^2+b_k^2)=190$

$\therefore \sum_{k=1}^{10}(a_k^2+b_k^2)=19$

$\therefore \sum_{k=1}^{10}\left(a_k^2+b_k^2-\frac{1}{2}\right)=\sum_{k=1}^{10}(a_k^2+b_k^2)-\sum_{k=1}^{10}\frac{1}{2}$

$=19-\frac{1}{2}\times10=14$

## 026 답 10

$$\sum_{k=1}^{50}\frac{5^k-3^k}{4^k}=\sum_{k=1}^{50}\left(\frac{5}{4}\right)^k-\sum_{k=1}^{50}\left(\frac{3}{4}\right)^k$$

$$=\frac{\frac{5}{4}\left\{\left(\frac{5}{4}\right)^{50}-1\right\}}{\frac{5}{4}-1}-\frac{\frac{3}{4}\left\{1-\left(\frac{3}{4}\right)^{50}\right\}}{1-\frac{3}{4}}$$

$$=5\left\{\left(\frac{5}{4}\right)^{50}-1\right\}-3\left\{1-\left(\frac{3}{4}\right)^{50}\right\}$$

$$=5\left(\frac{5}{4}\right)^{50}+3\left(\frac{3}{4}\right)^{50}-8$$

따라서 $a=5$, $b=3$, $c=-8$이므로

$a-b-c=10$

## 027 답 ⑤

$$\sum_{k=1}^{n}\frac{1-a_k}{1+a_k}=\sum_{k=1}^{n}\frac{2-(1+a_k)}{1+a_k}=\sum_{k=1}^{n}\left(\frac{2}{1+a_k}-1\right)$$

$$=2\sum_{k=1}^{n}\frac{1}{1+a_k}-\sum_{k=1}^{n}1$$

$$=2(n^2+2n)-n$$

$$=2n^2+3n$$

## 028 답 ③

$$\sum_{k=1}^{20}(k+1)^2-\sum_{k=1}^{20}(k^2-1)$$

$$=\sum_{k=1}^{20}(k^2+2k+1)-\sum_{k=1}^{20}(k^2-1)$$

$$=\sum_{k=1}^{20}(2k+2)$$

$$=2\sum_{k=1}^{20}k+\sum_{k=1}^{20}2$$

$$=2\times\frac{20\times21}{2}+2\times20$$

$$=420+40=460$$

## 029 답 10

$$\sum_{k=1}^{n}(6-2k)=\sum_{k=1}^{n}6-2\sum_{k=1}^{n}k$$

$$=6n-2\times\frac{n(n+1)}{2}$$

$$=-n^2+5n$$

즉, $-n^2+5n=-50$이므로 $n^2-5n-50=0$

$(n+5)(n-10)=0$ $\quad\therefore n=-5$ 또는 $n=10$

이때 $n$은 자연수이므로 $n=10$

## 030 답 ②

$$\sum_{k=1}^{20}\frac{1+2+3+\cdots+k}{k+1}=\sum_{k=1}^{20}\frac{\frac{k(k+1)}{2}}{k+1}$$

$$=\sum_{k=1}^{20}\frac{k}{2}=\frac{1}{2}\sum_{k=1}^{20}k$$

$$=\frac{1}{2}\times\frac{20\times21}{2}=105$$

## 031 답 245

이차방정식의 근과 계수의 관계에 의하여

$\alpha+\beta=2$, $\alpha\beta=-3$

$$\therefore \sum_{k=1}^{10}(\alpha-k)(\beta-k)=\sum_{k=1}^{10}\{\alpha\beta-(\alpha+\beta)k+k^2\}$$

$$=\sum_{k=1}^{10}k^2-2\sum_{k=1}^{10}k-\sum_{k=1}^{10}3$$

$$=\sum_{k=1}^{10}(k^2-2k-3)$$

$$=\frac{10\times11\times21}{6}-2\times\frac{10\times11}{2}-3\times10$$

$$=385-110-30=245$$

## 032 답 ①

$$\sum_{k=1}^{7}(c-k)^2=\sum_{k=1}^{7}(k^2-2ck+c^2)$$

$$=\sum_{k=1}^{7}k^2-2c\sum_{k=1}^{7}k+c^2\sum_{k=1}^{7}1$$

$$=\frac{7\times8\times15}{6}-2c\times\frac{7\times8}{2}+7c^2$$

$$=7c^2-56c+140$$

$$=7(c-4)^2+28$$

따라서 $c=4$일 때 최솟값 28을 가지므로

$c+m=4+28=32$

## 033 답 55

$$\sum_{k=1}^{20}\log_3 a_k=(\log_3 a_1+\log_3 a_2)+(\log_3 a_3+\log_3 a_4)+\cdots+(\log_3 a_{19}+\log_3 a_{20})$$

$$=\sum_{k=1}^{10}(\log_3 a_{2k-1}+\log_3 a_{2k})=\sum_{k=1}^{10}\log_3(a_{2k-1}a_{2k})$$

$$=\sum_{k=1}^{10}\log_3\left\{\left(\frac{1}{2}\right)^k\times6^k\right\}=\sum_{k=1}^{10}\log_3 3^k$$

$$=\sum_{k=1}^{10}k=\frac{10\times11}{2}=55$$

## 034 답 882

직선 $y=x+a_n$이 원의 중심 $(n,\ 2n^2+n)$을 지나야 하므로

$2n^2+n=n+a_n$ $\quad\therefore a_n=2n^2$

$$\therefore \sum_{k=1}^{6}ka_k=\sum_{k=1}^{6}2k^3=2\times\left(\frac{6\times7}{2}\right)^2=882$$

## 035 답 55

$$S^2=(1^2+2^2+3^2+\cdots+10^2)+(2^2+3^2+4^2+\cdots+10^2)+(3^2+4^2+5^2+\cdots+10^2)+\cdots+(9^2+10^2)+10^2$$

$$=1^2\times1+2^2\times2+3^2\times3+\cdots+9^2\times9+10^2\times10$$

$$=1^3+2^3+3^3+\cdots+10^3$$

$$=\sum_{k=1}^{10}k^3=\left(\frac{10\times11}{2}\right)^2=55^2$$

그런데 $S>0$이므로 $S=55$

## 036 답 91

$$\sum_{l=1}^{13}\left\{\sum_{k=1}^{l}(2k-l)\right\}=\sum_{l=1}^{13}\left(2\sum_{k=1}^{l}k-l\sum_{k=1}^{l}1\right)$$

$$=\sum_{l=1}^{13}\left\{2\times\frac{l(l+1)}{2}-l^2\right\}=\sum_{l=1}^{13}l$$

$$=\frac{13\times14}{2}=91$$

## 037 답 ①

$$\sum_{m=1}^{n}\left\{\sum_{l=1}^{m}\left(\sum_{k=1}^{l}1\right)\right\}=\sum_{m=1}^{n}\left(\sum_{l=1}^{m}l\right)$$
$$=\sum_{m=1}^{n}\frac{m(m+1)}{2}$$
$$=\frac{1}{2}\sum_{m=1}^{n}(m^2+m)$$
$$=\frac{1}{2}\left\{\frac{n(n+1)(2n+1)}{6}+\frac{n(n+1)}{2}\right\}$$
$$=\frac{1}{2}\times\frac{n(n+1)(n+2)}{3}$$
$$=\frac{n(n+1)(n+2)}{6}$$

즉, $\frac{n(n+1)(n+2)}{6}=56$이므로

$n(n+1)(n+2)=6\times7\times8 \qquad \therefore n=6$

## 038 답 32

$$\sum_{k=1}^{m}\left\{\sum_{l=1}^{n}(k+l)\right\}=\sum_{k=1}^{m}\left(k\sum_{l=1}^{n}1+\sum_{l=1}^{n}l\right)$$
$$=\sum_{k=1}^{m}\left\{kn+\frac{n(n+1)}{2}\right\}$$
$$=n\sum_{k=1}^{m}k+\frac{n(n+1)}{2}\sum_{k=1}^{m}1$$
$$=n\times\frac{m(m+1)}{2}+\frac{n(n+1)}{2}\times m$$
$$=\frac{mn}{2}(m+n+2)$$
$$=\frac{8}{2}(6+2)=32$$

## 039 답 ②

$$\sum_{n=1}^{10}\left[\sum_{k=1}^{n}\{(-1)^{n-1}\times(2k-1)\}\right]$$
$$=\sum_{n=1}^{10}\left\{(-1)^{n-1}\times\sum_{k=1}^{n}(2k-1)\right\}$$
$$=\sum_{n=1}^{10}\left[(-1)^{n-1}\times\left\{2\times\frac{n(n+1)}{2}-n\right\}\right]$$
$$=\sum_{n=1}^{10}\{(-1)^{n-1}\times n^2\}$$
$$=1^2-2^2+3^2-4^2+\cdots+9^2-10^2$$
$$=(1-2)(1+2)+(3-4)(3+4)+\cdots+(9-10)(9+10)$$
$$=-(1+2+3+4+\cdots+9+10)$$
$$=-\frac{10\times11}{2}=-55$$

## 040 답 3164

수열 $1\times2^2$, $3\times4^2$, $5\times6^2$, $\cdots$, $11\times12^2$의 일반항을 $a_n$이라 하면

$a_n=(2n-1)\times(2n)^2=8n^3-4n^2$

따라서 구하는 값은 수열 $\{a_n\}$의 첫째항부터 제6항까지의 합이므로

$$\sum_{k=1}^{6}a_k=\sum_{k=1}^{6}(8k^3-4k^2)$$
$$=8\times\left(\frac{6\times7}{2}\right)^2-4\times\frac{6\times7\times13}{6}$$
$$=3528-364=3164$$

## 041 답 4

주어진 수열의 일반항을 $a_n$이라 하면

$a_n=(3n-1)^2=9n^2-6n+1$

$$\therefore S_n=\sum_{k=1}^{n}a_k=\sum_{k=1}^{n}(9k^2-6k+1)$$
$$=9\times\frac{n(n+1)(2n+1)}{6}-6\times\frac{n(n+1)}{2}+n$$
$$=\frac{n(6n^2+3n-1)}{2}$$

따라서 $a=3$, $b=-1$이므로 $a-b=4$

## 042 답 ③

수열 $1$, $1+2$, $1+2+3$, $\cdots$, $1+2+3+\cdots+10$의 일반항을 $a_n$이라 하면

$$a_n=1+2+3+\cdots+n=\sum_{k=1}^{n}k=\frac{n(n+1)}{2}$$

따라서 구하는 값은 수열 $\{a_n\}$의 첫째항부터 제10항까지의 합이므로

$$\sum_{k=1}^{10}a_k=\sum_{k=1}^{10}\frac{k(k+1)}{2}$$
$$=\frac{1}{2}\sum_{k=1}^{10}(k^2+k)$$
$$=\frac{1}{2}\left(\frac{10\times11\times21}{6}+\frac{10\times11}{2}\right)$$
$$=\frac{1}{2}(385+55)=220$$

## 043 답 260

$a_n=\overline{A_nB_n}=g(n)-f(n)$

$\quad=(n+2)^2-n^2=4n+4$

$$\therefore \sum_{k=1}^{10}a_k=\sum_{k=1}^{10}(4k+4)$$
$$=4\times\frac{10\times11}{2}+4\times10$$
$$=220+40=260$$

## 044 답 $\frac{n(n-1)(n+1)}{6}$

수열 $1\times(n-1)$, $2\times(n-2)$, $3\times(n-3)$, $\cdots$, $(n-1)\times1$의 제$k$항을 $a_k$라 하면

$a_k=k(n-k)=nk-k^2$

따라서 주어진 식은

$$\sum_{k=1}^{n-1}a_k=\sum_{k=1}^{n-1}(nk-k^2)=n\sum_{k=1}^{n-1}k-\sum_{k=1}^{n-1}k^2$$
$$=n\times\frac{(n-1)n}{2}-\frac{(n-1)n(2n-1)}{6}$$
$$=\frac{n(n-1)\{3n-(2n-1)\}}{6}$$
$$=\frac{n(n-1)(n+1)}{6}$$

## 045 답 ④

주어진 수열의 제$k$항을 $a_k$라 하면

$$a_k=\left(\frac{k+n}{n}\right)^2=\left(\frac{k}{n}+1\right)^2=\frac{k^2}{n^2}+\frac{2k}{n}+1$$

따라서 주어진 수열의 첫째항부터 제$n$항까지의 합은

$$\sum_{k=1}^{n} a_k = \sum_{k=1}^{n}\left(\frac{k^2}{n^2}+\frac{2k}{n}+1\right)$$
$$=\frac{1}{n^2}\sum_{k=1}^{n}k^2+\frac{2}{n}\sum_{k=1}^{n}k+\sum_{k=1}^{n}1$$
$$=\frac{1}{n^2}\times\frac{n(n+1)(2n+1)}{6}+\frac{2}{n}\times\frac{n(n+1)}{2}+n$$
$$=\frac{(2n+1)(7n+1)}{6n}$$

## 046 답 116

수열 $\{a_n\}$의 첫째항부터 제$n$항까지의 합을 $S_n$이라 하면

$$S_n=\sum_{k=1}^{n}a_k=n^2+2n$$

(i) $n\ge2$일 때

$$a_n=S_n-S_{n-1}=n^2+2n-\{(n-1)^2+2(n-1)\}$$
$$=2n+1 \quad \cdots\cdots \text{㉠}$$

(ii) $n=1$일 때

$$a_1=S_1=1^2+2\times1=3 \quad \cdots\cdots \text{㉡}$$

이때 ㉡은 ㉠에 $n=1$을 대입한 값과 같으므로

$a_n=2n+1$

따라서 $(2k-1)a_k=(2k-1)(2k+1)=4k^2-1$이므로

$$\sum_{k=1}^{4}(2k-1)a_k=\sum_{k=1}^{4}(4k^2-1)$$
$$=4\times\frac{4\times5\times9}{6}-1\times4$$
$$=120-4=116$$

## 047 답 35

수열 $\{a_n\}$의 첫째항부터 제$n$항까지의 합을 $S_n$이라 하면

$$S_n=\sum_{k=1}^{n}a_k=\frac{2n}{n+1}$$

(i) $n\ge2$일 때

$$a_n=S_n-S_{n-1}=\frac{2n}{n+1}-\frac{2(n-1)}{n}$$
$$=\frac{2}{n(n+1)} \quad \cdots\cdots \text{㉠}$$

(ii) $n=1$일 때

$$a_1=S_1=\frac{2\times1}{1+1}=1 \quad \cdots\cdots \text{㉡}$$

이때 ㉡은 ㉠에 $n=1$을 대입한 값과 같으므로

$$a_n=\frac{2}{n(n+1)}$$

따라서 $\frac{1}{a_k}=\frac{k(k+1)}{2}$이므로

$$\sum_{k=1}^{5}\frac{1}{a_k}=\sum_{k=1}^{5}\frac{k(k+1)}{2}=\frac{1}{2}\sum_{k=1}^{5}(k^2+k)$$
$$=\frac{1}{2}\left(\frac{5\times6\times11}{6}+\frac{5\times6}{2}\right)$$
$$=\frac{1}{2}(55+15)=35$$

## 048 답 ②

수열 $\{a_n\}$의 첫째항부터 제$n$항까지의 합을 $S_n$이라 하면

$$S_n=\sum_{k=1}^{n}a_k=3^n-1$$

(i) $n\ge2$일 때

$$a_n=S_n-S_{n-1}=3^n-1-(3^{n-1}-1)$$
$$=3^{n-1}(3-1)$$
$$=2\times3^{n-1} \quad \cdots\cdots \text{㉠}$$

(ii) $n=1$일 때

$$a_1=S_1=3^1-1=2 \quad \cdots\cdots \text{㉡}$$

이때 ㉡은 ㉠에 $n=1$을 대입한 값과 같으므로

$a_n=2\times3^{n-1}$

따라서 $a_{2k}=2\times3^{2k-1}=\frac{2}{3}\times9^k$이므로

$$\sum_{k=1}^{6}a_{2k}=\sum_{k=1}^{6}\left(\frac{2}{3}\times9^k\right)=\frac{2}{3}\times\frac{9(9^6-1)}{9-1}$$
$$=\frac{3(3^{12}-1)}{4}=\frac{3^{13}-3}{4}$$

따라서 $p=4$, $q=13$이므로 $p+q=17$

## 049 답 2

수열 $\{a_n\}$의 첫째항부터 제$n$항까지의 합을 $S_n$이라 하면

$$S_n=\sum_{k=1}^{n}a_k=\log_3\frac{(n+1)(n+2)}{2}$$

(i) $n\ge2$일 때

$$a_n=S_n-S_{n-1}$$
$$=\log_3\frac{(n+1)(n+2)}{2}-\log_3\frac{n(n+1)}{2}$$
$$=\log_3\frac{n+2}{n} \quad \cdots\cdots \text{㉠}$$

(ii) $n=1$일 때

$$a_1=S_1=\log_3 3=1 \quad \cdots\cdots \text{㉡}$$

이때 ㉡은 ㉠에 $n=1$을 대입한 값과 같으므로

$$a_n=\log_3\frac{n+2}{n}$$

따라서 $a_{2k}=\log_3\frac{2k+2}{2k}=\log_3\frac{k+1}{k}$이므로

$$\sum_{k=1}^{8}a_{2k}=\sum_{k=1}^{8}\log_3\frac{k+1}{k}$$
$$=\log_3\frac{2}{1}+\log_3\frac{3}{2}+\log_3\frac{4}{3}+\cdots+\log_3\frac{9}{8}$$
$$=\log_3\left(\frac{2}{1}\times\frac{3}{2}\times\frac{4}{3}\times\cdots\times\frac{9}{8}\right)=\log_3 9=2$$

## 050 답 37

수열 $\frac{1}{3^2-1}, \frac{1}{5^2-1}, \frac{1}{7^2-1}, \cdots, \frac{1}{23^2-1}$의 일반항을 $a_n$이라 하면

$$a_n=\frac{1}{(2n+1)^2-1}=\frac{1}{4n^2+4n}=\frac{1}{4n(n+1)}$$

주어진 식의 좌변은 수열 $\{a_n\}$의 첫째항부터 제11항까지의 합이므로

$$\sum_{k=1}^{11}a_k=\sum_{k=1}^{11}\frac{1}{4k(k+1)}$$
$$=\frac{1}{4}\sum_{k=1}^{11}\left(\frac{1}{k}-\frac{1}{k+1}\right)$$
$$=\frac{1}{4}\left\{\left(1-\frac{1}{2}\right)+\left(\frac{1}{2}-\frac{1}{3}\right)+\cdots+\left(\frac{1}{11}-\frac{1}{12}\right)\right\}$$
$$=\frac{1}{4}\left(1-\frac{1}{12}\right)=\frac{11}{48}$$

따라서 $p=48$, $q=11$이므로 $p-q=37$

## 051 답 $\frac{10}{31}$

주어진 수열의 일반항을 $a_n$이라 하면

$a_n=\frac{1}{(3n-2)(3n+1)}$

따라서 수열 $\{a_n\}$의 첫째항부터 제10항까지의 합은

$$\sum_{k=1}^{10}a_k=\sum_{k=1}^{10}\frac{1}{(3k-2)(3k+1)}$$
$$=\frac{1}{3}\sum_{k=1}^{10}\left(\frac{1}{3k-2}-\frac{1}{3k+1}\right)$$
$$=\frac{1}{3}\left\{\left(1-\frac{1}{4}\right)+\left(\frac{1}{4}-\frac{1}{7}\right)+\cdots+\left(\frac{1}{28}-\frac{1}{31}\right)\right\}$$
$$=\frac{1}{3}\left(1-\frac{1}{31}\right)=\frac{10}{31}$$

## 052 답 ④

수열 $1, \frac{1}{1+2}, \frac{1}{1+2+3}, \cdots, \frac{1}{1+2+3+\cdots+100}$의 일반항을 $a_n$이라 하면

$$a_n=\frac{1}{1+2+3+\cdots+n}=\frac{1}{\frac{n(n+1)}{2}}=\frac{2}{n(n+1)}$$

따라서 구하는 값은 수열 $\{a_n\}$의 첫째항부터 제100항까지의 합이므로

$$\sum_{k=1}^{100}a_k=\sum_{k=1}^{100}\frac{2}{k(k+1)}=2\sum_{k=1}^{100}\left(\frac{1}{k}-\frac{1}{k+1}\right)$$
$$=2\left\{\left(1-\frac{1}{2}\right)+\left(\frac{1}{2}-\frac{1}{3}\right)+\cdots+\left(\frac{1}{100}-\frac{1}{101}\right)\right\}$$
$$=2\left(1-\frac{1}{101}\right)=\frac{200}{101}$$

## 053 답 $\frac{30}{31}$

이차방정식의 근과 계수의 관계에 의하여

$\alpha_n+\beta_n=-2,\ \alpha_n\beta_n=-(4n^2-1)$

따라서 $\frac{1}{\alpha_n}+\frac{1}{\beta_n}=\frac{\alpha_n+\beta_n}{\alpha_n\beta_n}=\frac{-2}{-(4n^2-1)}=\frac{2}{(2n-1)(2n+1)}$이므로

$$\sum_{n=1}^{15}\left(\frac{1}{\alpha_n}+\frac{1}{\beta_n}\right)=\sum_{n=1}^{15}\frac{2}{(2n-1)(2n+1)}$$
$$=\sum_{n=1}^{15}\left(\frac{1}{2n-1}-\frac{1}{2n+1}\right)$$
$$=\left(1-\frac{1}{3}\right)+\left(\frac{1}{3}-\frac{1}{5}\right)+\cdots+\left(\frac{1}{29}-\frac{1}{31}\right)$$
$$=1-\frac{1}{31}=\frac{30}{31}$$

## 054 답 $-\frac{10}{19}$

수열 $\{a_n\}$의 첫째항부터 제$n$항까지의 합을 $S_n$이라 하면

$S_n=\sum_{k=1}^{n}a_k=n^2-2n$

(i) $n\geq 2$일 때

$a_n=S_n-S_{n-1}=n^2-2n-\{(n-1)^2-2(n-1)\}$

$=2n-3$ …… ㉠

(ii) $n=1$일 때

$a_1=S_1=1^2-2\times1=-1$ …… ㉡

이때 ㉡은 ㉠에 $n=1$을 대입한 값과 같으므로

$a_n=2n-3$

따라서 $\frac{1}{a_ka_{k+1}}=\frac{1}{(2k-3)(2k-1)}$이므로

$$\sum_{k=1}^{10}\frac{1}{a_ka_{k+1}}=\sum_{k=1}^{10}\frac{1}{(2k-3)(2k-1)}$$
$$=\frac{1}{2}\sum_{k=1}^{10}\left(\frac{1}{2k-3}-\frac{1}{2k-1}\right)$$
$$=\frac{1}{2}\left\{(-1-1)+\left(1-\frac{1}{3}\right)+\cdots+\left(\frac{1}{17}-\frac{1}{19}\right)\right\}$$
$$=\frac{1}{2}\left(-1-\frac{1}{19}\right)=-\frac{10}{19}$$

## 055 답 9

방정식 $\sin x=\frac{2}{(4n-1)\pi}x\ (n=1, 2, 3, \cdots)$의 양의 실근의 개수 $a_n$은 두 함수 $y=\sin x$와 $y=\frac{2}{(4n-1)\pi}x$의 그래프가 $x>0$인 범위에서 만나는 점의 개수와 같다.

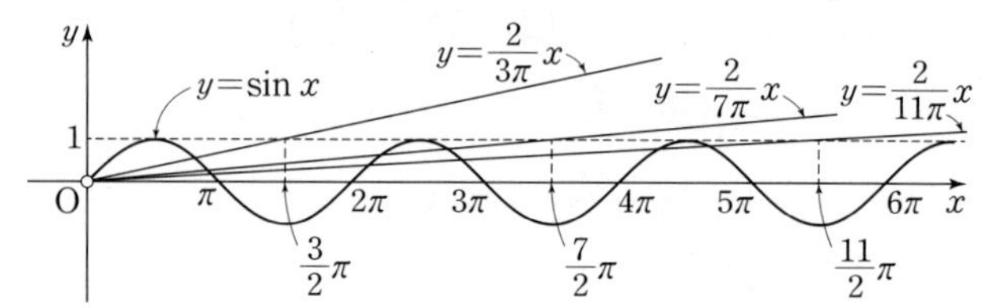


위의 그림에서 $a_1=1,\ a_2=3,\ a_3=5,\ \cdots$이므로

$a_n=2n-1$

$$\therefore \sum_{n=1}^{9}\frac{40}{(a_n+1)(a_n+3)}$$
$$=\sum_{n=1}^{9}\frac{40}{2n(2n+2)}$$
$$=10\sum_{n=1}^{9}\frac{1}{n(n+1)}$$
$$=10\sum_{n=1}^{9}\left(\frac{1}{n}-\frac{1}{n+1}\right)$$
$$=10\left\{\left(1-\frac{1}{2}\right)+\left(\frac{1}{2}-\frac{1}{3}\right)+\cdots+\left(\frac{1}{9}-\frac{1}{10}\right)\right\}$$
$$=10\left(1-\frac{1}{10}\right)=9$$

## 056 답 $2\sqrt{2}$

주어진 수열의 일반항을 $a_n$이라 하면

$a_n=\frac{1}{\sqrt{n+1}+\sqrt{n+2}}$

$$\therefore \sum_{k=1}^{16}a_k=\sum_{k=1}^{16}\frac{1}{\sqrt{k+1}+\sqrt{k+2}}$$
$$=\sum_{k=1}^{16}\frac{\sqrt{k+1}-\sqrt{k+2}}{(\sqrt{k+1}+\sqrt{k+2})(\sqrt{k+1}-\sqrt{k+2})}$$
$$=\sum_{k=1}^{16}(\sqrt{k+2}-\sqrt{k+1})$$
$$=(\sqrt{3}-\sqrt{2})+(\sqrt{4}-\sqrt{3})+(\sqrt{5}-\sqrt{4})+\cdots+(\sqrt{18}-\sqrt{17})$$
$$=-\sqrt{2}+\sqrt{18}=-\sqrt{2}+3\sqrt{2}=2\sqrt{2}$$

## 057 답 15

$$\sum_{k=1}^{m}a_k=\sum_{k=1}^{m}\frac{1}{\sqrt{k}+\sqrt{k+1}}$$
$$=\sum_{k=1}^{m}\frac{\sqrt{k}-\sqrt{k+1}}{(\sqrt{k}+\sqrt{k+1})(\sqrt{k}-\sqrt{k+1})}$$
$$=\sum_{k=1}^{m}(\sqrt{k+1}-\sqrt{k})$$
$$=(\sqrt{2}-\sqrt{1})+(\sqrt{3}-\sqrt{2})+(\sqrt{4}-\sqrt{3})+\cdots+(\sqrt{m+1}-\sqrt{m})$$
$$=\sqrt{m+1}-1$$

즉, $\sqrt{m+1}-1=3$이므로

$\sqrt{m+1}=4$, $m+1=16$

$\therefore m=15$

## 058 답 $3+2\sqrt{2}$

$\mathrm{P}_n(n, \sqrt{n+2})$, $\mathrm{Q}_n(n, -\sqrt{n})$에서

$a_n=\overline{\mathrm{P}_n\mathrm{Q}_n}=\sqrt{n+2}+\sqrt{n}$

$$\therefore \sum_{k=1}^{48}\frac{1}{a_k}=\sum_{k=1}^{48}\frac{1}{\sqrt{k+2}+\sqrt{k}}$$
$$=\sum_{k=1}^{48}\frac{\sqrt{k+2}-\sqrt{k}}{(\sqrt{k+2}+\sqrt{k})(\sqrt{k+2}-\sqrt{k})}$$
$$=\frac{1}{2}\sum_{k=1}^{48}(\sqrt{k+2}-\sqrt{k})$$
$$=\frac{1}{2}\{(\sqrt{3}-\sqrt{1})+(\sqrt{4}-\sqrt{2})+(\sqrt{5}-\sqrt{3})+\cdots+(\sqrt{49}-\sqrt{47})+(\sqrt{50}-\sqrt{48})\}$$
$$=\frac{1}{2}(-1-\sqrt{2}+\sqrt{49}+\sqrt{50})$$
$$=\frac{1}{2}(-1-\sqrt{2}+7+5\sqrt{2})=3+2\sqrt{2}$$

## 059 답 160

$27\times2^{n-1}=3^3\times2^{n-1}$이므로 자연수 $27\times2^{n-1}$의 양의 약수의 개수 $a_n$은

$a_n=(3+1)\{(n-1)+1\}=4n$

$$\therefore f(n)=\sum_{k=1}^{n}\frac{1}{\sqrt{a_k}+\sqrt{a_{k+1}}}$$
$$=\sum_{k=1}^{n}\frac{1}{\sqrt{4k}+\sqrt{4(k+1)}}$$
$$=\frac{1}{2}\sum_{k=1}^{n}\frac{1}{\sqrt{k}+\sqrt{k+1}}$$
$$=\frac{1}{2}\sum_{k=1}^{n}\frac{\sqrt{k}-\sqrt{k+1}}{(\sqrt{k}+\sqrt{k+1})(\sqrt{k}-\sqrt{k+1})}$$
$$=\frac{1}{2}\sum_{k=1}^{n}(\sqrt{k+1}-\sqrt{k})$$
$$=\frac{1}{2}\{(\sqrt{2}-1)+(\sqrt{3}-\sqrt{2})+(\sqrt{4}-\sqrt{3})+\cdots+(\sqrt{n+1}-\sqrt{n})\}$$
$$=\frac{1}{2}(\sqrt{n+1}-1)$$

$f(n)$의 값이 자연수가 되려면 $\sqrt{n+1}$은 3 이상의 홀수이어야 한다.

이때 $n$은 100 이하의 자연수이므로

$3\le\sqrt{n+1}\le\sqrt{101}<11$

즉, $\sqrt{n+1}$의 값이 3, 5, 7, 9일 때, $f(n)$의 값이 자연수가 된다.

따라서 자연수 $n$의 값은 8, 24, 48, 80이므로 구하는 합은

$8+24+48+80=160$

## 060 답 66

$1-2\times3+3\times3^2-4\times3^3+\cdots-16\times3^{15}=S$로 놓고

$S-(-3S)$를 하면

$$\begin{array}{rl} S= & 1-2\times3+3\times3^2-4\times3^3+\cdots-16\times3^{15} \\ -)\ -3S= & \quad -1\times3+2\times3^2-3\times3^3+\cdots-15\times3^{15}+16\times3^{16} \\ \hline 4S= & 1-\quad 3+\quad 3^2-\quad 3^3+\cdots-\quad 3^{15}-16\times3^{16} \end{array}$$
$$=\frac{1-(-3)^{16}}{1-(-3)}-16\times3^{16}$$
$$=\frac{1-65\times3^{16}}{4}$$

$\therefore S=\dfrac{1-65\times3^{16}}{16}$

따라서 $a=1$, $b=65$이므로

$a+b=66$

## 061 답 ②

$f(2)=1+4\times2+7\times2^2+10\times2^3+\cdots+31\times2^{10}$이므로

$f(2)-2f(2)$를 하면

$$\begin{array}{rl} f(2)= & 1+4\times2+7\times2^2+10\times2^3+\cdots+31\times2^{10} \\ -)\ 2f(2)= & \quad 1\times2+4\times2^2+\ 7\times2^3+\cdots+28\times2^{10}+31\times2^{11} \\ \hline -f(2)= & 1+3\times2+3\times2^2+\ 3\times2^3+\cdots+\ 3\times2^{10}-31\times2^{11} \end{array}$$
$$=1+3\times\frac{2(2^{10}-1)}{2-1}-31\times2^{11}$$
$$=-28\times2^{11}-5$$

$\therefore f(2)=28\times2^{11}+5$

## 062 답 50

위에서 $n$번째 줄에는 $n$개의 자연수가 있으므로 첫 번째 줄부터 9번째 줄까지의 자연수의 개수는

$$\sum_{k=1}^{9}k=\frac{9\times10}{2}=45$$

따라서 위에서 10번째 줄의 왼쪽에서 5번째에 있는 수는

$45+5=50$

## 063 답 제68항

주어진 수열을

$$\left(\frac{1}{2}\right), \left(\frac{1}{3}, \frac{2}{3}\right), \left(\frac{1}{4}, \frac{2}{4}, \frac{3}{4}\right), \left(\frac{1}{5}, \frac{2}{5}, \frac{3}{5}, \frac{4}{5}\right), \cdots$$

와 같이 분모가 같은 항끼리 묶으면 $n$번째 묶음의 항의 개수는 $n$이므로 첫 번째 묶음부터 11번째 묶음까지의 항의 개수는

$$\sum_{k=1}^{11}k=\frac{11\times12}{2}=66$$

따라서 $66+2=68$이므로 $\dfrac{2}{13}$는 제68항이다.

**064** 답 **39**

위에서 $n$번째 줄에 있는 순서쌍의 두 수의 합은 $n+1$이고, 위에서 $n$번째 줄의 왼쪽에서 $k$번째의 순서쌍은 $(k,\ n+1-k)$이다.

이때 순서쌍 $(8,\ 24)$에서 $8+24=32=31+1$이므로 순서쌍 $(8,\ 24)$는 위에서 31번째 줄의 왼쪽에서 8번째에 있다.

따라서 $p=31,\ q=8$이므로 $p+q=39$

**065** 답 ②

주어진 표의 첫 번째 줄의 수는 왼쪽에서부터 차례대로 $1^2,\ 2^2,\ 3^2,\ 4^2,\ \cdots$이므로 첫 번째 줄의 왼쪽에서 9번째 칸에 있는 수는 $9^2$이다.

이때 첫 번째 줄의 9번째 칸에 있는 수부터 9번째 줄의 9번째 칸에 있는 수까지 1씩 작아지므로 8번째 줄의 왼쪽에서 9번째 칸에 있는 수는 $9^2-7=74$

**066** 답 ⑤

$$\sum_{k=1}^{n}(a_{3k-2}+a_{3k-1}+a_{3k})$$
$$=(a_1+a_2+a_3)+(a_4+a_5+a_6)+\cdots+(a_{3n-2}+a_{3n-1}+a_{3n})$$
$$=\sum_{k=1}^{3n}a_k$$

이므로 $\sum_{k=1}^{3n}a_k=3n^2-2n$

$$\therefore\ \sum_{k=1}^{30}a_k=3\times10^2-2\times10=280$$

**067** 답 ①

$$a_n=\log_2\left(1+\frac{1}{n}\right)=\log_2\frac{n+1}{n}$$
$$\therefore\ \sum_{k=1}^{m}a_k=\sum_{k=1}^{m}\log_2\frac{k+1}{k}$$
$$=\log_2\frac{2}{1}+\log_2\frac{3}{2}+\log_2\frac{4}{3}+\cdots+\log_2\frac{m+1}{m}$$
$$=\log_2\left(\frac{2}{1}\times\frac{3}{2}\times\frac{4}{3}\times\cdots\times\frac{m+1}{m}\right)$$
$$=\log_2(m+1)$$

즉, $\log_2(m+1)=5$이므로 $m+1=2^5=32$ $\quad\therefore\ m=31$

**068** 답 ⑤

다항식 $P(x)=x^{n-1}(3x-1)$을 $x-3$으로 나누었을 때의 나머지는 $P(3)$이므로

$$a_n=3^{n-1}\times(9-1)=8\times3^{n-1}$$

따라서 수열 $\{a_n\}$은 첫째항이 8, 공비가 3인 등비수열이므로

$$\sum_{k=1}^{n}a_k=\sum_{k=1}^{n}(8\times3^{k-1})=\frac{8(3^n-1)}{3-1}=4(3^n-1)$$

**069** 답 **36**

$$\sum_{k=1}^{20}(a_k-b_k)^2=\sum_{k=1}^{20}(a_k^2-2a_kb_k+b_k^2)$$
$$=\sum_{k=1}^{20}(a_k^2+b_k^2)-2\sum_{k=1}^{20}a_kb_k$$

이므로 $8=\sum_{k=1}^{20}(a_k^2+b_k^2)-2\times14$

$$\therefore\ \sum_{k=1}^{20}(a_k^2+b_k^2)=36$$

**070** 답 **80**

$$\sum_{k=1}^{n}(a_{2k-1}+a_{2k})=(a_1+a_2)+(a_3+a_4)+\cdots+(a_{2n-1}+a_{2n})$$
$$=\sum_{k=1}^{2n}a_k=3n^2-2n$$
$$\therefore\ \sum_{k=1}^{10}a_k=3\times5^2-2\times5=65$$
$$\therefore\ \sum_{k=1}^{10}(2a_k-5)=2\sum_{k=1}^{10}a_k-\sum_{k=1}^{10}5$$
$$=2\times65-5\times10=80$$

**071** 답 ②

$$\sum_{k=1}^{4}(k+1)^3-3\sum_{k=1}^{4}k(k+1)$$
$$=\sum_{k=1}^{4}(k^3+3k^2+3k+1)-\sum_{k=1}^{4}(3k^2+3k)$$
$$=\sum_{k=1}^{4}(k^3+1)=\sum_{k=1}^{4}k^3+\sum_{k=1}^{4}1$$
$$=\left(\frac{4\times5}{2}\right)^2+4\times1=104$$

**072** 답 **−1530**

등차수열 $\{a_n\}$의 일반항 $a_n$은

$$a_n=-1+(n-1)\times(-2)=-2n+1$$

등차수열 $\{b_n\}$의 일반항 $b_n$은

$$b_n=3+(n-1)\times2=2n+1$$
$$\therefore\ \sum_{k=1}^{10}a_kb_k=\sum_{k=1}^{10}(-2k+1)(2k+1)$$
$$=\sum_{k=1}^{10}(-4k^2+1)$$
$$=-4\times\frac{10\times11\times21}{6}+10$$
$$=-1540+10=-1530$$

**073** 답 ④

$$\sum_{n=1}^{k}\left\{\sum_{m=1}^{n}(m+n)\right\}=\sum_{n=1}^{k}\left(\sum_{m=1}^{n}m+n\sum_{m=1}^{n}1\right)$$
$$=\sum_{n=1}^{k}\left\{\frac{n(n+1)}{2}+n^2\right\}$$
$$=\frac{1}{2}\sum_{n=1}^{k}(3n^2+n)$$
$$=\frac{1}{2}\left\{3\times\frac{k(k+1)(2k+1)}{6}+\frac{k(k+1)}{2}\right\}$$
$$=\frac{k(k+1)^2}{2}$$

즉, $\frac{k(k+1)^2}{2}=147$이므로 $k(k+1)^2=6\times7^2$

$\therefore\ k=6$

**074** 답 **91**

주어진 수열의 일반항을 $a_n$이라 하면

$$a_n=1+3+5+\cdots+(2n-1)$$
$$=\sum_{k=1}^{n}(2k-1)$$
$$=2\times\frac{n(n+1)}{2}-n=n^2$$
$$\therefore\ \sum_{k=1}^{6}a_k=\sum_{k=1}^{6}k^2=\frac{6\times7\times13}{6}=91$$

## 075 답 ⑤

수열 $2\times(2n-1),\ 4\times(2n-3),\ 6\times(2n-5),\ \cdots,\ 2n\times1$의 제$k$항을 $a_k$라 하면

$a_k=2k\{2n-(2k-1)\}$

따라서 주어진 식의 좌변은

$$\sum_{k=1}^{n}a_k=\sum_{k=1}^{n}2k\{2n-(2k-1)\}=\sum_{k=1}^{n}\{(4n+2)k-4k^2\}$$
$$=(4n+2)\sum_{k=1}^{n}k-4\sum_{k=1}^{n}k^2$$
$$=(4n+2)\times\frac{n(n+1)}{2}-4\times\frac{n(n+1)(2n+1)}{6}$$
$$=\frac{n(n+1)(2n+1)}{3}$$

즉, $a=1,\ b=1,\ c=1$이므로 $a+b+c=3$

## 076 답 124

수열 $\{a_n\}$의 첫째항부터 제$n$항까지의 합을 $S_n$이라 하면

$S_n=\sum_{k=1}^{n}a_k=n^2-11n$

(i) $n\geq2$일 때

$a_n=S_n-S_{n-1}$
$=n^2-11n-\{(n-1)^2-11(n-1)\}$
$=2n-12$ ⋯⋯ ㉠

(ii) $n=1$일 때

$a_1=S_1=1^2-11=-10$ ⋯⋯ ㉡

이때 ㉡은 ㉠에 $n=1$을 대입한 값과 같으므로

$a_n=2n-12$

따라서 $a_{2k}=2\times2k-12=4k-12$이고, $a_{2k}\geq0$을 만족시키는 $k$의 값의 범위는

$4k-12\geq0$ $\quad\therefore k\geq3$

$$\therefore \sum_{k=1}^{10}|a_{2k}|=-\sum_{k=1}^{2}a_{2k}+\sum_{k=3}^{10}a_{2k}=-\sum_{k=1}^{2}a_{2k}+\sum_{k=1}^{10}a_{2k}-\sum_{k=1}^{2}a_{2k}$$
$$=\sum_{k=1}^{10}a_{2k}-2\sum_{k=1}^{2}a_{2k}$$
$$=\sum_{k=1}^{10}(4k-12)-2\sum_{k=1}^{2}(4k-12)$$
$$=4\times\frac{10\times11}{2}-12\times10-2\left(4\times\frac{2\times3}{2}-12\times2\right)$$
$$=220-120+24=124$$

## 077 답 $\frac{40}{7}$

$$a_n=\frac{1^2+2^2+3^2+\cdots+n^2}{2n+1}=\frac{\frac{n(n+1)(2n+1)}{6}}{2n+1}=\frac{n(n+1)}{6}$$

$$\therefore \frac{1}{a_1}+\frac{1}{a_2}+\frac{1}{a_3}+\cdots+\frac{1}{a_{20}}$$
$$=\sum_{k=1}^{20}\frac{1}{a_k}=\sum_{k=1}^{20}\frac{6}{k(k+1)}=6\sum_{k=1}^{20}\left(\frac{1}{k}-\frac{1}{k+1}\right)$$
$$=6\left\{\left(1-\frac{1}{2}\right)+\left(\frac{1}{2}-\frac{1}{3}\right)+\cdots+\left(\frac{1}{20}-\frac{1}{21}\right)\right\}$$
$$=6\left(1-\frac{1}{21}\right)=\frac{40}{7}$$

## 078 답 ④

$$\sum_{k=1}^{m}\frac{1}{f(k)}=\sum_{k=1}^{m}\frac{1}{\sqrt{3k+9}+\sqrt{3k+6}}$$
$$=\sum_{k=1}^{m}\frac{\sqrt{3k+9}-\sqrt{3k+6}}{(\sqrt{3k+9}+\sqrt{3k+6})(\sqrt{3k+9}-\sqrt{3k+6})}$$
$$=\sum_{k=1}^{m}\frac{\sqrt{3k+9}-\sqrt{3k+6}}{3}$$
$$=\frac{1}{3}\{(\sqrt{12}-\sqrt{9})+(\sqrt{15}-\sqrt{12})+(\sqrt{18}-\sqrt{15})+\cdots+(\sqrt{3m+9}-\sqrt{3m+6})\}$$
$$=\frac{1}{3}(\sqrt{3m+9}-3)$$

즉, $\frac{1}{3}(\sqrt{3m+9}-3)=1$이므로

$\sqrt{3m+9}-3=3,\ \sqrt{3m+9}=6$

$3m+9=36$ $\quad\therefore m=9$

## 079 답 ①

$S_{10}=1+\frac{2}{2}+\frac{3}{2^2}+\frac{4}{2^3}+\cdots+\frac{10}{2^9}$이므로 $S_{10}-\frac{1}{2}S_{10}$을 하면

$$\begin{array}{rl} S_{10}= & 1+\frac{2}{2}+\frac{3}{2^2}+\frac{4}{2^3}+\cdots+\frac{10}{2^9} \\ -)\ \frac{1}{2}S_{10}= & \quad\ \frac{1}{2}+\frac{2}{2^2}+\frac{3}{2^3}+\cdots+\frac{9}{2^9}+\frac{10}{2^{10}} \\ \hline \frac{1}{2}S_{10}= & 1+\frac{1}{2}+\frac{1}{2^2}+\frac{1}{2^3}+\cdots+\frac{1}{2^9}-\frac{10}{2^{10}} \end{array}$$
$$=\frac{1-\left(\frac{1}{2}\right)^{10}}{1-\frac{1}{2}}-\frac{10}{2^{10}}$$
$$=2\left\{1-\left(\frac{1}{2}\right)^{10}\right\}-\frac{10}{2^{10}}$$
$$=2-\frac{12}{2^{10}}$$
$$=2-3\left(\frac{1}{2}\right)^{8}$$

$\therefore S_{10}=4-3\left(\frac{1}{2}\right)^{7}$

따라서 $a=4,\ b=7$이므로

$a+b=11$

## 080 답 1705

$n$행에 나열되는 수들의 합은 첫째항이 $n$, 공차가 $n$인 등차수열의 첫째항부터 제$n$항까지의 합이므로

$$a_n=\frac{n\{2n+(n-1)\times n\}}{2}=\frac{n^3+n^2}{2}$$
$$\therefore \sum_{k=1}^{10}a_k=\sum_{k=1}^{10}\frac{k^3+k^2}{2}$$
$$=\frac{1}{2}\left(\sum_{k=1}^{10}k^3+\sum_{k=1}^{10}k^2\right)$$
$$=\frac{1}{2}\left\{\left(\frac{10\times11}{2}\right)^2+\frac{10\times11\times21}{6}\right\}$$
$$=\frac{1}{2}(3025+385)$$
$$=1705$$

## 10 수학적 귀납법 | 172~184쪽

### 001 답 ④

$a_{n+1}=a_n-4$, 즉 $a_{n+1}-a_n=-4$에서 수열 $\{a_n\}$은 공차가 $-4$인 등차수열이다.

이때 첫째항이 $a_1=200$이므로

$a_n=200+(n-1)\times(-4)=-4n+204$

$a_k=12$에서 $-4k+204=12$

$4k=192 \qquad \therefore k=48$

다른 풀이 $a_{n+1}=a_n-4$의 $n$에 1, 2, 3, …, $n-1$을 차례대로 대입하면

$a_2=a_1-4=200-4$

$a_3=a_2-4=200-4\times2$

$a_4=a_3-4=200-4\times3$

⋮

$a_n=a_{n-1}-4=200-4\times(n-1)$

$\therefore a_n=-4n+204$

$a_k=12$에서 $-4k+204=12$

$4k=192 \qquad \therefore k=48$

### 002 답 $\frac{63}{4}$

$a_n=2a_{n+1}$, 즉 $a_{n+1}=\frac{1}{2}a_n$에서 수열 $\{a_n\}$은 공비가 $\frac{1}{2}$인 등비수열이다.

이때 $a_2=\frac{1}{2}a_1$에서 $a_1=8$이므로

$a_n=8\times\left(\frac{1}{2}\right)^{n-1}$

$$\therefore \sum_{k=1}^{6}a_k=\sum_{k=1}^{6}\left\{8\times\left(\frac{1}{2}\right)^{k-1}\right\}=\frac{8\left\{1-\left(\frac{1}{2}\right)^6\right\}}{1-\frac{1}{2}}=\frac{63}{4}$$

다른 풀이 $a_n=2a_{n+1}$, 즉 $a_{n+1}=\frac{1}{2}a_n$의 $n$에 1, 2, 3, …, $n-1$을 차례대로 대입하면

$a_2=\frac{1}{2}a_1=4$

$a_3=\frac{1}{2}a_2=\frac{1}{2}\times4$

$a_4=\frac{1}{2}a_3=\left(\frac{1}{2}\right)^2\times4$

⋮

$a_n=\frac{1}{2}a_{n-1}=\left(\frac{1}{2}\right)^{n-2}\times4$

$\therefore a_n=\left(\frac{1}{2}\right)^{n-4}$

$$\therefore \sum_{k=1}^{6}a_k=\sum_{k=1}^{6}\left(\frac{1}{2}\right)^{k-4}=\frac{8\left\{1-\left(\frac{1}{2}\right)^6\right\}}{1-\frac{1}{2}}=\frac{63}{4}$$

### 003 답 ③

$a_{n+1}=a_n+2n-1$의 $n$에 1, 2, 3, …, $n-1$을 차례대로 대입하여 변끼리 더하면

$a_2=a_1+2\times1-1$

$a_3=a_2+2\times2-1$

$a_4=a_3+2\times3-1$

⋮

$+)\ a_n=a_{n-1}+2\times(n-1)-1$

$$a_n=a_1+\sum_{k=1}^{n-1}(2k-1)=1+2\times\frac{(n-1)n}{2}-(n-1)=n^2-2n+2$$

$\therefore a_{20}=20^2-2\times20+2=362$

### 004 답 496

$a_{n+1}=\frac{n+3}{n+1}a_n$의 $n$에 1, 2, 3, …, $n-1$을 차례대로 대입하여 변끼리 곱하면

$a_2=\frac{4}{2}a_1$

$a_3=\frac{5}{3}a_2$

$a_4=\frac{6}{4}a_3$

⋮

$\times)\ a_n=\frac{n+2}{n}a_{n-1}$

$$a_n=\frac{(n+1)(n+2)}{6}a_1=\frac{(n+1)(n+2)}{2}$$

$\therefore a_{30}=\frac{31\times32}{2}=496$

### 005 답 $\frac{17}{4}$

$a_{n+1}=\frac{1}{2}a_n+2$의 $n$에 1, 2, 3, 4를 차례대로 대입하면

$a_2=\frac{1}{2}a_1+2=\frac{1}{2}\times8+2=6$

$a_3=\frac{1}{2}a_2+2=\frac{1}{2}\times6+2=5$

$a_4=\frac{1}{2}a_3+2=\frac{1}{2}\times5+2=\frac{9}{2}$

$\therefore a_5=\frac{1}{2}a_4+2=\frac{1}{2}\times\frac{9}{2}+2=\frac{17}{4}$

### 006 답 2

$a_1=1$이므로

$a_2=a_1+1=1+1=2$, $a_3=a_2+1=2+1=3$,

$a_4=a_3-2=3-2=1$, $a_5=a_4+1=1+1=2$, …

$$\therefore a_n=\begin{cases}1\ (n=3k-2)\\ 2\ (n=3k-1)\ (\text{단, } k\text{는 자연수})\\ 3\ (n=3k)\end{cases}$$

이때 $29=3\times10-1$이므로 $a_{29}=2$

## 007 답 ④

$S_n=3a_n-4$의 $n$에 $n+1$을 대입하면

$S_{n+1}=3a_{n+1}-4$

이때 $a_{n+1}=S_{n+1}-S_n\,(n=1, 2, 3, \cdots)$이므로

$a_{n+1}=3a_{n+1}-4-(3a_n-4)$

$2a_{n+1}=3a_n$

$\therefore\ a_{n+1}=\frac{3}{2}a_n$

따라서 수열 $\{a_n\}$은 첫째항이 2, 공비가 $\frac{3}{2}$인 등비수열이므로

$a_n=2\times\left(\frac{3}{2}\right)^{n-1}$

$\therefore\ a_{20}=2\times\left(\frac{3}{2}\right)^{19}=\frac{3^{19}}{2^{18}}$

## 008 답 136

$a_1=(12-4)\times2=16$

$a_2=(a_1-4)\times2=(16-4)\times2=24$

$a_3=(a_2-4)\times2=(24-4)\times2=40$

$a_4=(a_3-4)\times2=(40-4)\times2=72$

$\therefore\ a_5=(a_4-4)\times2=(72-4)\times2=136$

## 009 답 ⑤

$p(1)$이 참이면 $p(3)$, $p(5)$도 참이다.

$p(3)$이 참이면 $p(3\times3)=p(9)$, $p(5\times3)=p(15)$도 참이다.

$p(5)$가 참이면 $p(5\times5)=p(25)$도 참이다.

⋮

따라서 $p(1)$이 참이면 자연수 $a$, $b$에 대하여 $p(3^a\times5^b)$이 참이다.

① $p(30)=p(2\times3\times5)$

② $p(60)=p(2^2\times3\times5)$

③ $p(105)=p(3\times5\times7)$

④ $p(120)=p(2^3\times3\times5)$

⑤ $p(225)=p(3^2\times5^2)$

## 010 답 풀이 참조

(i) $n=1$일 때

(좌변)$=2\times1-1=1$, (우변)$=1^2=1$

이므로 주어진 등식이 성립한다.

(ii) $n=k$일 때

주어진 등식이 성립한다고 가정하면

$1+3+5+\cdots+(2k-1)=k^2$

위의 식의 양변에 $(2k+1)$을 더하면

$1+3+5+\cdots+(2k-1)+(2k+1)$

$=k^2+(2k+1)$

$=(k+1)^2$

따라서 $n=k+1$일 때도 주어진 등식이 성립한다.

(i), (ii)에서 모든 자연수 $n$에 대하여 주어진 등식이 성립한다.

## 011 답 풀이 참조

(i) $n=1$일 때

$1\times(1^2+5)=6$이므로 6의 배수이다.

(ii) $n=k$일 때

$k(k^2+5)=6m$ ($m$은 자연수)이라 가정하면 $n=k+1$일 때

$(k+1)\{(k+1)^2+5\}=k^3+3k^2+8k+6$

$=k^3+5k+6+3k(k+1)$

$=k(k^2+5)+6+3k(k+1)$

$=6m+6+3k(k+1)$

$=6(m+1)+3k(k+1)$

이때 $k$ 또는 $k+1$이 2의 배수이므로 $3k(k+1)$은 6의 배수이다.

따라서 $n=k+1$일 때도 $n(n^2+5)$가 6의 배수이다.

(i), (ii)에서 모든 자연수 $n$에 대하여 $n(n^2+5)$는 6의 배수이다.

## 012 답 풀이 참조

(i) $n=3$일 때

(좌변)$=2^4=16$, (우변)$=3\times2=6$

이므로 주어진 부등식이 성립한다.

(ii) $n=k\,(k\geq3)$일 때

주어진 부등식이 성립한다고 가정하면

$2^{k+1}>k(k-1)$

위의 식의 양변에 2를 곱하면

$2^{k+2}>2k(k-1)=k^2+k(k-2)$

이때 $k^2+k(k-2)\geq k^2+k$이므로

$2^{k+2}>k^2+k$

따라서 $n=k+1$일 때도 주어진 부등식이 성립한다.

(i), (ii)에서 $n\geq3$인 모든 자연수 $n$에 대하여 주어진 부등식이 성립한다.

## 013 답 ⑤

$a_{n+1}-a_n=3$에서 수열 $\{a_n\}$은 공차가 3인 등차수열이다.

이때 첫째항이 $a_1=-2$이므로

$a_n=-2+(n-1)\times3=3n-5$

$a_k=232$에서

$3k-5=232$, $3k=237$

$\therefore\ k=79$

## 014 답 32

$a_{n+2}-a_{n+1}=a_{n+1}-a_n$, 즉 $2a_{n+1}=a_n+a_{n+2}$에서 수열 $\{a_n\}$은 등차수열이므로 첫째항을 $a$, 공차를 $d$라 하면

$a_6=a+5d=8$ ...... ㉠

$a_{12}=a+11d=20$ ...... ㉡

㉠, ㉡을 연립하여 풀면

$a=-2$, $d=2$

따라서 $a_n=-2+(n-1)\times2=2n-4$이므로

$a_{18}=2\times18-4=32$

## 015 답 9

$2a_{n+1}=a_n+a_{n+2}$에서 수열 $\{a_n\}$은 등차수열이므로 첫째항을 $a$, 공차를 $d$라 하면

$S_4=\frac{4\{2a+(4-1)d\}}{2}=56$

$\therefore 2a+3d=28$ ...... ㉠

$S_8=\frac{8\{2a+(8-1)d\}}{2}=80$

$\therefore 2a+7d=20$ ...... ㉡

㉠, ㉡을 연립하여 풀면 $a=17$, $d=-2$

$\therefore a_n=17+(n-1)\times(-2)=-2n+19$

$-2n+19<0$에서 $n>\frac{19}{2}=9.5$

따라서 제10항부터 음수이므로 첫째항부터 제9항까지의 합이 최대가 된다.

$\therefore n=9$

## 016 답 $\frac{16}{17}$

$a_{n+2}-2a_{n+1}+a_n=0$, 즉 $2a_{n+1}=a_n+a_{n+2}$에서 수열 $\{a_n\}$은 등차수열이고 $a_1=2$, $a_2-a_1=4-2=2$이므로 첫째항이 2, 공차가 2이다.

$\therefore S_n=\frac{n\{2\times2+(n-1)\times2\}}{2}=n(n+1)$

$$\therefore \sum_{k=1}^{16}\frac{1}{S_k}=\sum_{k=1}^{16}\frac{1}{k(k+1)}$$
$$=\sum_{k=1}^{16}\left(\frac{1}{k}-\frac{1}{k+1}\right)$$
$$=\left(1-\frac{1}{2}\right)+\left(\frac{1}{2}-\frac{1}{3}\right)+\left(\frac{1}{3}-\frac{1}{4}\right)+\cdots+\left(\frac{1}{16}-\frac{1}{17}\right)$$
$$=1-\frac{1}{17}=\frac{16}{17}$$

## 017 답 ②

$\frac{a_{n+1}}{a_n}=3$, 즉 $a_{n+1}=3a_n$에서 수열 $\{a_n\}$은 공비가 3인 등비수열이다.

이때 첫째항이 $a_1=3$이므로

$a_n=3\times3^{n-1}=3^n$

$\therefore \sum_{k=1}^{5}a_k=\sum_{k=1}^{5}3^k=\frac{3(3^5-1)}{3-1}=363$

## 018 답 ④

$a_{n+1}=\sqrt{a_na_{n+2}}$, 즉 ${a_{n+1}}^2=a_na_{n+2}$에서 수열 $\{a_n\}$은 등비수열이고 $a_1=1$이므로 공비를 $r$라 하면

$\frac{a_4}{a_1}+\frac{a_5}{a_2}+\frac{a_6}{a_3}=81$에서

$3r^3=81$, $r^3=27$ $\quad\therefore r=3$

$\therefore \frac{a_{20}}{a_{10}}=r^{10}=3^{10}$

## 019 답 3069

$\frac{a_{n+2}}{a_{n+1}}=\frac{a_{n+1}}{a_n}$, 즉 ${a_{n+1}}^2=a_na_{n+2}$에서 수열 $\{a_n\}$은 등비수열이고 $a_1=3$이므로 공비를 $r$라 하면

$a_4=3r^3=24$

$r^3=8$ $\quad\therefore r=2$

$\therefore S_{10}=\frac{3(2^{10}-1)}{2-1}=3069$

## 020 답 ①

$a_{n+1}=a_n+2n^2$의 $n$에 1, 2, 3, …, $n-1$을 차례대로 대입하여 변끼리 더하면

$$a_2=a_1+2\times1^2$$
$$a_3=a_2+2\times2^2$$
$$a_4=a_3+2\times3^2$$
$$\vdots$$
$$+)\ a_n=a_{n-1}+2\times(n-1)^2$$

$$a_n=a_1+\sum_{k=1}^{n-1}2k^2$$
$$=2+2\times\frac{(n-1)n(2n-1)}{6}$$
$$=\frac{2n^3-3n^2+n+6}{3}$$

$\therefore a_7=\frac{2\times7^3-3\times7^2+7+6}{3}=184$

## 021 답 ②

$a_n=a_{n-1}+3^{n-1}$의 $n$에 2, 3, 4, …, $n$을 차례대로 대입하여 변끼리 더하면

$$a_2=a_1+3^1$$
$$a_3=a_2+3^2$$
$$a_4=a_3+3^3$$
$$\vdots$$
$$+)\ a_n=a_{n-1}+3^{n-1}$$

$$a_n=a_1+\sum_{k=1}^{n-1}3^k$$
$$=4+\frac{3(3^{n-1}-1)}{3-1}$$
$$=\frac{3^n+5}{2}$$

$a_m=124$에서 $\frac{3^m+5}{2}=124$

$3^m+5=248$, $3^m=243=3^5$

$\therefore m=5$

## 022 답 165

$a_{n+1}=a_n+f(n)$의 $n$에 1, 2, 3, …, 9를 차례대로 대입하여 변끼리 더하면

$$a_2=a_1+f(1)$$
$$a_3=a_2+f(2)$$
$$a_4=a_3+f(3)$$
$$\vdots$$
$$+)\ a_{10}=a_9+f(9)$$

$$a_{10}=a_1+\sum_{k=1}^{9}f(k)$$
$$=2+2\times9^2+1=165$$

### 023 답 41

$a_{n+1}-a_n=\frac{1}{1+2+3+\cdots+n}=\frac{2}{n(n+1)}=2\left(\frac{1}{n}-\frac{1}{n+1}\right)$, 즉

$a_{n+1}=a_n+2\left(\frac{1}{n}-\frac{1}{n+1}\right)$의 $n$에 1, 2, 3, ⋯, $n-1$을 차례대로 대입하여 변끼리 더하면

$$a_2=a_1+2\left(1-\frac{1}{2}\right)$$
$$a_3=a_2+2\left(\frac{1}{2}-\frac{1}{3}\right)$$
$$a_4=a_3+2\left(\frac{1}{3}-\frac{1}{4}\right)$$
$$\vdots$$
$$+\big)\ a_n=a_{n-1}+2\left(\frac{1}{n-1}-\frac{1}{n}\right)$$
$$a_n=a_1+2\left(1-\frac{1}{n}\right)$$
$$=5+2-\frac{2}{n}=7-\frac{2}{n}$$

$|a_n-7|<\frac{1}{20}$에서

$\left|-\frac{2}{n}\right|<\frac{1}{20}$, $\frac{2}{n}<\frac{1}{20}$

$\therefore n>40$

따라서 자연수 $n$의 최솟값은 41이다.

### 024 답 60

$(n+1)a_{n+1}=(n+2)a_n$, 즉 $a_{n+1}=\frac{n+2}{n+1}a_n$의 $n$에 1, 2, 3, ⋯, $n-1$을 차례대로 대입하여 변끼리 곱하면

$$a_2=\frac{3}{2}a_1$$
$$a_3=\frac{4}{3}a_2$$
$$a_4=\frac{5}{4}a_3$$
$$\vdots$$
$$\times\big)\ a_n=\frac{n+1}{n}a_{n-1}$$
$$a_n=\frac{n+1}{2}a_1=3n+3$$

$\therefore a_{19}=3\times19+3=60$

### 025 답 ⑤

$\sqrt{n+1}a_{n+1}=\sqrt{n}a_n$, 즉 $a_{n+1}=\sqrt{\frac{n}{n+1}}a_n$의 $n$에 1, 2, 3, ⋯, $n-1$을 차례대로 대입하여 변끼리 곱하면

$$a_2=\sqrt{\frac{1}{2}}a_1$$
$$a_3=\sqrt{\frac{2}{3}}a_2$$
$$a_4=\sqrt{\frac{3}{4}}a_3$$
$$\vdots$$
$$\times\big)\ a_n=\sqrt{\frac{n-1}{n}}a_{n-1}$$
$$a_n=\sqrt{\frac{1}{n}}a_1=\frac{1}{\sqrt{n}}$$

$a_k=\frac{1}{7}$에서 $\frac{1}{\sqrt{k}}=\frac{1}{7}$

$\sqrt{k}=7 \qquad \therefore k=49$

### 026 답 165

$a_{n+1}=2^n a_n$의 $n$에 1, 2, 3, ⋯, $n-1$을 차례대로 대입하여 변끼리 곱하면

$$a_2=2^1a_1$$
$$a_3=2^2a_2$$
$$a_4=2^3a_3$$
$$\vdots$$
$$\times\big)\ a_n=2^{n-1}a_{n-1}$$
$$a_n=2\times2^2\times2^3\times\cdots\times2^{n-1}a_1$$
$$=2^{1+2+3+\cdots+(n-1)}=2^{\frac{(n-1)n}{2}}$$

$$\therefore \sum_{k=1}^{10}\log_2 a_k=\sum_{k=1}^{10}\log_2 2^{\frac{(k-1)k}{2}}$$
$$=\sum_{k=1}^{10}\frac{(k-1)k}{2}=\frac{1}{2}\sum_{k=1}^{10}(k^2-k)$$
$$=\frac{1}{2}\left(\frac{10\times11\times21}{6}-\frac{10\times11}{2}\right)=165$$

### 027 답 ②

$a_{n+1}=\frac{a_n}{n+1}$, 즉 $\frac{1}{a_{n+1}}=(n+1)\frac{1}{a_n}$의 $n$에 1, 2, 3, ⋯, 39를 차례대로 대입하면

$$\frac{1}{a_2}=2\times\frac{1}{a_1}$$
$$\frac{1}{a_3}=3\times\frac{1}{a_2}=3\times2\times\frac{1}{a_1}$$
$$\frac{1}{a_4}=4\times\frac{1}{a_3}=4\times3\times2\times\frac{1}{a_1}$$
$$\vdots$$
$$\frac{1}{a_{40}}=40\times\frac{1}{a_{39}}=40\times39\times\cdots\times2\times\frac{1}{a_1}$$

이때 $3\times4\times5=60$이므로 $\frac{1}{a_5}$, $\frac{1}{a_6}$, $\frac{1}{a_7}$, ⋯, $\frac{1}{a_{40}}$은 모두 60으로 나누어떨어진다.

즉, $\frac{1}{a_1}+\frac{1}{a_2}+\frac{1}{a_3}+\cdots+\frac{1}{a_{40}}$을 60으로 나누었을 때의 나머지는 $\frac{1}{a_1}+\frac{1}{a_2}+\frac{1}{a_3}+\frac{1}{a_4}$을 60으로 나누었을 때의 나머지와 같다.

따라서 $\frac{1}{a_1}+\frac{1}{a_2}+\frac{1}{a_3}+\frac{1}{a_4}=1+2+6+24=33$이므로 구하는 나머지는 33이다.

### 028 답 ①

$a_{n+1}=-2a_n+6$의 $n$에 1, 2, 3, 4를 차례대로 대입하면

$a_2=-2a_1+6=-2\times(-2)+6=10$

$a_3=-2a_2+6=-2\times10+6=-14$

$a_4=-2a_3+6=-2\times(-14)+6=34$

$a_5=-2a_4+6=-2\times34+6=-62$

$\therefore a_5-a_3=-48$

### 029 답 0

$a_{n+1}+a_n=n$, 즉 $a_{n+1}=n-a_n$의 $n$에 1, 2, 3, 4, 5를 차례대로 대입하면

$a_2=1-a_1=1-3=-2$

$a_3=2-a_2=2-(-2)=4$

$a_4=3-a_3=3-4=-1$

$a_5=4-a_4=4-(-1)=5$

$\therefore a_6=5-a_5=5-5=0$

### 030 답 $\frac{1}{11}$

$a_{n+1}=\dfrac{a_n}{1+na_n}$의 $n$에 1, 2, 3, 4를 차례대로 대입하면

$a_2=\dfrac{a_1}{1+a_1}=\dfrac{1}{1+1}=\dfrac{1}{2}$

$a_3=\dfrac{a_2}{1+2a_2}=\dfrac{\frac{1}{2}}{1+2\times\frac{1}{2}}=\dfrac{1}{4}$

$a_4=\dfrac{a_3}{1+3a_3}=\dfrac{\frac{1}{4}}{1+3\times\frac{1}{4}}=\dfrac{1}{7}$

$\therefore a_5=\dfrac{a_4}{1+4a_4}=\dfrac{\frac{1}{7}}{1+4\times\frac{1}{7}}=\dfrac{1}{11}$

### 031 답 ⑤

$a_{n+1}=a_n^2+a_n$의 양변을 $a_n$으로 나누면

$\dfrac{a_{n+1}}{a_n}=a_n+1$

$\therefore \sum_{k=1}^{100}\log(a_k+1)$

$=\sum_{k=1}^{100}\log\dfrac{a_{k+1}}{a_k}$

$=\log\dfrac{a_2}{a_1}+\log\dfrac{a_3}{a_2}+\log\dfrac{a_4}{a_3}+\cdots+\log\dfrac{a_{101}}{a_{100}}$

$=\log\left(\dfrac{a_2}{a_1}\times\dfrac{a_3}{a_2}\times\dfrac{a_4}{a_3}\times\cdots\times\dfrac{a_{101}}{a_{100}}\right)$

$=\log a_{101}$

### 032 답 ②

$a_{n+1}=\begin{cases}\frac{1}{2}a_n & (a_n\text{은 짝수})\\ a_n+3 & (a_n\text{은 홀수})\end{cases}$에서 $a_1=21$이므로

$a_2=a_1+3=21+3=24$, $a_3=\frac{1}{2}a_2=\frac{1}{2}\times24=12$,

$a_4=\frac{1}{2}a_3=\frac{1}{2}\times12=6$, $a_5=\frac{1}{2}a_4=\frac{1}{2}\times6=3$,

$a_6=a_5+3=3+3=6$, $a_7=\frac{1}{2}a_6=\frac{1}{2}\times6=3$,

$a_8=a_7+3=3+3=6$, $a_9=\frac{1}{2}a_8=\frac{1}{2}\times6=3$, …

따라서 $n\geq4$일 때, $a_n=\begin{cases}6 & (n\text{은 짝수})\\ 3 & (n\text{은 홀수})\end{cases}$이므로

$a_{13}=3$

### 033 답 ④

$a_na_{n+1}a_{n+2}=1$, 즉 $a_{n+2}=\dfrac{1}{a_na_{n+1}}$의 $n$에 1, 2, 3, …을 차례대로 대입하면

$a_3=\dfrac{1}{a_1a_2}=\dfrac{1}{1\times2}=\dfrac{1}{2}$

$a_4=\dfrac{1}{a_2a_3}=\dfrac{1}{2\times\frac{1}{2}}=1$

$a_5=\dfrac{1}{a_3a_4}=\dfrac{1}{\frac{1}{2}\times1}=2$

$a_6=\dfrac{1}{a_4a_5}=\dfrac{1}{1\times2}=\dfrac{1}{2}$

⋮

$\therefore a_n=\begin{cases}1 & (n=3k-2)\\ 2 & (n=3k-1)\\ \frac{1}{2} & (n=3k)\end{cases}$ (단, $k$는 자연수)

$\therefore \sum_{k=1}^{50}a_k=16\times(a_1+a_2+a_3)+a_{49}+a_{50}$

$=16\times\left(1+2+\frac{1}{2}\right)+1+2$

$=16\times\frac{7}{2}+3=59$

### 034 답 4

$a_1=2$에서

$a_2=$(14를 5로 나누었을 때의 나머지)$=4$

$a_3=$(28을 5로 나누었을 때의 나머지)$=3$

$a_4=$(21을 5로 나누었을 때의 나머지)$=1$

$a_5=$(7을 5로 나누었을 때의 나머지)$=2$

⋮

$\therefore a_n=\begin{cases}2 & (n=4k-3)\\ 4 & (n=4k-2)\\ 3 & (n=4k-1)\\ 1 & (n=4k)\end{cases}$ (단, $k$는 자연수)

이때 $100=4\times25$, $101=4\times26-3$, $102=4\times26-2$, $103=4\times26-1$이므로

$a_{100}+a_{101}+a_{102}-a_{103}=1+2+4-3=4$

### 035 답 48

$S_n=2a_n-1$의 $n$에 $n+1$을 대입하면

$S_{n+1}=2a_{n+1}-1$

이때 $a_{n+1}=S_{n+1}-S_n$ $(n=1, 2, 3, \cdots)$이므로

$a_{n+1}=2a_{n+1}-1-(2a_n-1)$

$\therefore a_{n+1}=2a_n$

따라서 수열 $\{a_n\}$은 첫째항이 $a_1=1$, 공비가 2인 등비수열이므로

$a_n=2^{n-1}$

$\therefore a_5+a_6=2^4+2^5=48$

**036** 답 $-\frac{1}{24}$

$S_{n+1}=\frac{1}{2}S_n+\frac{1}{3}$의 $n$에 1, 2, 3을 차례대로 대입하면

$S_2=\frac{1}{2}S_1+\frac{1}{3}=\frac{1}{2}\times1+\frac{1}{3}=\frac{5}{6}$

$S_3=\frac{1}{2}S_2+\frac{1}{3}=\frac{1}{2}\times\frac{5}{6}+\frac{1}{3}=\frac{3}{4}$

$S_4=\frac{1}{2}S_3+\frac{1}{3}=\frac{1}{2}\times\frac{3}{4}+\frac{1}{3}=\frac{17}{24}$

$\therefore a_4=S_4-S_3=\frac{17}{24}-\frac{3}{4}=-\frac{1}{24}$

**037** 답 $-62$

$S_n=2a_n+2n$의 $n$에 $n+1$을 대입하면

$S_{n+1}=2a_{n+1}+2(n+1)$

이때 $a_{n+1}=S_{n+1}-S_n\ (n=1, 2, 3, \cdots)$이므로

$a_{n+1}=2a_{n+1}+2(n+1)-(2a_n+2n)$

$\therefore a_{n+1}=2a_n-2$

위의 식의 $n$에 1, 2, 3, 4를 차례대로 대입하면

$a_2=2a_1-2=2\times(-2)-2=-6$

$a_3=2a_2-2=2\times(-6)-2=-14$

$a_4=2a_3-2=2\times(-14)-2=-30$

$\therefore a_5=2a_4-2=2\times(-30)-2=-62$

**038** 답 10

$a_1+a_2+a_3+\cdots+a_n=S_n$이라 하면

$S_1=a_1=5,\ a_{n+1}=S_n\ (n=1, 2, 3, \cdots)$

이때 $a_{n+1}=S_{n+1}-S_n\ (n=1, 2, 3, \cdots)$이므로

$S_{n+1}-S_n=S_n$

$\therefore S_{n+1}=2S_n$

수열 $\{S_n\}$은 첫째항이 $S_1=5$, 공비가 2인 등비수열이므로

$S_n=5\times2^{n-1}$

$\therefore a_n=S_n-S_{n-1}$

$=5\times2^{n-1}-5\times2^{n-2}$

$=5\times2^{n-2}\ (n\ge2)$

$5\times2^{n-2}>1000$에서 $2^{n-2}>200$

이때 $2^7=128,\ 2^8=256$이므로

$n-2\ge8 \qquad \therefore n\ge10$

따라서 자연수 $n$의 최솟값은 10이다.

**039** 답 7048마리

이 호수의 2021년 초의 물고기 수는

$10000\times(1-0.2)+1000=9000$(마리)

2022년 초의 물고기 수는

$9000\times(1-0.2)+1000=8200$(마리)

2023년 초의 물고기 수는

$8200\times(1-0.2)+1000=7560$(마리)

따라서 2024년 초의 물고기 수는

$7560\times(1-0.2)+1000=7048$(마리)

**040** 답 $a_{n+1}=\frac{1}{2}a_n+8\ (n=1, 2, 3, \cdots)$

물 $a_n$ L의 절반을 버리고 다시 8 L의 물을 채워 넣었을 때 수족관에 들어 있는 물의 양이 $a_{n+1}$ L이므로

$a_{n+1}=\frac{1}{2}a_n+8\ (n=1, 2, 3, \cdots)$

**041** 답 $\frac{11}{6}$

6%의 소금물 50 g에 들어 있는 소금의 양은

$50\times\frac{6}{100}=3$(g)

$a_n$%의 소금물 250 g에 들어 있는 소금의 양은

$250\times\frac{a_n}{100}=\frac{5}{2}a_n$(g)

$\therefore a_{n+1}=\frac{\frac{5}{2}a_n+3}{300}\times100$

$=\frac{5}{6}a_n+1$

따라서 $p=\frac{5}{6},\ q=1$이므로

$p+q=\frac{11}{6}$

**042** 답 $a_{n+1}=a_n+4n\ (n=1, 2, 3, \cdots)$

$a_1=1$

$a_2=a_1+4\times1$

$a_3=a_2+4\times2$

$a_4=a_3+4\times3$

$\vdots$

$\therefore a_{n+1}=a_n+4n\ (n=1, 2, 3, \cdots)$

**043** 답 30

$n$개의 원이 그려진 평면에 1개의 원을 추가하면 이 원은 기존의 $n$개의 원과 각각 2개의 점에서 만나므로 $2n$개의 새로운 교점이 생긴다.

즉, $(n+1)$개의 원의 교점은 $n$개의 원의 교점보다 $2n$개가 많으므로

$a_{n+1}=a_n+2n$

위의 식의 $n$에 1, 2, 3, $\cdots$, $n-1$을 차례대로 대입하여 변끼리 더하면

$a_2=a_1+2\times1$

$a_3=a_2+2\times2$

$a_4=a_3+2\times3$

$\vdots$

$+)\ a_n=a_{n-1}+2\times(n-1)$

$a_n=a_1+\sum_{k=1}^{n-1}2k$

$=0+2\times\frac{(n-1)n}{2}$

$=n^2-n$

$\therefore a_6=6^2-6=30$

**044** 답 250

$a_1=2$이고 $a_2=4$이므로 $a_3$은 점 A가 꼭짓점 $P_4$를 출발하여 4만큼 이동하므로 꼭짓점 $P_3$에 도착한다.

$\therefore a_3=3$

또 $a_4$는 점 A가 꼭짓점 $P_3$을 출발하여 3만큼 이동하므로 꼭짓점 $P_1$에 도착한다.

$\therefore a_4=1$

$\therefore a_n=\begin{cases} 2\ (n=4k-3) \\ 4\ (n=4k-2) \\ 3\ (n=4k-1) \\ 1\ (n=4k) \end{cases}$ (단, $k$는 자연수)

$\therefore \sum_{k=1}^{100} a_k=25\times(a_1+a_2+a_3+a_4)$

$=25\times(2+4+3+1)=250$

**045** 답 ④

$p(1)$이 참이면 $p(2)$도 참이다.

$p(2)$가 참이면 $p(2\times2)=p(4)$도 참이다.

$p(4)$가 참이면 $p(2\times4)=p(8)$도 참이다.

⋮

따라서 $p(1)$이 참이면 $p(2^n)$도 참이다.

이때 $32=2^5$이므로 $p(32)$는 참이다.

**046** 답 ㄱ, ㄴ, ㄷ

ㄱ. $p(1)$이 참이면 $p(3)$, $p(5)$, $p(7)$도 참이다.

ㄴ. $p(2)$가 참이면 $p(4)$, $p(6)$, $p(8)$, $\cdots$, $p(20)$도 참이다.

ㄷ. $p(1)$이 참이면 $p(3)$, $p(5)$, $p(7)$, $\cdots$, $p(2n+1)$이 참이고, $p(2)$가 참이면 $p(4)$, $p(6)$, $p(8)$, $\cdots$, $p(2n)$도 참이므로 모든 자연수 $n$에 대하여 $p(n)$이 참이다.

따라서 보기 중 옳은 것은 ㄱ, ㄴ, ㄷ이다.

**047** 답 ㄱ, ㄴ, ㄷ

ㄱ. $p(1)$이 참이면 $p(3)$, $p(5)$, $p(7)$, $\cdots$, $p(2n+1)$도 참이다.
이때 $125=2\times62+1$이므로 $p(125)$는 참이다.

ㄴ. $p(1)$이 참이면
$p(2\times1+3)=p(5)$,
$p(2\times5+3)=p(13)$,
$p(2\times13+3)=p(29)$,
$p(2\times29+3)=p(61)$,
$p(2\times61+3)=p(125)$,
⋮
도 참이다.

ㄷ. 명제 '$p(n+4)$가 거짓이면 $p(n)$도 거짓이다.'의 대우는 '$p(n)$이 참이면 $p(n+4)$도 참이다.'
따라서 $p(1)$이 참이면 $p(5)$, $p(9)$, $p(13)$, $\cdots$, $p(4n+1)$도 참이다.
이때 $125=4\times31+1$이므로 $p(125)$는 참이다.

따라서 보기 중 조건 (나)가 될 수 있는 것은 ㄱ, ㄴ, ㄷ이다.

**048** 답 ③

(i) $n=1$일 때

(좌변)$=1\times2=2$, (우변)$=\frac{1}{3}\times1\times2\times3=2$

이므로 주어진 등식이 성립한다.

(ii) $n=k$일 때

주어진 등식이 성립한다고 가정하면

$1\times2+2\times3+3\times4+\cdots+k(k+1)$

$=\frac{1}{3}k(k+1)(k+2)$

위의 식의 양변에 $\boxed{(가)\ (k+1)(k+2)}$를 더하면

$1\times2+2\times3+3\times4+\cdots+k(k+1)+\boxed{(가)\ (k+1)(k+2)}$

$=\frac{1}{3}k(k+1)(k+2)+\boxed{(가)\ (k+1)(k+2)}$

$=(k+1)(k+2)\left(\frac{1}{3}k+1\right)$

$=\frac{1}{3}(k+1)(k+2)(\boxed{(나)\ k+3})$

따라서 $n=k+1$일 때도 주어진 등식이 성립한다.

(i), (ii)에서 모든 자연수 $n$에 대하여 주어진 등식이 성립한다.

**049** 답 27

(i) $n=1$일 때

(좌변)$=1^2=1$, (우변)$=\frac{1}{6}\times1\times2\times3=1$

이므로 주어진 등식이 성립한다.

(ii) $n=k$일 때

주어진 등식이 성립한다고 가정하면

$1^2+2^2+3^2+\cdots+k^2=\frac{1}{6}k(k+1)(2k+1)$

위의 식의 양변에 $\boxed{(가)\ (k+1)^2}$을 더하면

$1^2+2^2+3^2+\cdots+k^2+\boxed{(가)\ (k+1)^2}$

$=\frac{1}{6}k(k+1)(2k+1)+\boxed{(가)\ (k+1)^2}$

$=\frac{1}{6}(k+1)(2k^2+k+\boxed{(나)\ 6k+6})$

$=\frac{1}{6}(k+1)(k+2)(2k+3)$

따라서 $n=k+1$일 때도 주어진 등식이 성립한다.

(i), (ii)에서 모든 자연수 $n$에 대하여 주어진 등식이 성립한다.

따라서 $f(k)=(k+1)^2$, $g(k)=6k+6$이므로

$f(2)+g(2)=(2+1)^2+(6\times2+6)=27$

**050** 답 ③

(i) $n=1$일 때

(좌변)$=1$, (우변)$=1$

이므로 주어진 등식이 성립한다.

(ii) $n=m$일 때

주어진 등식이 성립한다고 가정하면

$\sum_{k=1}^{m}(-1)^{k-1}(m+1-k)^2$

$=(-1)^0\times m^2+(-1)^1\times(m-1)^2+\cdots+(-1)^{m-1}\times1^2$

$=\sum_{k=1}^{m}k$

$n=m+1$일 때

$$\sum_{k=1}^{m+1}(-1)^{k-1}(m+2-k)^2$$
$$=(-1)^0\times(m+1)^2+(-1)^1\times m^2+(-1)^2\times(m-1)^2+\cdots+(-1)^m\times1^2$$
$$=(m+1)^2+(-1)\times\sum_{k=1}^{m}(-1)^{k-1}(m+1-k)^2$$
$$=(m+1)^2-\sum_{k=1}^{m}k$$
$$=(m+1)^2-\boxed{\text{(가) } \frac{m(m+1)}{2}}$$
$$=(m+1)\left(m+1-\frac{m}{2}\right)$$
$$=\frac{(m+1)(m+2)}{2}$$
$$=\sum_{k=1}^{m+1}k$$

따라서 $n=m+1$일 때도 주어진 등식이 성립한다.

(i), (ii)에서 모든 자연수 $n$에 대하여 주어진 등식이 성립한다.

따라서 $f(m)=\frac{m(m+1)}{2}$이므로

$f(8)=\frac{8\times9}{2}=36$

## 051 답 (가) 9 (나) 8 (다) $9m+1$

(i) $n=1$일 때

$3^2-1=8$이므로 8의 배수이다.

(ii) $n=k$일 때

$3^{2k}-1=8m$ ($m$은 자연수)이라 가정하면 $n=k+1$일 때

$$3^{2(k+1)}-1=\boxed{\text{(가) } 9}\times3^{2k}-1$$
$$=9(3^{2k}-1)+\boxed{\text{(나) } 8}$$
$$=9\times8m+\boxed{\text{(나) } 8}$$
$$=8\times(\boxed{\text{(다) } 9m+1})$$

따라서 $n=k+1$일 때도 8의 배수이다.

(i), (ii)에서 모든 자연수 $n$에 대하여 $3^{2n}-1$은 8의 배수이다.

## 052 답 (가) $5^{k-1}$ (나) $2m$

(i) $n=1$일 때

$7^1+5^{1-1}=8=2\times4$이므로 2로 나누어떨어진다.

(ii) $n=k$일 때

$7^k+5^{k-1}=2m$ ($m$은 자연수)이라 가정하면 $n=k+1$일 때

$$7^{k+1}+5^k=7\times7^k+5\times\boxed{\text{(가) } 5^{k-1}}$$
$$=7(7^k+5^{k-1})-2\times\boxed{\text{(가) } 5^{k-1}}$$
$$=7\times\boxed{\text{(나) } 2m}-2\times\boxed{\text{(가) } 5^{k-1}}$$
$$=2\times(7m-5^{k-1})$$

따라서 $n=k+1$일 때도 2로 나누어떨어진다.

(i), (ii)에서 모든 자연수 $n$에 대하여 $7^n+5^{n-1}$은 2로 나누어떨어진다.

## 053 답 ⑤

(i) $n=4$일 때

(좌변)$=1\times2\times3\times4=24$, (우변)$=2^4=16$

이므로 주어진 부등식이 성립한다.

(ii) $n=k(k\ge4)$일 때

주어진 부등식이 성립한다고 가정하면

$1\times2\times3\times\cdots\times k>2^k$

위의 식의 양변에 $\boxed{\text{(가) } k+1}$을 곱하면

$1\times2\times3\times\cdots\times k\times(\boxed{\text{(가) } k+1})>2^k\times(\boxed{\text{(가) } k+1})$

이때 $2^k\times(\boxed{\text{(가) } k+1})>\boxed{\text{(나) } 2^{k+1}}=2\times2^k$이므로

$1\times2\times3\times\cdots\times k\times(\boxed{\text{(가) } k+1})>\boxed{\text{(나) } 2^{k+1}}$

따라서 $n=k+1$일 때도 주어진 부등식이 성립한다.

(i), (ii)에서 $n\ge4$인 모든 자연수 $n$에 대하여 주어진 부등식이 성립한다.

## 054 답 ④

(i) $n=2$일 때

(좌변)$=\frac{1}{1^2}+\frac{1}{2^2}=\frac{5}{4}$, (우변)$=2-\frac{1}{2}=\frac{3}{2}$

이므로 주어진 부등식이 성립한다.

(ii) $n=k(k\ge2)$일 때

주어진 부등식이 성립한다고 가정하면

$\frac{1}{1^2}+\frac{1}{2^2}+\frac{1}{3^2}+\cdots+\frac{1}{k^2}<2-\frac{1}{k}$

위의 식의 양변에 $\boxed{\text{(가) } \frac{1}{(k+1)^2}}$을 더하면

$\frac{1}{1^2}+\frac{1}{2^2}+\frac{1}{3^2}+\cdots+\frac{1}{k^2}+\boxed{\text{(가) } \frac{1}{(k+1)^2}}$

$<2-\frac{1}{k}+\boxed{\text{(가) } \frac{1}{(k+1)^2}}$

이때

$$\left\{2-\frac{1}{k}+\boxed{\text{(가) } \frac{1}{(k+1)^2}}\right\}-\left(2-\frac{1}{k+1}\right)$$
$$=-\frac{1}{k}+\frac{1}{(k+1)^2}+\frac{1}{k+1}$$
$$=\frac{-(k+1)^2+k+k(k+1)}{k(k+1)^2}$$
$$=-\frac{\boxed{\text{(나) } 1}}{k(k+1)^2}<0$$

이므로 $2-\frac{1}{k}+\boxed{\text{(가) } \frac{1}{(k+1)^2}}<2-\frac{1}{k+1}$

$\therefore \frac{1}{1^2}+\frac{1}{2^2}+\frac{1}{3^2}+\cdots+\frac{1}{(k+1)^2}<2-\frac{1}{k+1}$

따라서 $n=k+1$일 때도 주어진 부등식이 성립한다.

(i), (ii)에서 $n\ge2$인 모든 자연수 $n$에 대하여 주어진 부등식이 성립한다.

따라서 $f(k)=\frac{1}{(k+1)^2}$, $a=1$이므로

$f(1)=\frac{1}{2^2}=\frac{1}{4}$

## 055 답 44

$\log_2 a_{n+1}+1=\log_2 a_{n+1}+\log_2 2=\log_2 2a_{n+1}$이므로

$\log_2 2a_{n+1}=\log_2 (a_n+a_{n+2})$

$\therefore 2a_{n+1}=a_n+a_{n+2}$

수열 $\{a_n\}$은 등차수열이므로 첫째항을 $a$, 공차를 $d$라 하면

$a_3=a+2d=8$ …… ㉠

$a_7=a+6d=20$ …… ㉡

㉠, ㉡을 연립하여 풀면 $a=2$, $d=3$

$\therefore a_n=2+(n-1)\times 3=3n-1$

$\therefore a_{15}=3\times 15-1=44$

## 056 답 제8항

$a_{n+1}=2a_n$에서 수열 $\{a_n\}$은 공비가 2인 등비수열이다.

이때 첫째항이 $a_1=8$이므로

$a_n=8\times 2^{n-1}=2^{n+2}$

수열 $\{a_n\}$이 제$n$항에서 처음으로 1000보다 커진다고 하면

$2^{n+2}>1000$

이때 $2^9=512$, $2^{10}=1024$이므로

$n+2\geq 10$ $\quad\therefore n\geq 8$

따라서 처음으로 1000보다 커지는 항은 제8항이다.

## 057 답 ④

$a_{n+1}-a_n=2n$, 즉 $a_{n+1}=a_n+2n$의 $n$에 1, 2, 3, …, $n-1$을 차례대로 대입하여 변끼리 더하면

$$\begin{array}{rl} & a_2=a_1+2\times 1 \\ & a_3=a_2+2\times 2 \\ & a_4=a_3+2\times 3 \\ & \quad\vdots \\ +) & a_n=a_{n-1}+2\times(n-1) \\ \hline & a_n=a_1+\sum_{k=1}^{n-1}2k \end{array}$$

$$=10+2\times\frac{(n-1)n}{2}$$

$$=n^2-n+10$$

$a_m=82$에서 $m^2-m+10=82$

$m^2-m-72=0$, $(m+8)(m-9)=0$

$\therefore m=9$ ($\because m>0$)

## 058 답 ②

$a_{n+1}=\left(1+\frac{1}{n}\right)a_n=\frac{n+1}{n}a_n$의 $n$에 1, 2, 3, …, $n-1$을 차례대로 대입하여 변끼리 곱하면

$$\begin{array}{rl} & a_2=\frac{2}{1}a_1 \\ & a_3=\frac{3}{2}a_2 \\ & a_4=\frac{4}{3}a_3 \\ & \quad\vdots \\ \times) & a_n=\frac{n}{n-1}a_{n-1} \\ \hline & a_n=na_1=n \end{array}$$

$$\therefore \sum_{k=1}^{10}(a_{2k-1}+a_{2k})=\sum_{k=1}^{20}a_k=\sum_{k=1}^{20}k$$

$$=\frac{20\times 21}{2}=210$$

## 059 답 ④

$a_{n+2}=a_n+3$의 $n$에 1, 2, 3, …, 12를 차례대로 대입하여 변끼리 더하면

$$\begin{array}{rl} & a_3=a_1+3 \\ & a_4=a_2+3 \\ & a_5=a_3+3 \\ & a_6=a_4+3 \\ & \quad\vdots \\ & a_{13}=a_{11}+3 \\ +) & a_{14}=a_{12}+3 \\ \hline & a_{13}+a_{14}=a_1+a_2+3\times 12 \end{array}$$

$$=1+2+36=39$$

## 060 답 6

$a_na_{n+2}=a_{n-1}a_{n+1}$, 즉 $a_{n+2}=\frac{a_{n-1}a_{n+1}}{a_n}$의 $n$에 2, 3, 4, …를 차례대로 대입하면

$a_4=\frac{a_1a_3}{a_2}=\frac{1\times 4}{2}=2$

$a_5=\frac{a_2a_4}{a_3}=\frac{2\times 2}{4}=1$

$a_6=\frac{a_3a_5}{a_4}=\frac{4\times 1}{2}=2$

$a_7=\frac{a_4a_6}{a_5}=\frac{2\times 2}{1}=4$

$a_8=\frac{a_5a_7}{a_6}=\frac{1\times 4}{2}=2$

$\vdots$

$$\therefore a_n=\begin{cases}1 & (n=4k-3) \\ 2 & (n=4k-2) \\ 4 & (n=4k-1) \\ 2 & (n=4k)\end{cases}\text{ (단, } k\text{는 자연수)}$$

이때 $50=4\times 13-2$, $52=4\times 13$, $54=4\times 14-2$이므로

$a_{50}+a_{52}+a_{54}=2+2+2=6$

## 061 답 16

$3S_n=a_{n+1}+7$의 $n$에 $n-1$을 대입하면

$3S_{n-1}=a_n+7$

이때 $a_n=S_n-S_{n-1}$ $(n=2, 3, 4, \cdots)$이므로

$3a_n=3S_n-3S_{n-1}=a_{n+1}-a_n$

$\therefore a_{n+1}=4a_n$

따라서 수열 $\{a_n\}$은 공비가 4인 등비수열이므로

$a_n=a_1\times 4^{n-1}$

$a_{20}=ka_{18}$에서

$a_1\times 4^{19}=k\times(a_1\times 4^{17})$

$\therefore k=4^2=16$

## 062 답 81 km

여행 $n$일째 이동한 거리를 $a_n$ km라 하면 $(n+1)$일째 이동한 거리 $a_{n+1}$ km는 $a_n$ km의 절반에 5 km를 더 이동하므로

$a_{n+1}=\frac{1}{2}a_n+5$

위의 식의 $n$에 1, 2, 3, 4를 차례대로 대입하면

$a_2=\frac{1}{2}a_1+5=\frac{1}{2}\times26+5=18$

$a_3=\frac{1}{2}a_2+5=\frac{1}{2}\times18+5=14$

$a_4=\frac{1}{2}a_3+5=\frac{1}{2}\times14+5=12$

$a_5=\frac{1}{2}a_4+5=\frac{1}{2}\times12+5=11$

따라서 여행 첫날부터 5일째까지 이동한 거리는

$a_1+a_2+a_3+a_4+a_5=26+18+14+12+11$
$=81(\text{km})$

## 063 답 ④

ㄱ. $p(1)$이 참이면 $p(4)$, $p(7)$, $p(10)$, $\cdots$, $p(3k+1)$도 참이다.

ㄴ. $p(2)$가 참이면 $p(5)$, $p(8)$, $p(11)$, $\cdots$, $p(3k+2)$도 참이다.

ㄷ. $p(1)$, $p(2)$, $p(3)$이 참이면 $p(4)$, $p(5)$, $p(6)$, $\cdots$, $p(k)$도 참이다.

따라서 보기 중 옳은 것은 ㄱ, ㄷ이다.

## 064 답 $\frac{3}{2}$

(i) $n=1$일 때

(좌변)$=\frac{1}{2}$, (우변)$=2-\frac{3}{2}=\boxed{(가)\ \frac{1}{2}}$

이므로 주어진 등식이 성립한다.

(ii) $n=k$일 때

주어진 등식이 성립한다고 가정하면

$\frac{1}{2}+\frac{2}{2^2}+\frac{3}{2^3}+\cdots+\frac{k}{2^k}=2-\frac{k+2}{2^k}$

위의 식의 양변에 $\boxed{(나)\ \frac{k+1}{2^{k+1}}}$을 더하면

$\frac{1}{2}+\frac{2}{2^2}+\frac{3}{2^3}+\cdots+\frac{k}{2^k}+\boxed{(나)\ \frac{k+1}{2^{k+1}}}$

$=2-\frac{k+2}{2^k}+\boxed{(나)\ \frac{k+1}{2^{k+1}}}$

$=2-\boxed{(다)\ \frac{k+3}{2^{k+1}}}$

따라서 $n=k+1$일 때도 주어진 등식이 성립한다.

(i), (ii)에서 모든 자연수 $n$에 대하여 주어진 등식이 성립한다.

따라서 $a=\frac{1}{2}$, $f(k)=\frac{k+1}{2^{k+1}}$, $g(k)=\frac{k+3}{2^{k+1}}$이므로

$f(2a)+g(2a)=f(1)+g(1)=\frac{2}{2^2}+\frac{4}{2^2}=\frac{3}{2}$

## 065 답 17

(i) $n=1$일 때

$2^2-1=3$이므로 3의 배수이다.

(ii) $n=k$일 때

$2^{2k}-1=3m$ ($m$은 자연수)이라 가정하면 $n=k+1$일 때

$2^{2(k+1)}-1=\boxed{(가)\ 4}\times2^{2k}-1$

$=4(3m+1)-1$

$=4\times3m+3$

$=3\times(\boxed{(나)\ 4m+1})$

따라서 $n=k+1$일 때도 3의 배수이다.

(i), (ii)에서 모든 자연수 $n$에 대하여 $2^{2n}-1$은 3의 배수이다.

따라서 $a=4$, $f(m)=4m+1$이므로

$f(a)=f(4)=4\times4+1=17$

## 066 답 (가) $\frac{2k+1}{k+1}$ (나) $k$

(i) $n=2$일 때

(좌변)$=1+\frac{1}{2}=\frac{3}{2}$, (우변)$=\frac{2\times2}{2+1}=\frac{4}{3}$

이므로 주어진 부등식이 성립한다.

(ii) $n=k\,(k\ge2)$일 때

주어진 부등식이 성립한다고 가정하면

$1+\frac{1}{2}+\frac{1}{3}+\cdots+\frac{1}{k}>\frac{2k}{k+1}$

위의 식의 양변에 $\frac{1}{k+1}$을 더하면

$1+\frac{1}{2}+\frac{1}{3}+\cdots+\frac{1}{k}+\frac{1}{k+1}$

$>\frac{2k}{k+1}+\frac{1}{k+1}$

$=\boxed{(가)\ \frac{2k+1}{k+1}}$

이때 $\boxed{(가)\ \frac{2k+1}{k+1}}-\frac{2k+2}{k+2}=\frac{\boxed{(나)\ k}}{(k+1)(k+2)}>0$이므로

$1+\frac{1}{2}+\frac{1}{3}+\cdots+\frac{1}{k}+\frac{1}{k+1}>\frac{2(k+1)}{k+2}$

따라서 $n=k+1$일 때도 주어진 부등식이 성립한다.

(i), (ii)에서 $n\ge2$인 모든 자연수 $n$에 대하여 주어진 부등식이 성립한다.

MeMo